EL CRITICÓN

COLECCIÓN AUSTRAL

N.º 400

BALTASAR GRACIÁN

EL CRITICÓN

EDICIÓN AL CUIDADO DEL
P. ISMAEL QUILES, S. I.

SÉPTIMA EDICIÓN

ESPASA-CALPE, S. A.
MADRID

Ediciones para la

COLECCIÓN AUSTRAL

Primera edición: 30 - X - *1943*
Segunda edición: 10 - III - *1944*
Tercera edición: 17 - VIII - *1944*
Cuarta edición: 30 - IX - *1948*
Quinta edición: 30 - IV - *1957*
Sexta edición: 17 - VIII - *1964*
Séptima edición: 3 - IX - *1968*

© *Espasa-Calpe, S. A., Madrid, 1943*

———

Depósito legal: M. 16.722 — 1968

Printed in Spain

Acabado de imprimir el día 3 de septiembre de 1968

**Talleres tipográficos de la Editorial Espasa-Calpe, S. A.
Ríos Rosas, 26, Madrid**

ÍNDICE

TERCERA PARTE

En el invierno de la vejez

ADVERTENCIA

La obra más celebrada entre todas las que brotaron de la pluma del célebre jesuita aragonés Baltasar Gracián y Morales es, sin duda alguna, EL CRITICÓN, novela alegórica en la que Gracián muestra sus cualidades geniales de crítico moralista, de filósofo de la vida y de conocedor acabado de los secretos de la lengua castellana. Como es sabido, la primera parte de EL CRITICÓN fue publicada en Zaragoza el año 1651 con el nombre de García de Marlones, anagrama de los apellidos del autor, Gracián y Morales. Como el libro apareció sin la censura previa de los superiores de la Orden, Gracián fue amonestado seriamente. A pesar de ello, también la segunda y tercera partes de EL CRITICÓN aparecieron (1653-1657) sin haber pasado por la censura de la Orden. La falta era gravísima, sobre todo por la reincidencia que implicaba, y por ello los superiores se vieron en la necesidad de imponer a Gracián una sanción proporcionada, que consistió en la privación de la cátedra de Sagrada Escritura que desempeñaba en Zaragoza, un ayuno a pan y agua y una represión en público ante la Comunidad. Nada se censuraba en la obra misma de Gracián, sino sólo la forma ilegal en que se había publicado. Por lo demás, la penitencia no era exagerada, ni los superiores se mostraron excesivamente duros con el célebre escritor, como algunos han supuesto infundadamente. Gracián se ganó nuevamente la confianza de sus superiores y mereció que éstos le confiaran nuevos cargos de responsabilidad.

EL CRITICÓN ha sido consagrado como una de las obras más geniales de la literatura castellana y aun de la literatura mundial. Sabido es que Menéndez Pelayo se deleitaba con su lectura y tenía por Gracián admiración extraordinaria.

La presente edición está basada en la de las Obras Completas publicada en Barcelona el año 1748, de la que fielmente reproducimos el texto de EL CRITICÓN. Hemos añadido alguna que otra nota aclaratoria que esperamos será útil a los lectores.

NOTA

La edición de «El Criticón», obra cumbre del genio de Gracián, que ahora publicamos, está basada en la de 1748, publicada en Barcelona, por los impresores D. P. Escuder y P. Nedal. Ésta, a su vez, reproduce la más antigua de 1734, y que parte de la de 1700, también de Barcelona, a juzgar por la aprobación del censor real, que lleva la fecha 8 de julio de 1700 (1).

Hemos corregido solamente la ortografía modernizándola, pero hemos dejado el texto intacto, para salvar el interés que tiene la reproducción de una de las clásicas ediciones de Gracián. En ella todavía aparece atribuida la obra a *Lorenzo Gracián*, seudónimo con que originariamente la publicó su autor.

_____

(1) Parecer del muy Reverendo Padre presentado, Fray Pablo Guiu, del Real y Militar Orden de Nuestra Señora de la Merced, Redención de Cautivos. Por Especial comisión, y mandato del Ilustrísimo, y Reverendísimo Señor Don Miguel Juan de Taverner y Rubí, dignísimo Obispo de Gerona, del Consejo de su Magestad, y su Canciller en este Principado de Cataluña, & c. He visto las Obras ingeniosísimas de Lorenzo Gracián, multiplicadas veces, y en varios Reinos impresas, y aunque no necesitan de examen, por ser de Autor tan conocido, y de tanto aplauso; así en los que gustosos las han leído, como en los muchos, e ilustres Maestros, que en dichas impresiones las han tan justamente aprobadas; pero por cumplir con el superior orden, y no contravenir al estilo que se practica, digo no haber hallado mi cortedad cosa digna de corrección, antes lo calificado de todas pide como de justicia la reimpresión, que se solicita. Así lo siento en este Real Convento de Santa Eulalia de Barcelona en 8 de Julio de 1700.—FRAY PABLO GUIU.

PRIMERA PARTE

EN LA PRIMAVERA DE LA NIÑEZ Y EN EL ESTÍO DE LA JUVENTUD

CRISI I

Ya entrambos mundos habían adorado el pie a su universal Monarca el Católico Felipe. Era ya Real Corona suya la mayor vuelta que el Sol gira por el uno y otro hemisferio, brillante círculo en cuyo cristalino centro yace engastada una pequeña Isla, o perla del mar, o esmeralda de la Tierra: diola nombre Augusta Emperatriz, para que ella lo fuese de las Islas, Corona del Océano. Sirve, pues, la Isla de Santa Elena, en la escala del un mundo al otro, de descanso a la portátil Europa, y ha sido siempre venta franca, mantenida de la Divina próvida clemencia, en medio de inmensos golfos, a las Católicas Flotas del Oriente.

Aquí luchando con las olas, contrastando los vientos, y más los desaires de su fortuna, mal sostenido de una tabla, solicitaba puerto un Náufrago, monstruo de la naturaleza y de la suerte, Cisne en lo ya cano, y más en lo canoro, que así exclamaba entre los fatales confines de la vida y de la muerte: Oh vida, no habías de comenzar, pero ya que comenzaste, no habías de acabar. No hay cosa más deseada, ni más frágil, que tú eres, y el que una vez te pierde, tarde te recupera, desde hoy te estimaría como a perdida. Madrastra se mostró la naturaleza con el hombre, pues lo que le quitó de conocimiento al nacer, le restituye al morir: allí, porque no se perciben los bienes que se reciben, y aquí, porque se sienten los males que se conjuran. ¡Oh, tirano mil veces de todo el ser humano, aquel primero, que con escandalosa temeridad fió su vida en un frágil leño al inconstante elemento! Vestido dicen que tuvo el pecho de aceros, mas yo digo que revestido de hierros. En vano la superior atención separó las Naciones con los montes y los mares, si la audacia de los hombres halló puentes para trasegar su malicia. Todo cuanto inventó la industria humana ha sido perniciosamente fatal, y en daño de sí misma: la pólvora es un horrible estrago de las vidas, instrumento de su mayor ruina, y una

nave no es otro que un ataúd anticipado. Parecíale a la muerte
teatro angosto de sus tragedias la tierra, y buscó modo como triunfar en los mares, para que en todos elementos se muriese. ¿Qué
otra grada le queda a un desdichado para padecer, después que
pisa la tabla de un bajel, cadalso merecido de su atrevimiento?
Con razón censuraba el Catón, aún de sí mismo, entre las tres necedades de su vida, el haberse embarcado por la mayor. ¡Oh,
suerte!, ¡oh, cielo!, ¡oh, fortuna!, aún creería que soy algo, pues
así me persigues; y cuando comienzas, no paras hasta que apuras.
Válgame en esta ocasión el valer nada, para repetir de eterno.

De esta suerte hería los aires con suspiros, mientras azotaba las
aguas con los brazos, acompañando la industria con Minerva. Pareció ir sobrepujando el riesgo, que a los grandes hombres, los
mismos peligros, o les temen, o les respetan: la muerte a veces
recela el emprenderlos, y la fortuna les va guardando los aires;
perdonaron los áspides a Alcides, las tempestades al César, los
aceros a Alejandro, y las balas a Carlos Quinto. Mas, ¡ay!, que
como andan encadenadas las desdichas, unas a otras se introducen,
y el acabarse una, es de ordinario el engendrarse otra mayor.
Cuando creyó hallarse en el seguro regazo de aquella madre común, volvió de nuevo a temer, que enfurecidas las olas le arre-
bataran, para estrellarle en uno de aquellos escollos, duras entrañas de su fortuna. Tántalo de la tierra, huyéndosele de entre las
manos cuando más segura la creía, que un desdichado no sólo
no halla agua en el mar, pero ni tierra en la tierra.

Fluctuando estaba entre uno y otro elemento, equívoco entre
la muerte y la vida, hecho víctima de su fortuna, cuando un gallardo joven, Ángel al parecer, y mucho más al obrar, alargó sus
brazos para recogerle en ellos, amarra de un secreto imán fino de
hierro, asegurándole la dicha con la vida. En saltando en tierra,
selló sus labios en el suelo, logrando seguridades, y fijó sus ojos
en el Cielo rindiendo agradecimientos. Fuese luego con los brazos
abiertos para el restaurador de su vida, queriendo desempeñarse
en abrazos y en razones. No le respondió palabra el que le obligó
con las obras, sólo daba demostraciones de su gran gozo en lo
risueño, y de su mucha admiración en lo atónito del semblante,
repitió abrazos y razones el agradecido Náufrago, preguntándole
de su salud y fortuna, y a nada respondía el asombrado Isleño.
Fuele variando idiomas de algunos que sabía, mas en vano, pues
desentendido de todo, se remitía a las extraordinarias acciones,
no cesando de mirarle y de admirarle, alternando extremos de
espanto y de alegría. Dudara con razón el más atento ser inculto
parto de aquellas selvas si no desmintiera la sospecha lo inhabi-
tado de la Isla, lo rubio y lacio de su cabello, lo perfilado de su
rostro, que todo le sobreescribía Europeo, del traje no se podían
rastrear indicios, pues era sola la librea de su inocencia. Discurrió
más el discreto Náufrago, si acaso viviera destituido de aquellos
dos criados en el alma, el uno de traer y el otro de llevar recados,

el oír y el hablar. Desengañóle presto la experiencia, pues al menor ruido prestaba atenciones prontas, sobre el imitar con tanta
propiedad los bramidos de las fieras, y los cantos de las aves, que
parecía entenderse mejor con los brutos, que con las personas;
tanto pueden la costumbre y la crianza. Entre aquellas bárbaras
acciones rayaba como en vislumbres la vivacidad de su espíritu,
trabajando el alma por mostrarse, que donde no media el artificio,
toda se pervierte la naturaleza.

Crecía en ambos a la par el deseo de saberse las fortunas y las
vidas, pero advirtió el entendido Náufrago que la falta de un común idioma les tiranizaba esta fruición. Es el hablar efecto grande
de la racionalidad, que quien no discurre, no conversa. Habla,
dijo el Filósofo, para que te conozca; comunícase el alma noble-
mente, produciendo conceptuosas imaginaciones de sí en la mente
del que oye, que es propiamente el conversar. No están presentes
los que no se tratan, ni ausentes los que por escrito se comunican.
Viven los sabios varones ya pasados, y nos hablan cada día en
sus eternos escritos, iluminando perennemente los venideros: participa el hablar de lo necesario y de lo gustoso, que siempre atendió la sabia naturaleza a hermanar ambas cosas en todas las funciones de la vida; consíguense con la conversación a lo gustoso, y
a lo presto, las importantes noticias, y es hablar atajo único para
el saber; hablando los sabios, engendran otros; y por la conversación se conduce al ánimo la sabiduría dulcemente. De aquí es
que las personas no pueden estar sin algún idioma común para
la necesidad, y para el gusto, que aún dos niños arrojados de industria en una Isla se inventaron lenguaje para comunicarse, y
entenderse; de suerte, que es la noble conversación hija del discurso, madre del saber, desahogo del alma, comercio de los corazones, vínculo de la amistad, pasto del contento y ocupación de
persona.

Conociendo esto el advertido Náufrago, emprendió luego el enseñar a hablar al inculto joven, y púdolo conseguir fácilmente,
favoreciéndole la docilidad y el deseo. Comenzó por los nombres
de ambos, proponiéndole el suyo, que era el de Critilo, e impo-
niéndole a él el de Andrenio, que llenaron bien, el uno en lo
juicioso y el otro en lo humano. El deseo de sacar a luz tanto
concepto por toda la vida represado, y la curiosidad de saber tanta
verdad ignorada, picaban la docilidad de Andrenio; ya comienza
a pronunciar, ya preguntaba, ya respondía, probábale a razonar,
ayudándose de palabras, y de acciones, y tal vez, lo que comenzaba la lengua, lo acababa de exprimir (1) el gesto. Fuele dando
noticia de su vida a centones y a remiendos, tanto más extraña,
cuanto menos entendida, y muchas veces se achacaba el no acabar
de percibir lo que no se acababa de creer; mas cuando ya pudo

_____

(1) «Exprimir», en la época de Gracián, aún significaba «expresar»,
conforme a su etimología, del verbo latino «exprimere».

hablar seguidamente, y con igual copia de palabras, a la grandeza
de sus sentimientos, obligado de las vivas instancias de Critilo, y
ayudado de su industria, comenzó a satisfacerle de esta suerte:

—Yo, dijo, ni sé quién soy, ni quién me ha dado el ser, ni para
qué me le dio: qué de veces, y sin voces, me lo pregunté a mí
mismo, tan necio como curioso, pues si el preguntar comienza en
el ignorar, mal pudiera yo responderme. Argüíame tal vez, para
ver si empeñado me excedería a mí mismo. Duplicábame, aún no
bien singular, por ver si apartado de mi ignorancia podría dar
alcance a mis deseos. Tú, Critilo, me preguntas quién yo soy, y
yo deseo saberlo de ti. Tú eres el primer hombre que hasta hoy
he visto, y en ti me hallo retratado más al vivo que en los mudos
cristales de una fuente, que muchas veces mi curiosidad solicitaba
y mi ignorancia aplaudía. Mas si quieres saber el material suceso
de mi vida, yo te lo referiré, que es más prodigioso que prolijo.

La vez primera que me reconocí y pude hacer concepto de mí
mismo, me hallé encerrado dentro de las entrañas de aquel monte,
que entre los demás se descuella, que aún entre peñascos debe ser
estimada la eminencia. Allí me ministró el primer sustento una
de éstas, que tú llamas fieras, y yo llamaba madre, creyendo siempre ser ella la que me había parido, y dado el ser que tengo,
corrido lo refiero de mí. —Muy propio es (dijo Critilo) de
la ignorancia pueril el llamar a todos los hombres padres, y a
todas las mujeres madres: y del modo que tú hasta a una bestia
tenías por tal, creyendo la maternidad en la beneficencia, así el
mundo, en aquella su ignorante infancia, a cualquier criatura su
bienhechora llamaba padre, y aún le aclamaba Dios. —Así yo
(prosiguió Andrenio) creí madre la que me alimentaba fiera a sus
pechos, me crié entre aquellos sus hijuelos, que yo tenía por hermanos, hecho bruto entre los brutos, ya jugando y ya durmiendo.
Diome leche diversas veces que parió; partiendo conmigo de la
caza y de las frutas, que para ellos traía. A los principios, no
sentía tanto aquel penoso encerramiento, antes con las interiores
tinieblas del ánimo desmentía las exteriores del cuerpo, y con la
falta de conocimiento disimulaba la carencia de la luz, si bien algunas veces brujuleaba unas confusas vislumbres, que dispensaba
el Cielo a tiempos, por lo más alto de aquella infausta caverna.

»Pero llegando a cierto término de crecer, y de vivir, me salteó
de repente un tan extraordinario ímpetu de conocimiento, un tan
grande golpe de luz, y de advertencia, que revolviendo sobre mí,
comencé a reconocerme, haciendo una y otra reflexión sobre mi
propio ser. ¿Qué es esto, decía, soy o no soy? Pero pues vivo,
pues conozco, y advierto, ser tengo. Mas si soy, ¿quién soy yo?
¿Quién me ha dado este ser y para qué me lo ha dado? Para estar
aquí metido, grande infelicidad seria. Soy bruto como éstos. Pero
no, que observo entre ellos y entre mí palpables diferencias; ellos
están vestidos de pieles, yo desabrigado, menos favorecido de quien
nos dio el ser, también experimento en mí todo el cuerpo muy de

otra suerte proporcionado que en ellos: yo río, y yo lloro, cuando
ellos aúllan; yo camino derecho, levantado el rostro hacia lo
alto, cuando ellos se mueven torcidos e inclinados hacia el suelo.
Todas éstas son bien conocidas diferencias, y todas las observaba
mi curiosidad y las confería mi atención conmigo mismo. Crecía
cada día el deseo de salir de allí, el conato de ver y saber, si en
todos natural y grande, en mí, como violentado, insufrible; pero
lo que más me atormentaba, era ver que aquellos brutos, mis
compañeros, con extraña ligereza trepaban por aquellas enhiestas
paredes, entrando y saliendo cuan libremente querían, y que para
mí fuesen inaccesibles, sintiendo con igual ponderación, que aquel
gran don de la libertad, a mí solo se me niegue. Probé muchas
veces a seguir aquellos brutos, arañando los peñascos, que pudieran ablandarse con la sangre que de mis dedos corría; valíame
también de los dientes, pero todo en vano, y con daño, pues era
cierto el caer en el suelo, regado con mis lágrimas y teñido en
mi sangre. A mis voces, y a mis llantos, acudían enternecidas las
fieras cargadas de frutas y de caza, con que se templaba en algo
mi sentimiento, y me desquitaba en parte de mis penas. ¡Qué de
soliloquios hacía tan interiores, que aún este alivio del habla exterior me faltaba; qué de dificultades y de dudas trataban entre
sí mi observación, y mi curiosidad, que todas se resolvían en admiraciones y en penas! Era para mí un repetido tormento el confuso ruido de estos mares, cuyas olas más rompían en mi corazón,
que en esas peñas. Pues qué diré, cuando sentía el horrísono
fragor de los nublados y sus truenos; ellos se resolvían en lluvia,
pero mis ojos en llanto. Lo que llegó ya a ser ansia de reventar, y
agonía de morir, era que a un tiempo, aunque para mí de tarde
en tarde, percibía acá afuera unas voces como la tuya al comenzar con grande confusión y estruendo; pero después poco a poco
más distintas, que naturalmente me alborozaban, y se me quedaban muy impresas en el ánimo, bien advertía yo que eran muy
diferentes de las de los brutos, que de ordinario oía, y el deseo
de ver, y de saber quién era el que las formaba, y no poder conseguirlo, me traía a extremos de morir. Poco era lo que unas y
otras veces percibía, pero discurríalo tan mucho como despacio.
Una cosa puedo asegurarte, que con haber imaginado muchas veces, y de mil modos, lo que habría acá fuera; el modo, la disposición, la traza, el sitio, la variedad y máquina de cosas, según
lo que yo había concebido, jamás di en el modo, ni atiné con el
orden, variedad y grandeza de esta gran fábrica que vemos y admiramos.

—¿Qué mucho (dijo Critilo), pues si aunque todos los entendimientos de los hombres, que ha habido, ni habrá, se juntaran
antes a trazar esta gran máquina del mundo, y se les consultara
cómo había de ser, jamás pudieran acertar a disponerlas?; ¿qué
digo el Universo? La más mínima flor, un mosquito, no supieran
formarlo. Sola la infinita Sabiduría de aquel supremo Hacedor

pudo hallar el modo, el orden, el concierto de tan hermosa y perenne variedad. Pero dime, que deseo mucho saberlo de ti, y oírtelo contar, ¿cómo pudiste salir de aquella tu penosa cárcel, de aquella sepultura anticipada de tu cueva? Y sobre todo, si es posible el exprimirlo, ¿cuál fue el sentimiento de tu admirado espíritu, aquella primera vez que llegaste a descubrir, a ver, a gozar y admirar este plausible teatro del Universo? —Aguarda, dijo Andrenio, que aquí es menester tomar aliento para relación tan gustosa y peregrina.

CRISI II

EL GRAN TEATRO DEL UNIVERSO

—Luego que el Supremo Artífice tuvo acabada esta gran fábrica del Mundo, dicen trató repartirla, alojando en sus estancias sus vivientes. Convocóles todos, desde el Elefante hasta el Mosquito; fueles mostrando los repartimientos y examinando a cada uno, cuál de ellos escogía para su morada y vivienda. Respondió el Elefante, que él se contentaba con una selva, el Caballo con un prado, el Águila con una de las regiones del aire, la Ballena con un golfo, el Cisne con un estaque, el Barbo con un río y la Rana con un charco. Llegó el último el primero, digo el hombre, y examinado de su gusto, dijo que él no se contentaba con menos que con todo el Universo, y aún le parecía poco. Quedaron atónitos los circunstantes de tan exorbitante ambición, aunque no faltó luego un lisonjero que defendió nacer de la grandeza de su ánimo; pero la más astuta de todas, eso no creeré yo, les dijo, sino que procede de la ruindad de su cuerpo. Corta le parece la superficie de la Tierra, y así penetra y mina sus entrañas en busca del oro y de la plata, para satisfacer en algo su codicia; ocupa y embaraza el aire con lo empinado de sus edificios, dando algún desahogo a su soberbia; surca los mares y sondea sus más profundos senos, solicitando las perlas, los ámbares y los corales, para adorno de su bizarro desvanecimiento. Obliga todos los elementos a que le tributen cuanto abarcan: el aire sus aves, el mar sus peces, la tierra sus cazas, el fuego la sazón, para entretener, que no satisfacer, su gula, y aún se queja de que todo es poco. ¡Oh monstruosa codicia de los hombres! Tomó la mano el Soberano dueño, y dijo: Mirad, advertid, sabed que al hombre lo he formado yo con mis manos, para criado mío y señor vuestro, y como Rey que es, pretende señorearlo todo. Pero entiende, ¡oh hombre! (aquí hablando con él), que esto ha de ser con la mente, no con el vientre, como persona, no como bestia. Señor has de ser de todas las cosas criadas; pero no esclavo de ellas, que te sigan, no que te arrastren. Todo lo has de ocupar con el conocimiento tuyo y reconocimiento mío; esto es, reconociendo en todas las maravillas creadas las perfecciones divinas, y pasando de las criaturas al Criador. A este grande espectáculo de prodigios, si ordinario para nuestra acostumbrada vulgaridad, extraordinario hoy para Andrenio, sale atónito a lograrlo en contemplaciones, a aplaudirlo en pasmos, y a referirlo de esta suerte.

»Era el sueño (proseguía) el mismo vulgar refugio de mis penas, especial alivio de mi soledad: a él apelaba de mi continuo tormento, y a él estaba entregado una noche, aunque para mí siempre lo era, con más dulzura que otras, presagio infalible de alguna infelicidad cercana; y así fue, pues me lo interrumpió un extraordinario ruido, que parecía salir de las más profundas entrañas de aquel monte; conmovióse todo él, temblando aquellas firmes paredes; bramaba el furioso viento, vomitando en tempestades por la boca de la gruta; comenzaron a desgajarse con horrible fragor aquellos duros peñascos, y a caer con tan espantoso estruendo, que parecía quererse venir a la nada toda aquella gran máquina de peñas. —Basta (dijo Critilo), que aún los montes no se libran de la mudanza, expuestos al contraste de un terremoto y sujetos a la violencia de un rayo, contrastando la común estabilidad su firmeza. —Pero si las mismas piedras temblaban, ¿qué haría yo? (prosiguió Andrenio), todas las partes de mi cuerpo parecieron quererse desencajar también, que hasta el corazón dando saltos, no hice poco en detenerlo: fuéronme destituyendo los sentidos, y halléme perdido de mí mismo, muerto, y aun sepultado entre peñas y entre penas. El tiempo que duró aquel eclipse del alma, paréntesis de mi vida, ni pude yo percibirlo, ni de otro alguno saberlo. Al fin, ni sé cómo, ni sé cuándo, volví poco a poco a recobrarme de tal mortal deliquio: abrí los ojos a lo que comenzaba a abrir el día, día claro, día grande, día felicísimo, el mejor de toda mi vida; notélo bien con piedras, y aun con peñascos. Reconocí luego quebrada mi penosa cárcel y fue tan indecible mi contento que al punto comencé a desenterrarme, para nacer de nuevo a todo un mundo, en una bien patente ventana, que señoreaba todo aquel espacioso y alegre hemisferio. Fui acercándome dudosamente a ella, violentando mis deseos; pero ya asegurado, llegué a asomarme del todo a aquel rasgado balcón del ver, y de él tendí la vista aquella vez primera por este gran teatro de tierra y cielo. Toda el alma con extraño ímpetu, entre curiosidad y alegría, acudió a los ojos, dejando como destituidos los demás miembros; de suerte que estuve casi un día insensible, inmoble y como muerto, cuando más vivo: querer yo aquí exprimirte el intenso sentimiento de mi afecto, el conato de mi mente y de mi espíritu, sería emprender cien imposibles juntos; sólo te digo que aún me dura y durará siempre el espanto, la admiración, la suspensión y el pasmo, que me ocuparon toda el alma. —Bien lo creo (dijo Critilo), que cuando los ojos ven lo que nunca vieron, el corazón siente lo que nunca sintió. —Miraba el cielo, miraba la tierra, miraba el mar, ya todo junto, ya cada cosa de por sí, y en cada objeto de éstos me transportaba sin acertar a salir de

él, viendo, observando, advirtiendo, admirando, discurriendo y lo-
grándolo todo con insaciable fruición.

—¡Oh, lo que te envidio (exclamó Critilo), tanta felicidad no
imaginada, privilegio único del primer hombre y tuyo: llegar a
ver con novedad y con advertencia la grandeza, la hermosura, el
concierto, la firmeza y la variedad de esta gran máquina criada!
Fáltanos la admiración comúnmente a nosotros, porque falta la
novedad, y con ésta la advertencia. Entramos todos en el mundo
con los ojos del alma cerrados, y cuando los abrimos al conocimiento ya la costumbre de ver las cosas, por maravillosas que
sean, no deja lugar a la admiración. Por eso los varones sabios se
valieron siempre de la reflexión, imaginándose llegar de nuevo
al mundo, reparando en sus prodigios, que cada cosa lo es, admirando sus perfecciones y filosofando artificiosamente. A la manera que el que paseando por un deliciosísimo jardín pasó divertido por sus calles, sin reparar en lo artificioso de sus plantas, ni
en lo vario de sus flores, vuelve atrás cuando lo advierte, y comienza a gozar otra vez poco a poco y de una en una cada planta,
cada flor; así nos acontece a nosotros, que vamos pasando desde
el nacer hasta el morir, sin reparar en la hermosura y perfección
de este Universo; pero los varones sabios vuelven atrás, renovando
el gusto y contemplando cada cosa con novedad, en el advertir,
si no en el ver. —La mayor ventaja mía (ponderaba Andrenio)
fue llegar a gozar este colmo de perfecciones a deseo, y después
de una privación tan violenta. —Felicidad fue tu prisión (dijo
Critilo), pues llegaste por ella a gozar todo el bien junto y deseado, que cuando las cosas son grandes y a deseo, dos veces se
logran: los mayores prodigios, si son fáciles a todo querer, se en-
vilecen; el uso libre hace perder el respeto a la más relevante
maravilla y en el mismo Sol fue favor que se ausentase de noche,
para que fuese deseado a la mañana. ¿Qué concurso de afecto
sería el tuyo? ¿Qué tropel de sentimientos? ¿Qué ocupada andaría
el alma, repartiendo atenciones y dispensando afectos? Mucho fue
no reventar de admiración, de gozo y de conocimiento. —Creo yo
(respondió Andrenio) que ocupada el alma en ver y en atender,
no tuvo lugar de partirse, y atropellándose unos a otros los objetos, al paso que la entretenían la detenían. Pero ya en esto los
alegres mensajeros de ese gran Monarca de la luz, que tú llamas
Sol, coronado augustamente de resplandores, ceñido de la guarda
de sus rayos, solicitaban mis ojos a rendirle veneraciones de atención y de admiración; comenzó a ostentarse por ese gran trono
de cristalinas espumas y con una soberana callada majestad se
fue señoreando de todo el hemisferio, llenando todas las demás
criaturas de su esclarecida presencia: aquí yo quedé absorto y totalmente enajenado de mí mismo, puesto en el émulo del águila
más atenta. —¡Oh, qué será (alzó aquí la voz Critilo) aquella
inmortal y gloriosa vista de aquel infinito Sol Divino, aquel llegar a ver su infinitamente perfectísima hermosura; qué gozo, qué

fruición, qué dicha, qué felicidad, qué gloria! —Crecía mi admiración (prosiguió Andrenio) al paso que mi atención desmayaba, porque al que deseé distante, ya le tenía cercano; y aún observé que a ningún otro prodigio se rindió la vista, sino a éste, confesándole, inaccesible, con razón sólo. —En el Sol (ponderó Critilo) la criatura que más ostentosamente retrata la majestuosa grandeza del Criador. Llámase Sol, porque en su presencia todas las demás lumbreras se retiran, él solo campea. Está en medio de los celestes orbes, como en su centro, corazón del lucimiento y manantial perenne de la luz, es indefectible, siempre el mismo, único en la belleza, él hace que se vean todas las cosas; y no permite ser visto, celando su decoro y recatando su decencia, influye y concurre con las demás causas a dar el ser a todas las cosas, hasta al hombre mismo. Es afectadamente comunicativo de su luz y de su alegría, esparciéndose por todas partes y penetrando hasta las mismas entrañas de la tierra; todo lo baña, alegra e ilustra, fecunda e influye. Es igual, pues nace para todos, a nadie ha menester de sí abajo, y todos le reconocen dependencias. Él es al fin criatura de ostentación, el más luciente espejo en quien las divinas grandezas se representan. —Todo el día (dijo Andrenio) empleé en él, contemplándole ya en sí, ya en los reflejos de las aguas, olvidado de mí mismo. —Ahora no me espanto (ponderó Critilo) de lo que dijo aquel otro filósofo, que había nacido para ver el Sol: dijo bien, aunque lo entendieron mal, e hicieron burlas de sus veras. Quiso decir este sabio que en ese Sol material contemplaba él aquel divino, realzadamente filosofando que si la sombra es tan esclarecida, cuál será la verdadera luz de aquella infinita increada belleza.

—Mas, ¡ay! (dijo lamentándose Andrenio), que al uso de acá abajo la grandeza de mi contento se convirtió presto en un exceso de pesar: al ver, digo al no verle, trocóse la alegría del nacer en el horror del morir; el trono de la mañana, en el túmulo de la noche; sepultóse el Sol en las aguas y quedé yo anegado en otro mar de mi llanto. Creí no verle más, con que quedé muriendo, pero volví presto a resucitar en nuevas admiraciones a un Cielo coronado de luminares, haciendo fiesta a mi contento. Asegúrote que no me fue menos agradable vista ésta, antes más entretenida, cuanto más varia. —¡Oh, gran saber de Dios (dijo Critilo), que halló modo como hacer hermosa la noche, que no es menos linda que el día; impropios nombres la dio la vulgar ignorancia, llamándola fea y desaliñada, no habiendo cosa más brillante y serena: injúrianla de triste, siendo descanso del trabajo y alivio de nuestras fatigas; mejor la celebró uno que sabía, ya por lo que se calla, ya por lo que se piensa de ella, que no sin enseñanza fue celebrada la Lechuza en la discreta Atenas, por símbolo del saber. No es tanto la noche para que duerman los ignorantes, cuanto para que velen los sabios, y si el día ejecuta, la noche previene. —En otra gran fruición, y más a lo callado, me hallaba

muy hallado con la noche, metido en aquel laberinto de las estrellas, unas centellas, otras lucientes, íbalas registrando todas,
notando su mucha variedad en la grandeza, puestos, y movimientos, y colores, saliendo unas y ocultándose otras. —Imitando (dijo
Critilo) las humanas, que todas caminan a ponerse.

—En lo que yo mucho reparé (dijo Andrenio) fue en su maravillosa disposición; porque ya que el Soberano Artífice hermoseó
tanto esta artesonada bóveda del mundo, con tanto florón y estrellas, ¿por qué no las dispuso, decía yo, con orden y concierto, de
modo que entretejieran vistosos lazos y formaran primorosas la-
bores? No sé cómo me lo diga ni cómo la declare. —Ya entiendo
(acudió Critilo), quisieras tú que estuvieran dispuestas en forma
ya de un artificio recamado, ya de un vistoso jardín, ya de un
precioso joyel, repartidas con artes y correspondencias. —Sí, eso
mismo, porque a más de que campearan otro tanto y fuera un
espectáculo muy agradable a la vista, brillantísimo artificio, des-
truía con eso del todo el Divino Hacedor aquel necio escrúpulo
de haberse hecho acaso y declaraba de todo punto su divina providencia. —Reparas bien (dijo Critilo), pero advierte que la Divina Sabiduría que las formó y repartió de esta suerte, atendió a
otra más importante correspondencia, cual lo es de sus movimientos y aquel templarse las influencias; porque has de saber que no
hay Astro alguno en el Cielo que no tenga su diferente propiedad,
así como las hierbas y las plantas de la tierra: unas de las Estrellas causan el calor y otras el frío, unas secan, otras humedecen,
de esta suerte alternan muchas otras influencias, y con esencial
correspondencia unas a otras se corrigen y se templan. La otra
disposición artificiosa que tú dices fuera afectada y uniforme, quédese para los juguetes del arte y de la humana niñería. De este
modo se nos hace cada noche nuevo el Cielo y nunca enfada el
mirarlo: cada uno proporciona las estrellas como quiera, a más
de que en esta variedad natural y confusión grave parecen tanto
más, que el vulgo las llama innumerables y con esto queda como
en enigma la suprema asistencia, si bien para los sabios muy clara
y entendida.

—Celebraba yo mucho aquella gran variedad de colores (dijo
Andrenio), unas campean blancas, otras encendidas, doradas y
plateadas; sólo eché de menos el color verde, siendo el más agradable a la vista. —Es muy terreno (dijo Critilo), quédanse las verduras para la tierra, acá son las esperanzas, allá la feliz posesión,
es contrario ese color a los ardores celestes, por ser hijo de la
humedad corruptible. ¿No reparaste en aquella Estrellita, que hace
punto en la gran plana del Cielo, objeto de los imanes, blanco
de sus saetas? Allí el compás de nuestra atención fija la una punta y con la otra va midiendo los círculos, que va dando en vueltas, aunque de ordinario rodando, nuestra vida.

—Confiésote que se me había pasado por pequeña (dijo Andrenio), a más de que ocupó luego toda mi curiosidad aquella her-

mosa Reina de las estrellas, presidente de la noche, sustituta del
Sol y no menos admirable, ésa que tú llamas Luna: causóme, si
no menos poca, mucha más admiración con sus uniformes variedades, ya creciente, ya menguante, y poco rato llena. —Es segunda
presidencia del tiempo (dijo Critilo), tiene a medias el mando con
el Sol: si él hace el día, ella la noche; si él cumple los años, ella
los meses; calienta el Sol y seca de día la tierra; la Luna de noche
la refresca y humedece; el Sol gobierna los campos, la Luna rige
los mares; de suerte que son las dos balanzas del tiempo. Pero
lo más digno de notarse es que así como el Sol es el claro espejo
de Dios y de sus divinos Atributos, la Luna lo es del hombre y
de sus humanas imperfecciones; ya crece, ya mengua, ya nace, ya
muere, ya está en su lleno, ya en su nada, nunca permaneciendo
en un estado; no tiene luz de sí, participa la del Sol, eclípsala
la Tierra, cuando se le interpone; muestra más sus manchas cuando está más lúcida; es la ínfima de los planetas en el puesto y en
el ser, puede más en la Tierra que en el Cielo; de modo que es
mudable, defectuosa, manchada, inferior, pobre, triste y todo se
le origina de la vecindad con la Tierra. —Toda esta noche y otras
muchas (dijo Andrenio) pasé en tan gustoso desvelo, haciendo
tantos ojos como el Cielo mismo; yo por mirarle, y él para ser
visto. Mas ya los clarines de la aurora, en cantos de las aves,
comenzaron a hacer salvas a la segunda salida del Sol, tocando
a despejar estrellas y despertar flores; volvió él a nacer y yo a
vivir con verle: saludéle con afecto ya más tibio. —Que aun el
Sol (dijo Critilo) a la segunda vez ya no espanta, ni a la tercera
admira. —Sentí menos viva la curiosidad cuanto más despierta la
hambre; y así, después de agradecidos aplausos, valiéndome de su
luz, en que conocí que era criatura y que como paje de luz me
servía, traté de descender a la Tierra, obligándome la asistencia
del cuerpo a faltar al ánimo, batiéndome de la más alta contemplación a tan materiales empleos. Fui bajando, digo humillándo-
me, por aquella mal segura escala, que formaron las mismas ruinas, que de otro modo fuera imposible, y ese favor más reconocí
al Cielo; pero antes de estampar la primera huella en tierra me
falta ya el aliento, y aun la voz, y así te ruego me socorras de
palabras, para poder exprimir la copia de mis sentimientos, que
otra vez te convido a nuevas admiraciones, aunque en maravillas
terrenas.

CRISI III

LA HERMOSA NATURALEZA

Condición tiene de linda la varia Naturaleza, pues quiere ser
atendida y celebrada. Imprimió para ello en nuestros ánimos una
viva propensión a escudriñar sus puntuales efectos. Ocupación pé-
sima la llamó el mayor sabio, y de verdad lo es, cuando para en

sola una inútil curiosidad, menester es se realce a los divinos aplausos alternados con agradecimientos; y si la admiración es hija de la ignorancia, también es madre del gusto. El no admirarse procede del saber en los menos, que en los más del no advertir. No hay mayor alabanza de un objeto que la admiración calificada, que llega a ser lisonja, porque supone excesos de perfección, por más que se retire a su silencio; pero está muy vulgarizada, que nos suspenden las cosas, no por grandes, sino por nuevas, no se repara ya en los superiores empleos por conocidos, y así andamos mendigando niñerías en la novedad, para callar nuestra curiosa solicitud con la extravagancia. Gran hechizo es el de la novedad, que como todo lo tenemos tan visto, pagámosnos de juguetes nuevos, así de la naturaleza como del arte, haciendo vulgares agravios a los antiguos prodigios por conocidos: lo que ayer fue un pasmo, hoy viene a ser desprecio, no porque haya perdido de su perfección, sino de nuestra estimación; no porque se haya mudado, antes porque no, y porque no se nos hace de nuevo. Redimen esta civilidad del gusto los sabios, con hacer reflexiones nuevas, sobre las perfecciones antiguas, renovando el gusto con la admiración. Mas si ahora nos admira un diamante, por lo extraordinario, una perla peregrina, ¿qué ventaja sería en Andrenio llevar a ver de improviso un Lucero, un Astro, la Luna, el Sol mismo, todo el campo matizado de flores y todo el Cielo esmaltado de estrellas? Díganoslo él mismo, que así proseguía su gustosa relación:

—En este centro de hermosas variedades, nunca de mí imaginado, me hallé de repente dando más pasos con el espíritu que con el cuerpo, moviendo más los ojos que los pies, en todo reparaba, como nunca visto; y todo lo aplaudía, como tan perfecto, con esta ventaja, que ayer cuando miraba el Cielo sólo empleaba la vista, mas aquí todos los sentidos juntos y aún no eran bastantes para tanta fruición: quisiera tener cien ojos y cien manos para poder satisfacer curiosidades del alma y no pudiera. Discurría embelesado, mirando tanta multitud de criaturas, tan diferentes todas en propiedades y en esencias, en la forma, en el color, efectos y movimientos; cogía una rosa, contemplaba su belleza, percibía su fragancia, no hartándome de mirarla y admirarla; alargaba la otra mano a alguna fruta, empleando de más a más el gusto, ventaja que llevan los frutos a las flores. Halléme a poco rato tan embarazado de cosas, que hube de dejar unas para lograr otras, repitiendo aplausos y renovando gustos.

»Lo que yo mucho celebraba era ver la multitud de criaturas con tanta diferencia entre sí, tanta pluralidad con tan rara diversidad, que ni una hoja de una planta, ni una pluma de un pájaro se equivoca con las de otra especie. —Es que atendió (ponderó Critilo) aquel sabio Hacedor, no sólo a la precisa necesidad del hombre para quien todo esto se criaba, sino a la comodidad y regalo, ostentándose en ello su infinita liberalidad, para obligarle a él, que con la misma generosidad le sirva y le venere. —Conocí luego (prosiguió Andrenio) muchas de aquellas frutas, por haber traído mis brutos a la cueva; mas tuve especial gusto de ver cómo nacen y se crían en sus ramas, cosa que jamás pude atinar, aunque lo discurrí mucho; burláronme otras no conocidas con su desazón y acidez. —Ése es otro bien, admirable asunto de la Divina Providencia (dijo Critilo), pues previno que no todos los frutos se sazonasen juntos, sino que se fuesen dando la vez, según la variedad de los tiempos y necesidad de los vivientes; unos comienzan en la Primavera, primicias más del gusto que del provecho, lisonjeando antes por lo temprano, que por lo sazonado, sirven otros más frescos para aliviar el abrasado Estío, y los secos como más durables y calientes para el estéril Invierno. Las hortalizas frescas templan los ardores del Julio, y las calientes confortan contra los rigores del Diciembre; de suerte que acabado un fruto entra el otro, para que con comodidad puedan recogerse y guardarse, entreteniendo todo el año con abundancia y con regalo. ¡Oh, próvida bondad del Criador, y quién puede negar, aún en el secreto de su necio corazón, tan atenta providencia!

—Hallábame (proseguía Andrenio) en medio de un tan agradable laberinto de prodigios en criaturas gustosamente perdido, cuando más hallado, sin saber dónde acudir, dejábame llevar de mi libre curiosidad siempre hambrienta; cada empleo era para mí un pasmo; cada objeto una nueva maravilla, cogía esta y aquella flor, solicitado de su fragancia, lisonjeado de su belleza, no me hartaba de verlas y de olerlas, arrancando sus hojas y haciendo prolija anatomía de su artificiosa composición, y de aquí pasaba a aplaudir toda junta la belleza, que en todo el Universo resplandece. De modo, ponderaba yo, que si es hermosa una flor, mucho más todo el prado, brillante y linda una estrella, pero más vistoso y lindo todo el Cielo; porque ¿quién no admira, quién no celebra tanta hermosura junta con tanto provecho? —Tienes buen gusto (dijo Critilo), mas no seas tú uno de aquellos que frecuentan cada año las florestas, atentos no más que a recrear los materiales sentidos, sin emplear el alma en la más sublime contemplación. Realza el gusto conocer aquella beldad infinita del Criador, que en ésta terrestre se representa, infiriendo que si la sombra es tal; ¿qué será su causa y la realidad a quien sigue? Haz el argumento de lo muerto a lo vivo y de lo pintado a lo verdadero, y advierte que cual suele el primoroso Artífice en la Real fábrica de un Palacio, no sólo atender a su estabilidad y firmeza y a la comodidad de la habitación, sino a la hermosura también y a la elegante simetría, para que le pueda gozar el más notable de los sentidos, que es la vista; así aquel Divino Arquitecto de esta gran Casa del Orbe, no sólo atendió a su comodidad y firmeza, sino a su hermosa proporción; de aquí es que no se contentó con que los árboles rindiesen solos frutos, sino también flores; júntese el provecho con las delicias, fabriquen las abejas sus dulces panales, y para

ello soliciten de una en una toda flor; destílense las aguas saludables y odoríferas, que recreen el olfato y conforten el corazón;
tengan todos los sentidos su gozo y su empleo. —Mas, ¡ay! (replicó Andrenio), que lo que me lisonjearon las flores primero tan
fragantes, me entristecieron después ya marchitas. —Retrato al fin
(ponderó Critilo) de la humana fragilidad. Es la hermosura agradable ostentación del comenzar, nace el año entre las flores de
una alegre primavera, amanece el día entre los arreboles de una
risueña aurora, y comienza el hombre a vivir entre las risas de la
niñez y las lozanías de la juventud; mas todo viene a parar en
la tristeza de un marchitarse, en el horror de un ponerse y en la
fealdad de un morir, haciendo continuamente del ojo la instancia
común, al desengaño especial.

—Después de haber solazado la vista deliciosamente (dijo Andrenio), en un tan extraño concurso de beldades, no menos se
recreó el oído con la agradable armonía de las aves. Íbame escuchando sus regalados cantos, sus quiebros trinos gorjeos, fugas,
pausas y melodía, con que hacían en señera competencia bulla
el valle, brega la vega, trisca el risco y los bosques voces, saludan-
do lisonjeras siempre al Sol que nace. Aquí noté con no pequeña
admiración, que a solas las aves concedió la naturaleza este privilegio del cantar, alivio grande de la vida; pues no hallé bruto alguno de los terrestres, aunque los examiné uno a uno, que tuviese
la voz agradable; antes todos las forman, no sólo insuaves, pero
positivamente molestas y desapacibles, debe ser por lo que tienen
de bestia. —Es que las aves (acudió Critilo), como moradores del
aire, son más sutiles, no sólo le cortan con sus alas, sino que le
animan con sus picos, y es en tanto grado esta sutileza alabada,
que ellas solas llegan a remedar la voz humana, hablando como
personas: si ya no es, que digamos, realzando más este reparo,
que a las aves, como vecinas al Cielo, se les pega, aunque mate-
rialmente, el entonar las alabanzas divinas. Otra cosa quiero que
observes, y es que no se halla ave alguna que tenga el letífero
veneno, como muchos de los animales, y aquellos más, que andan
arrastrando, cosidos con la tierra, que de ella sin duda se les pega
esta venenosa malicia, avisando al hombre se realce y se retire de
su propio seno. —Gusté mucho (ponderaba Andrenio) de verlas
tan bizarras, tan matizadas de vivos colores, con tan vistosa y
vana plumajería. —Y entre todas (añadió Critilo), así aves como
fieras, notarás siempre que es más galán y más vistoso el macho
que la hembra, apoyando lo mismo en el hombre, por más que lo
desmienta la femenil inclinación y lo disimule la cortesía.

—Lo que yo mucho admiraba y aún lo celebro (dijo Andrenio)
es este tan admirable concierto con que se mueve y se gobierna
tanta y tan varia multitud de criaturas, sin embarazarse unas a
otras, antes bien, dándose lugar y ayudándose todas entre sí. —Eso
es (ponderó Critilo) otro prodigioso efecto de la Infinita Sabiduría
del Criador, con la cual dispuso todas las cosas en peso, con nú-

mero y medida; porque si bien se nota, cualquier cosa criada
tiene su centro, en orden al lugar, duración en el tiempo y su fin
especial en el obrar y en el ser. Por eso verás que están subordi-
nadas unas a otras, conforme al grado de su perfección. De los
elementos, que son los ínfimos en la naturaleza, se componen los
mixtos y entre éstos los inferiores sirven a los superiores. Esas
hierbas y esas plantas, que están en el más bajo grado de la vida,
pues sola gozan la vegetativa, moviéndose y creciendo hasta un
punto fijo de su perfección, en el durar y crecer, sin poder pasar
de allí, ésas sirven de alimento a los sensibles vivientes, que están
en el segundo orden de la vida, gozando de la sensible sobre la
vegetante, y son los animales de la tierra, los peces del mar y las
aves del aire; ellos pacen la hierba, pueblan los árboles, comen
sus frutos, anidan en sus ramas, se defienden entre sus troncos, se
cubren con sus hojas y se amparan con su toldo; pero unos y
otros, árboles y animales, se reducen a servir a otro tercer grado
de vivientes mucho más perfectos y superiores que sobre el crecer y el sentir añaden el razonar, el discurrir y entender: y éste es
el hombre, que finalmente se ordena y se dirige para Dios, conociéndole, amándole y sirviéndole. De esta suerte, con tan maravillosa disposición y concierto, está todo ordenado, ayudándose las
unas criaturas a las otras; para su aumento y conservación. El
agua necesita de la tierra que la sustente; la tierra del agua que
la fecunde; el aire se aumenta del agua, y del aire se ceba y alienta el fuego. Todo está así ponderado y compasado para la unión
de las partes, y ellas en orden a la conservación de todo el Universo. Aquí son de considerar también, con especial y gustosa
observación, los raros modos y los convenientes medios de que
proveyó a cada criatura la suma Providencia, para el aumento y
conservación de su ser y con especialidad a los sensibles vivientes,
como más importantes y perfectos, dándole a cada uno su natural
instinto para conocer el bien y el mal, buscando el uno y evitando
el otro, donde son más de admirar que de referir las exquisitas
habilidades de los unos para engañar y de los otros para escapar
del engañoso peligro.

—Aunque todo para mí era una prodigiosa continua novedad
(dijo Andrenio), renovó la admiración al explayar el ánimo con la
vista por los inmensos golfos. Parece que envidioso el mar de la
tierra, haciéndose lenguas en sus aguas, me acusaba de tardo y a
las voces de sus olas me llamaba atento a que emplease otra gran
porción de mi curiosidad en su prodigiosa grandeza. Cansado,
pues, yo de caminar, que no de discurrir, sentéme en una de estas
más eminentes rocas, repitiendo tantos pasmos cuantas el mar olas.
Ponderaba mucho aquella su maravillosa prisión, el ver un tan
horrible y espantoso monstruo reducido a orillas y sujeto al blando freno de la menuda arena. ¿Es posible, decía yo, que no haya
otra muralla para defensa de un tan fiero enemigo, sino el polvo?

—Aguarda (dijo Critilo), dos bravos elementos encarceló suave-

mente fuerte la prevención divina, que a estar sueltos, hubieran
ya acabado con la tierra y con todos sus pobladores. Encerró el
mar dentro de los límites de sus arenas y el fuego en los duros
senos de los pedernales; allí está de tal modo encarcelado, que a
dos golpes que le llamen sale pronto, sirve, y en no siendo menester se retira, o se apaga, que si esto no fuera, no había mundo
para dos días, perecía todo, o sumergido o abrazado. —No me
podía sacar (dijo Andrenio), volviendo al agua, de mirar su alegre
transparencia, aquel su continuo movimiento, hidrópica la vista de
los líquidos cristales. —Dicen que los ojos (ponderó Critilo) se
componen de los dos humores acuo y cristalino, y ésa es la causa
por que gustan tanto de mirar las aguas, de suerte que sin cansarse, estará embebido un hombre todo un día, viéndolas brillar,
caer y correr. —Sobre todo (dijo Andrenio) cuando advertí que
iban surcando sus entrañas cristalinas tantos peces, tan diversos de
las aves y de las fieras, puedo decir con toda propiedad que quedó
mi admiración agotada. Aquí, sobre esa roca a mis solas y a mi
ignorancia, me estaba contemplando esta armonía tan plausible
de todo el Universo, compuesta de una tan extraña contrariedad
que según es grande, no parece había de poder mantenerse el
mundo un solo día; esto me tenía suspenso, porque ¿a quién no
pasmará ver un concierto tan extraño, compuesto de oposiciones?
—Así es (respondió Critilo) que todo este Universo se compone
de contrarios y se concierta de desconciertos. Uno contra otro,
exclamó el Filósofo: no hay cosa que no tenga su contrario con
quien pelee, ya con victoria ya con rendimiento; todo es hacer y
padecer, si hay acción, hay pasión. Los elementos que llevan la
vanguardia comienzan a batallar entre sí, síguenles los mixtos,
destrúyense alternativamente, los males acechan a los bienes, hasta
la desdicha a la suerte. Unos tiempos son contrarios a otros; los
mismos astros guerrean y se vencen, y aunque entre sí no se dañan, a fuer de príncipes, viene a parar su contienda en daño de
los sublunares vasallos; de lo natural pasa la oposición a lo moral; porque ¿qué hombres hay que no tenga su émulo?, ¿dónde
irá uno que no guerree? En la edad se oponen los viejos a los
mozos; en la complexión, los flemáticos a los coléricos; en el estado, los ricos a los pobres; en la región, los Españoles a los Franceses; y así en todas las demás calidades, los unos son contra los
otros; pero ¿qué mucho?, si dentro del mismo hombre, de las
puertas adentro de su terrena casa está más encendida esta discordia. —¡Qué dices, un hombre contra sí mismo! —Sí, que por lo
que tiene de mundo, aunque pequeño, todo él se compone de contrarios: los humores comienzan la pelea según sus parciales elementos, resiste el húmedo radical al calor nativo que a la sorda
le va limando y a la larga consumiendo. La parte inferior está
siempre de ceño con la superior y a la razón se le atreve el apetito y tal vez la atropella. El mismo inmortal espíritu no está exento de esta tan general discordia, pues combaten entre sí y en él

muy vivas las pasiones: el temor las ha contra el valor; la tristeza contra la alegría; ya apetece, ya aborrece; la irascible se baraja con la concupiscible; ya vencen los vicios, ya triunfan las virtudes; todo es arma y toda guerra; de suerte que la vida del
hombre no es otra que una milicia sobre la haz de la tierra. Mas,
¡oh maravillosa, infinitamente sabia providencia de aquel gran Moderador de todo lo criado, que con tan continua y varia contrariedad de todas las criaturas entre sí, templa, mantiene y conserva
toda esta máquina del mundo! —Ese portento de atención divina
(dijo Andrenio) era lo que yo mucho celebraba, viendo tanta mudanza con tanta permanencia, que todas las cosas se van acabando, todas ellas perecen y el mundo siempre el mismo, siempre
permanece. —Trazó las cosas de modo el Supremo Artífice (dijo
Critilo) que ninguna se acabase, que no comenzase luego otra; de
modo que de las ruinas de la primera se levanta la segunda; con
esto verás que el mismo fin es principio: la destrucción de una
criatura es generación de la otra; cuando parece que se acaba
todo, entonces comienza de nuevo, la naturaleza se renueva, el
mundo se remoza, la tierra se establece y el divino gobierno es
admirado y adorado.

—Más adelante (dijo Andrenio), fui observando, con no menor
reparo, la varia disposición de los tiempos, la alternación de los
días con las noches, del Invierno con el Estío, mediando las Primaveras, porque no se pasase de un extremo a otro. —Aquí sí
que se declaró bien la divina asistencia (ponderó Critilo) en disponer no sólo los puestos, los centros de las cosas, sino también
los tiempos: sirve el día para el trabajo y para el descanso la
noche. En el Invierno arraigan las plantas, en la Primavera florecen, en el Estío fructifican y en el Otoño se sazonan y se logran.
¿Qué diremos de la maravillosa invención de las lluvias? —Eso
admiré yo mucho (dijo Andrenio), ver descender el agua tan repartida, con tanta suavidad y provecho y tan a sazón. Añadió
Critilo: —En los dos meses que son llaves del año: el Octubre
para la sementera y el Mayo para la cogida. Pues la variedad de
las Lunas no favorece menos a la abundancia de los frutos y a la
salud de los vivientes; porque unas son frías; otras abrasadas, airosas, húmedas y serenas, según los doce meses; las aguas limpian
y fecundan, los vientos purifican y vivifican; la tierra estable donde
se sustentan los cuerpos; el aire flexible para que se muevan, y
diáfano para que puedan verse. De suerte que sola una Omnipotencia Divina, una eterna Providencia, una inmensa Bondad pudieran haber dispuesto una tan gran máquina, nunca bastantemente admirada, alabada y aplaudida. —Verdaderamente que es así
(prosiguió Andrenio) y así lo ponderaba yo, aunque rudamente;
todos los días y las horas era mi gustoso empleo de andarme de
un puesto en otro, de una en otra eminencia, repitiendo las admiraciones y repasando discursos, volviendo a contemplar una y
muchas veces cada objeto, ya el Cielo, ya la tierra, esos prados

y esos mares con insaciable entretenimiento. Pero donde mi atención insistía, era en las trazas con que la eterna Sabiduría supo
ejecutar cosas tan dificultosas, con tan fácil y primoroso artificio.
—Gran traza suya fue la firmeza de la tierra en el medio; como
fundamento estable y seguro de todo el edificio (ponderó Critilo),
ni fue menor invención la de los ríos, admirables por cierto en sus
principios y fines, aquéllos con perennidad y éstos sin redundan-
cia; la variedad de los vientos, que se reciben, no se sabe de dónde
nacen y acaban. La hermosura provechosa de los montes, firmes
costillas del cuerpo muelle de la tierra, aumentando su hermosa
variedad, en ellos se recogen los tesoros de las nieves, se forjan
los metales, se detienen las nubes, se originan las fuentes, anidan
las fieras, se empinan los árboles para las naves y edificios, y
donde se guarecen las gentes de las avenidas de los ríos, se forta-
lecen contra los enemigos, y gozan de salud y de vida. Todos estos
prodigios, ¿quién sino una infinita Sabiduría pudiera ejecutarlos?
Así que con razón confiesan todos los sabios, que aunque se juntaran todos los entendimientos criados y alambicaran sus discursos, no pudieran enmendar la más mínima circunstancia, ni un
átomo de la perfecta naturaleza; y si aquel otro Rey, aplaudido
de Sabio, porque conoció cuatro estrellas (tanto se estima en los
Príncipes el saber), se arrojó a decir que si él hubiera asistido al
lado del Divino Hacedor, en la fábrica del Universo, muchas cosas
se hubieran dispuesto de otro modo, y otras mejorado, no fue
tanto efecto de su saber, cuanto defecto de su nación, que en este
achaque del presumir, aun con el mismo Dios no se modera.
—Aguarda (dijo Andrenio), óyeme esta última verdad, la más
sublime de cuantas he celebrado: yo te confieso que aunque reconocí y admiré en esta portentosa fábrica del Universo estos cuatro
prodigios entre muchos, tanta multitud de criaturas, con tanta diferencia; tanta hermosura, con tanta utilidad; tanto concierto,
con tanta contrariedad; tanta mudanza, con tanta permanencia;
portentos todos dignos de aclamarse y venerarse; con todo eso, lo
que a mí más me suspendió fue el conocer un Criador de todo,
tan manifiesto en sus criaturas y tan encendido en sí, que aunque
todos sus divinos atributos se ostentan: su Sabiduría en la traza,
su Omnipotencia en la ejecución, su Providencia en el gobierno,
su Hermosura en la perfección, su Inmensidad en la asistencia,
su Bondad en la comunicación, y así de todos los demás, que así
como ninguno estuvo ocioso entonces, ninguno se esconde ahora;
con todo eso está tan oculto este gran Dios, que es conocido, y
no visto; escondido, y manifiesto; tan lejos, y tan cerca: eso es
lo que me tiene fuera de mí, y todo en Él, conociéndole y amándole.
—Es muy connatural (dijo Critilo), en el hombre la inclinación
a su Dios, como a su principio y su fin, ya amándole, ya conociéndole. No se ha hallado Nación, por bárbara que fuese, que
no haya reconocido la Divinidad, grande y eficaz argumento de

su divina esencia y presencia; porque en la Naturaleza no hay cosa de balde, ni inclinación que se frustre: si el imán busca el norte, sin duda que le hay donde se quiere; si la planta al Sol, el pez al agua, la piedra al centro y el hombre a Dios. Dios hay, que es su norte, centro y Sol, a quién busque, en quién pare y a quién goce. Este gran Señor dio el ser a todo lo criado; mas Él de sí mismo le tiene, y aun por ello es infinito en todo género de perfección, que nadie le pudo limitar, ni el ser, ni el lugar, ni el tiempo. No se ve, pero se conoce, y como soberano Príncipe, estando retirado a su inaccesible incomprehensibilidad, nos habla por medio de sus criaturas: así que con razón definió un filósofo este Universo espejo grande de Dios. Mi libro le llamaba el Sabio Indocto, donde en cifras de criaturas estudió las divinas perfecciones. Convite es, dijo Filón Hebreo, para todo buen gusto, donde el Espíritu se apacienta. Lira acordada le apodó Pitágoras, que con la melodía de su gran concierto nos deleita y nos suspende; Pompa de la majestad increada, Tertuliano, y Armonía agradable de los divinos atributos, Trismegisto.

—Éstos son (concluyó Andrenio) los rudimentos de mi vida, más bien sentida que relatada, que siempre faltan palabras donde sobran sentimientos. Lo que yo te ruego ahora es que empeñado en mi obediencia satisfagas mi deseo, contándome quién eres, de dónde y cómo aportaste a estas orillas por tan extraño rumbo. Dime si hay más mundo y más personas: infórmame de todo, que serás atendido, como deseado.

A la gran tragedia de su vida, que Critilo refirió a Andrenio, nos convida la siguiente Crisi.

CRISI IV

EL DESPEÑADERO DE LA VIDA

Cuentan que el Amor fulminó quejas y exageró sentimientos delante de la Fortuna, que esta vez no apeló, como solía, a su madre, desengañado de su flaqueza. ¿Qué tienes, ciego niño?, le dijo la Fortuna. Y él: ¡Qué bien viene esto con lo que yo pretendo! ¿Con quién las has? Con todo el mundo. Mucho me pesa, que es mucho enemigo, y según eso nadie tendrás de tu parte. Tuviésete yo a ti, que eso me bastaría; así me lo enseña mi madre, y así me lo repite cada día. ¿Y te vengas? Sí, de mozos y de viejos. Pues sepamos qué es el sentimiento, tan grande como justo. ¿Es acaso el prohijarte a un vil herrero, teniéndote por concebido, nacido y criado entre hierros? No, por cierto, que no me amarga la verdad. ¿Tampoco será el llamarte hijo de tu madre? Menos, antes me glorio yo de eso, que ni yo sin ella ni ella sin mí: ni Venus sin Cupido, ni Cupido sin Venus. Ya sé lo que es, dijo la Fortuna. ¿Qué? Que sientes mucho el hacerte heredero de tu abue-

lo el mar en la inconstancia y engaños. No, por cierto, que ésas
son niñerías. Pues si ésas son burlas, ¿qué serán las veras? Lo
que a mí me irrita es que me levanten testimonios. Aguarda, que
ya te entiendo, sin duda es aquello que dicen, que trocaste el arco
con la muerte, y que desde entonces ya no te llaman amor de
amar, sino de morir: amor a muerte, de modo que amor y muerte, todo es uno. Quitas la vida, robas hasta las entrañas, hurtas
los corazones, trasponiéndolos donde aman, más que donde animan. Todo eso es verdad. Pues si esto es verdad, ¿qué quedará
para mentira? Ahí verás, que no paran hasta sacarme los ojos, a
pesar de mi buena vista, que siempre la suelo tener buena, y si
no, díganlo mis saetas; han dado en decir que soy ciego; ¿hay
tal testimonio?, ¿hay tal disparate? Y me pintan muy vendado,
no sólo los Apeles, que esto es pintar como querer, y los Poetas,
que por obligación mienten y por regla fingen; pero que los Sabios y los Filósofos estén con esta vulgaridad, no lo puedo sufrir.
¿Qué pasión hay, dime por tu vida, Fortuna amiga, que no se
ciegue? ¿Qué, el airado, cuanto más furioso, no está ciego en la
cólera? ¿Al codicioso no le ciega el interés? ¿El confiado no va
a ciegas? ¿El perezoso no duerme? ¿El desvanecido no es un topo
para sus menguas? ¿El hipócrita no trae la viga en los ojos? ¿El
soberbio, el jugador, el glotón, el bebedor y cuantos hay no se
ciegan con pasiones? Pues ¿por qué a mí más que a los otros me
han de vendar los ojos, después de sacármelos, y querer que por
antonomasia me entienda el ciego? Y más siendo esto tan al contrario, que yo me engendro por la vista, viendo crezco, del mirar
me aliento, y siempre querría estar viendo y haciéndome ojos,
como el Águila al Sol, hecho lince de la belleza. Éste es mi sentimiento, ¿qué te parece? Que me parece, respondió la Fortuna,
que lo mismo me sucede a mí, y así consolémonos entrambos.
A más de que, mira, Amor, tú y los tuyos tenéis una condición
bien rara, por la cual con mucha razón y con toda propiedad os
llaman ciegos, y es que a todos los demás tenéis por ciegos, creéis
que no ven, ni advierten, ni saben, de modo que piensan los enamorados que todos los demás tienen los ojos verdaderos. Ésta sin
duda es la causa de llamarte ciego, pagándote con la pena del Ta-
lión. Quien quisiere ver esta Filosofía confirmada con la experiencia, escuche esta agradable relación, que dedica Critilo a los floridos
años, y más al escarmiento.

—Mándame renovar —dijo— un dolor que es más para sentido
que para dicho; cuan gustosa ha sido para mí tu relación, tan
penosa ha de ser la mía. Dichoso tú, que te criaste entre las fieras,
y ay de mí, que entre los hombres, pues cada uno es un lobo
para el otro, si ya no es peor el ser hombre. Tú me has contado
cómo viniste al mundo; yo te diré cómo vengo de él, y vengo tal,
que aun yo mismo me desconozco, así no te diré quién soy, sino
quién era. Dicen que nací en el mar, y lo creo, según es la inconstancia de mi fortuna—. Al pronunciar esta palabra mar, puso los

ojos en él, y al mismo punto se levantó a toda prisa, estuvo un rato como suspenso, entre dudas de reconocer y no conocer, mas luego, alzando la voz y señalando—: ¿No ves, Andrenio, dijo, no ves? Mira allá, acullá lejos. ¿Qué ves? —Veo, dijo éste, unas montañas que vuelan, cuatro alados monstruos marinos, si no son nubes, que navegan. —No son sino naves, dijo Critilo, aunque bien dijiste nubes, que llueven otro a España—. Estaba atónito Andrenio mirándoselas venir, con tanto gusto como deseo. Mas Critilo comenzó a suspirar, ahogándose entre penas. —¿Qué es esto?, dijo Andrenio. ¿No es ésta la deseada flota que me decías? —Sí. —¿No vienen allí hombres? —También. —Pues ¿de qué te entristeces? —Y aún por eso. Advierte, Andrenio, que ya estamos entre enemigos, y ya es tiempo de abrir los ojos, ya es menester vivir alerta; procura de ir con cautela en el ver, en el oír y mucho más en el hablar; oye a todos, y de ninguno te fíes; tendrás a todos por amigos, pero guardarte has de todos, como de enemigos. Estaba admirado Andrenio, oyendo estas razones, a su parecer tan sin ella, y arguyóle de esta suerte: —¿Cómo es esto, viviendo entre las fieras no me previniste de algún riesgo, y ahora con tanta exageración me cautelas? ¿No era mayor peligro entre los tigres, y no temíamos, y ahora de los hombres tiemblas? —Sí, respondió con un gran suspiro Critilo, que si los hombres no son fieras es porque son más fieros, que de su crueldad aprendieron muchas veces ellas. Nunca mayor peligro hemos tenido, que ahora que estamos entre ellos; y es tanta verdad ésta que hubo Rey que temió y resguardó un favorecido suyo de sus Cortesanos, que hiciera de villanos, más que de los hambrientos leones de un lago, y así selló con su real anillo la leonera, más para asegurarle de los hombres, cuando le dejaba entre las hambrientas fieras. Mira tú cuáles serán ellos: verlos has, experimentarlos has, y dirásmelo algún día. —Aguarda, dijo Andrenio, ¿no son todos como tú? —Sí y no. —¿Cómo puede ser ello —Porque cada uno es hijo de su madre y de su humor, casado con su opinión, y así todos parecen diferentes, y cada uno de su gesto y de su gusto: verás unos pigmeos en el ser, y gigantes de soberbia. Verás otros al contrario, en el cuerpo gigantes, y en el alma enanos; hallarás con vengativos, que la guardan toda la vida y la pegan, aunque tarde, hiriendo, como el escorpión con la cola; oirás, o huirás los habladores, de ordinario necios, que dejan de cansar y muelen. Gustarás que unos se ven, otros se oyen, se tocan y se gustan, otros de los hombres de burlas, que todo lo hacen cuento, sin dar jamás en la cuenta; embarazarte han los maniáticos, que en todo se embarazan. ¡Qué dirás de los largos en todo, dando siempre largas, verás hombres más cortos que los mismos navarros; corpulentos, sin sustancia; y finalmente hallarás muy pocos hombres que lo sean; fieras sí, y fieros también, horribles monstruos del mundo, que no tienen más que el pellejo, y todo lo demás borra, y así son hombre borrados!

—Pues dime, ¿con qué hacen tanto mal los hombres, si no les dio la naturaleza armas, como a las fieras? Ellos no tienen garras como el león, uñas como el tigre, trompa como el elefante, cuernos como el toro, colmillos como el jabalí, dientes como el perro y boca como el lobo, ¿pues cómo dañan tanto? —Y aún por eso, dijo Critilo, la próvida naturaleza privó a los hombres de las armas naturales, y como a gente sospechosa los desarmó, no se fió de su malicia, y si esto no hubiera prevenido, ¿qué fuera de su cueldad? Ya hubieran acabado con todo; aunque no les faltan otras armas mucho más terribles y sangrientas que ésas, porque tienen una lengua más afilada que las navajas de los leones, con que desgarran las personas y despedazan las honras; tienen una mala intención más torcida que los cuernos de un toro, y que hiere más a ciegas. Tienen unas entrañas más dañadas que las víboras, un aliento más venenoso que el de los dragones, unos ojos envidiosos y malévolos más que los del basilisco; unos dientes de un perro, unas narices fisgonas, encubridoras de su irrisión, que exceden a las trompas de los elefantes; de modo que sólo el hombre tiene juntas todas las armas ofensivas que se hallaban repartidas entre las fieras, y así él ofende más que todas. Y porque lo entiendas, advierte que entre los leones y los tigres no había más de un peligro, que era perder esta vida material y perecedera, pero entre los hombres hay muchos más y mayores: ya de perder la honra, la paz, la hacienda; el contento, la felicidad, la conciencia y aun el alma; ¡qué de engaños, qué de enredos, traiciones, hurtos, homicidios, adulterios, envidias, injurias, detracciones y falsedades que experimentarás entre ellos, todo lo cual no se halla, ni se conoce entre las fieras! Créeme, que no hay lobo, no hay león, no hay tigre, no hay basilisco que llegue al hombre: a todos excede en fiereza; y así dicen por cosa cierta, y yo la creo, que habiendo condenado en una república un insigne malhechor a cierto género de tormento, muy conforme a sus delitos, que fue sepultarle vivo en una profunda hoya, llena de ponzoñosas sabandijas: dragones, tigres, serpientes, tapando muy bien la boca porque pereciese sin compasión ni remedio, acertó a pasar por allí un extranjero, bien ignorante de tan atroz castigo, y sintiendo los lamentos de aquel desdichado fuese llegando compasivo, y movido de sus plegarias fue apartando la losa que cubría la cueva; al mismo punto saltó fuera el tigre con su acostumbrada ligereza, y cuando el temeroso pasajero creyó ser despedazado, vio que mansamente se le ponía a lamer las manos, que fue más que besárselas. Saltó tras él la serpiente, y cuando la temió enroscada entre sus pies, vio que los adoraba; lo mismo hicieron todos los demás, rindiéndose humildes, y dándole gracias de haberles hecho un tan buena obra, como era librarles de tan mala compañía cual la de un hombre ruin, y añadieron que en pago de tanto beneficio le avisaban huyese antes que el hombre saliese, si no quería perecer allí a manos de su fiereza; y al mismo instante echaron todos ellos a huir, unos volando, otros corriendo. Estábase tan inmoble el pasajero cuan espantado, cuando halló el último el hombre, el cual, concibiendo que su bienhechor llevaría consigo algún dinero, arremetió para él, y quitóle la vida para robarle la hacienda, que éste fue el galardón del beneficio. Juzga tú ahora, cuáles son los crueles, si los hombres o las fieras. —Más admirado, más atónito estoy de oír esto, dijo Andrenio, que el día que vi todo el mundo. —Pues aún no haces concepto cómo es, ponderó Critilo, y ves cuán malos son los hombres. Pues advierte que aún son peores las mujeres, y más de temer, mira tú cuáles serán. —¿Qué dices? —La verdad. —Pues ¿qué serán? —Son por ahora demonios, que después te diré más. Sobre todo te encargo, y aún te juramento, que por ningún caso digas quiénes somos, ni cómo tú saliste a luz, ni cómo yo llegué acá, que sería perder no menos que tú libertad y yo la vida; y aunque hago agravio a tu fidelidad, huélgome de no haberte acabado de contar mis desdichas, en esto sólo dichosas, asegurando descuidos. Quede doblada la hoja para la primera ocasión, que no faltarán muchas en una navegación tan prolija.

Ya en esto se percibían las voces de los navegantes y se divisaban los rostros, era grande la vocería de la chusma, que en todas partes hay vulgo, y más insolente donde hay más holgado: amainaron velas, echaron áncoras y comenzó la gente a saltar en tierra. Fue recíproco el espanto de los que llegaban y de los que los recibían, desmintiéronle sus muchas preguntas con decir se habían quedado descuidados y dormidos cuando se hizo a la vela otra flota, conciliando compasión y agasajo. Estuvieron allí detenidos algunos días cazando y refrescando, y hecha ya agua y leña, se hicieron a la vela en otras tantas alas para la deseada España. Embarcáronse juntos Critilo y Andrenio hasta en los corazones, en una gran carraca, asombro de los enemigos, contraste de los vientos y yugo del Océano. Fue la navegación tan peligrosa cuanto larga, pero servía de alivio la narración de sus tragedias, que a ratos hurtados prosiguió Critilo, de esta suerte: —En medio de estos golfos nací, como te digo, entre riesgo y tormentas; fue la causa que mis padres, españoles ambos y principales, se embarcaron para la India con un grande cargo, merced del gran Felipe, que en todo el mundo manda y premia. Venía mi madre con sospechas de traerme en sus entrañas, que comenzamos a ser faltas de una vil materia: declaróse luego el preñado bien penoso, cogióla el parto en la misma navegación entre el horror y la turbación de una horrible tempestad, para que se doble su tormento con la tormenta. Salí yo al mundo entre tantas aflicciones, presagio de mis infelicidades. Tan temprano comenzó a jugar con mi vida la fortuna, arrojándome de un cabo del mundo al otro. Aportamos a la rica y famosa ciudad de Goa, corte del Imperio Católico en el Oriente, silla augusta de sus Virreyes, emporio universal de la India y de sus riquezas. Aquí mi padre fue apriesa acauda-

lando fama y bienes, ayudado de su industria y de su cargo. Mas
yo entre tanto bien me criaba mal; como rico y como único, cui-
daban más mis padres fuese hombre que persona, pero castigó
bien el gusto que recibieron en mis niñeces el pesar que los di
en mis mocedades. Porque fui entrando de carrera por los verdes
prados de la juventud, tan sin freno de razón cuan picado de los
viles deleites. Cebéme en el juego, perdiendo en un día lo que a mi
padre le había costado muchos adquirir, despreciando ciento a
ciento lo que él recogió uno a uno. Pasé luego a la bizarría, rozando galas y costumbres, engalanando el cuerpo lo que desnudaba el ánimo de los verdaderos arreos, que son la virtud y el saber.
Ayudábanme a gastar el dinero y la conciencia malos y falsos amigos, lisonjeros, valientes, terceros y entremetidos, viles sabandijas
de las haciendas, polillas de las honras y de la conciencia. Sentía
esto mi padre, pronosticando el malogro de su hijo y de su casa;
mas yo de sus rigores apelaba a la piadosa impertinencia de mi
madre, que cuanto más me amparaba, me perdía.

»Pero donde acabó de perder mi padre las esperanzas y aun
la vida, fue cuando me vio enredado en el oscuro laberinto del
amor. Puse ciegamente los ojos en una dama, que aunque noble
y con todas las demás prendas de la naturaleza, de hermosa, discreta y de pocos años; pero sin las de la fortuna, que son hoy
las que más se estiman; comencé a idolatrar en su gentileza, co-
rrespondiéndome ella con favores; lo que sus padres me deseaban
yerno, los míos la aborrecían nuera; buscaron modos y medios
para apartarme de aquella afición que ellos llamaban perdición;
trataron de darme otra esposa, más de su conveniencia que de mi
gusto; mas yo, ciego, a todo enmudecía. No pensaba, no hablaba,
no soñaba en otra cosa que en Felisinda (que así se llamaba mi
dama, llevando ya la felicidad en su nombre).

»Con estos y otros muchos pesares acabé con la vida de mi
padre, castigo ordinario de la paternal connivencia, él perdió la
vida y yo el amparo, aunque no lo sentí tanto como debía; llo-
rólo mi madre por entrambos, con tal exceso que en pocos días
acabó los suyos cuando yo más libre y menos triste; conseléme
presto de haber perdido padres, por poder lograr aquella esposa,
teniéndola por tan cierta como deseada; mas por atender a filiales
respetos hube de violentar mi intento por algunos días, que a mí
me parecieron siglos. En este breve ínterin de esposo, ¡oh inconstancia de mi suerte!, se barajaron de tal modo las materias, que
la misma muerte que pareció haber facilitado mis deseos los vino
a dificultar más, y aun los puso en estado de imposibles. Fue el
caso, o la desdicha, que en este breve tiempo murió también un
hermano de mi dama, mozo, galán y único mayorazgo de su casa,
quedando Felisinda heredera de todo, y fénix a todas luces; juntándose la hacienda y la hermosura doblaron su estimación, creció
mucho en sólo un día, y más su fama, adelantándose a los mejores empleos de esta corte. Con un tan impensado incidente, alte-

ráronse mucho las cosas, mudaron de cara las materias, sola Felisinda no se trocó y sí lo fue en mayor fineza. Sus padres y sus deudos, aspirando a cosas mayores, fueron los primeros que se entibiaron en favorecer mi pretensión, que tanto la habían antes adelantado. Pasaron sus tibiezas a desvíos, encendiendo más con esto las recíprocas voluntades. Avisábame ella de cuanto se trataba, haciéndome de amante secretario. Declaráronse luego otros competidores, tan poderosos como muchos, pero amantes heridos más de las saetas que les arrojaba la aljaba de su dote que el arco del amor, con todo me daban cuidado, que es todo temores el amor; lo que acabó de apurarme fue un nuevo rival que a más de ser mozo, galán y rico, era sobrino del Virrey, que allá es decir a par de numen y ramo de divinidad, porque allá el gustar del Virrey es obligar y sus pensamientos se ejecutan aun antes que se imaginen. Comenzó a declararse pretensor de mi dama, tan confiado como poderoso: competíamos los dos al descubierto, asistidos cada uno, él del poder y yo del amor. Parecióle a él y a los suyos que era menester más diligencia para derribar mi pretensión tan arraigada como antigua, y para esto dispusieron las materias, despertando a quien dormía. Prometieron su favor e industria a unos contrarios míos, porque me pusiesen pleito en lo más bien parado de mi hacienda, ya para torcer mi voluntad, ya para acobardar a los padres de Felisinda. Vime presto solo, y enredado en dos dificultosos pleitos, del interés y del amor, que era el que más me desvelaba. No fue bastante este temor de la pérdida de mi hacienda para hacer volver un paso atrás mi afición, que, como la palma, crecía más a más resistencia; pero lo que en mí no pudo obrar en los padres y deudos de mi dama, que poniendo los ojos en mayores conveniencias del interés y del honor, trataron... ¿mas cómo lo podré decir? No sé si acertaré, mejor será dejarlo. Instó Andrenio en que prosiguiese; y él: —Eh que es morir, y resolvieron matarme, dando mi vida a mi contrario, que lo era mi dama (1). Avisóme ella la misma noche desde un balcón, como solía, consultando y pidiéndome el remedio; derramó tantas lágrimas que encendieron en mi pecho un incendio (2), un volcán de desesperación y de furia. Con esto al otro día, sin reparar en inconvenientes ni en riesgos de honra y de vida, guiado de mi pasión ciega, ceñí no un estoque, sino un rayo penetrante de la aljaba del amor, fraguado de celos y de aceros. Salí en busca de mi contrario, remitiendo las palabras a las obras y las lenguas a las manos. Desnudamos los estoques de la compasión y de la vaina (3): fuímosnos el uno para el otro, y a pocos lances le atravesé el acero por medio del corazón, sacándole el amor con

---

(1) Pasaje algo oscuro: «dando al contrario su dama, que era para él como su vida».
(2) Nótese la agudeza: las lágrimas encendieron un incendio.
(3) Ingeniosa metáfora: quedaron los aceros despojados de la vaina, y también de la compasión hacia el adversario.

la vida; quedó él rendido y yo preso, porque al punto dio conmigo un enjambre de ministros, unos picando en la ambición de
complacer al Virrey, y los más en la codicia de mis riquezas. Dieron luego conmigo en un calabozo, cargándome de hierros, que
éste fue el fruto de los míos (1). Llegó la triste nueva a oídos de
sus padres, y mucho más a sus entrañas, deshaciéndose en lágrimas
y voces. Gritaban los parientes la venganza y los más templados
justicia: fulminaba el Virrey una muerte en cada extremo. No se
hablaba de otro, los más condenándome, los menos defendiéndo-
me, y a todos pesaba de nuestra loca desdicha. Sola mi dama se
alegró en toda la ciudad, celebrando mi valor y estimando mi fineza. Comenzóse con gran rigor la causa, pero siempre por tela de
juicio y lo primero a título de secuestro, dieron saco verdadero
a mi casa, cebándose la venganza en mis riquezas, como el irri-
tado toro en la capa del que escapó; solas pudieron librarse algunas joyas, por retiradas al sagrado de un Convento, donde me
las guardaban.

»No se dio por contenta mi fortuna en perseguirme tan crimi-
nalmente, sino que también civil me dio luego sentencia en contra
en el pleito de la hacienda: perdí bienes, perdí amigos, que siempre corren parejas. Todo esto fuera nada si no me sacudiera el
último revés, que fue acabarme de todo punto. Aborrecidos los
padres de Felisinda de su desgracia, ecos ya de las mías, habiendo
perdido en un año hijo y yerno, determinaron dejar la India y
dar la vuelta a la Corte, con esperanza de gran puesto, por sus
servicios merecidos, y con favores del Virrey facilitados; convirtieron en oro y plata sus haberes y en la primera flota, con toda
su hacienda y casa, se embarcaron para España, llevándoseme...
(aquí interrumpieron las palabras los sollozos, ahogándose la voz
en el llanto), lleváronseme dos prendas del alma de una vez, con
que fue doblado y mortal mi sentimiento; la una era Felisinda y
otra más llevaba en sus entrañas, desdichado ya, por ser mía. Hi-
ciéronse a la vela, y aumentan el viento mis suspiros, engolfados
ellos y anegado yo en un mar de llanto. Quedé en aquella cárcel
eternizado en calabozos, pobre y de todos, sino de mis enemigos,
olvidado.

»Cual suele el que se despeña de un monte abajo ir sembrando
despojos, aquí deja el sombrero, allí la capa, en una parte los
ojos y en otra las narices, hasta perder la vida, quedando reventado en el profundo; así yo, luego que deslicé en aquel despeña-
dero de marfil, tanto más peligroso cuanto más agradable, comencé a ir rodando y despeñándome de unas desdichas en otras, dejando en cada tope aquí la hacienda, allá la honra, la salud, los
padres, los amigos, mi libertad, quedando como sepultado en una
cárcel, abismo de desdichas. Mas no digo bien, pues lo que me
acarreó de males la riqueza, me restituyó en bienes la pobreza.

_____

(1)   Juego de palabras entre «hierros» y «yerros».

Puédolo decir con verdad, pues aquí hallé la sabiduría, que hasta
entonces no la había conocido, aquí el desengaño, experiencia y
la salud de cuerpo y alma. Viéndome sin amigos vivos apelé a
los muertos: di en leer, comencé a saber y a ser persona, que
hasta entonces no había vivido la vida racional, sino la bestial;
fui llenando el alma de verdades y de prendas, conseguí la sabiduría y con ella el bien obrar, que ilustrado una vez el entendimiento con facilidad endereza la ciega voluntad, él quedó rico de
noticias y ella de virtudes. Bien es verdad que abrí los ojos cuando no hubo ya que ver, que así acontece de ordinario. Estudié
las nobles Artes y las sublimes Ciencias, entregándome con afición especial a la Moral Filosofía, pasto del juicio, centro de la
razón y vida de la cordura; mejoré de amigos, y trocando un
mozo liviano por un Catón severo, y un necio por un Séneca, un
rato escuchaba a Sócrates y otro al divino Platón. Con esto pasaba
con alivio y aun con gusto aquella sepultura de vivos, laberinto
de mi libertad. Pasaban años y Virreyes, y nunca pasaba el rigor
de mis contrarios. Entretenían mi causa, queriendo, ya que no
podían conseguir otro castigo, convertir la prisión en sepultura.
Al cabo de un siglo de padecer y sufrir, llegó orden de España,
solicitada en secreto de mi esposa, que remitiesen allá mi causa
y mi persona. Púsolo en ejecución el nuevo Virrey, menos contrario si no más favorable, en la primera flota. Entregáronme con
título de preso a un capitán de un navío, encargándole más el
cuidado que la asistencia. Salí de la India el primer pobre, pero
con tal contento que los peligros de la mar me parecieron lisonjas. Gané luego amigos, que con el saber se ganan los verdaderos.
Entre todos, el capitán de la nave, de superior se me hizo confidente, favor que yo estimé mucho, celebrando por verdadero
aquel dicho común, que con la mudanza del lugar se muda también la fortuna. Mas aquí has de admirar un prodigio del humano
engaño, un extremo de mal proceder, aquí la porfía de una contraria fortuna y adónde llegaron mis desdichas. Este capitán y
caballero, obligado por todas partes a bien proceder, maleado
de la ambición, llevado del parentesco con el Virrey mi enemigo,
y sobornado a lo que yo más creo de la codicia vil de mi plata y
mis alhajas, reliquias de aquella antigua grandeza, mas ¿a qué no
incitará los humanos pechos la execrable sed del oro?, resolvióse
en ejecutar la más civil bajeza que se ha oído. Estando solos una
noche en uno de los corredores de popa, gozando de la conversación y marea, dio conmigo, tan descuidado como confiado, en
aquel profundo de abismo: comenzó él mismo a dar voces, para
hacer desgracia de la traición, y aun llorarme, no arrojado, sino
caído. Al ruido y las voces acudieron mis amigos, ansiosos por
ayudarme, echando cabos y sogas; pero en vano, porque en un
instante pasó mucho mar el navío, que volaba, dejándome a mí
luchando con las olas y con una dos veces amarga muerte: arro-
járonme algunas tablas, por último remedio, y fue una de ellas

sagrada áncora, que las mismas olas, lastimadas de mi inocencia y desdicha, me la ofrecieron en las manos; asíla tan agradecido cuan desesperado, y besándola le dije: ¡Oh, despojo último de mi fortuna! Leve apoyo de mi vida y refugio último de mi esperanza, serás siquiera un breve ínterin de mi muerte. Desconfiado de poder seguir el navío fugitivo, me dejé llevar de las olas, al albedrío de mi desesperada fortuna, tirana ella una y mil veces, aún no contenta de tenerme en tal punto de desdichas, echando el resto a su fiereza, conjuró contra mí los elementos de una horrible tormenta, para acabarme con toda solemnidad de desventuras: ya me arrojaban tan alto las olas que tal vez temí quedar enganchado en alguna de las puntas de la Luna, o estrellado en aquel Cielo; hundíame luego tan en el centro de los abismos, que llegué a temer más el incendio que el ahogo. Mas, ¡ay!, que los que ya lamentaba rigores fueron favores, que a veces llegan tan a los extremos los males, que pasan a ser dichas. Dígalo yo, porque la misma furia de la tempestad y corriente de las aguas me arrojaron en pocas horas a vista de aquella pequeña Isla, tu patria, y para mí gran Cielo, que de otro modo fuera imposible querer llegar a ella, quedando en medio de aquellos mares rendido de hambre y hartando las marinas fieras; en el mal estuvo el bien aquí: ayudándome más el ánimo que las fuerzas, llegué a tomar puerto en esos brazos tuyos, que otra vez y otras mil quiero enlazar, confirmando nuestra amistad eterna.

De esta suerte dio fin Critilo a su relación, abrazándose entrambos, renovándose aquella primera fruición y experimentando una secreta simpatía de amor y de contento. Emplearon lo restante de su navegación en provechosos ejercicios, porque a más de la agradable conversación, que toda era bien proseguida enseñanza, le dio noticias de todo el mundo y conocimiento de aquellas Artes que más realzan el ánimo y le enriquecen, como la gustosa Historia, la Cosmografía, la Esfera, la Erudición y la que hace personas, la Moral Filosofía; en lo que puso Andrenio especial estudio fue en aprender lenguas: la latina, eterna tesorera de la sabiduría; la española, tan universal como su imperio; la francesa, erudita, y la italiana, elocuente; ya para lograr los muchos tesoros que en ellas están escritos, ya para la necesidad de hablarlas y entenderlas en su jornada del mundo. Era tanta la curiosidad de Andrenio como su docilidad, y así siempre estaba confiriendo y preguntando de las Provincias, Repúblicas, Reinos y Ciudades; de sus Reyes, gobiernos y naciones; siempre informándose, filosofando y discurriendo con tanta fruición como novedad, deseando llegar a la perfección de noticias y de prendas. Con tan gustosa ocupación no se sintieron las penalidades de un viaje tan penoso, y al tiempo acostumbrado aportaron a este nuevo mundo; en qué parte, **y lo que en él les sucedió,** nos lo ofrece referir la **crisi siguiente.**

CRISI V

ENTRADA DEL MUNDO

Cauta, si no engañosa, procedió la naturaleza con el hombre al introducirle en este mundo, pues trazó que entrase sin género alguno de conocimiento, para deslumbrar todo reparo: a oscuras llega y aun a ciegas quien comienza a vivir, sin advertir que vive y sin saber qué es vivir. Críase niño y tan rapaz que cuando llora con cualquier niñería le acalla y con cualquier juguete le contenta. Parece que le introduce en un reino de felicidades, y no es sino un cautiverio de desdichas, que cuando llega a abrir los ojos del alma, dando en la cuenta de su engaño, hállase empeñado sin remedio, vese metido en el lodo de que fue formado, y ya ¿qué puede hacer sino pisarle, procurando salir de él como mejor pudiere? Persuádome que si no fuera con este universal ardid, ninguno quisiera entrar en un tan engañoso mundo, y que pocos aceptaran la vida después si tuvieran estas noticias antes; porque ¿quién, sabiendo, quisiera meter el pie en un Reino mentido y cárcel verdadera, a padecer tan muchas como varias penalidades, en el cuerpo hambre, sed, frío, calor, cansancio, desnudez, dolores, enfermedades y en el ánimo engaños, persecuciones, envidias, desprecios, deshonras, ahogos, tristezas, temores, iras, desesperaciones, y salir al cabo condenado a miserable muerte, con pérdida de todas las cosas: casa, hacienda, bienes, dignidades, amigos, parientes, hermanos, padres y la misma vida, cuando más amada? Bien supo la naturaleza lo que hizo y mal el hombre lo que aceptó. Quien no te conoce, ¡oh, vida!, que te estime, pero un desengañado tomará antes haber sido trasladado de la cuna a la urna, del tálamo al túmulo. Presagio común es de miserias el llorar al nacer, que aunque el más dichoso cae de pie, triste posición toma, y el clarín con que este hombre Rey entra en el mundo no es otro que el llanto, señal que su reinado todo ha de ser de penas, pero ¿cuál puede ser una vida que comienza entre los gritos de la madre que la da y los lloros del hijo que la recibe? Por lo menos, ya que le faltó el conocimiento, no el presagio de sus males, si no los concibe, los adivina.

—Ya estamos en el mundo (dijo el sagaz Critilo al incauto Andrenio al saltar juntos en tierra); pésame que entres en él con tanto conocimiento porque sé que te ha de agradar mucho. Todo cuanto obró el Supremo Artífice está tan acabado que no se puede mejorar, mas todo cuanto han añadido los hombres es imperfecto: crióle Dios muy concertado y el hombre lo ha confundido, digo lo que ha podido alcanzar, que aun a donde no ha llegado con el poder, con la imaginación ha pretendido trabucarlo. Visto has hasta ahora las obras de la naturaleza y admirádolas con razón, verás de hoy en adelante las del artificio, que te han de espan-

tar; contemplado has las obras de Dios, notarás las de los hombres
y verás la diferencia; ¡oh, cuán otro te ha de parecer el mundo
civil del natural y el humano del divino! Ve prevenido en este
punto, para que ni te admires de cuanto vieres ni te desconsueles
de cuanto experimentes.

Comenzaron a discurrir por un camino tan trillado como solo,
antes reparó Andrenio que ninguna de las humanas huellas miraba hacia atrás, todas pasaban adelante, señal de que ninguno
volvía. Encontraron a poco rato una cosa bien donosa y de harto
gusto: era un ejército desconcertado de Infantería, un escuadrón
de niños de diferentes estados y naciones, como lo mostraban sus
diferentes trajes, todo era confusión y vocería: íbalos primero
reconociendo y después acaudillando una mujer bien rara, de risueño aspecto, alegres ojos, dulces labios y palabras blandas, piadosas manos y toda ella caricias, halagos y cariños. Traía consigo
muchas criadas de su genio y de su empleo para que los asistie-
sen y sirviesen, y así llevaban en brazos los pequeñuelos, otros de
los andadores y a los mayorcillos de la mano, procurando siempre pasar adelante. Era increíble el agasajo, que a todos acari-
ciaba aquella madre común, atendiendo a su gusto y regalo, y
para esto llevaba mil invenciones de juguetes con que entretener-
los; había hecho también grande prevención de regalos, en llorando alguno al punto acudía afectuosa, haciéndole fiestas y caricias, concediéndole cuanto pedía a trueque de que no llorase;
con especialidad cuidaba de los que iban mejor vestidos, que
parecían hijos de gente principal, dejándoles salir con cuanto querían. Era tal el cariño y agasajo que esta, al parecer, ama piadosa
les hacía, que los mismos padres la traían sus hijuelos y se los
entregaban, fiándolos más de ella que de sí mismos.

Mucho gustó Andrenio de ver tanta y tan donosa infantería,
no acabando de admirar y reconocer al hombre niño, y tomando
en sus brazos uno en mantillas, decíale a Critilo: —¿Es posible
que éste es el hombre? ¿Quién tal creyera? ¡Que este casi insensible, torpe e inútil viviente ha de venir a ser un hombre tan
entendido a veces, tan prudente y tan sagaz como un Catón, un
Séneca, un Conde de Monterrey! —Todo es extremos el hombre,
dijo Critilo; ahí verás lo que cuesta el ser persona, los brutos luego lo saben ser, luego corren, luego saltan; pero al hombre cuéstale mucho, porque es mucho. —Lo que más me admira, ponderó
Andrenio, es el indecible afecto de esta rara mujer, ¿qué madre
como ella? ¿Puédese imaginar tal fineza? De esta felicidad carecí
yo, que me crié dentro de las entrañas de un monte y entre fieras: allí lloraba hasta reventar, tendido en el duro suelo, desnudo,
hambriento y desamparado, ignorando estas caricias. —No envidies, dijo Critilo, lo que no conoces, ni llames felicidad hasta que
veas en qué para; de estas cosas hallarás muchas en el mundo,
que no son lo que parecen, sino muy al contrario; ahora comienzas a vivir, irás viviendo y viendo.

Caminaban con todo este embarazo sin parar ni un instante, atravesando países, aunque sin hacer estación alguna y siempre cuesta abajo, atendiendo mucho a que ninguno se cansase ni lo pasase mal; dábales de comer una vez sola, que era todo el día.

Hallábanse al fin de aquel paraje metidos en un valle profundísimo, rodeado a una y otra banda de altísimos montes, que decían ser los más altos puertos de este universal camino. Era noche y muy oscura, con propiedad lóbrega: en medio de esta horrible oscuridad mandó hacer alto aquella engañosa hembra y, mirando a una y otra parte, hizo la señal usada, con que al mismo punto, ¡oh maldad no imaginada!, ¡oh traición nunca oída!, comenzaron a salir de entre aquellas breñas y por las bocas de las grutas ejércitos de fieras: leones, tigres, osos, lobos, serpientes y dragones, que arremetiendo de improviso dieron en aquella tierna manada de flacos y desarmados corderillos, haciendo un horrible estrago y sangrienta carnicería, porque arrastraban a unos, despedazaban a otros, mataban, tragaban y devoraban cuanto podían: monstruo había que de un bocado se tragaba dos niños y no bien engullidos aquéllos, alargaba las garras a otros dos; fiera había que estaba desmenuzando con los dientes el primero y despedazando con las uñas el segundo; no dando treguas a su fiereza, discurrían todas por aquel lastimoso teatro buscando sangre, teñidas las bocas y las garras en ella; cargaban muchas con dos y con tres de los más pequeños y llevábanlos a sus cuevas, para que fuesen pasto de sus a fieros cachorrillos; todo era confusión y fiereza, espectáculo verdaderamente fatal y lastimero, y era tal la candidez o simplicidad de aquellos infantes tiernos, que tenían por caricias el hacer presa en ellos y por fiesta el despedazarlos, convidándolos ellos mismos, risueños y provocándolos con abrazos. Quedó atónito, quedó aterrado Andrenio, viendo una tan horrible traición, una tan impensada crueldad, y puesto en lugar seguro, a diligencias de Critilo, lamentándose decía: —¡Oh, traidora!, ¡oh, bárbara!, ¡oh, sacrílega mujer! Más fiera que las mismas fieras, ¿es posible que en esto han parado tus caricias, para esto era tanto cuidado y asistencia? ¡Oh, inocentes corderillos, qué temprano fuisteis víctimas de la desdicha! ¡Qué presto llegasteis al degüello! ¡Oh, mundo engañoso!, ¿y esto se usa en ti, de estas hazañas tienes? Yo he de vengar por mis propias manos una maldad tan increíble. Diciendo y haciendo arremetió furioso para despedazar con sus dientes aquella cruel tirana, mas no la pudo hallar, que ya ella con todas sus criadas habían dado vuelta en busca de otros tantos corderillos para traerlos rendidos al matadero; de suerte que ni aquéllas cesan de traer, ni éstas de despedazar, ni de llorar Andrenio tan irreparable daño.

En medio de tan espantosa confusión y cruel matanza, amaneció de la otra parte del valle, por lo más alto e intrincado de los montes, con rumbos de aurora, una otra mujer, y con razón otra que, tan cercada de luz como rodeada de criadas, desalada, cuando más volando, descendía a librar tanto infante como perecía. Ostentó su rostro muy sereno y grave, que de él y de la mucha pedrería de su muy recamado ropaje despedía tal inundación de luces, que pudieron muy bien suplir y aun con ventajas la ausencia del Rey del día. Era hermosa por extremo y coronada por Reina entre todas aquellas beldades sus ministras. ¡Oh, dicha rara! Al mismo punto que la descubrieron las encarnizadas fieras, cesando en la matanza, se fueron retirando a todo huir y dando espantosos aullidos se hundieron en sus cavernas. Llegó piadosa ella y comenzó a recoger los pocos que habían quedado, y aun ésos muy malparados de araños y heridas. Íbanlos buscando con gran solicitud aquellas hermosísimas doncellas, y aún sacaron muchos de las oscuras cuevas y de las mismas gargantas de los monstruos, recogiendo y amparando cuantos pudieron, y notó Andrenio que eran ésos de los más pobres y de los menos asistidos de aquella maldita hembra, de modo que en los principales como más lucidos habían hecho las fieras mayor riza. Cuando los tuvo todos juntos sacólos a toda prisa de aquella peligrosa estancia, guiándolos de la otra parte del valle el monte arriba, no parando hasta llegar a lo más alto, que es lo más seguro. Desde allí se pusieron a ver y contemplar, con la luz que su gran libertadora les comunicaba, el gran peligro en que habían estado y hasta entonces no conocido. Teniéndolos ya en salvo fue repartiendo preciosísimas piedras, una a cada uno, que sobre otras virtudes contra cualquiera riesgo; arrojaban de sí una luz tan clara y apacible que hacían de la noche día, y lo que más se estimaba era el ser indefectible. Fuelos encomendando a algunos sabios varones, que los apadrinasen y guiasen siempre cuesta arriba hasta la gran ciudad del mundo. Ya en esto se oían otros tantos alaridos de otros tantos niños, que acometidos en el funesto valle de las fieras estaban pereciendo; al mismo punto aquella piadosa reina, con todas sus amazonas, marchó volando a socorrerlos.

Estaba atónito Andrenio de lo que había visto, parangonando tan diferentes sucesos y en ellos la alternación de males y de bienes de esta vida: —¡Qué dos mujeres éstas tan contrarias!, decía. ¡Qué asuntos tan diferentes! ¿No me dirás, Critilo, quién es aquella primera, para aborrecerla, y quién esta segunda, para celebrarla? ¿Qué te parece, dijo, de esta primera entrada en el mundo? ¿No es muy conforme a él y a lo que yo te decía? Nota bien lo que acá se usa, y si tal es el principio dime cuáles serán sus progresos y sus fines. Para que abras los ojos y vivas siempre alerta entre enemigos: saber deseas quién es aquella primera y cruel mujer que tú tanto aplaudías, créeme que ni el alabar ni el vituperar ha de ser hasta el fin. Sabrás que aquella primera tirana es nuestra mala inclinación, la propensión al mal. Ésta es la que luego se apodera de un niño, previene a la razón y se adelanta, reina y triunfa en la niñez tanto que los propios padres, con el intenso amor que tienen a sus hijuelos, condescienden con ellos

y porque no llore el rapaz le conceden cuanto quiere; déjanle
hacer su voluntad en todo y salir con la suya siempre, y así se
cría vicioso, vengativo, colérico, glotón, terco, mentiroso, desen-
vuelto, llorón, lleno de amor propio y de ignorancia, ayudando
de todas maneras a la natural siniestra inclinación. Apodéranse con
esto de un muchacho las pasiones, cobran fuerzas con la paternal
connivencia, prevalece la depravada propensión al mal y ésta con
sus caricias trae al tierno infante al valle de las fieras, a ser presa
de los vicios y esclavo de sus pasiones, de modo que cuando llega
la razón, que es aquella otra Reina de la luz, madre del desengaño, con las virtudes sus compañeras ya los halla depravados, en-
tregados a los vicios, y muchos de ellos sin remedio; cuéstale
mucho sacarlos de las uñas de sus malas inclinaciones y halla
grande dificultad en encaminarlos a lo alto y seguro de la virtud,
porque es llevarlos cuesta arriba; perecen muchos y quedan hechos oprobio de su vicio, y más los ricos, los hijos de señores y
de príncipes, en los cuales el criarse con más regalo es ocasión de
más vicio; los que se crían con necesidad, y tal vez entre los rigores de una madrastra, son los que mejor libran, como Hércules, y
ahogan estas serpientes de sus pasiones en la misma cuna. —¿Qué
piedra tan preciosa es ésta, preguntó Andrenio, que nos ha entregado a todos con tal recomendación? —Has de saber, respondió
Critilo, que lo que fabulosamente atribuyeron muchos a algunas
piedras, aquí se halla ser evidencia, porque ésta es el verdadero
carbunclo, que resplandece en medio de las tinieblas, así de la
ignorancia como del vicio; éste es el diamante finísimo, que entre
los golpes del padecer y entre los incendios del apetecer está más
fuerte y más brillante; ésta es la piedra de toque, que examina el
bien y mal; ésta, la imán atenta al norte de la virtud; finalmente, ésta es la piedra de todas las virtudes, que los sabios llaman el dictamen de la razón, el más fiel amigo que tenemos.

Así iban confiriendo cuando llegaron a aquella tan famosa en-
crucijada donde se divide el camino y se diferencia el vivir, estación célebre por la dificultad que hay, no tanto de parte del saber
cuanto del querer, sobre qué senda y a qué mano se ha de echar.
Viose aquí Critilo en mayor duda, porque siendo la tradición común ser dos los caminos, el plausible de la mano izquierda por
lo fácil, entretenido y cuesta abajo, y al contrario el de la mano
derecha, áspero, desapacible y cuesta arriba, halló con no poca
admiración que eran tres los caminos, dificultando más su elección. —Válgame el Cielo, decía, y aún no es éste aquel tan sabio
Bibio, donde el mismo Hércules se halló perplejo sobre cuál de
los dos caminos tomaría. Miraba adelante y atrás, preguntándose
a sí mismo: ¿No es ésta aquella docta letra de Pitágoras, en que
cifró toda la sabiduría, que hasta aquí procede igual y después
se divide en dos ramos, uno espacioso del vicio y otro estrecho de
la virtud? Pero con diversos fines, que el uno va a parar en el
castigo y el otro en la corona. Aguarda, decía, ¿dónde están aque-

llos dos ancianos de Epicteto, el Abstine en el camino del deleite
y el Sustine en el de la virtud? Basta, que habemos llegado a
tiempos que hasta los caminos reales se han mudado.

—¿Qué montón de piedras es aquél, preguntó Andrenio, que
está en medio de las sendas? —Lleguemos allá, dijo Critilo, que
el índice del numen vial juntamente nos está llamando y dirigien-
do. Éste es el misterioso montón de Mercurio, en quien signifi-
caron los antiguos que la sabiduría es la que ha de guiar, y que
por donde nos llama el Cielo habemos de correr, eso está voceando aquella mano. —Pero el montón de piedras, ¿a qué propósito?, replicó Andrenio, extraño despejo del camino, amontonando tropiezos. —Estas piedras, respondió suspirando Critilo,
las arrojan aquí los viandantes, que en eso pagan la enseñanza;
ése es el galardón que se le da a todo Maestro, y entiendan los
de la verdad y virtud que hasta las piedras se han de levantar
contra ellos. Acerquémonos a esta columna, que ha de ser el oráculo en tanta perplejidad.

Leyó Critilo el primer letrero, que con Horacio decía: *Medio
hay en las cosas, tú no vayas por los extremos.* Estaba toda ella
de alto a bajo labrada de relieve con extremado artificio, compitiendo los primeros materiales de la simetría con los formales del
ingenio; leíanse muchos sentenciosos aforismos y campeaban historias alusivas; íbalas admirando Andrenio, y comentándolas Critilo con gustoso acierto. Allí vieron al temerario joven montado
en la carroza de luces, y su padre le decía: ve por el medio y
correrás seguro. —Éste fue, declaró Critilo, un mozo que entró
muy orgulloso en un gobierno y por no atender a la mediocridad
prudente, como lo aconsejaban sus ancianos, perdió los estribos
de la razón y tantos vapores quiso levantar en tributos que lo
abrasó todo, perdiendo el mundo y el mando. Seguíale Ícaro,
desalado en caer, pasando de un extremo a otro, de los fuegos a
las aguas, por más que le voceaba Dédalo: vuela por medio. Éste
fue otro arrojado, ponderaba Critilo, que no contento con saber
lo que basta, que es lo conveniente, dio en sutilezas mal fundadas
y tanto quiso adelgazar que le mintieron las plumas y dio con
sus quimeras en el mar de un común y amargo llanto, que va
poco de peñas a penas. Aquél es el célebre Cleóbulo, que está escribiendo en tres cartas consecutivas esta palabra sola, *Modo,* al
Rey, que en otras tres le había pedido un consejo digno de su
saber para reinar con acierto. Mira aquel otro de los siete de
Grecia, eternizado Sabio por sola aquella sentencia: *Huye en todo
la demasía,* porque siempre dañó más lo más que lo menos. Estaban de relieve todas las virtudes con plausibles empresas en
tarjetas y roseos: comenzaban por orden puesta cada una en
medio de sus dos viciosos extremos, y en lo bajo la fortaleza,
asegurando el apoyo a las demás, recostada sobre el cojín de
una columna, media entre la temeridad y la cobardía; procediendo
así todas las otras, rematada la prudencia como Reina, y en sus

manos tenía una preciosa corona con este lema: *Para el que ama
la mediocridad de oro*. Leíanse otras muchas inscripciones, que
formaban lazos y servían de definiciones al artificio y al ingenio.
Coronaba toda esta máquina elegante la felicidad, muy serena,
recordada en sus varones sabios y valerosos, ladeada (1) también
de sus dos extremos: el llanto y la risa, cuyos atlantes eran Heráclito y Demócrito, llorando siempre aquél, y éste riendo.

Mucho gustó Andrenio de ver y entender aquel maravilloso
oráculo de toda la vida, mas ya en esto se había juntado mucha
gente en pocas personas, porque los más, sin consultar otro Numen que su gusto, daban por aquellos extremos, llevados de su
antojo y de su deleite. Llegó uno, y sin informarse, muy a lo
necio, echó por otro extremo, bien diferente del que todos creyeron, que fue por el de presumido, con que se perdió luego.
Tras éste venía un vano, que tan mal y sin preguntar, pero con
lindo aire, tomó el camino más alto, y como él estaba vacío de
hueco y el viento iba arreciando, vencióle presto y dio con él allí
abajo, con venganza de muchos, que como iba tan alto el subir,
el caer fue a vista y a risa de todo el mundo. Había un camino
sembrado de abrojos, y cuando se persuadió Andrenio que ninguno iría por él, vio que muchos se apasionaban y había puñadas
sobre cuál sería el primero; el carril de las bestias era el más
trillado, y preguntándole a un hombre, que lo parecía, cómo iba
por allí, respondió que por no irse solo. Junto a éste estaba otro
camino muy breve, y todos los que iban por él hacían gran prevención de manjares y de regalos, mas no caminaban mucho, que
más son los que mueren de ahíto que de hambre. Pretendían algunos ir por el aire, pero desvanecíaseles la cabeza, con que caían,
y éstos de ordinario no daban en Cielo ni en tierra. Encarrilaban
muchos por un paseo muy ameno y deleitoso, íbanse de prado
en prado muy entretenidos y placenteros, saltando y bailando,
cuando a lo mejor caían rendidos, sudando y gritando, sin poder
dar un paso, haciendo malísimas caras, por haberlas hecho buenas. De un paso se quejaban todos que era muy peligroso, infes-
tado siempre de ladrones, y con que lo sabían echaban no pocos
por él, diciendo que ellos se entenderían con los otros, y al cabo
todos se hacían ladrones, robándose unos a otros. Preguntaban
unos con no poca admiración de Andrenio y gusto de Critilo, por
hallar quién reparase y se informase, pedían cuál era el camino
de los perdidos. Creyeron que para huir de él, y fue al contrario,
que en sabiéndolo tomaron por allí la derrota. —¿Hay tal necedad?, dijo Andrenio, y viendo entre ellos algunos personajes de
harta importancia, preguntáronles cómo iban por allí, y respondieron que ellos no iban, sino que los llevaban. No era menos
calificada la de otros, que todo el día andaban alrededor, molién-

---

(1) «Ladeada» no tiene aquí la acepción actual, «inclinada», sino la de
«flanqueada».

dose y moliendo, sin pasar adelante ni llegar jamás al centro. No hallaban el camino otros: todo se les iba en comenzar a caminar, nunca acababan y luego paraban, no acertando a dar un paso, con las manos en el seno y si pudieran aún metieran los pies, éstos jamás llegaban al cabo con cosa alguna. Dijo uno que él quería ir por donde ningún otro hubiese caminado jamás: nadie le pudo encaminar, tomó el de su capricho y presto se halló perdido. —¿No adviertes, dijo Critilo, que casi todos toman el camino ajeno y dan por el extremo contrario de lo que se pensaba? El necio da en presumido y el sabio hace del que no sabe; el cobarde afecta el valor, y todo es tratar de armas y pistolas, y el valiente las desdeña; el que tiene da en no dar y el que no tiene desperdicia; la hermosa afecta el desaliño y la fea revienta por parecer; el príncipe se humana y el hombre bajo afecta dignidades, y el elocuente calla y el ignorante se lo quiere hablar todo; el diestro no osa obrar y el cuerdo no para. Todos al fin verás que van por extremos, errando el camino de la vida de medio a medio. Echemos nosotros por el más seguro, aunque no tan plausible, que es el de una prudente y feliz medianía, no tan dificultoso como el de los extremos por contenerse siempre en un buen medio. Pocos le quisieron seguir, mas luego que se vieron encaminados sintieron una notable alegría interior y una grande satisfacción de la conciencia; advirtieron más: que aquellas preciosas piedras, ricas prendas de la razón, comenzaron a resplandecer tanto que cada una parecía un brillante lucero, haciéndose lenguas en rayos y diciendo: éste es el camino de la verdad y la verdad de la vida. Al contrario, todas las de aquellos que siguieron sus antojos se vieron perder su luz, de modo que parecieron quedar en todo punto ofuscadas, y ellos eclipsados, tan errado el dictamen como el camino. Viendo Andrenio que caminaban siempre cuesta arriba, dijo: —Este camino más parece que nos lleva al Cielo que al mundo. —Así es, le respondió Critilo, porque son las sendas de la eternidad, y aunque vamos metidos en nuestra tierra, pero muy superiores a ella, señores de los otros y vecinos a las estrellas; ellas nos guíen, que ya estamos engolfados entre Scilas y Caribdis del mundo.

Esto dijo al entrar en una de sus más célebres ciudades, gran Babilonia de España, emporio de sus riquezas, teatro augusto de las letras y las armas, esfera de la nobleza y gran plaza de la vida humana. Quedó espantado Andrenio de ver el mundo, que no le conocía, mucho más admirado que allá cuando salió a verlo de su cueva, pero ¿qué mucho, si allí lo miraba de lejos y aquí tan de cerca? Allí contemplando, aquí experimentando, que todas las cosas se hallan muy trocadas cuando tocadas. Lo que novedad le causó fue el no hallar hombre alguno, aunque los iban buscando con afectación, en una ciudad populosa y al sol de mediodía.

—¿Qué es esto?, decía Andrenio. ¿Dónde están estos hombres? ¿Qué se han hecho? ¿No es la tierra su patria tan amada, el mundo su centro y tan querido? Pues ¿cómo lo han desamparado, dónde habrán ido que más valgan? Iban por una y otra parte solícitamente buscándolos, sin poder descubrir uno tan sólo, hasta que... Pero cómo y dónde los hallaron nos lo contará la otra Crisi.

CRISI VI

ESTADO DEL SIGLO

Quien oye decir mundo, concibe un compuesto de todo lo criado, muy concertado y perfecto, y con razón, pues toma el nombre de su misma belleza. Mundo quiere decir lindo y limpio. Imagínase un palacio muy bien trazado al fin por la Infinita Sabiduría, muy bien ejecutado por la Omnipotencia, alhajado por la Divina Bondad para morada del Rey hombre, que como partícipe de razón presida en él y le mantenga en aquel primer concierto en que su Divino Hacedor le puso. De suerte, que mundo no es otra cosa que una casa hecha y derecha por el mismo Dios y para el hombre, ni hay otro modo como poder declarar su perfección. Así había de ser como el mismo nombre lo blasona, su principio lo afianza y su fin lo asegura; pero cuán al contrario sea esto, y cuál le haya parado el mismo hombre, cuánto desmienta el hecho al dicho, pondéralo Critilo, que con Andrenio se hallaban ya en el mundo, aunque no bien hallados en fe de tan personas.

En busca iban de los hombres, sin poder descubrir uno, cuando al cabo de rato y cansancio hallaron con medio: un medio hombre y medio fiera; holgóse tanto Critilo cuanto se inmutó Andrenio, preguntando: —¿Qué monstruo es éste tan extraño? —No temas, respondió Critilo, que éste es más hombre que los mismos, éste es el Maestro de los Reyes y Rey de los Maestros, éste es el sabio Quirón; ¡oh, qué bien nos viene y cuán a la ocasión!, pues él nos guiará en esta primera entrada del mundo y nos enseñará a vivir, que importa mucho a los principios. Fuese para él saludándole y correspondió el Centauro con doblada humildad; díjole cómo iban en busca de los hombres y que después de haber dado cien vueltas no habían podido hallar uno sólo. —No me espanto, dijo él, que no es éste siglo de hombres, digo aquellos famosos de otros tiempos. ¿Qué, pensabais hallar ahora un Don Alfonso el Magnánimo en Italia, un Gran Capitán en España, un Enrique Cuarto en Francia, haciendo corona de su espada y de sus guarniciones lises? Ya no hay tales héroes en el mundo ni aun memoria de ellos. —¿No se van haciendo?, replicó Andrenio. —No llevan traza, y para luego es tarde, pues de verdad ocasiones no han faltado. —¿Cómo no se han hecho?,

preguntó Critilo. —Porque se han deshecho; hay mucho que
decir en este punto, ponderó Quirón; unos lo quieren ser todo
y al cabo son menos que nada, valiera más no hubieran sido.
Dicen también que corta mucho la envidia con las tijerillas de
Tomeras. Pero yo digo que ni es eso, ni esotro, sino que mientras el vicio prevalezca no campeará la virtud y sin ella no puede
haber grandeza heroica. Creedme, que esta Venus tiene arrinco-
nada a Belona y a Minerva en todas partes, y no trata ella sino
con viles herreros, que todo lo tiznan y todo lo yerran (1). Al fin
no nos cansemos, que él no es siglo de hombres eminentes, ni en
las armas ni en letras. Pero decidme, ¿dónde los habéis buscado?
Y Critilo: —¿Dónde los habemos de buscar, sino en la tierra?,
¿no es ésta su patria y su centro? —¡Qué bueno es eso!, dijo el
Centauro. Mira, ¿cómo los habíais de hallar? No los habéis de
buscar ya en todo el mundo, que ya han mudado del hito, nunca
está quieto el hombre, con nada se contenta. —Pues menos los
hallaremos en el Cielo, dijo Andrenio. —Menos, que no están ya
ni en Cielo ni en tierra. —Pues ¿dónde los habemos de buscar?
—¿Dónde? En el aire. —¿En el aire? —Sí, que allí se han fabricado castillos, torres de viento, donde están muy encastillados,
sin querer salir de su quimera. —Según eso, dijo Critilo, todas
sus torres vendrán a serlo de confusión y por no ser Janos de
prudencia los picarán las cigüeñas manuales, señalándolos con el
dedo y diciendo: ¿éste no es aquel hijo de aquel otro? De suerte
que con lo que ellos echaron a las espaldas los demás les darán
en el rostro. —Otros muchos, prosiguió el Quirón, se han subido
a las nubes y aún hay quien, no levantándose del polvo, pretende tocar con la cabeza en las estrellas. Paséanse no pocos por los
espacios imaginarios, camaranchones de su presunción. Pero la
mayor parte hallaréis acullá sobre el cuerno de la Luna y aún
pretenden subir más alto, si pudieran. —Tienes razón, voceó Andrenio, acullá están, allá los veo, y aún allá andan empinándose,
tropezando unos y cayendo otros, según las mudanzas suyas y
de aquel planeta, que ya les hace una cara, ya otra, y aún ellos
también no cesan entre sí de armarse zancadillas, cayendo todos
con más daño que escarmiento. —¡Hay tal locura!, repetía Critilo. ¿No es la tierra su lugar propio del hombre, su principio y
su fin? ¿No les fuera mejor conservarse en este mundo y no querer encaramarse con tan evidente riesgo? ¡Hay tal disparate! —Sí
lo es grande, dijo el semihombre, materia de harta lástima para
unos y de risa para otros, ver que el que ayer no se levantaba de
la tierra ya le parece poco un palacio, ya habla sobre el hombro
el que ayer llevaba la carga sobre él, el que nació entre las malvas pide los artesones de cedro, el desconocido de todos hoy des-
conoce a todos; el hijo tiene el puntillo de los muchos que le dio

_____

(1)   Otra vez aparece el irónico juego de palabras: los herreros «yerran»,
cometen yerros, no sólo «hierran».

su padre; el que ayer no tenía para pasteles asquea el faisán; blasona de linajes el de desconocido solar; el vos es señoría; todos pretenden subir y ponerse sobre los cuernos de la Luna, más peligrosos que los de un toro, pues estando fuera de su lugar es forzoso dar abajo con ejemplar infamia.

Fuelos guiando a la plaza mayor, donde hallaron paseándose gran multitud de fieras, y todas tan sueltas como libres, con tan notable peligro de los incautos: había leones, tigres, leopardos, lobos, toros, panteras, muchas vulpejas; ni faltaban sierpes, dragones y basiliscos. —¿Qué es esto?, dijo turbado Andrenio. ¿Dónde estamos? ¿Es ésta población humana o selva ferina? —No tienes que temer, que cautelarte sí, dijo el Centauro. —Sin duda que los pocos hombres que habían quedado se han retirado a los montes, ponderó Critilo, por no ver lo que en el mundo pasa, y que las fieras se han venido a las ciudades y se han hecho cortesanas. —Así es, respondió Quirón, el león de un poderoso, con quien no hay poderse averiguar, el tigre de un matador, el lobo de un ricazo, la vulpeja de un fingido, la víbora de una ramera. Toda bestia y todo bruto han ocupado las ciudades; ellos rúan las calles, pasean las plazas, y los verdaderos hombres de bien no osan parecer, viviendo retirados dentro de los límites de su moderación y recato. —¿No nos sentaremos en aquel alto, dijo Andrenio, para poder ver, cuando no gozar, con seguridad y señorío? —Eso no, respondió Quirón, no está el mundo para tomarlo de asiento. —Pues arrimémonos aquí a una de estas columnas, dijo Critilo. —Tampoco, que todos son falsos los arrimos de esta tierra; vamos paseando y pasando. Estaba muy desigual el suelo, porque a las puertas de los poderosos, que son los ricos, había unos grandes montones que relucían mucho. —¡Oh, qué de oro!, dijo Andrenio. Y el Quirón: —Advierte que no lo es todo lo que reluce. Llegaron más cerca y conocieron que era basura dorada. Al contrario, a las puertas de los pobres y desvalidos había unas tan profundas y espantosas simas que causaban horror a cuantos las miraban, y así ninguno se acercaba de mil leguas, todos las miraban de lejos, y es lo bueno que todo el día sin cesar muchas y grandes fieras estaban acarreando hediondo estiércol y lo echaban sobre el otro, amontonando tierra sobre tierra. —Cosa rara, dijo Andrenio, aún economía no hay. ¿No fuera mejor echar toda esta tierra en aquellos grandes hoyos de los pobres, con que se emparejara el suelo y quedara todo muy igual? —Así había de ser, para bien ir, dijo el Quirón, pero ¿qué cosa va bien en el mundo? Aquí veréis practicado aquel célebre imposible, tan disputado de los filósofos, conviniendo todos en que no se puede dar vacío en la naturaleza; he aquí que en la humana esta gran monstruosidad cada día sucede. No se da en el mundo a quien no tiene, sino a quien más tiene; a muchos se les quita la hacienda porque son pobres y se les adjudica a otros porque la tienen; pues las dádivas no van sino a donde hay, ni se

hacen presentes a los ausentes; el oro dbra la plata, ésta acude
al reclamo de otra; los ricos son los que heredan, que los pobres
no tienen parientes; el hambriento no halla un pedazo de pan y
el ahíto está cada día convidado; el que una vez es pobre, siempre es pobre, y de esta suerte todo el mundo le hallaréis desigual.
—Pues ¿por dónde iremos?, preguntó Andrenio. Echemos por
el medio y pasaremos con menos embarazo y más seguridad.

—Paréceme, dijo Critilo, que veo ya algunos hombres, por lo
menos que ellos lo piensan ser. —Ésos lo serán menos, dijo Quirón, verlo has presto. Asomaban ya por un cabo de la plaza ciertos personajes que caminaban, de tan graves, con las cabezas hacia abajo por el suelo, poniéndose del lodo, y los pies para arriba
muy empinados, echando piernas al aire sin acertar a dar un
paso, antes a cada uno caían, y aunque se maltrataban harto,
porfiaban en querer ir de aquel modo tan ridículo como peligroso. Comenzó Andrenio a admirar y Critilo a reír. —Haced cuenta, dijo Quirón, que soñáis despiertos; ¡oh, qué bien pintaba el
Bosco, ahora entiendo su capricho!; cosas veréis increíbles; advert-
tid que los que habían de ser cabezas por su prudencia y saber,
ésos andan por el suelo, despreciados, humillados y abatidos; al
contrario, los que habían de ser pies, por no saber las cosas ni
entender las materias, gente incapaz, sin ciencia ni experiencia,
ellos mandan y así va el mundo, cuando digan dueñas, mejor
fuera dueños. No hallaréis cosa en cosa y a un mundo que no
tiene pies ni cabeza, de merced se le da el descabezado. No bien
pasaron éstos, que todos pasan, cuando venían otros, y eran los
más, y que se preciaban de muy personas, caminaban hacia atrás
y a este modo todas sus acciones las hacían al revés. —¡Qué otro
disparate!, dijo Andrenio. Si tales caprichos hay en el mundo,
llámese casa de orates hermanados. —¿No nos puso, ponderó
Critilo, la próvida naturaleza los ojos y los pies hacia adelante
para ver por dónde andamos y andar por donde vemos con seguridad y firmeza? Pues ¿cómo éstos van por donde no ven y
no miran por dónde van? —Advertid, dijo Quirón, que los más de
los mortales, en vez de ir adelante en la virtud, en la honra, en
el saber, en la prudencia y en todo, vuelven atrás, y así muy
pocos son los que llegan a ser personas, cual y cual, un Conde
de Peñaranda. ¿No véis aquella mujer lo que forcejea, cejando
en la vida, no querría pasar de los veinte, ni aquella otra de los
treinta, y en llegando a un cero se hunden allí, como en trampa
de los años, sin querer pasar adelante?, ¿aún mujeres no quieren
ser siempre niñas? Mas ¡cómo estira de ellas aquel vejezuelo
cojo, y la fuerza que tiene!, ¿no véis cómo las arrastra, llevan-
dolas por los cabellos?; con todos los de aquella otra se ha quedado en las manos, todos se los ha arrancado, ¡qué puñada le
ha pegado a la otra, no le ha dejado diente!; hasta las cejas las
harta de años, ¡oh, qué mala cara le hacen todas! —Aguardad,
mujeres, dijo Andrenio, ¿dónde están?, ¿cuáles son, que yo no

las distingo de los hombres? ¿Tú no me dijiste, oh, Critilo, que los hombres eran los fuertes y las mujeres las flacas, ellos hablaban recio y ellas delicado, ellos vestían calzón y capa y ellas basquiñas? (1). Yo hallo que todo es al contrario, porque o todos son ya mujeres o los hombres son los flacos y afeminados, ellas las poderosas; ellos tragan saliva sin osar hablar, y ellas hablan tan alto que aun los sordos las oyen; ellas mandan el mundo y todos se le sujetan, tú me has engañado. —Tienes razón, aquí dijo suspirando Critilo, que ya los hombres son menos que mujeres: más puede una lagrimilla mujeril que toda la sangre que derramó el valor, más alcanza un favor de una mujer que todos los méritos del saber, no hay vivir con ellas ni sin ellas; nunca más estimadas que hoy, todo lo pueden y todo lo pierden. Ni vale haberlas privado la atenta naturaleza del decoro de la barba, ya para nota, ya por dar lugar a la vergüenza y todo no basta. —Según eso, dijo Andrenio, ¿el hombre no es el Rey del mundo sino el esclavo de la mujer? —Mirad, respondió el Quirón, él es el Rey natural, sino que ha hecho a la mujer su valido, que es lo mismo que decir que ella lo puede todo; con todo eso, para que las conozcáis, que cuando más han menester el juicio y el valor, entonces les falta más. Pero sean excepción de mujeres las que son más que hombres: la gran Princesa de Rosano y la Excelentísima Señora Marquesa de Valdueza.

Más admiración les causó uno que yendo a caballo en una vulpeja caminaba hacia atrás, nunca seguro, sino torciendo y revolviendo a todas partes, y todos los del séquito, que no eran pocos, procedían del mismo modo, hasta un perro viejo que de ordinario le acompañaba. —¿Veis a éste?, advirtió Quirón. Pues yo os aseguro que no se mueve de necio. —Yo lo creo, dijo Critilo, que todos, me parece, van por extremos en el mundo. ¿Quién es éste, dinos, que pica más en falso que en falto? —¿No habéis oído nunca nombrar el famoso Caco? Pues éste lo es de la política, digo un caos de la razón de estado: de este modo corren hoy los estadistas, al revés de los demás; así proceden en sus cosas para desmentir toda atención ajena, para deslumbrar discursos; no querrían que por las huellas las rastreasen, sus fines señalan a una parte y dan en otra, publican uno y ejecutan otro; para decir no dicen sí, siempre al contrario, cifrando en las encontradas señales su vencimiento. Para esto es menester un otro Hércules que en la maña y la fuerza averigüe sus pisadas y castigue sus enredos.

Observó de buena nota Andrenio que los más hablaban a la boca, y no al oído, y que los que escuchaban no sólo no se ofendían de semejante grosería, sino que antes bien gustaban tanto de ello que abrían las bocas de par en par, haciendo de los mis-

---

(1) «Basquiña», saya negra con pliegues, que usaban sobre la demás ropa, para salir a la calle.

mos labios orejas, hasta destilárseles el gusto. —¡Hay tal abuso!,
dijo el mismo. Las palabras se oyen, que no se comen, ni se
beben, y éstos todo se tragan. Verdad es que nacen en los labios,
pero mueren en el oído y se sepultan en el pecho; éstos parece
que las mascan y que se relamen con ellas. —Gran señal, dijo
Critilo, de poca verdad, pues no les amargan. —¡Oh!, dijo Quirón, ¿no veis que ya se usa hablarle a cada uno al sabor de su
paladar?; ¿no adviertes, oh Andrenio, aquel señor, cómo se está
saboreando con las lisonjas de azúcar? ¡Qué hartazgos se da de
adulación! Créeme, que no oye, aunque lo parece, porque todo
se lo lleva el viento. Repara en aquel otro Príncipe que hace de
engullir mentiras: todo se lo persuade, mas hay una cosa: que
en toda su vida dejó de creer mentira alguna, aunque escuchó
tantas, ni creyó verdad, aunque oyó tan pocas. Pues aquel otro
necio desvanecido, ¿de qué piensas tú que está tan hinchado? He
que no es de sustancia, no es sino aire y vanidad. —Ésta debe
ser la causa, ponderó Critilo, que oyen tan pocas verdades los
que más debrían: ellas amargan, y como ellos las escuchan con
el paladar o no se las dicen o no tragan alguna, y la que acierta
a pasar les hace tan mal estómago que no la pueden digerir.
    Lo que los ofendió mucho fue el ver unos vilísimos esclavos
de sí mismos, arrastrando eslabonados hierros; las manos no con
cuerdas, ni aun con esposas, atadas para toda acción buena y más
para las liberales; el cuello con la argolla de un continuo aunque
voluntario ahogo; los pies con grillos que no les dejaban dar un
paso por el camino de la fama; tan cargados de hierros cuan
desnudos de aceros; y con una nota tan descarada estaban muy
entronizados, cortejados y aplaudidos, mandando a hombres muy
ingenuos y principales, gente toda de muy noble condición; éstos
servían a aquéllos, obedeciéndoles en todo y aún los llevaban en
peso poniendo el hombro a tan vil carga. Aquí ya dio voces Andrenio, sin poder tolerar: —¡Oh, quién pudiera llegar, decía, y
barajar aquellas suertes!; ¡oh, cómo derribara yo a puntillazos
aquellas mal empleadas sillas y las trocara en lo que habían de
ser y ellos tan bien merecen! —No griten, dijo Quirón, que nos
perdemos. —¿Qué importa, si todo va perdido? —¿No ves tú que
son éstos los poderosos? —¿Éstos? —Sí, estos esclavos de sus
apetitos, siervos de sus deleites, los Tiberios, los Nerones, los Calígulas, Heliogábalos y Sardanápalos, éstos son los adorados, y al
contrario, los que son los verdaderos señores de sí mismos, libres
de toda maldad, ésos son los humillados. En consecuencia de esto
mira aquellos muy sanos de corazón tendidos en el suelo y aquellos otros tan malos muy en pie; los de buen color en todas sus
cosas andan descaecidos y aquellos a quienes su mala conciencia les ha robado el color por lo que robaron están empinados;
los de buenas entrañas no se pueden tener ni conservar y los que
las tienen dañadas corren; los que les huele mal el aliento están
alentados, y los cojos tienen pies y manos; todos los ciegos tienen

palo; de suerte que todos los buenos van por tierra y los malos
andan ensalzados. —¡Oh, qué bueno ya el mundo!, dijo Andrenio.

Pero lo que les causó gran novedad, y aun risa, fue ver un
ciego que no veía gota aunque sí bebía muchas, con unos ojos
más oscuros que la misma vileza, con más nubes que un mayo.
Con toda esta ceguera venía hecho guía de muchos que tenían
la vista clara, él los guiaba ciego y ellos le seguían mudos, que
en nada le repugnaban. —Ésta sí, exclamó Andrenio, que es brava ceguera. —Y aún torpe también, dijo Critilo, que un ciego guíe
a otro gran necedad es, pero ya vista y caer ambos en una profundidad de males; pero que un ciego de todas maneras quiera
guiar a los que ven, éste es disparate nunca oído. Yo no me espanto que el ciego pretenda guiar a los otros, que como él no ve,
piensa que todos los demás son ciegos y que proceden del mismo
modo a tientas y a tontas; mas ellos, que ven y advierten el peligro común, que con todo eso le quieran seguir, tropezando a
cada punto y dando de ojos a cada paso, a despeñarse en un
abismo de infelicidades, ésa es una increíble necedad, una monstruosa locura. —Pues advertid, dijo Quirón, que éste es un error
muy común, una desesperación trascendental, necedad de cada
día y mucho más de nuestros tiempos; los que menos saben
tratan de enseñar a los otros; unos hombres embriagados in-
tentan leer cátedra de verdades; de suerte que habemos visto que
un ciego de la torpe afición de una mujer tan fea cuan infame
llevó infinitas gentes tras sí, despeñándose todos en un profundo
de eterna calamidad, y ésta no es la octava maravilla, el octavo
monstruo sí, que el primer paso de la ignorancia es presumir
saber y muchos sabrían si no pensasen que saben.

Oyeron en esto un gran ruido como de pendencia en un rincón
de la plaza, entre diluvios del populacho. Era una mujer, origen
siempre del ruido, muy fea pero muy aliñada, mejor fuera prendida; servíale de adorno todo un mundo, cuando ella le descompone todo: metía a voces su mal pleito y a gritos se formaba
cuando más se deshacía; habíalas con otra mujer, muy otra en
todo y aun por eso su contraria. Era ésta tan linda cuan desaliñada, mas no descompuesta; iba casi desnuda, unos decían que
por pobre, otros que por hermosa; no respondía palabra, que no
osaba, ni la oían; todo el mundo le iba en contra, no sólo el
vulgo sino los más principales, pero más vale enmudecer con
ella. Todos se conjuraron en perseguirla, pasando de las burlas
a las veras, de las voces a las manos; comenzaron a maltratarla
y cargó tanta gente que casi la ahogaban, sin haber persona que
osase ni quisiese volver por ella. Aquí, naturalmente compasivo,
Andrenio fue a ponérsele al lado, mas detúvole el Quirón diciendo: —¿Qué haces? ¿Sabes con quién te topas y por quién vuel-
ves? ¿No adviertes que te declaras contra la plausible mentira,
que es decir contra todo el mundo, y que te han de tener por
loco?

Quisiéronla vengar los niños, con sólo decirla mas como flacos y contra tantos y tan poderosos no fue posible prevalecer, con lo cual quedó de todo punto desamparada la hermosísima verdad, y poco a poco a empellones la fueron todos echando tan lejos que aún hoy no parece, ni se sabe dónde haya parado.

—Basta, que no hay justicia en esta tierra, decía Andrenio. —¿Cómo no?, le replicó el Quirón. Pues de verdad que hay hartos ministros suyos. Justicia hay, y no puede estar muy lejos estando tan cerca la mentira. Asomó en esto un hombre de aspecto agrio, rodeado de gente de juicio, y así como le vio se fue para él la mentira, a informarle con muchas razones de la poca que tenía. Respondióla que luego firmara la sentencia en su favor, a tener plumas. Al mismo instante ella le puso en las manos muchos alados pies, con que volando firmó el destierro de la libertad, su enemiga, de todo el mundo. —¿Quién es aquél, preguntó Andrenio, que para andar derecho lleva por apoyo el tormento en aquella flexible vara? —Éste, respondió Quirón, es juez, ya el hombre se equivoca con el vendedor del justo; notable cosa, toca primero para oír después. —¿Qué significa aquella espada desnuda que lleva delante, y para qué la lleva? —Ésa, dijo Quirón, es la insignia de la dignidad y juntamente instrumento del castigo, con ella corta la mala hierba del vicio. —Más valiera arrancarla de cuajo, replicó Critilo; peor es a veces segar las maldades, porque luego vuelven a brotar con más pujanza y nunca mueren del todo. —Así había de ser, respondió Quirón; pero ya los mismos que habían de acabar los males son los que los conservan, porque viven de ellos. Mandó luego ahorcar, sin más apelación, un mosquito y que le hiciesen cuartos, porque había caído el desdichado en la red de la Ley; pero a un elefante que las había atropellado todas, sin perdonar humanas ni divinas, le hizo una gran bonetada al pasar cargado de armas prohibidas, bocas de fuego, buenas lanzas, ganzúas, chuzones, y aún le dijo que aunque estaba de ronda, si era servido, le irían acompañando todos sus ministros hasta dejarle en su cueva. ¡Qué paso éste para Andrenio! Y no paró aquí, sino que a otro desventurado que encogiéndose de hombros no osaba hablar alto, lo mandó pasear, y preguntando unos por qué le azotaban, respondían otros: porque no tiene espaldas, que a tenerlas él hombreara, como aquellos que van allí cargados de ellas, con más cargas a más cargos.

Desapareció el juez cuando comenzó a llevarse los ojos y los aplausos un valiente hombre, que pudiera competir con el mismo Pablo de Parada; traía dos pistolas, pero muy dormidas en sus fundas, a lo descansado; caballo desorejado, y no por culpas suyas; dorado espadín en solo el nombre, hembra en los hechos, nunca desnuda por lo recatado. Coronábase de plumas, avechucho de la bizarría, que no del valor. —¿Éste, preguntó Andrenio, es hombre o es monstruo? —Bien dudas, acudió el Quirón, que algunas naciones, la primera vez que le vieron le imaginaron todo una cosa, caballo y hombre. Éste es soldado, así lo estuviera en las costumbres, no anduviera tan rota la conciencia. —¿De qué sirven éstos en el mundo? —¿De qué? Hacen guerra a los enemigos, no la hagan mayor a los amigos. —¿Éstos nos defienden? Dios nos defienda de ellos. ¿Éstos pelean, destrozan, matan y aniquilan nuestros contrarios? ¿Cómo puede ser eso si dicen que ellos mismos los conservan? —Aguarda, yo digo lo que deberían hacer por oficio, pero ya está el mundo tan depravado que los mismos remediadores de los males los causan en todo género de daños. Éstos, que habían de acabar las guerras, las alargan; su empleo es pelear, que no tienen otros juros ni otra renta, y como, acabada la guerra, quedarían sin oficio ni beneficio, ellos popan al enemigo porque papan de él (1): ¿para qué han de matar los centinelas al Marqués de Pescara si viven de él? Que hasta el Atambor sabe estos primores y así veréis que la guerra, que a lo más tirar estas nuestras barras pudiera durar un año, dura doce y fuera eterna si la felicidad y el valor no se hubieran juntado hoy en un Marqués de Mortara.

Lo mismo sienten todos de aquel otro que también viene a caballo para acabarlo todo. Éste tiene por asunto y aun obligación hacer de los malos buenos, pero él obra tan al revés que de los buenos hace malos y de los malos peores. Éste trae guerra declarada contra la vida y la muerte, enemigo de entrambas, porque querría a los hombres ni mal muertos ni bien vivos, sino malos, que es un malísimo medio; para poder él comer hace de modo que los otros no coman; él engorda cuando ellos enflaquecen; mientras están en sus manos no pueden comer, y si escapan de ellas, que sucede pocas veces, no les queda qué comer; de suerte que éstos viven en gloria cuando los demás en pena y así peores son que los verdugos, porque aquéllos ponen toda su industria en no hacer penar y con lindo aire hacen que le falte al que pernea, pero éstos todo su estudio ponen en que pene y viva muriendo el enfermo; y así aciertan los que les dan los males a destajo, y es de advertir que donde hay más doctores hay más dolores. Esto dice de ellos la ojeriza común, pero engáñase en la venganza vulgar, porque yo tengo por cierto que del Médico nadie puede decir ni bien ni mal antes de ponerse en sus manos, pues aún no tiene experiencia, ni después, porque no tiene ya vida. Pero advertid que no hablo del médico material sino de los morales, de los de la República y costumbres, que en vez de remediar los achaques e indisposiciones por obligación, ellos mismos los conservan y aumentan, haciendo dependencia de lo que había de ser remedio.

—¿Qué será, dijo Andrenio, que no vemos pasar ningún hombre de bien? —Ésos, acudió Quirón, no pasan, porque eterna-

---

(1) «Popar», voz antigua que significa acariciar, cuidar, mimar. «Papar» en castellano familiar de la época, comer.

mente duran, permanece inmortal su fama, hállanse pocos y éstos
están muy retirados: oímoslos nombrar como al unicornio en la
Arabia y al fénix en su Oriente; con todo, si queréis ver alguno,
buscad un Cardenal Sandoval en Toledo, un Conde de Lemos gobernador de Aragón, un Archiduque Leopoldo en Flandes, y si
queréis ver la integridad, la rectitud, la verdad y todo lo bueno
en uno, buscad un Don Luis de Haro en el centro que merece.
Estaban en la mayor fuga del ver y extrañar monstruosidades
cuando Andrenio, al hacer un grande extremo, abrió los ojos y
gritó al Cielo, como si le hicieran ver las estrellas. —¿Qué es
esto, dijo, yo he perdido el tino de todo punto? ¡Qué cosa es
andar entre desatinados! Achaque de contagio, hasta el Cielo me
parece que está trabucado y que el tiempo anda al revés. Pregunto, señores, ¿es día o es noche? Mas no lo metamos en pareceres, que será confundirlo más. —Espera, dijo el Quirón, que
no está el mal en el Cielo, sino en el suelo, que no sólo anda el
mundo al revés en orden al lugar, sino al tiempo. Ya los hombres
han dado en hacer del día noche y de la noche día. Ahora se levanta aquél cuando se había de acostar; ahora sale de casa la
otra con la Estrella de Venus y volverá cuando se ría de ella la
Aurora; y es lo bueno que los que tan al revés viven, dicen ser
la gente más ilustre y la más lucida, mas no falta quien afirma
que andando de noche como fieras vivirán de día como brutos.
—Esto ha sido, dijo Critilo, quedarnos a buenas noches nosotros,
y no me pesa porque no hay cosa que ver. —¡Que a esto le llamen mundo!, ponderaba Andrenio. Hasta el nombre miente, cal-
zóselo al revés, llámese inmundo y de todas maneras disparata-
do. —Algún día, replicó Quirón, bien le convenía su nombre en
verdad, que era definición, cuando Dios quería y lo dejó tan concertado. —Pues ¿de dónde le vino tal desorden?, preguntó Andrenio. ¿Quién lo trastornó de alto a bajo, como hoy le vemos?
—En eso hay mucho que decir, respondió Quirón, harto lo censu-
ran los sabios y lo lloran los filósofos. Aseguran unos que la Fortuna, como está ciega y aun loca, lo revuelve todo cada día, no
dejando cosa en su lugar ni tiempo. Otros dicen que cuando cayó
el Lucero de la mañana aquel aciago día dio tal golpe en el mundo que le sacó de sus quicios, trastornándole de alto a bajo. Ni
falta quien eche la culpa a la mujer llamándola el duende universal que todo lo revuelve. Mas yo digo que donde hay hombres
no hay que buscar otro achaque, uno solo basta a desconcertar
mil mundos y el no poderlo era lo que lloraba el otro grande
inquietador. Mas digo que si no previniera la Divina Sabiduría
que no pudieran llegar los hombres al primer móvil, ya estuviera
todo barajado y anduviera el mismo Cielo al revés, un día saliera
el Sol por el poniente y caminara al Oriente, y entonces fuera
España cabeza del mundo sin contradicción alguna, que no hubiese quien viviera con ella; y es cosa de notar que, siendo el

hombre persona de razón, lo primero que ejecuta es hacerla a
ella esclava del apetito bestial; de este principio se originan todas
las demás monstruosidades, todo va al revés en consecuencia de
aquel desorden capital. La virtud es perseguida, el vicio aplaudido, la verdad muda, la mentira trilingüe, los sabios no tienen
libros, y los ignorantes librerías enteras; los libros están sin doctor y el doctor sin libros. La discreción del pobre es necedad, la
necedad del poderoso es celebrada, los que habían de dar vida
matan, los mozos se marchitan y los viejos reverdecen, el derecho
es tuerto, y ha llegado el hombre a tal punto de desatino que no
sabe cuál es su mano derecha, pues pone el bien a la izquierda,
lo que más le importa echa a las espaldas, lleva la virtud entre
pies y en lugar de ir adelante vuelve atrás.

—Pues si esto es así como lo vemos, dijo Andrenio, ¿para qué
me has traído al mundo, oh, Critilo? ¿No me estaba yo bien a
mis solas? Yo resuelvo volverme a la cueva de mi nada; alto, y
huyamos de tan insufrible confusión, sentina, que no mundo.
—Eso es lo que ya no se puede, respondió Critilo, ¡oh, cuántos
volvieran atrás si pudieran! No quedaran personas en el mundo.
Advierte que vamos subiendo por la escalera de la vida y las gradas de los días que dejamos atrás, al mismo punto que movemos
el pie desaparecen, no hay por dónde volver a bajar, ni otro remedio que pasar adelante. —Pues ¿cómo hemos de poder vivir
en un mundo como ése?, porfiaba afligiéndose Andrenio. Y más
para mi condición, si no me mudo, que no puedo sufrir cosas
mal hechas; yo habré de reventar sin duda. —He que te harás a
ello en cuatro días, dijo Quirón, serás tal como los otros. —Eso
no, ¿yo loco y necio, yo vugar? —Ven acá, dijo Critilo, ¿no podrás tú pasar por donde tantos sabios pasaron, aunque sea tragando saliva? —Debía estar de otra data el mundo. —El mismo
fue siempre el que es, así le hallaron todos y así le dejaron. Vive
un entendedor Conde de Castrillo y no revienta un entendido
Marqués Carreto y Pasa. —Pues ¿cómo hacen para poder vivir
siendo tan cuerdos? —¿Cómo?: ver, oír y callar. —Yo no diría
de esta suerte, sino ver, oír y reventar. No dijera más Heracli-
to. —Ahora dime, ¿nunca se ha tratado de adobar el mundo?
—Sí, cada día lo tratan los necios. —¿Por qué necios? —Porque
es tan imposible como concertar a Castilla y descomponer a Aragón: ¿quién podrá recabar que unos no tengan nepotes y otros
privados, que los franceses no sean tiranos, los ingleses tan feos
en el alma cuan hermosos en el cuerpo, los españoles soberbios,
y los genoveses, etc.? —No hay que tratar: yo me vuelvo a mi
cueva y a mis fieras, pues no hay otro remedio. —Yo te lo he
de dar, dijo el Quirón, tan feliz como verdadero, si me escuchas
en la Crisi siguiente.

CRISI VII

LA FUENTE DE LOS ENGAÑOS

Declararon todos los males al hombre por su enemigo común, no más de por tener él razón. Estando ella para darle la batalla dicen que llegó al campo la discordia, que venía no del Infierno, como algunos pensaron, ni de los pabellones militares, como otros creyeron, sino de casa de la hipócrita ambición. En estando allí hizo de las suyas, movió una reñida competencia sobre quién había de llevar la vanguardia, no queriendo ceder ningún vicio esta ventaja del valor y del valer. Pretendía la gula, por primera pasión del hombre, que comienza a triunfar desde la cuna; la lascivia llevábalo por valiente, jactándose de ser la más poderosa pasión, refiriendo sus victorias y favorecíanla muchos; la codicia alegaba ser la raíz de todos los males; la soberbia blasonaba su nobleza haciéndose oriunda del Cielo y ser el vicio más de hombrfes, cuando los demás son de bestias; la ira lo tomaba fuertemente. De esta suerte peleaban entre sí y todo paraba en confusión. Tomó la mano la malicia e hízoles una pesadamente grave arenga; encargóles sobre todo la unión, aquel ir encadenados todos, y tocando el punto de la dificultad les dijo: Esa bizarría del embestir sabida cosa es que toca a mi hija primogénita la mentira, ¿quién dudó jamás en eso? Ella es la aurora de toda maldad, fuente de todo vicio, madre del pecado, harpía que todo lo inficiona, Pitón que todo lo anda, hidra de muchas cabezas, Proteo de muchas formas, Centimano que a todas manos pelea, Caco que a todas desmiente, progenitora al fin del engaño, aquel poderoso Rey, que abarca todo el mundo, entre engañadores y engañados, unos de ignorancia y otros de malicia. La mentira, pues, con el engaño, embisten la incauta candidez del hombre cuando mozo y cuando niño, valiéndose de sus invenciones, ardides, estratagemas, asechanzas, trazas, ficciones, embustes, enredos, embelecos, dolos, mañas, ilusiones, trampas, fraudes, falacias y todo género de italiano proceder, que de este modo, entrando los demás vicios por su orden, sin duda que tarde o temprano, a la mocedad o a la vejez, se conseguirá la deseada victoria.

Cuánta verdad sea ésta, confírmelo lo que les sucedió a Critilo y Andrenio a poco rato de que se habían despedido del sagaz Quirón, el cual, habiéndoles sacado de aquel confuso Babel, registro de todo el mundo, e introducídolos en el camino más derecho, volvíase a encaminar otros y ellos pasaron adelante en el peregrino viaje de su vida. Iba muy consolado Andrenio con el único remedio que le diera para poder vivir, y fue que mirase siempre el mundo, no como ni como le suelen mirar todos, sino por donde el buen entendedor Conde de Oñate, eso es, al contrario de los demás, por la otra parte de lo que parece, y con eso, como él anda al revés, el que le mira por aquí le ve al derecho: entendiendo todas las cosas al contrario de lo que se muestran. Cuando vieres un presumido de saber, cree que es un necio, ten al hombre pobre por lleno de los verdaderos bienes, el que a todos manda es esclavo común, el grande de cuerpo no es muy hombre, el grueso tiene poca sustancia, el que hace el sordo oye más de lo que querría, el que mira lindamente es ciego o cegará, el que huele mucho huele mal a todos, el hablador no dice cosa, el que ríe engaña, el que murmura se condena, el que come más come menos, el que se burla tal vez se confiesa, el que dice mal de la mercadería la quiere, el que hace el simple sabe más, al que nada le falta él se falta a sí mismo, al avaro tanto le sirve lo que tiene como lo que no tiene, el que gasta más razones tiene menos, el más sabio suele ser menos entendido, darse buena vida es acabar, el que la ama la aborrece, el que te unta los cascos ése te los quiebra, el que te hace fiestas te ayuna, la necedad la hallarás de ordinario en los buenos pareceres, el muy derecho es tuerto, el mucho bien hace mal, el que excusa pasos da más, por no perder un bocado se pierden ciento, el que gasta poco gasta doblado, el que te hace llorar te quiere bien, y al fin lo que uno afecta y quiere parecer, eso es menos.

De esta suerte iban discurriendo cuando interrumpió su filosofar otro monstruo, aunque no lo extrañaron, porque en este mundo no se halla sino una monstruosidad tras otra. Venía hacia ellos una carroza, cosa bien rara en camino tan dificultoso aunque tan derecho, pero ella era tan artificiosa y de tan enteras vueltas, que atropellaba toda dificultad; las pías que la tiraban, más remendadas que pías, eran dos serpientes, y el cochero una vulpeja. Preguntó Critilo si era carroza de Venecia, pero disimuló el cochero haciendo el desentendido: venía dentro un monstruo, digo muchos en uno, porque ya era blanco, ya negro, ya mozo, ya viejo, ya pequeño, ya grande, ya hombre, ya mujer, ya persona, ya fiera, tanto que dijo Critilo si sería éste el celebrado Proteo. Luego que llegó a ellos se apeó, con más cortesías que un francés novicio, primera especie de engaño, y con más cumplimientos que una despedida aragonesa les dio la bienvenida, ofreciéndoles de parte de su gran dueño su palacio donde descansasen algunos días del trabajo de tan enfadoso camino. Agradecidos ambos a tan anticipado favor le preguntaron quién era el tal señor que sin conocerlo ni conocerlos así los obligaba. Es, dijo, un gran Príncipe, que si bien su señorío se extiende por toda la redondez de la tierra, aquí al principio del mundo, en esta primera entrada de la vida tiene su metrópoli. Es un gran Rey y con toda propiedad monarca, pues tiene vasallos Reyes, que son bien pocos los que no le rinden honores. Su reino es muy florido, donde a más de que se premian las armas y se estiman las letras, quien quisiere entender la raíz, la política, el modo, el artificio, curse esa corte, aquí le enseñarán el atajo para

medrar y valer en el mundo, el arte de ganar voluntades y tener
amigos, sobre todo el hacer parecer las cosas, que es el arte de
las artes. Picado del gusto, picábanle los pies a Andrenio por ir
allá; no veía la hora de hallarse en una corte tan política, y,
obligado del agasajo, estaba ya dentro la carroza, dando la mano
a Critilo y estirándole a que entrase; mas éste, como iba con pies
de oro, volvió a informarse cómo se llamaba aquel Príncipe, que
siendo tan grande como decía no podía dejar de tener gran nombre. Muchos tiene, respondió el ministro, mudando a cada palabra su semblante, nombres y renombres tiene, y aún en cada provincia el suyo y para cada acción; pero el verdadero, el más propio, pocos le saben, que muy pocos llegan a verle y menos a conocerle: es Príncipe de mucha autoridad, que no es de esos de a
docena en provincia, guarda gran recato, no se permite así vulgarmente, que consiste su mayor estimación en el retiro y en no
ser descubierto; al cabo de muchos años llegan algunos a verle
y eso por gran ventura, que otros ni en toda la vida. Ya en esto
les había sacado del camino derecho y metido en otro muy intrincado y torcido. Cuando lo advirtió Critilo comenzó a malear-
se, pero ya no era fácil volver atrás y desenredarse, asegurándo-
les la guía que aquél era el atajo del medrar, que le siguiesen,
que él les ofrecía sacarlos a lucimiento, y que advirtiesen que
casi todos los pasajeros echaban por allí. —No es eso lo mejor,
dijo Critilo; antes lo trivial se hace sospechoso, y previno a Andrenio fuese muy sobre sí y doblase la cautela.

Llegaron ya a la gran Fuente de la gran sed, tan nombrada
como deseada de todos los fatigados viandantes, famosa por su
artificio, injuria de Juanelo, y célebre por la perennidad de sus
líquidos cristales. Estaba en medio de un gran campo y aún no
bastante para la mucha gente que concurría, solicitando alivio a
tanta sed y fatiga: veíase en aquella ocasión tan coronada de se-
dientes pasajeros que parecía haberse juntado todo el mundo, que
bien pocos de los mortales faltaban. Brollaba el agua por siete
caños en gran abundancia, aunque no eran de oro sino de hierro,
circunstancia que la notó bien Critilo, y más cuando vio que en
vez de grifos y leones eran sierpes y eran canes; no había estanque donde el agua resbalase, porque no sobraba gota donde se
despreciaban tantas, asegurando todos cuantos la gustaban era la
más dulce que en su vida habían bebido, y con este cebillo, sobre
el cansancio no cesaban de brindarse, hidrópicos de dulzura. Para
la gente de cuenta, que siempre éstos son contados, había cálices
de oro que una agradable ninfa, tabernera de Babilonia, con extremada cortesía les ministraba y las más veces bailándoles el
agua delante. Aquí Andrenio, tan apretado de la sed cuanto obligado del agasajo, sin más reparo se precipitó al agua. Poca pudo
pasar, que le gritó Critilo: —Aguarda, espera, mira primero si
es agua. —Pues ¿qué ha de ser?, replicó él. —Bien puede ser
veneno, que aquí todo es de temer. —Agua veo yo que es, y bien

clara y muy risueña. —Eso, replicó Critilo, es lo peor, aún del
agua clara ya no hay que fiar, pues con todo ese claro proceder
adultera las cosas, representándolas mayores de lo que son y a
veces más altas, y otras las esconde en el profundo; ya ríe, ya
murmura, que no hiciera más un áulico. —Déjame siquiera enjuagar, replicó Andrenio, que estoy que perezco. —No hagas tal,
que el enjuagar siempre fue reclamo de beber. —¿Siquiera no
pondría bajos ojos, limpiándome del polvo que me ciega y del
sudor que me ensucia? —Ni aun eso; créeme y remítete siempre
a la experiencia, con enseñanza tuya y riesgo ajeno. Nota el efecto que hará en estos que ahora llegan: míralos bien primero antes que beban y vuelve a reconocerlos después de haber bebido.

Llegaba en esto una gran tropa de pasajeros que más sedientos
que atentos se lanzaron al agua; comenzaron a bañarse primero
y estregarse los ojos blandamente; pero, ¡cosa rara e increíble!,
al mismo punto que les tocó el agua en ellos se les trocaron, de
modo que siendo antes muy naturales y claros se les volvieron
de vidrio de todos colores: a uno tan azules que todo cuanto veía
le parecía un cielo y que estaba en gloria, éste era un gran necio
que vivía muy satisfecho de sus cosas; a otro se le volvieron cándidos como la misma leche, todo cuanto veía le parecía bueno,
sin género alguno de malicia, de nadie sospechaba mal y así todos le engañaban, todo lo abonaba y más si eran cosas de sus
amigos, hombre más sencillo que un polaco. Al contrario, a otro
se le volvieron más amarillos que una hiel, ojos de suegra y cuñada, en todo hallaba dolo y reparo, todo lo echaba a la peor
parte y cuantos veía juzgaba que eran malos y enfermos, éste era
uno más malicioso que juicioso; a otros se les volvían verdes, que
todo se lo creían y esperaban conseguir, ojos ambiciosos. Los
amartelados cegaban de todo punto, y de ajenas lagañas a muchos se les paraban sangrientos, que parecían calabreses. ¡Cosa
rara!, que aunque a algunos daba buena vista, veían bien y miraban mal, debían ser envidiosos. No sólo se les alteraban los ojos
en orden a la calidad, sino a la cantidad y figura de los objetos,
de suerte que a unos todas las cosas les parecían grandes, y más
las propias, a lo castellano; a otros todo les parecía poco, gente
de mal contentar. Había uno que todas las cosas le parecían estar
muy lejos, acullá cien leguas, y más los peligros de la misma
muerte; éste era un incauto; al contrario, a otro le parecía que
todo lo tenía muy cerca, y los mismos imposibles muy a mano,
todo lo facilitaba y pretendiente había de ser. Notable vista era la
que les comunicaba a muchos, que todo les parecía reírseles y
que todos les hacían fiestas y agasajos, condición de niños. Estaba uno muy contento, porque en todo hallaba hermosura, pareciéndole que veía ángeles: éste dijeron que era o portugués o
nieto de Macías. Hombre había que en todo se veía a sí mismo,
necio antiferoete. A otro se le equivocó la vista de tal modo que
veía lo que no miraba, bizco de intención y de voluntad torcida.

Había ojos de amigos y ojos de enemigos, muy diferentes; ojos de madre, que los escarabajos le parecían perlas, y ojos de madrastra, mirando siempre de mal ojo; ojos españoles verdinegros y azules los franceses.

Todos estos monstruosos efectos causó aquel venenoso licor en los que se lavaron con él, que en otros que llegaron a tomarlo en la boca y enjuagarse ya obró más prodigiosas violencias, pues las lenguas que antes eran de carne sólida y sustancial, las trocó en otras de bien extraordinarias materias: unas de fuego, que abrasaban el mundo, y otras de agua chirle, muy a la clara; muchas de viento, que parecían fuelles en llenar las cabezas de mentiras, de soplos, de lisonjas; algunas que habían sido de seda se volvían de bayeta, y las de terciopelo en raso; transformábanse otras en lenguas de burlas, nada sustanciales y las más de borra, que se embarazaban mucho en decir lo que convenía; a muchas mujeres les quitó del todo las lenguas, pero no el habla, que antes hablaban más cuanto más deslenguadas. Comenzó uno a hablar muy alto: —Éste, dijo Andrenio, español es. —No es sino un presuntuoso, dijo Critilo, que los que habían de hablar más quedo hablan de ordinario más alto. —Así es, dijo uno con una voz muy afeminada, que parecía francés y no era sino un melindroso. Salióle al encuentro otro, que parecía hablar entre boca de noche, y todos creyeron era tudesco, mas él mismo dijo: —No soy sino uno de éstos, que por hablar culto hablo a oscuras. Ceceaba tanto uno que hacía rechinar los dientes, y todos convinieron en que era andaluz o gitano. Otros se escuchaban y eran los que peor decían. Muy alborotado comenzó uno a inquietarlo todo y a revolver el mundo, sin saber él mismo por qué, sólo dijo que era su natural; creyeron todos era mallorquín, mas no era sino un bárbaro furioso. Hablaba uno y nadie le entendía, pasó plaza de vizcaíno, mas no lo era, sino uno que pedía. Perdió de todo punto la habla un otro, procurando darse a entender por señas, y todos se reían de él. —Éste sin duda, dijo Critilo, quiere decir la verdad y no acierta, o no se atreve. Hablaban otros muy ronco y con voz muy baja: —Éstos, dijo, habían de ser del Parlamento, pero no son sino del consejo de sí mismos. Algunos hablaban gangoso, si bien no faltaba quien les entendía la lengua; tartamudeando los que negaban, los que ni bien decían de sí, ni bien de no; muchos no hablaban seguido y muy pocos se mordían la lengua; pronunciaban algunos como botijas a lo enfadado, y más a lo enfadoso. Éstos entonados, aquéllos mirlados, especialmente cuando querían engañar. Fue de modo que ninguno quedó con su voz ni buena ni verdadera, no había hombre que hablase llanamente, igual, consiguiente y sin artificio: todos murmuraban, fingían, malsinaban, mentían, engañaban, chismeaban, injuriaban, blasfemaban y ofendían. Desde aquí aseguran que a los franceses, que bebieron más que todos y les brindaron los italianos, les quedó el no hablar como escriben, ni el obrar lo que dicen, de modo que es menester atenderles mucho a lo que pronuncian y escriben, entendiéndolo todo al revés.

Pero donde mostró su eficacia el licor pestilencial fue en aquellos que bebieron de él, porque al mismo punto que le tragaron, ¡cosa lastimosa pero cierta!, todo el interior se les revolvió y mudó, de suerte que no les quedó aquella sustancia verdadera que antes tenían, sino que quedaron llenos de aire, rebutidos de borra, hombres de burla, todo mentira y embeleco. Los corazones se les volvieron de corcho, sin jugo de humanidad ni valor de personas; las entrañas se les endurecieron más que pedernales. Los sesos de algodón sin fondo de juicio, la sangre agua sin color ni calor, el pecho de cera, no de acero, los nervios de estopa sin bríos, los pies de plomo para lo bueno y de pluma para lo malo, las manos de pez que todo se les pega, las lenguas de borra, los ojos de papel, y todos ellos engaño de los engaños y todos vanidad. Al desdichado Andrenio una sola gota que tragó, que lo demás se la hizo verter Critilo, le hizo tal operación que quedó vacilando siempre en la virtud. —¿Qué te parece?, le dijo Critilo, ¡qué perennidad ésta de engaños, qué manantial de mentiras en el mundo! Mira qué bueno hubieras quedado si hubieras bebido a hartar, como hacen los más. ¿Piensas tú que valen poco unos ojos claros, una lengua verdadera, un hombre sustancial, un Duque de Osuna, una persona que lo sea, un Príncipe de Condé? Créeme y estima el serlo, que es un prodigio de Fénix. —¿Hay tal suceso?, decía Andrenio, ¿quién tal creyera de un agua tan mansa? —Ésa es la peor. —¿Cómo se llama esta fuente?, preguntó a unos y otros. Y ninguno supo responderle. —No tiene nombre, dijo el Proteo, que en no ser conocida consiste su eficacia. —Pues llámese, dijo Critilo, la fuente de los engaños, donde el que una vez bebe, después todo se lo traga y todo lo trueca.

Quisiera volverse atrás Critilo, mas no pudo, ni vino en ello Andrenio, ya maleado, instando en pasar adelante el Proteo y diciendo: —Ea, que más vale ser necio con todos que cuerdo a solas. Fuelos desviando, que no guiando, por unos prados amenos, donde se estaba dando verdes la juventud; caminaban a la fresca de árboles frondosos, todos ellos descorazonados, gran señal de infructíferos. Divisábase ya la gran ciudad por los humos, vulgar señal de habitación humana en que todo se resuelve (1); tenía extremada apariencia y mejor cuanto más de lejos, era increíble el concurso que de todas las provincias y a todos tiempos acudían a aquel paradero de todos, levantando muy espesas nubes de polvo que quitaban la vista. Cuando llegaron a ella hallaron que la que parecía clara por fuera era confusa dentro, ninguna calle había derecha ni despejada, modelo de laberintos y centro de Minotauros. Fue a meter el pie el arrojado Andrenio

_____

(1) Giro algo oscuro pero agudo: «el humo, señar de habitación humana» y todo lo humano, vano y pasajero, que se resuelve en humo.

y diole un grito Critilo: —Abre los ojos primero, los interiores
digo, y porque adviertas donde entras, mira. Bajóse a tierra y
escarbando en ella descubrió lazos y más lazos, de mil maneras,
hasta hilos de oro y de rubios cabellos, de suerte que todo el
suelo estaba sembrado de trampas encubiertas. —Nota, le dijo,
dónde y cómo entras; considera a cada paso que dieres dónde
pones el pie y procura asentarlo, no te apartes un punto de mi
lado si no quieres perderte; nada creas de cuanto te dijeren, nada
concedas de cuanto te pidieren, nada hagas de cuanto te man-
daren, y en fe de esta lección echemos por esta calle, que es la
del callar y ver para vivir. Eran todas casas de oficiales, no se
veía un labrador, gente que no sabe mentir; vieron cruzar de
una parte a otra muchos cuervos domésticos y muy hallados con
sus amos; extrañólo Andrenio y aún lo tuvo por mal agüero,
mas díjole el Proteo: —No te espantes que de estas malas aves
dijo una muy aguda necedad Pitágoras, prosiguiendo aquel su
obstinado disparate de que Dios castigaba los malos en muerte,
trasladando sus almas a los cuerpos de aquellos brutos a quienes
habían simbolizado en vida: las de los crueles metía a tigres, las
de los soberbios a leones, las de los deshonestos a jabalíes, y así
de todos. Dijo, pues, que las almas de los oficiales, especialmente
aquellos que nos dejan en cueros cuando nos visten, las daba a
cuervos, y como siempre habían mentido diciendo: mañana, señor, estará acabada, para mañana sin falta; ahora, prosiguiendo
en su misma canción, van repitiendo por castigo y por costumbre
aquel su cras, cras, que nunca llega.

En lo más interior ya de la ciudad vieron muchos y grandes
palacios, muy ostentosos y magníficos. Aquel primero, le dijeron
antes de preguntarlo, es el de Salomón, allí está embelesado entre más de trescientas mujeres, equivocándose entre el Cielo y el
Infierno. En aquella que parece fortaleza, y no es sino una casa
bien flaca, mora Hércules, hilando con Onfale la camisa o mortaja de su fama. Acullá Sardanápalo, vestido de mujer, revestido
de su flaqueza. Más hacia acá Marco Antonio el desdichado, por
más que le diga la ventura una gitana. En aquel arruinado alcázar no vive, sino que acaba, el Godo Rodrigo, desde cuyo tiempo
quedaron fatales los Condes para España. Aquella otra, la mitad
de oro y la mitad de lodo amasado con sangre humana, es la casa
áurea de Nerón el extremado, comenzando por una prodigiosa
clemencia y acabando en una portentosa crueldad. Acullá hace
ruido el más cruel de los Pedros, que no solos los dientes pero
todos los huesos está crujiendo de rabia. Aquellos otros palacios
se están fabricando ahora a toda priesa; no se sabe aún para
quién son, aunque muchos se lo sospechan; lo cierto es que se
edificaron para quien no edifica, y estas otras son para los que
no las hacen. —Este lado del mundo embarazan los engañados,
les dijo uno vestido de verde; aquel otro lo ocupan los engañadores: aquéllos se ríen de éstos y éstos de aquéllos, que al cabo

del año ninguno queda deudor. Mostró grandes ganas Andrenio
de pasar de la otra banda, no estando siempre entre los engañados, pero no hallaban otro que tiendas de mercaderes y muy
a oscuras; vendían borra, y más borra, para hacer parecer para
suplir faltas aún de las mismas personas; otras cartones para
hacer figuras; había una llena de pieles de raposas y aseguraba
eran más estimadas que las martas cibelinas. Creyéronlo cuando
vieron entrar y salir en ella hombres famosos, como Temístocles,
y otros más modernos. Vestíanse muchos de ellas, a falta de pieles de león, que no se hallaban, pero los sagaces servíanse de
ellas por forro de los mismos armiños. Vieron en una tienda gran
cantidad de anteojos para no ver o para que no viesen; compraban muchos los señores, para los que los llevan a cuestas, con
que los tienen quietos y enfrenados; las casadas los compraban
para que no se viesen sus antojos y hacer creer a los maridos
se les antojan las cosas; también había para engrandecer y para
multiplicar, de modo que había de viejos y de mozos, de hombres y de mujeres, y éstos eran los más caros. Hallaron una tienda llena de corchos para hacer personas y realmente aunque se
empinaban con ellos y parecían más de lo que eran, pero todo
era poca sustancia. Lo que le contentó mucho a Andrenio fue
una guantería. —¡Qué gran invención, dijo, esta de los guantes para
todo tiempo, contra el calor y contra el frío, defienden del sol
y del aire, aunque no sea sino para dar qué hacer a algunos, que
en todo el día no hacen otro que calzárselos y descalzárselos!
—Sobre todo, dijo Critilo, para que a poca costa echen buen olor
las personas, que de otra suerte cuesta mucho, tal vez un ojo de
la cara. —¡Qué bien lo entendéis!, replicó el guantero. Si dijerais
que sirven para envainar las uñas, que no les puedan mirar a las
manos, eso sí, ni falta quien se los calza para cazar. —¿Cómo
puede ser eso, dijo Critilo, si el mismo refrán lo contradice? —No
hagáis caso de eso, señor mío, que ya hasta los refranes mienten,
o los desmienten. Lo que yo sé decir es que más monta ahora lo
que se da para guantes, que en otro tiempo para un vestido.
—Dadme acá uno solo, dijo Critilo, que yo quiero asentarlo.
  Después de haber pasado las calles de la hipocresía, de la ostentación y del artificio, llegaron ya a la Plaza Mayor, que era la
de Palacio, porque estuviese en su centro. Era ésta espaciosa y
nada proporcionada, ni estaba a escuadra, toda ángulos y traveses, sin perspectiva ni igualdad; todas sus puertas eran falsas y
ninguna patente; muchas torres, más que en Babilonia y muy
airosas. Las ventanas verdes, color alegre por lo que promete y
el que más engaña. Aquí vivía o aquí yacía aquel tan grande
y escondido monarca, que muy entretenido asistía esos días a
unas fiestas dedicadas a engañar al pueblo, no dejándole lugar
para discurrir en cosas mayores. Estaba el Príncipe viéndolas
bajo celosía, ceremonia inviolable y más este día, que hubo unos
juegos de manos, obra de gran sutileza y muy de su gusto y ge-

nio, toda tropelía. Estaba la Plaza hecha un gran corral del vulgo, enjambre de moscas en el zumbir y en el asentarse en la basura de las costumbres, engordando con lo podrido y hediendo de las mortales llagas; a tan mecánico aplauso subió en puesto superior, más descarado que autorizado (cuales suelen ser todos los que sobresalen en las plazas), un elocuentísimo embustero, que después de una bien paloteada arenga comenzó a hacer notables prestigios, maravillosas sutilezas, teniendo toda aquella innumerable vulgaridad abobada. Entre otras burlas bien notables les hacía abrir las bocas y aseguraba les metía en ellas cosas muy dulces y confitadas, y ellos se lo tragaban, pero luego se les hacía echar cosas asquerosísimas, inmundicias horribles, con gran desaire de ellos y risa de todos los circunstantes. El mismo charlatán daba a entender que comía algodón muy blanco y fino, mas luego y abriendo la boca lanzaba por ella espeso humo, fuego y más fuego, que aterraba, tragaba otras veces papel y luego iba sacando muchas cintas, listones de resplandor, y todo era embeleco, como se usa. Gustó mucho Andrenio y comenzó a solemnizarlo. —Basta, dijo Critilo, que tú también te pagas de las burlas, no distinguiendo lo falso de lo verdadero. ¿Quién piensas tú que es este valiente embustero? Éste es un falso político, llamado el Maquiavelo, que quiere dar a beber sus falsos aforismos a los ignorantes, ¿no ves cómo ellos se los tragan, pareciéndoles muy plausibles y verdaderos?, y bien examinados no son otros una confitada inmundicia de vicios y de pecados: razones no de estado, sino de establo; parece que tiene candidez en sus labios, pureza en su lengua, y arroja fuego infernal, que abrasa las costumbres y quema las Repúblicas. Aquellas que parecen cintas de seda son las políticas leyes, con que ata las manos a la virtud y las suelta al vicio; éste es el papel del libro que publica, y el que masca toda falsedad y apariencia con que tiene embelesados a tantos, y tontos. Créeme que aquí es todo engaño, mejor sería desenredarnos presto de él. Mas Andrenio apelóse al entretenimiento del otro día, que lo publicaron por de mucho deporte.

No bien amaneció (que allí aun el día nunca es claro) cuando se vio ocupada toda la plaza con un gran concurso de gente, con que no faltó quien dijo estaba de bote en bote vacía; la fiesta era una farsa, con muchas tramoyas y apariencias, célebre espectáculo en medio de aquel gran Teatro de todo el mundo. No faltó Andrenio de los primeros, para su gusto, y Critilo, para su provecho. En vez de la música, ensaladilla de gusto, se oyeron pucheros, y en lugar de los acordes instrumentos y voces regaladas se oyeron lloros, y al cabo de ellos, si se acaban, salió un hombrecillo, digo, que comenzaba a ser hombre, conocióse luego ser extranjero en lo desarrapado. Apenas se enjugó las lágrimas cuando se adelantó a recibirle un grande cortesano, haciéndosele muy amigo, dándole la bienvenida. Ofrecióle largamente cuanto pudiera el otro desear en tierra ajena y él no cumplir en la propia,

con tal sobra de palabras que el extranjero se prometió las obras,
convidóle lo primero a su casa, que se veía allí a un lado, tan
llena de tramoya cuan vacía de realidades; comenzó a franquearle
riquezas en galas, que era de lo que él más necesitaba por venir
desnudo, pero con tal artificio que lo que con una mano le daba
con la otra se lo quitaba con increíble presteza; calábase un sombrero coronado de diamantes y prontamente arrojaban un anzue-
lo, sin saber cómo ni por dónde, y pescanselo con sobrada cortesía; lo mismo hicieron de la capa, dejándole gentilhombre;
poníanle delante una riquísima joya, mas luego con gran destreza
se la barajaba, suponiéndole otra falsa, que era tirarle piedras;
estrenábale una gala muy costosa y en un cerrar y abrir de ojos
se convertía en una triste mortaja, dejándole en blanco, y todo
esto con grande risa y entretenimiento de los presentes, que todos
gustan de ver el ajeno engaño, faltándoles el conocimiento para
el propio, ni advertían que mientras estaban embelesados, mirando lo que al otro le pasaba, les flaqueaban a ellos las faltriqueras
y tal vez las mismas capas, de suerte que al cabo, el mirador y
los que le miraban, todos quedaban iguales, pues quedaban todos
desnudos en la calle y aun en la misma tierra. Salió en esto otro
agasajador, y aunque más humano, hechura del primero, parecía
del buen gusto, y así le dijo tratase de emplearlo: mandó parar
la mesa quien nunca para, sacaron muchos platos aunque los más
comen sin plato, arrastraron sillas, y al punto que el convidado
fue a sentarse en una, que no debiera tomarlo tan de asiento, falseóle a lo mejor y al caer él se levantó la risa en todo el teatro;
acudió compasiva una mujer por lo joven muy robusta, y ayu-
dándole a levantar le dijo se afirmase en su rollizo brazo; con
esto pudo proseguir si no hallara falsificada la vianda, porque al
descoronar la empanada hallaba del pernil nihil; las aves sólo
tenían el nombre de perdiganas, todo crudo y sin sustancia. Al
caer se quebró el salero, con que faltó la sazón y el agüero no.
El pan, que parecía de flor, era con piedras, que aun no tenía
salvados; las frutas de Sodoma, sin frutos; sirviéndole la copa, de
todas maneras penada y tanto, que más fue papar viento que beber vino, en vez de música era la vaya (1) que le daban.

A lo mejor del banquete cansóse o quiso cansarse el falso arrimo, al fin por lo femenil, flaco y falso, dejóle caer y contó al revés todas las gradas hasta llegar a tierra y ponerse de lodo; ninguno de cuantos asitían se comidió a ayudarle, miró él a todas
partes si alguno se compadecería y vio cerca un viejo cano;
rogóle que, pues no era hombre de burlas, como lo prometía su
madurez, quisiese darle la mano. Respondióle que sí, y aun le
llevaría en hombros: ejecutólo oficioso, mas él se era cojo cuando no volaba y no menos falso que los demás. A pocos pasos

_____

(1) «Dar vaya», expresión antigua que significa burlarse, mofarse.
«Vaya» es un burla.

tropezó en su misma muleta, conque cayó en una encubierta trampa de flores y verduras gran parte de la fiesta: aquí lo dejó caer,
cogiéndole de vuelo la ropa que le había quedado, allí se hundió
donde nunca más fue visto ni oído, pereciendo su memoria con
sonido, pues se levantó la gritería de todo aquel mecánico teatro. Hasta Andrenio, dando palmadas, solemnizaba la burla de
los unos y la necedad del otro.

Volvióse hacia Critilo y hallóle que no sólo no reía como los
demás, pero estaba sollozando. —¿Qué tienes?, le dijo Andrenio.
¿Es posible que siempre has de ir al revés de los demás? Cuando
los otros ríen tú lloras, y cuando todos se huelgan tú suspiras.
—Así es, dijo él, para mí ésta no ha sido fiesta, sino duelo; tormento, que no deporte, y si tú llegases a entender lo que es esto
yo aseguro me acompañarías en el llanto. —Pues ¿qué es esto,
replicó Andrenio, sino un necio que siendo extranjero se fía de
todos y todos le engañan, dándole el pago que merece su indis-
creta facilidad? De eso, yo más quiero reír con Demócrito que
llorar con Heráclito. —Y dime, le replicó Critilo, si fueses tú ese
de quien te ríes, ¿qué dirías? —¿Yo, de qué suerte? ¿Cómo puedo ser él si estoy aquí, vivo, sano y no tan necio? —Ése es el
mayor engaño, ponderó Critilo. Sabe, pues, que aquel desdichado
extranjero es el hombre: todos somos él. Entra en este teatro de
graderías llorando, comienza a cantar y encantar con falsedades,
desnudo llega y desnudo sale, que nada saca después de haber
servido a tan ruines amos; recíbele aquel primer embustero, que
es el mundo, ofrécele mucho y nada cumple, dale lo que a otros
quita, para volvérselo a tomar con tal presteza que lo que con
una mano le presenta con la otra se lo ausenta y todo para en
nada. Aquel otro que le convidó a holgarse es el gusto, tan falso
en sus deleites cuanto cierto en sus pesares; su comida es sin
sustancia y su bebida veneno; a lo mejor falta el fundamento de
la verdad y da con todo en tierra; llega la salud, que cuanto más
se asegura más le miente; aquellos que le dan prisa son los males;
las penas le dan vaya y gritan los dolores, vil canalla toda de la
fortuna. Finalmente, aquel viejo, peor que todos, de malicia envejecida, es el tiempo, que le da el traspiés y le arroja en la sepultura, donde le deja muerto, solo, desnudo y olvidado. De suerte
que, si bien se nota, todo cuanto hay se burla del miserable hombre: el mundo le engaña, la vida le miente, la fortuna le burla,
la salud le falta, la edad se pasa, el mal le da prisa, el bien se le
ausenta, los años huyen, los contentos no llegan, el tiempo vuela,
la vida se acaba, la muerte le coge, la sepultura le traga, la tierra
le cubre, la pudrición le deshace, el olvido le aniquila, y el que
ayer fue hombre hoy es polvo y mañana nada.

»Pero ¿hasta cuándo perdidos hemos de estar, perdiendo el precioso tiempo? Volvamos ya a nuestro camino derecho, que aquí,
según veo, no hay que aguardar sino un engaño tras otro engaño.
Mas Andrenio, hechizado de la vanidad, había hallado gran ca-

bida en Palacio, entraba y salía en él, idolatrando en la fantástica grandeza de un Rey sin nada de realidad; estaba más embelesado cuanto más embelecado. Vendíanle los favores hasta la memoria, conque llegó a prometerse una fortuna extraordinaria. Hacía vivas instancias por verle y besarle los pies, que aún no tenía; ofreciéronle que sí una tarde, que sin llegar siempre lo fue (1). Volvió Critilo a proponer las conveniencias de su ida, ya persuadiendo y ya rogando; túvole finalmente, si no convencido, enfadado de tanto sin falta, con tantas (2). Llegaron ya a las puertas de la ciudad, con resolución de dejarla; mas ¡oh desdicha continuada!, hallaron guardas en ellas que a nadie dejaban salir y a todos entrar. Con esto hubieron de volver atrás, Critilo apesarado de su poca suerte y Andrenio arrepentido de arrepentido. Volvió de nuevo su necedad en pretensiones: iba y venía a Palacio y aunque para cada día había su excusa, nunca el cumplimiento ni el desengaño. No cesaba Critilo de pensar en su remedio, pero el extraordinario modo como lo consiguió diremos adelante; entre tanto se da noticia de las maravillas de la celebrada Artemia.

CRISI VIII

LAS MARAVILLAS DE ARTEMIA

Buen camino contra la inconstante fortuna, buena naturaleza contra la rigurosa ley, buena arte contra la imperfecta naturaleza y buen entendimiento para todo. Es el arte complemento de la naturaleza y un otro segundo ser que por extremo la hermosea y aún pretende de excederla en sus obras. Préciase de haber añadido un otro mundo artificial al primero, suple de ordinario los descuidos de la naturaleza, perfecciónala en todo, que sin este socorro del artificio quedara inculta y grosera. Éste fue sin duda el empleo del hombre en el Paraíso, cuando le revistió el Creador la presidencia de todo el mundo y la asistencia en aquél para que lo cultivase, esto es, que contra el arte lo aliñase y puliese. De suerte que el artificio, gala de lo natural, realce de su llaneza, obra siempre milagros; si de un páramo puede hacer un paraíso, ¿qué no obra en el ánimo cuando las buenas Artes emprenden su cultura? Pruébelo la romana juventud, y más de cerca nuestro Andrenio, aunque por ahora tan ofuscado en aquella corte de confusiones, cuya libertad solicitaron los desvelos de Critilo, con la felicidad que veremos.

Érase una gran Reina, muy celebrada por sus prodigiosos hechos, confinante con este primer Rey y por el consiguiente tan

---

(1) Pasaje oscuro: parece ser que ofreciéronle que lo vería una tarde que no llegó nunca, siempre fue tarde, nunca era momento oportuno.
(2) Se sobrentiende «con tantas faltas».

contraria suya que de ordinario traían guerra declarada y muy
sangrienta. Llamábase aquélla, pero no niega su nombre ni sus
hechos, la sabia y discreta Artemia, muy nombrada en todos siglos por sus muchas y raras maravillas. Si bien se hablaba de
ella con grande variedad, porque aunque los entendidos sentían,
y entre ellos el primero el tan valeroso como discreto Duque del
Infantado, de sus acciones como quien ellos son y ella merece;
pero lo común era decir ser una valiente Maga, una grande hechicera, aunque más admirable que espantosa, muy diferente de
la otra Circe, pues no convertía a los hombres en bestias, sino al
contrario, las fieras en hombres; no encantaba las personas, antes
las desencantaba; de los brutos hacía hombres de razón y había
quien aseguraba haber visto entrar en su casa un estólido jumento
y dentro de cuatro días salir hecho persona. De un topo hacer
un lince era fácil para ella; convertía los cuervos en cándidas palomas, que ya era más dificultoso, así como hacer parecer leones
las mismas liebres y águilas los tagarotes (1); de un búho hacía
un jilguero; entregábanle un caballo, cuando salía de sus manos
no le faltaba sino hablar, y aún dicen que realmente enseñaba a
hablar a las bestias, pero mucho mejor a callar, que no era poco
recabarlo de ellas. Daba vida a las estatuas y alma a las pinturas,
hacía de todo género de figuras y figurillas personas de sustancia.
Y, lo que más admiraba, de los titibilicios, cascabeles y esquiro-
les (2) hacía hombres de asiento y muy de propósito, y a los
chisgarabises (3) infundía gravedad; de una personilla hacía un
gigante y convertía las monterías en madureces. De un hombre
de burlas formaba un Catón célebre, hacía medrar un enano en
pocos días que llegaba a ser un Teseo. Los mismos títeres convertía en hombres sustanciales y de fondo, que no hiciera más
la misma prudencia. Los ciegos del todo transformaba en Argos
y hacía que los interesados no fuesen los postreros en el saber las
cosas. Los dominguillos de borra, los hombrecillos de paja convertía en hombres de veras; a las víboras ponzoñosas no sólo les
quitaba todo veneno, pero hacía triaca muy saludable de ellas.
En las personas ejercitaba su saber y su poder con más admiración cuanto era mayor la dificultad, porque a los más incapaces
infundía saber, que casi no ha dejado bobos en el mundo y sí
algunos maliciosos; daba no sólo memoria a los entronizados,
pero entendimiento a los infelices; de un loco declarado hacía
un Séneca y de un hijo de vecino un gran ministro; de un alfe-
ñique un Capitán General tan valiente como un Duque de Alburquerque, y de un osado mozo un Virrey excelentísimo del mismo Nápoles; de un pigmeo un gigantón de las Indias; de unos
horribles monstruos hacía ángeles, cosa que estimaban mucho las

---

(1)   Halcón pequeño, del color del neblí.
(2)   «Esquirol», en algunas provincias españolas, se llamaba a la ardilla;
luego Gracián alude aquí a los inquietos, movedizos.
(3)   «Chisgarabís», hombre entremetido, bullicioso y de poca importancia.

mujeres. Viéronle a veces de repente hacer de un páramo un
pensil y que prendían los árboles donde no prendieran las varas
mismas. Dondequiera que ponía el pie formaba luego una corte
y una ciudad tan culta como la misma Florencia, ni le era imposible erigir una triunfante Roma. De esta suerte y a esta traza
contaban de ella que recababa cosas tan maravillosas como plausibles.

Llegó esta noticia al no sordo Critilo cuando más desahuciado
estaba; informóse muy por menudo de quién era Artemia, dónde
y cómo reinaba, y concibió al punto que en hablarla consistía su
remedio. No pudo recabar de Andrenio, ni con ruegos ni con razones, que la siguiese, y así él, después de haber velado sobre el
caso (1), trazó huirse y no tuvo tanta dificultad como imaginaba,
que en este orden de cosas el que quiere puede. Rompió con
todo, que es el único medio, y saltó por el portillo de dar en la
cuenta, aquel que todos cuantos abren los ojos le hallan (2). Salió
al fin, tan dichoso como contento, y ya libre metióse en camino
para la Corte de la deseada Artemia, a consultar el rescate de su
amigo, que llevaba más atravesado en su corazón cuanto más de
él se apartaba. Encontró por el camino muchos que también iban
allá, unos por curiosidad y otros por su provecho, que eran más
cuerdos; contaban todos cosas y casos portentosos: que amansaba
los leones y que con dos palabras que les decía los tornaba humanos y sufridos; que desencantaba las serpientes y las hacía
andar derechas; tomaba de ojo a los basiliscos, quitándoles las
niñas, porque no matasen ni miradas ni mirando, que todas eran
cosas bien útiles y raras. —Todo eso es nada, dijo uno, con el
prevalecer contra las mismas sirenas y transformarlas en matronas,
aquel convertir en tórtolas las lobas y, lo más que se puede imaginar, que de una Venus bestial hizo una virgen Vestal. —Eso
es gran cosa, dijeron todos.

Campeaba ya su artificioso Palacio, muy superior a todo, y
con estar en puesto tan eminente hacía subir las aguas de los ríos
a dar la obediencia a su poderosa maña, con un raro artificio,
ejemplar de aquel otro del famoso artífice que al mismo Tajo
dio un corte de aguas cristalinas. Estaba todo él coronado de flores en jardines prodigiosos también fragantes, porque las espinas
eran rosas y las maravillas de todo el año: hasta los olmos daban
peras y uvas los espinos, de los más secos corchos sacaba jugo y
aun néctar, y los peros, en Aragón tan indigestos, aquí nacían
confitados.

Oíanse en los estanques cantar los cisnes en todo tiempo; hízosele muy de nuevo a Critilo, porque en otras partes de tal suerte
enmudecen que aun en la hora de la muerte, aunque comúnmente
se dice que cantan, ninguno se halla que los haya oído. Es, le

---

(1) «Velar sobre el caso», reflexionar, meditarlo en la vigilia.
(2) Notablemente ingeniosa es la alegoría de este párrafo.

dijeron, que como son tan cándidos, si cantan ha de ser la verdad,
y como ésta es tan mal oída han dado en el arbitrio de enmudecer; sólo en aquel trance, apretados de la conciencia o porque
no tienen ya más que perder, cantan alguna verdad, y de aquí se
dijo que tal predicador o tal ministro hablaron claro, el secretario
Fulano desbuchó muchas verdades, el otro consejero descubrió
su pecho, estando todos para morir. A la puerta estaba un león,
que se había convertido en una mansísima oveja, y un tigre en
un cordero; por los balcones había muchas parleras, digo aves en
conversación, manteniendo la tela los papagayos, aunque los tor-
dos se picaban de su nombre. Los gatos y los alanos de su casa
ya no arañaban apretados ni mordían rabiosos, sino que reconociendo leales su gran dueño besaban sus generosas plantas. Es-
tábanles aguardando a la puerta muchas y bien compuestas doncellas, aunque mecánicas y de escalera abajo; otras más nobles y
liberales les subieron arriba y les ensalzaron a la oficina en que
estaba la deferentísima Artemia, asistida de los varones eminentes,
señalándole a cada uno su puesto el grande apreciador de las
eminencias, don Vicencio de Lastanosa. Estaba actualmente ocupada en hacer personas de unos leños; tenía un rostro muy compuesto, ojos penetrantes, su hablar aunque muy medido muy gustoso; sobre todo tenía extremadas manos, que daban vida a todo
aquello en que las ponía; todas sus facciones muy delicadas, su
talle muy airoso y bien proporcionado, y en una palabra toda ella
de muy buen arte. Recibió con agradable bizarría a Critilo, cele-
brándole por muy de su genio, sacándolo por la pinta, y añadió
que con razón se llamó el rostro faz, porque él mismo está diciendo lo que hace, y facies es, en latín, lo que facies. Llegó
Critilo a saludarla, logrando favores tan agradables. Extrañó ella
que un varón discreto viviese no ya solo, mas sí tanto, que la
conversación, decía, es de entendidos, y ha de tener mucho de
gracia, y de las gracias: ni más ni menos de tres. —Aquí destilando el corazón en lágrimas Critilo, otros tantos, respondió, solemos ser: un otro camarada, que dejo por dejado, y siempre
se nos junta otro tercero de la región donde llegamos, que tal
vez nos guía y tal nos pierde, que ahora, que por eso vengo a
ti, ¡oh gran remediadora de desdichas!, solicitando tu favor y tu
poder para rescatar este otro yo, que queda mal cautivo, sin saber
de quién ni cómo. —Pues si no sabes dónde le dejas, ¿cómo le
hemos de hallar? —Aquí entran tus prodigios, replicó él, más
que ahí queda en la Corte (juráralo yo que ahí había de ser su
perdición) de un rey famoso sin ser nombrado, poderoso por lo
universal y singular por lo desconocido. —Ya sé, dijo ella, ya
estás entendido (que fue favor sustancial), él queda sin duda en
Babilonia, que no Corte, de mi gran enemigo Falimundo, porque
ahí perece el mundo entero y todos acaban porque no acaban;
pero mejor ánimo en la peor fortuna, que no nos ha de faltar
ardid contra el engaño. Mandó llamar uno de sus mayores minis-

tros, gran confidente suyo, que acudió tan pronto como voluntario: parecía hombre de propósito, y aun ilustre, por lo claro y
verdadero; a éste le confió la empresa, informándole muy bien
Critilo de lo pasado y Artemia de lo hacedero; entrególe juntamente un espejo de purísimo cristal, obra grande de uno de los
siete Griegos, explicándole su manejo y eficacia, y él empeñó su
industria. Vistióse a uso de aquel país, con la misma librea que
los criados de Falimundo, que era de muchos dobleces, pliegues,
forros y contraforros, senos, bolsillos, sobrepuestos, alforzas y
capa para todas las cosas. De esta suerte se partió pronto a cumplir el preciso mandato.

Quedó Critilo tan hallado como favorecido en la Corte de Artemia, muy entretenido y aun aprovechado, viéndola cada día
obrar mayores prodigios, porque la vio convertir un villano zafio
en un cortesano galante, cosa que parecía imposible, de un mon-
tañés hizo un gentilhombre, que fue también gran primor del
Arte, y no menor hacer de un vizcaíno un elocuente secretario.
Convertía las capas de bayeta raída en terciopelo y aun en felpas,
un manteo deslucido de un pobre estudiante en púrpura eminente
y una gorra en una mitra; los que servían en una parte hacía
mandasen en otra y tal vez en el mundo todo, pues de un zagal
que guardaba una piara hizo un Pastor Universal, obrando con
más poder a mayor distancia, pues se la vio levantar un mozo de
espuelas a Betlengabor y de un lacayo un señor de la Tenza; y
de tiempos pasados contaban mayores cosas aún, pues la vieron
transformar las aguijadas en cetros y hacer un César de un escribano. Mejoraba los rostros mismos, de modo que de la noche a
la mañana se desconocían, mudando los pareceres de malos en
buenos y de éstos en mejores; de hombres muy livianos hacía
hombres graves, y de otros muy flacos hombres de mucha sustancia, y era de modo que todos los defectos del cuerpo suplía;
hacía espaldas, pies y manos para unos y daba ojos a otros, dientes y cabellos, y lo que es más, remendaba corazones, haciéndolos
de las mismas tripas, que todos eran milagros de su artificio. Pero
lo que más admiró a Critilo fue verla coger entre las manos un
palo, un tronco e irle desbastando hasta hacer de él un hombre,
que hablaba de modo que se le podía escuchar. Discurría y valía
al fin lo que bastaba para ser persona, pero dejémosle tan bien
entretenido y sigamos un rato al prudente anciano, que camina
en busca de Andrenio a la Corte del famoso rey Falimundo.

Duraban aún los juegos bacanales, andaban las máscaras más
validas que en la misma Barcelona, no hubo hombre ni mujer
que no saliese con la suya, y todas eran ajenas; había de todos
modos, no sólo de diablura, pero de santidad y de virtud, con que
engañaban a muchos simples, que los sabios claramente les decían
que se las quitasen, y es cosa notable que todos tomaban las ajenas y aun contrarias, porque la vulpeja salía con máscara de cordero, la serpiente de paloma, el usurero de limosnero, la ramera

de rezadora, y siempre en romerías; el adúltero de amigo del
marido, la tercera de saludadora, el lobo del que ayuna, el león
de cordero, el gato con barba a lo romano, con hechos de tal;
el asno de león mientras calla; el perro rabioso de risa, por tener
falda, y todos de burla y engaño. Comenzó el viejo a buscar a
Andrenio por aquellas encrucijadas, que no calles, y aunque llevaba las señas tan individuales, él estaba ya tan trocado que no
le conocería el mismo Critilo, porque ya los ojos no los tenía ni
claros ni abiertos como antes, sino muy oscuros y casi ciegos, que
los ministros de Falimundo ponen toda su mira en quitarla; ya
no hablaba con su voz, sino con la ajena; no oía bien y todo iba
a mal andar, que si los hombres son otros de la noche a la mañana, ¿qué sería en aquel centro de la mentira? Con todo, valiéndose de su industria, y por otras señales más seguras de la
ocasión y del tiempo, vino a tener lengua de él: hallóle un día
perdiendo muchos en mirar cómo otros perdían sus haciendas y
aun sus conciencias; había un gran partido de pelota (propio entretenimiento del mundo) y así se jugaba en su gran calle a dos
bandas muy contrarias, porque los unos de los jugadores eran
blancos y los otros negros, unos altos y otros bajos, éstos pobres,
aquéllos ricos y todos diestros, como quien no hace otro eternamente; las pelotas eran de viento, tan grandes como cabezas de
hombres, que un pelotero llenaba de viento por ojos y oídos, dejándolas tan huecas como hinchadas. Cogíalas el que las sacaba
a la plaza y diciendo que jugaba con toda verdad, pues todo es
burla y todo es juego, con la pelota por aquellos aires, con más
presteza cuanto más impulso; rebatíala el otro, sin dejarla reposar
un instante; todos la sacudían de sí con notable destreza, que en
esto consistía su ganancia; ya estaba tan alta que se perdía de
vista, ya tan baja que iba rodando por aquellos suelos entre el
lodo y la basura; uno le daba del pie y otro de la mano, pero
los más con unas que parecían lenguas y eran palas; ya andaba
entre los de arriba, ya entre los de abajo, padeciendo grandes
altibajos. Gritaba uno que ganaba quince y era así, que a los
quince años suele ser la ganancia del vicio y la pérdida de la virtud; otro decía treinta y tenía por ganado el juego, cuando a esta
edad no se sabe; de este modo la fueron peloteando hasta que
cayó en tierra reventada, donde la pisaron, que en esto había de
parar, y tan a su costa ganaron unos y se entretenían todos. —Éstas, dijo Andrenio, volviéndose hacia quien le buscaba, parecen
ser cabezas de hombres. —Y lo son, respondió el viejo, y una
de ellas es la tuya, de hombres digo descabezados, más llenas de
viento que de entendimiento, y otras de borras, de enredos y mentiras; rebótalas el mundo de su vanidad, cógenlas aquellos de arriba, que son los cuentos y felicidades, y arrójanlas a los de abajo,
que son sus contrarios los pesares y calamidades, con todo género
de mal; ya está el hombre miserable entre unos, ya entre otros,
ya abatido, ya ensalzado, todos le sacuden y le arrojan, hasta

que reventado viene a parar entre la azada y la pala, en el lodo
y la hediondez de un sepulcro. —¿Quién eres tú, que tanto ves?
—¿Quién eres tú, que estás tan ciego?

Fuele poco a poco introduciendo, ganóle la voluntad para ga-
narle el entendimiento, fuele descubriendo Andrenio esperanzas y
las grandes promesas de valer. Vista la sazón díjole el viejo: —Ten
por cierto que por este camino jamás llegarás a ver este Rey,
cuanto menos hablarle; depende de su querer y él nunca querrá,
que le va el ser en no ser conocido; el medio que sus ministros
toman para que no le veas es cegarte: mira tú cuán poco miras.
Hagamos una cosa... ¿qué me darás si yo te lo mostrase esta
misma tarde? —¿Burlas de mí?, le dijo Andrenio. —No, porque
siempre estoy de veras. No quiero otra cosa de ti, sino que le
mires bien cuando te lo mostrare. —Eso es pedirme lo que deseo.
Señalaron hora y acudieron puntuales, el uno como deseoso y el
otro como verdadero, y cuando Andrenio creyó le llevaría a Palacio y le introduciría por el favor o por el secreto, vio que le
sacaba fuera, apartándole más. Quiso volverse, pareciéndole mayor embuste éste que todos los pasados, detúvole el Prudente,
diciéndole: —Advierte que lo que no se puede ver cara a cara
se procura por indirecta: subamos a aquella eminencia, que le-
vantados de tierra yo sé que descubriremos mucho. Subieron a lo
alto, que caía enfrente de las mismas ventanas de Falimundo.
—Estando aquí, dijo Andrenio, paréceme que veo mucho más que
antes, de que se holgó mucho el compañero, porque en el ver y
conocer consistía su total remedio. Hacíase ojos Andrenio mirando
hacia Palacio, por ver si podía brujulear alguna realidad, más en
vano, que estaban las ventanas unas con celosías muy espesas y
otras con vidrieras. —No ha de ser de ese modo, dijo el viejo,
sino al contrario, volviendo las espaldas, que las cosas del mundo
todas se han de mirar al revés para verlas al derecho; sacó en
esto el espejo del seno y desenvolviéndole de un cendal púsole
delante, encarándole muy bien a las ventanas contrarias de Palacio. —Mira ahora, contempla bien y procura satisfacer tu deseo.
¡Cosa rara e inaudita! Comenzó a espantarse y temer tanto
Andrenio que casi desmayara. —¿Qué tienes? ¿Qué ves?, le preguntó el anciano. —¡Qué he de ver! Lo que no quisiera ni creyera:
veo un monstruo, el más horrible que vi en mi vida, porque no
tiene pies ni cabeza, ¡qué cosa tan desproporcionada! No corresponde parte a parte, ni dice uno con otro en todo él; ¡qué fieras
manos tiene! Y cada una de su fiera, ni bien carne, ni pescado, y
todo lo parece, ¡qué boca tan de lobo, donde jamás se vio verdad!
Es niñería la quimera en su cortejo, ¡qué agregado de monstruosidades! ¡Quita, quítamele de delante, que moriré de espanto! Pero
el prudente compañero decía: —Cúmpleme la palabra, nota aquel
rostro, que a la primera vista parece verdadero y no es de hombre,
sino de vulpeja; de medio arriba es serpiente, tan torcido tiene el
cuerpo, y sus entrañas tan revueltas que basta a revolverlas. El

espinazo tiene de camello y hasta en la nariz tiene corcova, el
remate es de sirena, y aún peor, tales son sus dedos. No puede
ir derecho, ¿no ves cómo tuerce el cuello, anda corcovado y no
de bien inclinado?; las manos tiene gafas, los pies tuertos, la vista
atravesada, y a todo esto habla en falsete, para no hablar ni proceder bien en cosa alguna. —Basta, dijo Andrenio, que reviento.
—Y basta, que a ti te sucede lo que a todos los otros, dijo el
viejo, que en viéndole una vez tienen harto, nunca más le pueden
ver; eso es lo que yo deseaba. —¿Quién es este monstruo coronado?, preguntó Andrenio. ¿Quién es este espantoso Rey? —Éste
es, dijo el anciano, aquel tan nombrado y tan desconocido de
todos, aquel cuyo es todo el mundo por sola una cosa que le
falta; éste es aquel que todos practican y le tratan y ninguno le
querría en su casa, sino en la ajena; éste es aquel gran cazador
con una red tan universal que enreda todo el mundo; éste es el
señor de la mitad del año primero, y de la otra mitad después;
éste es el poderoso entre los necios, juez a quien tantos apelan,
condenándose; éste es aquel príncipe universal de todos, no sólo
de hombres, pero de las aves, de los peces y de las fieras; éste es,
finalmente, el tan famoso, el tan soñado, el tan común Engaño.
—No hay más que aguardar, dijo Andrenio, vamos de aquí, que
ya estoy más lejos de él cuanto más cerca. —Aguarda, dijo el
viejo, que quiero que conozcas toda su parentela. Ladeó un poco
el espejo y apareció una Urea más furiosa que la de Orlando, una
vieja más embelecadora que la de Sempronio. —¿Quién es esta
Megera?, preguntó Andrenio. —Ésta es su madre, la que le manda
y gobierna, ésta es la mentira. —¡Qué cosa tan vieja! —Ha muchos años que nació. —¡Qué cosa tan fea! Cuando se descubre parece que cojea. —Por eso la alcanzan luego. —¡Qué de gente la
acompaña! —Todo el mundo. —¿Y de buen porte? —Ésos son
los más allegados. —¿Y aquellos dos enanos? —El sí y el no, que
son sus meninos. —¡Qué de promesas, qué de ofrecimientos, excusas, cumplimientos, favores!, hasta las alabanzas la acompañan.
Torció el espejo a un lado y a otro, descubriendo mucha gente
honrada, aunque no de bien. —Aquélla es la ignorancia, su abuela;
la otra su esposa, la malicia; la necedad su hermana, aquellos
otros sus hijos e hijas: los males, las desdichas, el pesar, la vergüenza, el arrepentimiento, la perdición, la confusión y el desprecio. Todos aquellos que le están al lado son sus hermanos y primos: el embuste, el embeleco y el enredo, grandes hijos de este
siglo y de esta era.

—¿Estás contento, Andrenio?, preguntó el viejo. —Contento no,
pero desengañado sí. Vamos, que los instantes se me hacen siglos; una misma cosa me es dos veces tormento, primero deseada
y después aborrecida. Salieron ya por la puerta de la luz de aquel
Babel del engaño. Iba Andrenio a medio gusto, que nunca llega
a ser entero. Examinóle el viejo de su nueva pena, y respondióle:
—¿Qué quieres, que aún no me he hallado todo? —¿Qué te fal-

ta? —La mitad. —¿Qué, algún camarada? —Más. —¿Algún hermano? —Aún es poco. —¿Tu padre? —Por ahí, por ahí, un otro yo, que lo es un amigo verdadero. —Tienes razón, mucho has perdido si un amigo perdiste, y será bien dificultoso hallar otro. Pero dime, ¿era discreto? —Sí, y mucho. —Pues no se habrá perdido para sí. ¿No supiste qué se hizo? —Díjome iba a la Corte de una Reina tan sabia como grande, llamada Artemia. —Si era entendido, como dices, yo lo creo, habrá aportado allá. Consuélate, que allá vamos tambión, que quien te sacó del engaño, ¿dónde te ha de llevar sino al saber, digo a la Corte de tan discreta Reina? —¿Quién es esta gran mujer, y tan señora, nombrada en todas partes?, preguntó Andrenio. Y el anciano: —Con razón la llamas señora, que no hay señorío sin saber. Comenzando por su nobilísima prosapia, dícense de ella cosas grandes: aseguran unos que desciende del mismo Cielo, que salió del cerebro soberano; otros dicen ser hija del tiempo y de la observación, hermana de la experiencia; ni falta quien por otro extremo porfía que es hija de la necesidad, nieta del vientre; pero yo sé bien que es parto del entendimiento. Vivió antiguamente (que no es niña, sino muy persona en todo) como tan favorecida de las monarquías en sus mayores Cortes: comenzó en los Asirios, pasó a los Egipcios y Caldeos, fue muy estimada en Atenas, gran teatro de la Grecia, en Corinto y en Lacedemonia; pasó después a Roma con el Imperio, donde en competencia del valor la laurearon, cediendo los arneses a las togas. Los godos, gente inculta, la comenzaron a despreciar, desterrándola de todo su distrito; apuróla, y aún pretendió acabar con ella la bárbara morisma, y húbose de acoger a la famosa tetrarquía de Carlomagno, donde estuvo muy acreditada. Mas hoy, a la fama de la mayor, la más poderosa y dilatada Monrquía española, que ocupa entrambos mundos, se ha mudado este augusto centro de su estimación. —¿Cómo no habita en su famosa Corte, aplaudida de todas las Naciones de tan universal imperio, venerada de sus cultos cortesanos, y no aquí en medio de la intolerable villanía?, replicó Andrenio; que si son dichosos los que habitan las ciudades, más lo serán ellos cuanto mayores ellas. —Porque quiere probarlo todo, replicó el anciano, íbale muy mal en las Cortes, donde tiene más enemigos cuanto mayores vicios; vivió ya entre los cortesanos, donde experimentó tan a su costa las persecuciones de la infelicidad y de la malicia, la falta de verdad, la sombra de embeleco, y aún averiguó que había allá más necedad cuanto más presumida; muchas veces le he oído decir que si hay allí más cultura, aquí más bondad; si allí más puestos, aquí más lugar; allí empleos, aquí tiempo; allí se pasa, aquí se logra, y que esto es vivir y aquello acabar. —Con todo esto, replicó Andrenio, yo más quisiera haberlas con bellacos que con tontos: malo es todo, pero de verdad que la necedad es intolerable y más para entendidos, perdóneme la sabia Artemia. Relumbraba ya su alcázar, cielo equivocado, bordado todo de inscripciones y coronado de vítores. Fueron bien recibidos, con agradecimiento el viejo, y Andrenio con abrazos, asegurándole certezas quien no le regateaba permisiones.

Aquí, en la honra de sus dos huéspedes, obró Artemia sus más célebres prodigios, y no sólo en los otros, sino en ellos mismos, y más en Andrenio, que necesitaba de sus reales. Viose muy persona en poco tiempo y muy instruido para adelante, que si un buen consejo es bastante para hacer dichosa toda la vida, ¿qué obrarían en él tantos y tan importantes? Comunicáronla su vida y su fortuna, noticia de superior gusto para ella, por lo raro; alternó curiosa muchas preguntas a Andrenio, haciéndole repetir una y muchas veces aquella su primera admiración cuando salió a ver el mundo, la novedad que le causó aquel gran teatro del Universo. —Una cosa deseo mucho oír, le dijo a Andrenio, y es entre tantas maravillas criadas como viste, entre tantos prodigios que admiraste, ¿qué fue el que más te satisfizo? Lo que respondió Andrenio, nos lo diga la otra Crisi.

CRISI IX

MORAL ANATOMÍA DEL HOMBRE

Eternizaron con letras de oro los antiguos en las paredes de Delfos, y muchos más con caracteres de estimación, en los ánimos de los sabios, aquel célebre sentimiento de un sabio: *Conócete a ti mismo*. Ninguna de todas las cosas creadas yerra su fin, sino el hombre; él sólo desatina, ocasionándole este achaque la misma nobleza de su albedrío, y quien comienza ignorándose mal podrá conocer las demás cosas; pero ¿de qué sirve conocerlo todo, si a sí mismo no se conoce? Tantas veces degenera en esclavo de sus esclavos cuantas se rinde a los vicios. No hay salteadora esfinge que así oprima al viandante (digo viviente) como la ignorancia de sí, que en muchos se condena estupidez, pues ni aún saben que no saben, ni advierten que no advierten. De esta común necedad padeció excepción Andrenio cuando así respondió a la curiosa Artemia:

—Entre tanta maravilla como vi, entre tanto empleo como aquel día logré, el que más me satisfizo, dígolo con recelo pero con verdad. fui yo mismo, que cuanto más me reconocía más me admiraba. —Eso era lo mismo que yo deseaba oírte, aplaudió Artemia, y así lo ponderó el Augustísimo de los Ingenios cuando dijo que entre todas las maravillas criadas para el hombre, el mismo hombre era la mayor de todas. Así también lo generaliza el Príncipe de los Filósofos en su tan asentada máxima, que siempre es más aquello por quien otro es tal, de modo que si para el hombre fueron criadas tan preciosas las piedras, tan hermosas las flores y tan brillantes las estrellas, mucho más es el mismo

hombre, para quien fueron destinadas: él es la criatura más noble
de cuantas vemos, monarca en este grán palacio del mundo, con
posesión de la tierra y con expectativa del Cielo, criado de Dios,
por Dios y para Dios. —A los principios, proseguía Andrenio,
rudamente me reconocía; pero cuando pude verme a toda luz y
por extraña suerte acabé de contemplarme en los reflejos de una
fuente, cuando advertí que era yo mismo el que creí otro, no
podré explicarte la admiración y gusto que allí tuve: remirábame,
no tanto necio cuanto contemplativo. Lo primero que observé fue
esta disposición de todo el cuerpo, tan derecho, sin que tuerza a
un lado ni a otro. —Fue el hombre, dijo Artemia, criado para
el Cielo, y así crece hacia allá, y en esa material rectitud del cuerpo está simbolizada la del ánimo, con tal correspondencia que al
que le faltó por desgracia la primera, sucede faltarle la segunda.
—Es así, dijo Critilo, dondequiera que hallemos corcovada la
disposición recelamos también torcida la intención, en descubriendo ensenadas en el cuerpo tememos haya dobleces en el ánimo:
el otro a quien se le anubló alguno de los ojos, también suele
cegarse de pasión, y lo que es digno de más reparo, que no les
tenemos lástima como a los ciegos, sino recelo de que no miran
derecho. Los cojos suelen tropezar en el camino de la virtud y
aún echarse a rodar, cojeando la voluntad en los afectos; faltan
los mancos en la perfección de las obras, en hacer bien a los demás, pero la razón en los varones sabios corrige todos estos pronósticos siniestros.

  —La cabeza, dijo Andrenio, llamo yo, si no me engaño, alcázar
del alma, corte de sus potencias. —Tienes razón, confirmó Artemia, que así como Dios, aunque asiste en todas partes pero con
especialidad en el Cielo, donde se permite ver su grandeza, así el
alma se ostenta en este puesto superior, retrato de los celestes
orbes. Quien quisiera verla, búsquela en los ojos; quien oírla, en
la boca, y quien hablarla, en los oídos. Está la cabeza en el más
eminente lugar, ya por autoridad, ya por oficio, porque mejor
perciba y mande. —Y aquí he notado yo con especial atención,
dijo Critilo, que todas las partes de esta gran República del cuerpo
son tantas que solos los huesos llenan los días del año, esta nu-
merosidad es con tal armonía que no hay número que no se
emplee en ellas, como digamos: cinco son los sentidos, cuatro los
humores, tres las potencias, dos los ojos, todas vienen ae reducirse
a la mitad de una cabeza, retrato de aquel primer móvil divino, a
quien viene a reducirse por sus gradas toda esta universal dependencia. —Ocupa el entendimiento, dijo Artemia, el más puro y
sublime lugar, que aun en lo material fue aventajado, como mayorazgo de las potencias, Rey y Señor de las acciones de la vida,
que allí se remonta, alcanza, penetra, sutiliza, discurre, atiende y
entiende: estableció su trono en una ilesa candidez, librea propia
del alma, extrañando toda oscuridad en el concepto y toda mancha en el afecto, masa suave y flexible, apoyando dotes de doci-

lidad, moderación y prudencia; la memoria atiende a lo pasado,
y así se hizo tan atrás cuanto el entendimiento adelante; no pierde
de vista lo que fue, y porque echamos comúnmente; no pierde
de vista lo que fue, y porque echamos comúnmente atrás lo que más
nos importa, previno este descuido, haciendo Jano a todo cuerdo.
—Los cabellos me parecieron más para el ornato que para la necesidad, ponderó Andrenio. —Son raíces de este humano árbol,
dijo Artemia; arráiganle en el Cielo y llévanle allá de un cabello:
allí han de estar sus cuidados y de allá ha de recibir el sustancial
sustento. Son librea de las edades, por lo que tienen de adorno,
variando con los colores los afectos. Es la frente cielo del ánimo,
ya encapotado, ya sereno, plaza de los sentimientos; allí salen a
la vergüenza los delitos, sobran las faltas y paséanse las pasiones,
en lo estirado la ira, en lo caído la tristeza, en lo pálido el temor, en lo rojo la vergüenza, la doblez en las arrugas y la candidez en lo terso, la desvergüenza en lo liso y la capacidad en lo
espacioso.
—Pero los que a mí, dijo Andrenio, más me llenaron en esta artificiosa fábrica del hombre fueron los ojos. —¿Sabes, dijo Critilo, cómo los llamó aquel grande restaurador de la salud, entre-
tenedor de la vida, indagador de la naturaleza, Galeno? —¿Cómo?
—Miembros divinos, que fue bien dicho, porque si bien se nota
ellos se revisten de una majestuosa divinidad, que infunde veneración; obran con una cierta universalidad, que parece omnipotencia, produciendo en el alma todas cuantas casas hay en imágenes y especies. Asisten en todas partes, remedando inmensidad,
señoreando en un instante todo el hemisferio. —Con todo, reparé
yo mucho en una cosa, dijo Andrenio y es que aunque todo lo
ven, no se ven a sí mismos, ni aun las vigas, que suelen estar en
ellos, condición propia de necios, ver todo lo que pasa en las
casas ajenas, ciegos para las propias; no fuera poca conveniencia
que el hombre se mirara a sí mismo, ya para que se temiera y
moderara sus pasiones, ya para que reparara sus fealdades. —Gran
cosa fuera, dijo Andrenio, que el colérico viera su horrible ceño y
se espantara de sí mismo, que un melindroso y un adamado vieran
sus afeminados gestillos y se correrían, el altivo con todos los demás necios. Pero atendió la cauta naturaleza a evitar mayores inconvenientes en verse, temióle necio no se enamorara de sí, aun
el más monstruo, todo ocupado en verse, ninguna otra cosa mirará. Basta que se mire a las manos, antes que le miren otros;
remita sus obras, que es preciso, y atienda a sus acciones, que
sean tan muchas como perfectas. Mírese también a los pies, ho-
llando su vanidad, y sepa dónde los tiene, vea en qué pasos anda,
que eso es tener ojos. —Así es, replicó Andrenio, mas para tanto
ver poco parecen dos ojos, y éstos tan juntos; de una alhaja tan
preciosa lleno había de estar todo este animado palacio; pero
ya que hayan de ser dos, no más, pudiéranse repartir y que uno
estuviera delante para ver lo que viene y el otro atrás para lo

que queda, con eso nunca perdieran de vista todas las cosas.
—Y algunos, respondió Critilo, arguyeron a la naturaleza de tan
imaginario descuido y aún fingieron un hombre, a su parecer muy
perfecto, con la vista duplicada, y no servía sino de hombre de
dos caras, más doblado que duplicado. Yo, si hubiera de añadir
ojos, antes los pusiera a los lados, encima de los oídos y muy
abiertos, para que viera quién se pone al lado, quién se le entremete a amigo, y con eso no perecieran tantos de aquel mortal
achaque del costado, viera el hombre con quién anda, con quién
se ladea, que es uno de los más importantes puntos de la vida y
vale más estar solo que mal aconsejado; pero advierte que dos
ojos bien empleados bastantes son para todos ellos; miran dere-
chamente lo que viene cara a cara y de reojo lo que a traición;
al atento bástale una ojeada para descubrir cuanto hay, y aun
por eso fueron formados los ojos en esferas, que es la figura
más apta para el ejercicio de ver, no cuadrada, no haya rincones,
no se esconda lo que más importa que se vea; bien están en la
cara, porque el hombre siempre ha de mirar adelante y a lo
alto, y si hubiera otros en el cerebro, fuera ocasión de que al levantar los unos al Cielo, abatiera los otros a la tierra, con cisma
de afectos. —Otra maravilla he observado en ellos, dijo Andrenio,
que es el llorar, y me parece andan muy necios, porque ¿qué remedian los males en llorarlos? No sirve sino de aumentar penas;
el reírse de todo el mundo, aquel no dársele cosa de cuanto hay,
eso sí que es saber vivir. —¡Ah!, que como los ojos, dijo Artemia,
son los que ven los males, y tantos, ellos son los que los lloran;
siempre verás que quien no siente no se siente, mas quien añade
sabiduría añade tristeza, esa vulgaridad del reír quede para la
necia boca, que es la que mucho yerra. Son los ojos puertas fieles,
por las que entra la verdad, y anduvo tan atentamente escrupulosa
la naturaleza que para no dividirlos no se contentó con juntarlos
en un puesto, sino que los hermanó en el ejercicio, no permite
que vea uno sin el otro, para que sean verídicos contestes, miren
juntos una misma cosa, no vea blanco el uno y negro el otro, sean
tan parecidos en el color y en el tamaño, y en todo que se equi-
voquen entre sí y desmientan la pluralidad. —Al fin, dijo Critilo,
los ojos son en el cuerpo lo que las dos lumbreras en el Cielo
y el entendimiento en el alma; ellos suplen todos los demás sentidos, y todos juntos no bastan a suplir su falta, no sólo ven, sino
que escuchan, hablan, vocean, preguntan, responden, riñen, espantan, aficionan, agasajan, ahuyentan, atraen y ponderan y todo
lo obran, y lo que es más de notar, que nunca se cansan de ver,
como ni los entendidos de saber, que son los ojos de la República (1).

---

(1) Es decir, que los ojos nunca se cansan de ver, así como los entendidos, que son los ojos de la República, nunca se cansan de saber.

—Notablemente anduvo próvida la naturaleza, dijo Andrenio, en señalar su lugar a cada sentido, más o menos eminente, según su excelencia: a los más nobles mejoró en los primeros puestos y puso a vista los sublimes ejercicios de la vida; al contrario los indecentes y viles, aunque necesarios, los desterró a los más ocultos lugares, apartándolos de la vista. —Mostróse, dijo Critilo, gran celadora de la honestidad y decoro, que aun los femeniles pechos los puso en puesto que pudiesen alimentan los hijos con decencia. —Después de los ojos, señaló el segundo lugar a los oídos, dijo Andrenio, y me parece muy bien que le tengan tan eminente; pero aquello de estar al lado, te confieso me hizo disonancia y parece que fue para facilitar la entrada a la mentira, que así como la verdad viene siempre cara a cara, ella a traición ingiérese de lado. ¿No estuvieran mejor bajo los ojos y éstos examinaron primero lo que se oye, negando la entrada a tanto engaño? —¡Qué bien lo entiendes!, dijo Artemia. Lo que menos convenía era que los ojos estuvieran con los oídos, tengo por cierto que no quedara verdad en el mundo; antes si yo los hubiera de disponer de otro modo los retirara cien dedos de la vista, o los pusiera atrás en el cerebro, de modo que oyera un hombre lo que detrás de él se dice, que aquello es lo verdadero. ¡Qué buena anduviera la justicia si ella viera la belleza que se excusa, la riqueza que se defiende, la nobleza que ruega, la autoridad que intercede, y las demás calidades de los que hablan! Sea ciega, que eso es lo que conviene; bien están los oídos en un medio, no adelante, porque no oigan antes, ni detrás, porque no perciban tarde. —Otra cosa dificulté yo mucho, replicó Andrenio, y es que así como los ojos tienen aquella tan importante cortina de los párpados, que verdaderamente está muy en su lugar para negarse cuando no quieren ser vistos o cuando no gustan de ver muchas cosas que no son para vistas, ¿por qué los oídos no han de tener también otra compuerta, y ésta muy sólida, muy noble y ajustada, para no oír la mitad de lo que se habla? Con esto excusaríase un hombre de necedades y ahorraría pesadumbres, único preservativo de la vida. Aquí yo no puedo dejar de condenar de descuidada la naturaleza, y más cuando vemos que la lengua la recluyó entre una y otra muralla con razón, porque una fiera bien es que esté entre verjas de dientes y puertas tan ajustadas de los labios. Sepamos por qué los ojos y la boca han de llevar esta ventaja a los oídos, y más estando tan expuestos al engaño. —Por ningún caso convenía, dijo Artemia, que se le cerrase jamás la puerta al oír, es la de la enseñanza y siempre ha de estar patente, y no sólo no se contentó la atenta naturaleza con quitarle esa compuesta que tú dices, pero negó al hombre, entre todos los oyentes, el ejercicio de abatir y levantar las orejas; él sólo las tiene inmobles, siempre alerta, que aún le pareció inconveniente aquella poca detención que en aguzarlas tuviera. A todas horas dan audiencia, aun cuando se retira el alma a su quietud; entonces es más conveniente que velen estas

centinelas; si no, ¿quién avisará de los peligros? Durmiera el alma
a lo poltrón, ¿quién bastara a despertarla? Esta diferencia hay
entre el ver y el oír, que los ojos buscan las cosas cómo y cuándo
quieren, mas al oído ellas le buscan; los objetos del ver permanecen, puédense ver, si no ahora, después; pero los del oír van de
prisa y la ocasión es calva; bien está dos veces encerrada la lengua y dos veces abiertos los oídos, porque el oír ha de ser el
doble que el hablar. Bien veo yo que la mitad y aun las tres
cuartas partes de las cosas que se oyen son impertinentes, aun
dañosas; mas para eso hay un gran remedio, que es hacer el sordo,
que se puede y es el mejor de ellos: éste es hacer orejas de cuerdo, que es la mayor ganancia, a más de que hay algunas razones
tan sin ella que no bastan párpados y entonces es menester tapiar
los oídos con ambas manos, que, pues suelen ayudar a oír, ayuden
también a desoír. Préstenos su sagacidad la serpiente, que cosiendo
el un oído con la tierra tapa el otro con el fin, dando a todo buena salida. —Esto no me puedes negar, instó Andrenio, que estuviera muy bien un rastrillo en cada oído, como en guarda, y con
eso no entraran tan libremente tantos y tan grandes enemigos:
silbos de venenosas serpientes, cantos de engañosas sirenas, lisonjas, chismes, cizañas y discordias, con otros semejantes monstruos
escuchados. —Tienes razón en eso, dijo Artemia, y para eso formó la naturaleza las orejas como coladeros de las palabras, em-
budos del saber, y, si lo notas, ya previno de antemano este inconveniente, disponiendo este órgano en forma de laberinto tan
caracoleado, con tantas vueltas y revueltas que parecen rastrillos,
traveses de fortaleza, para que de este modo entren coladas las
palabras, purificadas las razones y haya tiempo de discernir la verdad de la mentira; luego hay su campanilla muy sonora, donde
resuenen las voces y se juzgue por el sonido sin son faltas o son
falsas. ¿No has notado también que dio la naturaleza despedido
por el oído a aquel licor tan amargo de la cólera? ¿Pensarás a
lo vulgar que fue esto para impedir el paso de algunas sabandijas,
que hallando con aquella amargura pegajosa se detengan y perez-
can? Pues advierte que mucho más pretendió con ello, más alto
fin tuvo, contra otras más perniciosas previno aquella defensa:
hallen las palabras blandas de la Circe con aquella amargura del
recatado disgusto, deténganse allí los dulces engaños del lisonjero,
hallen el desabrimiento de la cordura con que se templen. —Y aunque a muchos se les habían de gastar los oídos de oír dulce, ponderó Critilo, previno aquel antídoto de amargura. Finalmente dos
son los oídos, para que pueda el sabio agradar, el uno virgen
para la otra parte, haya primera y segunda información, y procure que, si se adelantó a ocupar la una oreja la mentira, se conserve
la otra intacta para la verdad, que suele ser la postrera.

—No parece, dijo Andrenio, tan útil el olfato cuanto deleitable,
más es para el gusto que para el provecho, y siendo así, ¿por
qué ha de ocupar el tercer puesto tan a la vista, aventajándose

a otros que son más importantes? —¡Oh, sí!, replicó Artemia, que
es el sentido de la sagacidad, y aun por eso las narices crecen por
toda la vida; coincide con el respirar, que es tan necesario como
eso. Discierne el buen olor del malo, y percibe, que la buena
fama es el aliento del ánimo: daña mucho un aire corrupto, inficiona las entrañas. Huélese, pues, atenta sagacidad de una legua
la fragancia o la hediondez de las costumbres, porque no se apes-
te el alma, que aun por eso está en lugar tan eminente. Es guía
del ciego, gusto que le avisa del manjar gastado y hace la salva
en lo que ha de comer; goza de las fragancias de las flores y recrea el cerebro con la suavidad que despiden las virtudes, las hazañas y las glorias. Conoce los varones principales y los nobles,
no en el olor material del ámbar, sino en el de sus prendas y
excelentes hechos, obligados a echar mejor olor de sí que los plebeyos. —En gran manera anduvo próvida la naturaleza, dijo Andrenio, en dar a cada potencia dos empleos, uno más principal
y otro menos, penetrando oficios para no multiplicar instrumentos; de esta suerte formó con tal disposición las narices que se
pudiesen despedir por ellas con decencia las superfluidades de la
cabeza. —Eso es en los niños, dijo Critilo, que en los ya varones
más se purgan los excesos de las pasiones del ánimo y así salen
por ellas el viento de la vanidad, el desvanecimiento, que suele
causar vahídos peligrosos, y en algunos llega a trastornar el juicio,
desahógase también el corazón y evapóranse los humos de la fo-
gosidad con mucha espera, y tal vez a su sombra se suele disimular la más picante risa. Ayudan mucho a la proporción del rostro
y por poco que se desmandan afean mucho, son como el gnomon
del reloj del alma, que señalan el temple de la condición; las leoni-
nas denotan el valor, las aguileñas la generosidad, las prolongadas
la mansedumbre, las sutiles la sabiduría y las gruesas la necedad.
    —Después del ver, del oír y del oler, dicho se estaba, ponderó
Andrenio, que se había de seguir el hablar poco. Paréceme que
es la boca la puerta principal de esta casa del alma: por las demás entran los objetos, mas por ésta sale ella misma y se mani-
fiesta en sus razones. —Así es, dijo Artemia, que en esta artificiosa fachada del humano rostro, dividida en sus tres órdenes
iguales, la boca es la puerta de la persona real, y por eso tan
asistida de la guarda de los dientes y coronada del varonil decoro,
aquí asiste lo mejor y lo peor del hombre, que es la lengua, llámase así por estar ligada al corazón. —Lo que yo no acabo de
entender, dijo Andrenio, es que a propósito juntó en una misma
oficina la sabia naturaleza el comer con el hablar, ¿qué tiene que
ver el un ejercicio con el otro? La una es ocupación baja y que
se halla en los brutos, la otra es sublime y de solas las personas,
a más que de ahí se originan inconvenientes notables, y el primero
que la lengua hable según el sabor que se le pega, ya dulce, ya
amargo, agrio o picante; queda muy material de la comida: ya
se roza, ya tropieza, habla grueso, se equivoca, se vulgariza y se

relaja, ¿no estuviera mejor toda ella hecha oráculo de espíritu?
—Aguarda, dijo Critilo, que dificultas bien y casi me haces reparar; mas con todo eso, apelando a la suma Providencia que rige la naturaleza, una gran conveniencia hallo yo en que el gusto coincida con el hablar, para que de esa suerte examine las palabras antes que las pronuncie, másquelas tal vez, pruebe si son sustanciales, y si advierte que pueden amargar, endúlcelas también, sepa a qué sabe un no, y qué estómago le hará al otro, confítelo con el buen modo. Ocúpese la lengua en comer y aún si pudiera en muchos otros empleos, para que no toda se emplease en el hablar. Siguen a las palabras las obras, en los brazos y en las manos hase de obrar lo que se dice y mucho más, que si el hablar ha de ser a una lengua, el obrar ha de ser a dos manos. —¿Por qué se llaman así, preguntó Andrenio, que según tú me has enseñado viene del verbo latino *maneo*, que significa quietud, siendo tan al contrario, que ellas nunca han de parar? —Llamáronlas así, respondió Critilo, no porque hayan de estar quietas, sino porque sus obras han de permanecer, o porque de ellas ha de manar todo bien y ellas manan del corazón, como ramas cargadas de frutos de famosos hechos, de hazañas inmortales: de sus plumas nacen los frutos victoriosos, manantiales son del sudor precioso de los héroes y de la tinta eterna de los sabios. ¿No admiras, no ponderas aquella tan acomodada y artificiosa composición suya, que como fueron formadas para ministras y esclavas de los otros miembros, están hechas de suerte para que todo sirvan ellas?; ayudando a oír, son sustitutos de la lengua, dan vida con la acción a las palabras, sonlo de la boca, ministrando la comida y al olfato las flores, hacen toldo a los ojos para que vean, hasta ayudan a discurrir, que hay hombres que tienen los ingenios en las manos, de modo que todo pasa por ellas, defienden, limpian, visten, curan, componen, llaman y tal vez rascando lisonjean. —Y porque todos estos empleos, dijo Artemia, vayan ajustados a la razón, depositó en ellas la sagaz naturaleza la cuenta, el peso, la medida. En sus diez dedos está el principio y fundamento del número, todas las naciones cuentan hasta diez y de ahí suben multiplicando, las medidas todas están en sus dedos: palmo, codo y brazada. Hasta el peso está seguro en la fidelidad de su tiento, sopesando y tanteando. Toda esta puntualidad fue menester para avisar al hombre que obre siempre con cuenta y razón, con peso y con medida, y realzando más la consideración advierte que en este número de diez se incluye también el de los preceptos divinos, porque los lleve el hombre entre las manos. Ellas ponen en ejecución los aciertos del alma, encierran en sí la suerte de cada uno, no escrita en aquellas vulgares rayas, ejecutada sí en sus obras. Enseña también escribiendo, y emplea en esto la diestra sus tres dedos principales, concurriendo cada uno con una especial calidad: da la fortaleza el primero y el índice la enseñanza, ajusta el medio, correspondiendo al corazón, para que resplandezcan en

los escritos el valor, la sutileza y la verdad. Siendo, pues, las
manos las que echan el sello a la virtud, no es de maravillar que,
entre todas las demás partes del cuerpo, a ellas se les haga cortesía, correspondiendo con estimación, sellando en ellas los labios
para agradecer y solicitar el bien.

»Y porque de pies a cabeza contemplamos al hombre tan misterioso, no es menos de observar su movimiento. Son los pies base
de su firmeza, sobre quienes asientan dos columnas, huellan la
tierra, despreciándola y tocando de ella no más que lo preciso
para sostener el cuerpo, van caminando y midiendo su fin, pisan
llano y seguro. —Bien veo yo, y aún admiro, dijo Andrenio, la
solidez con que atendió a afirmar el cuerpo la naturaleza, que en
nada se descuida, y para que no cayese hacia adelante, donde se
arroja, puso toda la planta, y porque no peligrase a un lado ni
a otro le apuntaló con ambos pies, pero no me puedes negar que
se descuidó en asegurarle hacia atrás, siendo más peligrosa esta
caída por no poder acudir las manos a exponerse al riesgo con
su ordinaria fineza; remediárase esto con haber igualado el pie,
de modo que quedara tanto atrás como adelante, y se aumentaba
la proporción. —No mentes tal cosa, que fuera darle ocasión al
hombre para no ir adelante en lo bueno, sin eso hay tantos que
se retiran de la virtud, ¿qué fuera si tuvieran apoyo en la misma
naturaleza?

»Éste es el hombre por la corteza, que aquella maravillosa composición interior, la armonía de sus potencias, la proporción de
sus virtudes, la consonancia de sus afectos y pasiones, quédese
para la gran Filosofía. Con todo, quiero que conozcas y admires
aquella principal parte del hombre, fundamento de todas las demás y fuente de la vida, el corazón. —¿Corazón?, replicó Andrenio, ¿qué cosa es y dónde está? —Es, respondió Artemia, el rey
de todos los demás miembros, y por eso está en medio del cuerpo, como en centro muy conservado, sin permitirse, ni aun a los
ojos; llámase así de la palabra latina cura, que significa cuidado,
que el que rige y manda siempre fue centro de ello. Tiene también dos empleos, el primero ser fuente de la vida, ministrando
valor en los espíritus a las demás partes, pero el más principal es
el amar, siendo oficina del querer. —Ahora digo, ponderó Critilo,
que con razón se llama corazón, que expresa el cuidado; por eso
está siempre abrasándose como Fénix. —Su lugar es el medio,
prosiguió Artemia, porque ha de estar en un medio el querer,
todo ha de ser con razón, no por extremos; su forma es en punta
hacia la tierra, porque no se roce con ella, sólo la apunte, bástale
un indivisible; al contrario hacia el Cielo está muy espacioso,
porque de allá recibe el bien, que él sólo puede llenarlo, tiene
alas, no tanto para que le refresquen cuanto para que le realcen;
su color es encendido, gala de la caridad; críale la mejor sangre,
para que con el valor se califique la nobleza; nunca es traidor,
necio sí, pues previene antes las desdichas que las felicidades;

pero lo que más es de estimar en él es que no engendra excrementos, como las otras partes del cuerpo, porque nació con obligaciones de limpieza, y mucho más en lo formal del vivir, con esto está aspirando siempre a lo más sublime y perfecto.

De esta suerte fue la sabia Artemia filosofando y ellos aplaudiendo, pero dejémoslos aquí tan bien empleados mientras ponderamos los extremos que hizo el engañoso y ya engañado Falimundo.

Picado en lo vivo de que le hubiesen sacado del laberinto de sus enredos, con tanta pérdida de reputación, al perdido Andrenio y algunos otros tan ciegos como él, con tal ardid, de tan mala consecuencia para lo venidero, trató de la venganza y con exceso. Echó mano de la envidia, gran asesina de buenos y aun mejores, sujeto muy a propósito para cualquier ruindad, que siempre anda entre ruines, comunicóla su sentimiento, exageró el daño, y dio la orden fuese sembrando cizaña en malicias por toda aquella dilatada villanía. No le fue muy dificultoso, porque aseguran ha siglos que la vulgaridad maliciosa vive y reina entre villanos, desde aquella ocasión en que las dos hermanas, la lisonja y la malicia, dejando los patrios solares de su nada, las sacó a volar su madre, la ruin intención, con ambiciones de querer valer más en el mundo; la lisonja, dicen, fue a las Cortes, aunque no muy derecha, y que lo acertó para sí, errándolo para todos, porque allí se fue introduciendo tanto que en pocas horas no ya días, se levantó con la privanza universal. La malicia, aunque procuró introducirse, no probó bien ni fue bien vista ni oída; no osaba hablar, que era reventar para ella; andaba sin libertad y así trató de buscarla; conoció que no era la corte para ella, tomóse la honra para mejor quitarla y desterróse voluntariamente; dio por otro extremo, que fue meterse a villana, y salióle tan bien que al punto se vio adorada de toda la verídica necedad. Allí triunfa porque allí habla, discurre, aunque a lo zonzo, y pega valientes mazadas de necedades que ella llama verdades. Llegó esto a tanto exceso de crédito y afecto que, porque no se les hurtase, trazaron los villanos meterla dentro de sus entrañas, donde la hallan siempre que menos querrían. En tan buena sazón llegó la envidia y comenzó a sembrar su veneno. Iba dejando caer recelos contra Artemia: decía que era otra Circe, si no peor, cuanto más encubierta con capa de hacer bien. Que había destruido la naturaleza quitándola, en su llaneza, su verdadera solidez, y con la afectación aquella natural belleza; ponderaba que se había querido alzar a mayores, arrinconando a la otra y usurpándola el mayorazgo de primera. —Advertid que después que esta fingida Reina se ha introducido en el mundo no hay verdad, todo está adulterado y fingido, nada es lo que parece, porque su proceder es la mitad del año con arte y engaño, y la otra mitad con engaño y arte; de aquí es que los hombres no son ya lo que solían, hechos al buen tiempo y a lo antiguo, que fue siempre lo mejor; ya no hay niños, porque no hay candidez, ¿qué se hicieron aquellos buenos hombres con aquellos sayos de la inocencia, aquella gente de bien?; ya se han acabado aquellos viejos muchachos, tan sólidos y verdaderos: el sí era sí y el no era no; ahora todo al contrario, no hallaréis sino hombrecillos maliciosos y bulliciosos, todo embeleco y fingimiento, y ellos dicen que es artificio y el que tiene más de esto vale más, ése se hace lugar en todas partes, medra en armas y aun en letras; con esto ya no hay niños, más malicia alcanza hoy uno de siete años que ayer uno de setenta. Son las mujeres de pies a cabeza una mentira continuada, aliño de cornejas, todo ajeno y el engaño propio. Tiene esta mentida Reina arruinadas las Repúblicas, destruidas las casas, acabadas las haciendas, porque se gasta el doble en los trajes de las personas y en el adorno de las casas: con lo que hoy se viste una mujer se vestía antes todo un pueblo. Hasta en el comer nos ha perdido en tanta manera de manjares y sainetes, que antes todo iba a lo natural y a lo llano. Dice que nos ha hecho personas, yo digo que nos ha deshecho; no es vivir con tanto embeleco, ni es ser hombres el ser fingidos; todas sus trazas son mentiras y todo su artficio es engaño.

Incitó tanto los ánimos de aquel vulgacho, que un día se amotinaron todos, y dando voces sin entenderse ni entender fueron a cercarle el Palacio, voceando: ¡Muera la hechicera!, y aún intentaron pegarla fuego por todas partes. Aquí conoció la sabia Reina cuán su enemiga es la villanía, convocó sus valedores, halló que los poderosos ya habían faltado, mas no faltándose a sí mismos; trazó vencer con la maña tanta fuerza. El raro modo con que triunfó de tan vil canalla, el bien ejecutado ardid con que se libró de aquel ejército villano, léelo en la Crisi siguiente.

CRISI X

EL MAL PASO DEL SALTEO

Vulgar desorden es entre los hombres hacer de los fines medios y de los medios hacer fines. Lo que ha de ser de paso toman de asiento y del camino hacen descanso; comienzan por donde han de acabar y aoaban por el principio. Introdujo la sabia y próvida naturaleza el deleite para que fuese medio de las operaciones de la vida, alivio instrumental de sus más enfadosas funciones, que fue un grande arbitrio para facilitar lo más penoso del vivir. Pero aquí es donde el hombre más se desbarata, pues más bruto que las bestias, degenerando de sí mismo, hace fin del deleite y de la vida hace medio para el gusto: no come ya para vivir sino que vive para comer, no descansa para trabajar sino que no trabaja por dormir, no pretende la propagación de su especie sino la de su lujuria, no estudia para saberse sino para desconocerse, ni habla por necesidad sino por el gusto de la murmuración, de suerte que no gusta de vivir sino que vive de gustar. De aquí es que todos los vicios han hecho su caudillo al deleite: él es mullidor de los apetitos, precursor de los antojos, adalid de las pasiones y el que trae arrastrados los hombres, tirándole a cada uno su deleite. Atienda, pues, el varón sabio a enmendar tan general desconcierto, y para que estudie en el ajeno engaño oiga lo que le sucedió al sagaz Critillo y al incauto Andrenio.

—¿Hasta cuándo, canalla inculta, habéis de abusar de mis atenciones?, dijo enojada Artemia, más constante cuando más arriesgada. ¿Hasta dónde han de llegar en despeñarse vuestra barbaridad y vuestra ignorante audacia? Júroos que, pues me llamáis encantadora y maga, esta misma tarde, en castigo de vuestra necedad, he de hacer un conjuro tan poderoso que el mismo Sol me vengue, retirando sus lucientes rayos, que no hay mayor castigo que dejaros a oscuras en la ceguera de vuestra vulgaridad. Tratólos como ellos merecían y conocióse bien que con la gente vil obra más el rigor que la bizarría, pues quedaron tan aterrados cuan persuadidos de su mágica potencia, y ya helados, no trataron de pegar fuego al Palacio como lo intentaban. Acabaron de perderse de ánimo cuando vieron que realmente el mismo Sol comenzó a negar su luz, eclipsándose por puntos, y temiendo no se conjurase también contra ellos la tierra en terremotos, que a veces todos los elementos suelen mancomunarse contra el perseguido. Dieron todos a huir desalentados, achaque ordinario de motines, que si con furor se levantan con terror pánico se desvanecen; corrían a oscuras, tropezando unos con otros, como desdichados. Tuvo con esto tiempo de salir la sabia Artemia con toda su culta familia, y lo que más ella estimó fue poder escapar de aquel bárbaro incendio con los tesoros de la observancia curiosa, que ella tanto estima y guarda en libros, papeles, dibujos, tablas, modelos y en instrumentos varios. Fuéronla cortejando y asistiendo nuestros dos viandantes, Critilo y Andrenio. Iba éste espantado de un portento semejante, teniendo por averiguado que se extendía su mágico poder hasta las estrellas y que el mismo Sol la obedecía; mirábala con más veneración y dobló el aplauso, pero desengañóle Critilo diciendo cómo el eclipse de Sol había sido efecto natural de las celestes vueltas, contingente en aquella sazón y previsto de Artemia por las noticias astronómicas, y que se valió de él en la ocasión, haciendo artificio de lo que era natural efecto.

Discurrióse mucho dónde irían a parar, consultando Artemia con sus sabios, resultando no entrar más en villa alguna, y así lo cumple hasta hoy. Propusiéronse varios puntos: inclinábase mucho ella a las dos veces buena Lisboa, no tanto por ser la mayor población de España, uno de los tres emporios de la Europa, que si a otras ciudades se les reparten los renombres, ésta los tiene juntos, hidalga, rica, sana y abundante; cuanto más porque jamás se halló portugués necio, en prueba de que fue su fundador el sagaz Ulises; mas retardóla mucho no su fantástica nacionalidad sino su

confusión, tan contraria a sus quietas especulaciones. Tirábala
después la coronada Madrid, centro de la monarquía, donde concurre todo lo bueno en eminencia, pero desagradábala otro tanto
malo, causándola asco no de la inmundicia de sus calles sino de los
corazones, aquel nunca haber podido perder los resabios de villa
y el ser una Babilonia de naciones no bien alojadas. De Sevilla no
había que tratar, por estar apoderada de ella la vigilancia, su gran
contraria, estómago indigesto de la plata, cuyos moradores ni bien
son blancos ni bien negros, donde se habla mucho y se obra poco,
achaque de toda Andalucía. A Granada también le hizo la cruz y
a Córdoba un Calvario; de Salamanca se dieron leyes, donde no
tanto se trata de hacer personas cuanto letrados, plaza de armas
contra las haciendas. La abundante Zaragoza, cabeza de Aragón,
madre de insignes reyes, base de la mayor columna, y columna
de la fe católica en santuarios y hermosa en edificios, poblada de
buenos, así como todo Aragón de gente sin embeleco: parecíale
muy bien, pero echaba mucho de menos la grandeza de los corazones y espantábala aquel proseguir en la primera necedad. Agra-
dábala mucho la alegre, noble y florida Valencia, llena de todo lo
que no es sustancia, pero temióse que con la misma facilidad con
que la recibirían hoy la echarían mañana. Barcelona, centro de
sabios, modelo de honestidad, cantera de reyes, que los dio a
Aragón y de aquí a Castilla, aunque consideró el trato sencillo de
sus vecinos, no le pareció bien, porque las celosías que erigió el
recato de sus matronas le causaron celos a sus divertimientos.
León y Burgos estaban muy a la montaña, entre más miseria que
pobreza. Santiago, cosa de Galicia. Valladolid le pareció muy bien
y estuvo determinado de ir allá, porque juzgó se hallaría la verdad
en medio de aquella llaneza, pero arrepintióse, como la Corte, que
huele aún a lo que fue y está aún a lo de campos. De Pamplona
no se hizo mención por tener más de corta que de Corte, y como
es un punto, todo es puntos y puntillos Navarra. Al fin que fue
preferida la imperial Toledo, a voto de la Católica Reina, cuando
decía que nunca se halla necia sino en esta oficina de personas,
taller de la discreción, escuela del buen hablar, toda Corte, Ciudad
toda, y más después que la esposa de Madrid le ha chupado las
heces, donde aunque entre no duerme la villanía; en otras partes
tiene el ingenio en las manos, aquí en el pico, si bien censu-
raron algunos que sin fondo y que se conocen pocos ingenios
toledanos de profundidad y de sustancia. Con todo se mantuvo
firme Artemia, diciendo: —Ea, que más dice aquí una mujer en
una palabra que en Atenas un filósofo en todo un libro. Vamos
a este centro, no tanto material cuanto formal, de España. Fuese
encaminando allá con toda su cultura, siguiéronla Critilo y Andrenio, con no poco provecho suyo, hasta aquel puesto donde se
parte el camino para Madrid; comunicáronla aquí su precisa conveniencia de ir a la Corte en busca de Felisinda, redimiendo su
licencia a precio de agradecimientos; concedióselos Artemia en

bien importantes instrucciones diciéndoles: —Pues os es preciso el
ir allá, que no conviene de otra suerte, atended mucho a no errar
el camino, porque hay muchos que llevan allá. —Según eso, no
nos podemos perder, replicó Andrenio. —Antes sí, y aún por eso,
que en el mismo camino real se perdieron no pocos, y así no
vayáis por el vulgar de ver, que es el de la necedad, ni por el de
la pretensión, que es muy largo y nunca acabar; el del litigio es
muy costoso a más de ser prolijo; el de la soberbia es desconocido
y allí de nadie se hace caso y de todos casa; el del interés es de
pocos y éstos extranjeros; el de la necesidad es peligroso, que hay
gran multitud de halcones en alcándaras de varas; el del gusto
está tan sucio que pasa de barros y llega a las narices, de modo
que en él se anda apenas; el del vivir va de prisa, y llégase presto
al fin; por el del servir es morir; por el del comer nunca se llega;
el de la virtud no se halla y aún se duda; sólo queda el de la
urgencia mientras durare, y creedme que allí ni bien se vive ni
bien se muere. Atended también por dónde entráis, que va no
poco en esto, porque los más entran por Santa Bárbara y los
menos por la calle de Toledo, algunos refinos por la puente; entran otros y otras por la puerta del Sol y paran en Antón Martín;
pocos por Lavapiés y muchos por Untamanos, y lo ordinario es
no entrar por las puertas, que hay pocas y ésas cerradas, sino
entremetiéndose. Con esto se dividieron, la sabia Artemia al trono
de su estimación y nuestros dos viandantes para el laberinto de la
Corte.

Iban celebrando en agradable conferencia las muchas y excelentes prendas de la discreta Artemia, muy fundados en repetir los
prodigios que habían visto, ponderando su felicidad en haberla
tratado, la utilidad que habían conseguido; en esta conversación
iban muy metidos cuando sin advertirlo dieron en el riesgo de
todos, uno de los peores pasos de la vida. Vieron que allí cerca
había mucha gente detenida, así hombres como mujeres, todos
maniatados, sin osar rebullirse, viéndose despojar de sus bienes.
—Perdidos somos, dijo Critilo, aguarda, que hemos dado en uñas
de salteadores, que los suele haber crueles en estos curiales caminos; aquí están robando, sin duda, y aún si con eso se conten-
tasen, ventura sería en la desdicha, pero suelen ser tan desalmados que quitan las vidas y llegan a desollar los rostros a los pasajeros, dejándolos del todo desconocidos. Quedó helado Andrenio,
anticipándose el temor a robarle el color y aun el aliento, cuando
ya pudo hablar: —¿Qué hacemos, dijo, que no huimos? Escondá-
monos que no nos vea. —Ya es tarde, a lo de Frigia, que es lo
necio, respondió Critilo, que nos han descubierto y nos vocean.

Con esto pasaron adelante a meterse ellos mismos en la trampa
de su libertad y en el lazo de su cuello. Miraron a una y otra
banda y vieron una infinidad de pasajeros de todo porte, nobles,
plebeyos, ricos, pobres, que ni perdonaban a las mujeres; toda
gente moza y todos amarrados a los troncos de sí mismos. Aquí,

suspirando Critilo y gimiendo Andrenio, fueron mirando por todo aquel horrible espectáculo quiénes eran los crueles salteadores, que no podían atinar con ellos, miraban a unos y a otros y todos los hallaban enlazados, pues ¿quién ata? En viendo alguno de mal gesto, que eran los más, sospechaban de él. —¿Si será éste, dijo Andrenio, que mira atravesado, que así tiene el alma? —Todo se puede creer de un mirar equívoco, respondió Critilo, pero más temo yo de aquel tuerto, que nunca suelen hacer éstos cosa a derechas, a juicio de la Reina Católica, y era grande. Guárdate de aquel de muchos labios y mala labia, que nos hace morro siempre. —Pues ¿aquel otro de las narices rematadas, tan cruel como iracundo, y si de color membrillo, cómitre amulatado? No será sino aquel del ojo regañado, que tiene ahondado mucho para verdugo, y ¿qué le falta a aquel encapotado, que mira hosco, amenazando a todos de tempestad? Oyeron uno que ceceaba y dijeron: —Éste es sin duda, que a todos va avisando con su ce, ce, que se guarden de él; pero no, si no es aquel que habla aspirando, que parece se traga los hombres cuando alienta. Oyeron a uno hablar gangoso y dieron a huir, entendiéndole la ganga por valiente de Baco y Venus. Hallaron con otro peor, que hablaba tan ronco que sólo se entendía con los jarros. En hablando alguno alterado, presumían de él, y si en catalán, con evidencia. De esta suerte fueron reconociendo a unos y a otros y a todos los veían rendidos, ninguno delincuente. —¿Qué es esto?, decían, ¿dónde están los robadores de tantos robados?, pues aquí no hay de aquellos que hurtan a repique de tijera, ni los que nos dejan en cueros cuando nos calzan, los que nos despluman con plumas, los que se descomiden cuando miden, ni los que pesan tan pesados. —¿Quién embiste aquí, quién pide prestado, quién ejecuta?; nadie encubre, nadie lisonjea, no hay ministros, no hay de la pluma, pues ¿quién roba? ¿Dónde están los tiranos de tanta libertad? Esto decía Critilo cuando respondió una gallarda hembra, entre mujer y ángel: —Ya voy, aguardaos mientras acabo de atar a estos dos presumidos que llegaron antes. Era, como digo, una bellísima mujer, nada villana y toda cortesana; hacía buena cara a todos y muy malas obras. Su frente era más rasa que serena, no miraba de mal ojo y a todos hacía de él; las narices tenía blancas, señal de que no se le subía el humo a ellas; sus mejillas eran rosas sin espinas; ni mostraba los dientes, sino otros tantos aljófares, al reírse de todos; tan agradable, que era ocioso el atar, pues con sola su vista cautivaba. Su lengua era sin duda de azúcar, porque sus palabras eran de néctar y las dos manos hacían un blanco de los afectos, y con tenerlas tan buenas a nadie daba buena mano, ni de mano; y aunque tenía brazo fuerte, de ordinario lo daba a torcer, equivocando el abrazar con el enlazar. De suerte que de ningún modo parecía salteadora quien tan buen parecer tenía. No estaba sola, antes muy asistida de un escuadrón volante de amazonas, igualmente agradables y gustosas y

entretenidas, que no cesaban de atar a unos y a otros, ejecutando
lo que su capitán les mandaba.

Era de reparar que a cada uno le aprisionaban con las mismas
ataduras que él quería, y muchos se las traían consigo y las prevenían para que los atasen, así que a unos aprisionaban con cadenas de oro, que era una fuerte atadura; a otros con esposas de
diamantes, que era mayor; ataron a muchos con guirnaldas de
flores y otros pedían que con rosas, imaginando era más coronar-
les las frentes y las manos. Vieron uno que le ataron con un
cabello rubio y delicado, y aunque él se burlaba al principio conoció después era más fuerte que una gúmena. A las mujeres de
ordinario las ataban no con cuerdas, sino con hilos de perlas,
sartas de corales, listones de resplandor, que parecían algo y valían nada. A los valientes, al mismo Bernardo, le aprisionaron
después de muchas bravatas con una banda, quedando él muy
ufano; y lo que más admiró fue que a sus otros camaradas los
atrahillaron con plumajes y fue una prisión muy segura. Ciertos
grandes personajes pretendieron los atasen con unos cordoncillos
de que pendían veneras, llaves y eslabones y porfiaban hasta reventar. Había grillos de oro para unos y de hierro para otros, y
todos quedaban igualmente contentos y aprisionados. Lo que más
admiró fue que faltando lazos con que maniatar a tantos los enla-
zaban con brazos de mujeres, y muy flacas, a hombres muy robustos. Al mismo Hércules, con un hilo delgado y muy al uso,
y a Sansón con unos cabellos que le cortaron de su cabeza. Querían ligar a uno con una cadena de oro que él mismo traía y les
rogó no hiciesen tal, sino con una soga de esparto crudo, extremo
raro de avaricia. A otro, camarada de éste, le apretaron las manos con los cerraderos de su bolsa, y aseguraron que era de hierro.
Anudaron a uno con su propio cuello, que era de cigüeña; y a
otro con un estómago de avestruz, hasta con sartas de salados
sabrosos eslabones ataban algunos, y gustaban tanto de su prisión
que se chupaban los dedos. Salían otros de juicio, de contento al
verse atados por las frentes con laureles y con hiedras, pero ¿qué
mucho, si otros se volvieron locos en tocando las cuerdas? De
esta suerte iban aprisionando aquellas agradables salteadoras a
cuantos pasaban por aquel camino de todos, echando lazos a unos
a los pies, a otros al cuello, atábanles las manos, vendábanles los
ojos y llevábanlos atados, tirándolos del corazón. Con todo eso
había una muy desagradable entre todas, que cuantos ataba se
mordían las manos, bocadeándose las carnes hasta roerse las entrañas; atormentábalos a éstos con lo que otros se holgaban, y de
la ajena gloria hacían infierno. Otra había bizarramente furiosa,
que apretaba los cordeles hasta sacar sangre, y ellos gustaban
tanto de esto que se la bebían unos a otros; y es lo bueno que,
después de haber maniatado a tantos, aseguraban ellas que no
habían atado persona. Llegaron ya a querer hacer lo mismo de
Critilo y Andrenio, preguntáronles con qué género de atadura

querían ser maniatados. Andrenio, como mozo, resolvióse presto, y pidió le atasen con flores, pareciéndole sería más guirnalda que lazo; mas Critilo, viendo que no podía pasar por otro, dijo que le atasen con cintas de libros, que pareció bien extraordinaria atadura, pero al fin lo era, y así se ejecutó.

Mandó luego tocar a marchar aquella dulce tirana, y aunque parecía que los llevaba a todos arrastrando de unas cadenillas asidas a los corazones, pero de verdad ellos se iban, que no era menester tirarles mucho; volaban algunos llevados del viento, casi todos con buen aire, deslizándose muchos, tropezando los más y despeñándose todos. Halláronse presto a las puertas de uno que ni bien era palacio, ni bien cueva; a los que mejor lo entendían dijeron era venta, porque nada se da de balde y todo es de paso. Estaba fabricada de unas piedras tan atractivas que traían a sí las manos, los pies, los ojos, las lenguas y los corazones, como si fueran de hierro, con lo cual se conoció eran imanes del gusto, trabadas con una unión tan fuerte que les venía de perlas. Era sin duda la agradable posada tan centro del gusto cuan páramo del provecho y un agregado de cuantas delicias se pueden imaginar; dejaba muy atrás la casa de oro de Nerón, con que quiso dorar los hierros de sus aceros, oscurecía tanto el palacio de Heliogábalo que lo dejó a más noches, y el mismo alcázar de Sardanápalo parecía una zahurda de sus inmundicias. Había a la puerta un gran letrero que decía: *El bien deleitable, útil y honesto*. Reparó Critilo y dijo: —Este letrero está al revés. —¿Cómo al revés?, replicó Andrenio. Yo al derecho le leo. —Sí, que había de decir al contrario: el bien honesto, útil y deleitable. —No me pongo en eso, lo que sé decir es que ésta es la casa más deliciosa que hasta hoy he visto, ¡qué buen gusto tuvo el que la hizo!

Tenía en la fachada siete columnas, que aunque parecía desproporción no era sino emulación de la que erigió la sabiduría. Éstas daban entrada a otras siete estancias y habitaciones de otros tantos Príncipes, de quienes era agente la bella salteadora, y así todos cuantos cautivaba con sumo gusto los iba remitiendo allí a elección de los mismos prisioneros. Entraban muchos por el cuarto del oro, y llamábase así porque estaba todo enladrillado de tejas de oro, barras de plata, las paredes de piedras preciosas; costaba mucho de subir y al cabo era gusto con piedras el más eminente y superior a todos, era el más arriesgado y no obstante eso la gente más grave quería subir a él. El más bajo era el más gustoso, tanto que tenía las paredes comidas, que decían eran de azúcar las piedras, la argamasa amerada (1) con exquisitos vinos, y yeso tan cocido que era un bizcocho. Muchos gustaban de entrar en éste y se preciaban de ser gente de buen gusto. Al contrario, había otro

_____

(1) «Amerar» o «merar» era una voz antigua aragonesa que significaba mezclar dos licores, o agua con vino; y por extensión decíase que «se ameraba» una pared o construcción cuando entraba en ella la humedad.

que campeaba rojo, empedrado de puñales, las paredes de acero,
sus puertas eran bocas de fuego y sus ventanas troneras, los pasa-
manos de las escaleras eran pasadores y de los techos en vez de
florones pendían montantes, y con todo esto no faltaban algunos
que alojaban en él, tan a costa de su sangre. Otro se veía de
color azul, cuya hermosura consistía en deslucir los demás y des-
dorar ajenas perfecciones, adornábase su arquitectura de canes
grifos y dentellones. Su materia eran dientes, no de elefantes, sino
de víboras, y aunque por fuera tenía muy buena vista por dentro
aseguraban tenía roídas las entrañas de las paredes; mordíanse
por entrar en él unos a otros. El más cómodo de todos era el más
llano, y aunque no había en toda la escalera qué subir, estaba
lleno de rellanos y descansos, muy alhajados de sillas y poltronas,
parecía casa de la China, sin algún alto; su materia era de conchas de tortuga, todo el mundo se acomodaba en él, tomándolo
muy de asiento; con esto iban poco a poco, y él era tan largo
que nunca llegaban al cabo, con ser todo paraderos. El más hermoso era el verde, estancia de la primavera, donde campeaba la
belleza; llamábase el de las flores y todo era flor en él, hasta la
valentía y la de la edad, ni faltaba la del berro. Había muchos
narcisos, alternados con las violetas; coronábanse todos entrando
de rosas, que bien presto se marchitaban, quedando las espinas, y
aun todas sus flores paraban en zarzas y sus verduras en palo;
con todo era estancia muy requerida, donde todos los que entraban se divertían harto.

Obligábanles a Critilo y Andrenio a entrar en alguna de aquellas estancias, la que más fuese de su gusto; éste, como tan lozano
y en la flor de su vida, encaminóse a la de las flores, diciendo a
Critilo: —Entra por donde gustares, que al cabo de la jornada
todos vendremos a un mismo paradero. Instábanle a Critilo para
que escogiese, cuando dijo: —Yo nunca voy por donde los demás,
sino al revés; no me excuso de entrar, pero ha de ser por donde
ninguno entra. —¿Cómo puede ser eso, le replicaron, si no hay
puerta por donde no entren muchos a cada instante, Reíanse otros
de su singularidad y preguntaban: —¿Qué hombre es éste, hecho
al revés de todos? —Y aun por esto entiendo serlo, respondió él,
yo he de entrar por donde los otros salen, haciendo entrada de la
salida. Nunca pongo la mira en los principios, sino en los fines,
Dio la vuelta a la casa, y ella la dio tal que no la conocía; pues
toda aquella grandeza de la fachada se había trocado en vileza,
la hermosura en fealdad y el agrado en horror, y tal que parecía
por esta parte no fachada sino echada, amenazando por instantes
su ruina. No sólo no atraían las piedras a los huéspedes, sino que
se iban tras de ellos, sacudiéndoles, que hasta las del suelo se levantaban contra ellos. No se veían jardines, por estar cerrados,
campos sí de espinas y de malezas. Advirtió Critilo, con no poco
espanto suyo, que todos cuantos veía entrar antes riendo ahora
salían llorando, y es bien de notar cómo salían: arrojaban a unos

por las ventanas que correspondían al cuarto de los jardines, y daban en aquellas espinas tal golpe que se las clavaban por todas las coyunturas, quedando llenos de dolores tan agudos que estando en un infierno levantaban el grito hasta el Cielo. Los que habían subido más alto daban mayor caída: uno de éstos cayó de lo más alto de Palacio con tanta fruición de los demás como pena suya, que todos estaban aguardando cuándo caería; quedó tan malparado que no fue más persona, ni pudo hacer de él hombre; bien merece, decían todos los de dentro y fuera, tanto mal quien nunca hizo bien. El que causó gran lástima fue uno que tuvo más de Luna que de estrella: éste al caer se clavó un cuchillo por la garganta, escribiendo con su sangre el escarmiento sin segundo. Vio Critilo que por la ventana antes del oro, ya del lodo, despeñaban a muchos desnudos y tan abrumados que parecían haberles molido las espaldas con saquillos de arenas de oro. Otros, por las ventanas de la cocina, caían en cueros y todos daban de vientre en aquel suelo, abominando tales crudezas. Sólo uno vio salir por la puerta, y admirando Critilo únicamente, se fue para él, dándole la enhorabuena; al saludarle reparó que creía conocerle. —Válgame el Cielo, ¿dónde he visto yo este hombre?, pues yo le he visto y no me acuerdo. —¿No es Critilo? preguntó él. —Sí, ¿y tú quién eres? —¿No te acuerdas que estuvimos juntos en casa de la sabia Artemia? —Ya doy en la cuenta, tú eres aquel de *Omnia mea mecum porto* (1). —El mismo, y aun eso me ha librado de este encanto. —¿Cómo pudiste escapar una vez dentro? Y finalmente respondió: —Y con la misma facilidad te desataré a ti, si quieres. ¿Ves todos aquellos ciegos nudos que echa la voluntad con un sí? Pues todos los vuelve a deshacer con un no; todo está en que ella quiera. —Quiso Critilo y así se vio luego libre de libros. —Mas dime, oh Critilo, ¿y tú cómo no entraste en este común cautiverio? —Porque siguiendo otro consejo de la misma Artemia no puse el pie en el principio hasta tocar con las manos el fin. —¡Oh, dichoso hombre!, pero mal dije hombre, que no eres, sino entendido. ¿Qué se hizo de aquel tu compañero, más mozo y menos cauto? —Ahora te quería preguntar de él, si le viste allá dentro, que sin freno de razón se abalanzó allá, y temo que como tal será arrojado. —¿Por qué puerta entró? —Por la del gusto. —Es la peor de todas: saldrá tarde, echarle ha en tiempo, consumido de todas maneras. —¿No habría algún medio para su remedio? —Sólo uno, y éste fácilmente dificultoso. —¿Cómo es eso? —Queriendo. Que haga como yo, que no aguarde a que le echen, sino, tomándose la honra y más el provecho, salir él, que será por la puerta despenado y no por las ventanas despeñado. —Una cosa te quisiera suplicar y no me atrevo, porque parece más necedad que favor. —¿Qué es? —Que, pues tienes ya tomado el tino a la casa, volvieses a entrar y como

(1)   «Todo lo mío llevo conmigo».

sabio le desengañases y librases. —No será de provecho, porque
aunque le halle y le hable no me dará crédito sin el afecto. Mejor
se moverá por ti, y pues te ves obligado, que te pedirán la palabra, mejor será que tú entres y le saques. —Bien entrara, dijo
Critilo, aunque lo siento; pero temo que como me falta la experiencia, me he de cansar en balde y no le podré hallar, corriendo
riesgo de ahogarnos todos. Hagamos una cosa: vamos juntos, que
bien es menester la industria doblada; tú, como noticioso, me
guiarás, y yo, como amigo, le convenceré y saldremos todos con
victoria. Parecióle bien el ardid, fueron a ejecutarlo, mas la guardia que hay a la salida, teniendo por sospechoso al Sabio, le detuvo. —Aquél sí, dijo señalando a Critilo, que tengo orden de que
entre, y que le inste, mas él, volviendo atrás, se retiró con el Sabio
al reconsejo. Fuese informando de las entradas y salidas de la
casa, de sus vueltas y revueltas, y ya muy determinado iba a entrar, cuando de medio camino volvió atrás y dijo al Sabio: —Una
cosa se me ha ofrecido y es que troquemos los vestidos, toma el
mío, conocido de Andrenio, que será recomendación, y así disfrazado podrás desmentir la guardia entre dos luces; quedaré yo con
el tuyo, ayudando a la disimulación y aguardando por instantes
siglos. No le desagradó al Sabio la invención, vistióse de Critilo,
a lo que pudo entrar rogado.

Quedóse éste viendo caer unos y otros, que no paraban un
punto por aquellos despeñaderos del dejo. Vio un pródigo que lo
despeñaban mujeres por el ventanaje de las rosas en las espinas,
y como venía en carnes el desdichado maltratóse mucho. Hízose
las narices cuando más se las deshizo, comenzó a hablar gangoso
y duróle toda la vida, diciendo todos los que le oían: ¡No es cosa
rara que éste hable con las narices, por no tenerlas! Justo castigo
es de sus imprudentes mocedades. Fue tal el asco que éste y todos
los de su séquito tuvieron de su misma inmundicia, que no paraban de escupir al vil deleite, en venganza y por remedio, que
hubiera sido mejor antes. Los que rodaban por las espaldas del
descanso tardaban en el mismo caer, pero mucho más en el levantarse, que de pereza aún no vivían; gente muy para nada, sólo
sirven para hacer número y gastar los víveres; nada hacen con
buen aire y en él se paraban al caer, apoyando mórulas a Zenón,
pero una vez caídos siempre quedaban por tierra. Daban fieros
gritos los que rodaban por el cuarto de las armas, que parecía el
de locos; venían muy mal tratados y eran tales los golpes que
daban y recibían, que escupían luego sangre de sus valientes pechos, vomitando la que habían bebido antes a sus enemigos, que
es bravo quebradero de cabeza una venganza. Solos los del cuarto
del veneno se estaban a la mira, holgándose de lo que los demás
se lamentaban, y había hombre de éstos que porque se quebrase
el otro un brazo y se sacase un ojo, perdía él los dos; reían de lo
que los otros lloraban y lloraban de lo que reían, y era cosa rara,
los que a la entrada enflaquecieron engordaban a la salida, gus-

tando mucho de hacer aplauso de desdichas y campanear ajenas
desventuras. Estaba Critilo mirando aquel mal paradero de todos;
al cabo de un día de siglos vio asomar a Andrenio a la ventana
de las flores en espinas, asustóse mucho temiendo su despeño, no
le osaba llamar por no descubrirse, pero señalábale, acordándole
el desengaño. Cómo bajó y por dónde, adelante lo diremos.

CRISI XI

EL GOLFO CORTESANO

—Visto un león, están vistos todos y vista una oveja, todas;
pero visto un hombre no está visto sino uno, y aun ése no bien
conocido. Todos los tigres son crueles, las palomas sencillas y
cada hombre de su naturaleza diferente. Las generosas águilas
siempre engendran águilas generosas, mas los hombres famosos no
engendran hijos grandes, como ni los pequeños, pequeños. Cada
uno tiene su gusto y su gesto, que no se vive con sólo un parecer.
Proveyó la sagaz naturaleza de diversos rostros para que fuesen
los hombres conocidos, sus dichos y sus hechos, no se equivocasen
los buenos con los ruines, los varones se distinguiesen de las
hembras, y nadie pretendiese solapar sus maldades con el semblante ajeno. Gastan algunos mucho estudio en averiguar las propiedades de las hierbas, ¡cuánto más importaría conocer las de los
hombres, con quien se ha de vivir o morir! Y no son todos hombres los que vemos, que hay horribles monstruos, y aun acro-
ceraumnios en los golfos de las grandes poblaciones, sabios sin
obras, viejos sin prudencia, mozos sin sujeción, mujeres sin vergüenza, ricos sin misericordia, pobres sin humildad, señores sin
nobleza, pueblo sin apremio, méritos sin premio, hombres sin humanidad, personas sin subsistencia. Esto ponderaba el Sabio a
vista de la Corte, después de haber rescatado a Andrenio con un
tan singular arbitrio.

Cuando Critilo le aguardaba a la puerta libre, le atendió en la
ventana, empeñado en el común despeño; mas consolóse con que
nadie le impelía, antes quitándose la guirnalda de la frente la
fue destejiendo y atando unas ramas con otras hizo soga, por la
cual se guió y sin daño alguno se halló en tierra, por gran felicidad. Al mismo tiempo asomó por la puerta el Sabio, doblándole
a Critilo el contento, pero sin detenerse, ni aun abrazarse, pica-
ron, como tan picados. Sólo Andrenio, volviendo la cabeza a la
ventana, dijo: —Quede ahí pendiente ese lazo, escala ya de mi
libertad, despojo eternizado del desengaño,. Tomaron su ruta para
la Corte, a dar, decía el Sabio, de Caribdis en Scila; acompañóles
hasta la puerta, llevado de la dulce conversación, el mejor viático
del camino de la vida. —¿Qué cosa y qué casa ha sido ésta?,
decía Critilo. Contadme lo que en ella os ha pasado. Tomó la

mano el Sabio, a cortesía de Andrenio, y dijo: —Sabed que aquella engañosa casa, al fin venta del mundo, por la parte que se entra en ella es del gusto, y por la que se sale del gasto. Aquella agradable salteadora es la famosa Volucia, a quien llamamos nosotros delectación y los latinos Voluptas, gran muñidora de los vicios, que a cada uno de los mortales le lleva arrastrado su deleite. Ésta los cautiva, los aloja o los aleja, unos en el cuarto más alto de la soberbia, otros en el más bajo de la desidia, pero ninguno en el medio, que en los vicios no le hay. Todos entran, como visteis, cantando, y después salen sollozando, si no son los envidiosos, que proceden al revés. El remedio para no despeñarse al fin es caer en la cuenta al principio; gran consejo de la sabia Artemia, que a mí me valió harto para salir bien. —Y a mí mejor para no entrar, explicó Critilo, que yo con más gusto voy a casa del llanto que de la risa, porque sé que las fiestas del contento siempre fueron vigilias del pesar. Créeme, Andrenio, que quien comienza por los gustos acaba por los pesares. —Basta, que éste nuestro camino, dijo él, todo está lleno de trampas encubiertas, que no sin causa estaba el engaño a la entrada. ¡Oh, casa de locos, y cómo lo es quien hace de ti caso! ¡Oh, encanto de cantos imanes, que al principio atraen y a la postre despeñan! —Dios os libre, pondera el Sabio, de todo lo que comienza por el contento, nunca os paguéis de los principios fáciles, atended siempre a los fines dificultosos, y al contrario. La razón de esto supe yo en aquella venta de Volucia, en este sueño, que os ha de hacer despertar.

»Contáronme tenía dos hijos la fortuna, muy diferentes en todo, pues el mayor era agradablemente lindo cuanto el segundo desapaciblemente feo; eran sus condiciones y propiedades muy conformes a sus caras, como suele acontecer. Hízoles su madre dos vaquerillos con la misma atención, al primero de rica tela, que tejió la Primavera, sembrada de rosas y de claveles, y entre flor y flor alternó una G, tantas como flores, sirviendo de ingeniosas cifras, en que unos leían gracioso, otros galán, gustoso, gallardo, grato y grande; forrado en cándidos armiños, todo gala, todo gusto, gallardía y gracia. Vistió al segundo muy de otro género, pues de un bocací funesto, recamado de espinas, y entre ellas otras tantas F, donde cada uno leía lo que no quisiera: feo, fiero, furioso, falto y falso; todo horror, todo fiereza. Salían de casa de su madre a la plaza o a la escuela, y al primero cuantos le veían le llamaban, abríanle las puertas de sus corazones, todo el mundo se iba tras él, teniéndose por dichosos los que le podían ver, cuanto más haber. El otro desvalido no hallaba nunca puerta abierta, y así andaba a sombra de tejados, todos huían de él; si quería entrar en alguna casa dábanle con la puerta en los ojos, y si porfiaba muchos golpes, con lo cual no hallaba donde parar; vivía, o moría, tan triste que no llegó a poderse sufrir a sí mismo y así tomó por partido despeñarse, para despenarse, escogiendo antes morir para vivir, que vivir para morir. Mas como la discreción es pasto de la melancolía, pensó una traza, que siempre valió más que la fuerza; conociendo cuán poderoso es el engaño y los prodigios que obra cada día, determinó ir en busca suya una noche, que hasta la luz y él se aborrecían. Comenzó a buscarlo, mas no le podía descubrir; en mil partes le decían que estaría y en ninguna se hallaba. Persuadióse le hallaría en cada casa de los engañadores, y así fue primero a la del tiempo, éste le dijo que no, que antes él procuraba desengañar a todos, sino que le creen tarde; pasó a la del mundo, tenido por embustero, y respondióle que por ningún caso, que él a nadie engaña, aunque lo desea, que los mismos hombres son los que se engañan a sí mismos, se ciegan y se quieren engañar. Fue a la misma mentira, que la halló en todas partes, díjola a quién buscaba. Y respondióle ella: —Anda, necio, ¿cómo te tengo yo de decir verdad? —Según eso, la verdad me la dirá, dijo él, pero ¿dónde la hallaré? Más dificultoso será eso, que si al engaño no le puedo descubrir en todo el mundo, cuanto menos la verdad. Fuese a casa de la hipocresía, teniendo por cierto estaría allí, mas ésta le engañó con el mismo engaño, porque torciendo el cuello a par de la intención, encogiéndose de hombros, frunciendo los labios, arqueando las cejas, levantando los ojos al Cielo, le aseguró que no conocía tal personaje, ni le había hablado en su vida, cuando estaba amancebada con él. Partió a casa de la adulación, que era un palacio, y ésta le dijo: —Yo, aunque miento, no engaño, pero dicen que con todo eso se huelgan y me pagan. —¿Qué, es posible, se lamentaba, que esté el mundo tan lleno de engaños y yo no le halle? Parece esta pesquisa de Aragón; sin duda estará en algún casamiento, vamos allá. Preguntó al marido, preguntó a la mujer y respondiéronle ambos habían sido tantas y tan recíprocas de una y otra parte las mentiras, que ninguno podía quejarse de ser el engañado. ¿Si estaría en casa de mercaderes entre mohatras paliadas y desnudos acreedores? Respondiéronle que no, porque no hay engaño donde ya se sabe que le hay; lo mismo dijeron los oficiales, que fueron de botica en botica, asegurándole en todas que al que ya lo sabe y quiere, no se le hace agravio. Estaba desesperado, sin saber ya dónde ir. —Pues yo le he de buscar, dijo, aunque sea en casa del diablo. Fuese allá, que era una Génova, digo una Ginebra, mas éste se enojó fieramente, y dando voces endiabladas decía: —¿Yo engaño? ¡Qué bueno es esto para mí!, antes yo hablo claro a todo el mundo; yo no prometo Cielos, sino Infiernos; acá y allá fuegos, que no paraísos, y con todo eso los más me siguen y hacen mi voluntad. Pues ¿en qués está el engaño? Conoció, decía, esta vez la verdad y quitósele de delante, echó por otro rumbo, determinó ir a buscarle a casa de los engañados, los buenos hombres, los crédulos y cándidos, gente toda fácil de engañar; mas todos ellos dijeron que por ningún caso estaba ahí, sino en casa de los engañadores, que aquéllos son los verdaderos necios, porque el que engaña a otro, siempre se engaña y daña más a sí mismo. —¿Qué es esto, decía, que los engañadores me dicen que los engañados se lo llevaron, éstos me responden que aquéllos se quedan con él? Yo creo que unos y otros le tienen en su casa, y ninguno se lo piensa. Yendo de esta suerte le topó a él la sabiduría, que no él a ella, y como sabedora de todo le dijo: —Perdido, ¿qué buscas otro que a ti mismo? ¿No ves tú que el engaño no le halla quien le busca y que en descubriéndole ya no es él? Ve a casa de alguno de aquellos que se engañan a sí mismos, que allí no puede faltar. Entró en casa de un confiado, de un presumido, de un envidioso, y hallóle muy disimulado con afeites de verdad. Comunicóle sus desdichas y consultóle su remedio. Miróselo el engaño muy bien, cuanto peor, y díjole: —Tú eres el mal, que tu mala catadura te lo dice; tú eres la maldad más fea aún de lo que parece, pero ten buen ánimo, que no faltará diligencia ni inteligencia; huélgome se ofrezcan ocasiones como ésta para que luzca mi poder. ¡Oh, qué par haremos ambos! Anímate, que si el primer paso en la medicina es conocer la raíz del mal, yo la descubro en tu dolencia como si la tocase con las manos; yo conozco muy bien los hombres, aunque ellos no me conocen a mí; yo sé bien de qué pie cojea su mala voluntad; y advierte que no te aborrecen a ti por ser malo, sino porque lo pareces por este mal vestido que llevas; estos abrojos son los que les lastiman, pero déjame hacer, que yo barajaré las cosas de modo que tú seas el adorado de todo el mundo y tu hermano aborrecido; ya la tengo pensada, que no será la primera ni la última; y asiéndole de la mano se fueron pareados a casa de la Fortuna. Saludóla con todo el cumplimiento que él suele y encandilóla también, que fue menester poco para una ciega: ofreciósele por mozo de guía, representándole su necesidad y las muchas conveniencias; abonóle el hijuelo de fiel y de entendido, pues sabe muchos puntos más que el diablo su discípulo, sobre todo, que no quería otra paga sino sus venturas, y no se engañaba, que no hay renta como la puerta falsa de la ambición; calidades eran todas muy a cuento, sino muy a propósito para mozo de ciego, y así le admitió la Fortuna en su casa, que es todo el mundo.

Comenzó al mismo instante a revolverlo todo, sin dejar cosa en su lugar ni aun tiempo: guíala siempre al revés: si ella quiere ir a la casa de un virtuoso, él la lleva a la de un malo, cuando había de correr la detiene, y cuando había de ir con tiento vuela. Barájale las acciones, trueca todo cuanto da, el bien que ella quería dar al sabio hácelo dar al ignorante, el favor que va a hacer al valiente lo encamina al cobarde, equivócale las manos para que reparta felicidades y desdichas en quien no las merece, incítala a que esgrima el palo sin razón y a tontas la hace sacudir palos de ciego en los buenos y virtuosos; pega un revés de pobreza al hombre más entendido y da la mano a un embustero, que por eso están hoy tan validos. ¡Qué de golpes le ha hecho errar! Acabó de uno con Don Baltasar de Zúñiga cuando había de comenzar a vivir; acabó con un Duque del Infantado, un Marqués de Aytona y otros semejantes cuando más eran menester. Dio un revés de pobreza a un Don Luis de Góngora, a un Agustín de Barbosa, y otros hombres eminentes, cuando debiera hacerles muchas mercedes; erró el golpe también y excusábase el bellacón diciendo: Vinieran ésos en tiempo de un León X, de un Rey Francisco de Francia, que éste no es su siglo. ¿Qué disfavores no hizo a un Marqués de Torrecuso?, y jactábase de ello diciendo: ¿Qué hiciéramos sin guerra? Ya estuviera olvidada. También fue errar el golpe darle un balazo a Don Martín de Aragón, conociéndose bien presto su falta. Iba a dar la Fortuna un capelo a un Azpilcueta navarro que hubiera honrado el Sacro Colegio, mas pególe en la mano tal golpazo que lo echó en tierra, acudiendo a recogerlo un clerigón, y riéndose el picarón decía: Eh, que no pudiéramos vivir con estos tales, bástales su fama; estos otros sí, que lo reciben humildes y lo pagan agradecidos. Fue a dar a la monarquía de España muchas felicidades por verla tan católica, como había hecho siempre dándole las Indias y otros reinos y victorias, y el belitre la dio tal encontrón que saltaron acullá a Francia, con espanto de todo el mundo; él se ejecutaba con decir que se había acabado ya la semilla de los cuerdos en España y de los temerarios en Francia, y por desmentir el odio que le acumulaba ya su malicia dio algunas victorias a la República de Venecia contra el poder otomano, y sola su Liga, cosa que ha admirado al mundo, excusándose con el tiempo, que se cansa ya de llevar a cuestas la felicidad otomana, más a fuerza que de industria. De esta suerte fue barajando todas las cosas y casos, y tanto, que así las dichas como las desdichas se hallaban en los que menos las merecían. Llegando ya a ejecutar su primer intento observó allá a la noche, cuando la Fortuna desnudaba sus dos hijos, que de nadie los fiaba, dónde ponía los vestidos de cada uno, que eso siempre era con cuidado, en diferentes puestos, porque no se confundiesen; acudió, pues, el engaño, y sin ser sentido trocó los vestidos, mudó los del bien al puesto del mal y los del mal al del bien; a la mañana la Fortuna, tan descuidada como ciega, vistió a la virtud el vaquerillo de las espinas, sin más reparar, y al contrario el de las flores púsoselo al vicio, con que quedó muy galán, y él, que se ayudó con los afeites del engaño, no había quién le conociese, todos se iban tras él, metíanle en sus casas, creyendo llevaba el bien, algunos lo advirtieron a costa de experiencia y dijeron a los otros, pocos lo creyeron, y como lo veían tan agradable y florido prosiguieron en su engaño. Desde aquel día la virtud y la maldad andan trocadas y todo el mundo engañado o engañándose; los que abrazan la maldad por aquel cebillo del deleite hállanse después burlados, dan tarde en la cuenta y dicen arrepentidos: no está aquí el verdadero bien, éste es el mal de los males, luego errado habemos el camino.

Al contrario los que desengañados apechugan con la virtud, aunque al principio les parece áspera y sembrada de espinas, pero al fin hallan el verdadero contento y alégranse de tener tanto bien en sus conciencias. ¡Qué florida le parece a éste la hermosura, y qué lastimado queda después con mil achaques! ¡Qué lozana al otro la mocedad, pero cuán presto se marchita! ¡Qué plausible se le representa al ambicioso la dignidad, vestido viene al cargo de estimación, más qué pesado lo halla después, gimiendo so la carga! ¡Qué gustosa imagina el sanguinario la venganza, cómo se relame en la sangre del enemigo!, y después, si le dejan, toda la vida anda basqueando lo que los agraviados no pueden digerir. Hasta el agua hurtada es la más sabrosa; chupa la sangre del pobrecillo el ricazo de rapiña, mas después ¡con qué violencia la trueca al restituirla! Dígalo la madre del milano. Traga el glotón exquisitos manjares, saboréase con los preciosos vinos, y después, ¡cómo lo grita en la gota! No pierde el deshonesto coyuntura en su bestial deleite, y págalo con dolor de todas las de su flaco cuerpo. Abraza espinas en riquezas el avaro, pues no le dejan dormir, y sin poderlas gozar deja en ellas lastimado el corazón. Todos éstos pensaron traer a su casa el bien, vestido del gusto, y de verdad que no es sino el mal solapado; no el contento sino el tormento, tan bien merecido de su engaño; pero al contrario, ¡qué dificultosa y cuesta arriba se le hace al otro la virtud, y después, qué satisfacción de la buena conciencia! ¡Qué horror el de la abstinencia, y en ella consiste la salud del cuerpo y del alma! Intolerable se le representa la continencia, y en ella se halla el contento verdadero, la vida, la salud y la libertad! El manso de corazón posee la tierra; desabrido se le propone el perdón de su enemigo, pero ¡qué paz le sigue y qué honra le consigue! ¡Qué frutos tan dulces se cogen de la raíz amarga de la mortificación! Melancólico parece el silencio, mas al Sabio nunca le pesó haber callado. De suerte que desde entonces la virtud anda vestida de espinas por fuera y de flores por dentro, al contrario del vicio. Conozcámoslos y abracémonos con aquélla, a pesar del engaño tan común cuan vulgar.

A vistas estaba ya de la Corte, y, mirando Andrenio a Madrid con fruición grande, preguntóle el Sabio: —¿Qué ves cuando miras? —Veo, dijo, una real madre de tantas naciones, una corona de dos mundos, un cetro de tantos reinos, un joyel de entrambas Indias, un nido del mismo Fénix y una esfera del Sol católico coronado de prendas en rayos y de blasones en luces. —Pues yo veo, dijo Critilo, una Babilonia de confusiones, una Lutecia de inmundicias, una Roma de mutaciones, un Palermo de volcanes, una Constantinopla de nieblas, un Londres de pestilencias y un Argel de cautiverios. —Yo veo, dijo el Sabio, a Madrid, madre de todo lo bueno, mirada por una parte, y madrastra por la otra, que así como a la Corte acuden todas las perfecciones del mundo, mucho más todos los vicios; pues los que vienen a ella nunca

traen lo bueno, sino lo malo, de sus patrias. Aquí yo no entro,
aunque se diga que me volví del Puente Milvio, y despidióse.

Fueron entrando Critilo y Andrenio, como industriados, por la
espaciosa calle de Toledo; hallaron luego una de aquellas tiendas
donde se feria el saber, encaminóse Critilo a ella y pidió al librero
si tendría un ovillo de oro que venderles. —No le entiendo, que
leer los libros por los títulos no hace entendidos. Pero sí un otro
que allí estaba de asiento, graduado cortesano por años y sufi-
ciencias. —He que no piden sino una aguja de navegar en este
golfo de Circes. —Menos lo entiendo ahora, respondió el librero,
aquí no se vende oro ni plata, sino libros, que son mucho más
preciosos. —Ésos, pues, buscamos, dijo Critilo, y entre ellos alguno que nos dé avisos para no perdernos en este laberinto cortesano. —De suerte, señores, que ahora llegáis nuevos: pues aquí
os tengo este librillo, no tomo, sino átomo, pero que os guiará
al norte de la misma felicidad. —Ésa buscamos. —Aquí le tenéis.
—A éste le he visto yo hacer prodigios, porque es arte de ser
personas y de tratar con ellas. Tomóle Critilo, leyó el título, que
decía: *El Galateo Cortesano.* —¿Qué vale?, preguntó. —Señor,
respondió el librero, no tiene precio, mucho le vale al que le
lleva: estos libros no los vendemos, sino que los empeñamos por
un par de reales, que no hay bastante oro ni plata para apre-
ciarlos. Oyendo esto el cortesano, dio una tan descompuesta riso-
tada que causó no poca admiración a Critilo y mucho enfado al
librero, y preguntóle la causa. —Porque es digno de risa lo que
decís, respondió él, y cuanto este libro enseña. —Ya veo yo, dijo
el librero, que el *Galateo* no es más que la cartilla del arte de
ser personas y que no enseña más del A B C, pero no se puede
negar que sea un brinquillo de oro tan plausible como importante,
y aunque pequeño hace grandes hombres, pues enseña a serlo.
—Lo que menos hace es eso, dijo el Cortesano.

—Este libro, dijo, tomándole en las manos, aún valdría algo
si se practicase todo al revés de lo que enseña. En aquel buen
tiempo, cuando los hombres lo eran (digo buenos hombres), fueran admirables estas reglas, pero ahora en los tiempos que alcanzamos no valen cosa; todas las lecciones que aquí encarga eran
del tiempo de las ballestas; mas ahora, que es el de las gafas,
creedme que no aprovechan, y para que os desengañéis, oíd ésta
de las primeras: Dice, pues, que el discreto cortesano, cuando esté
hablando con alguno, no le mire al rostro y mucho menos de
hito en hito, como si viese misterios en los ojos. Mirad qué buena
regla ésta para estos tiempos, cuando no están ya las lenguas
asidas al corazón. —Pues ¿dónde le ha de mirar?, ¿al pecho?
—Eso fuera si tuviera en él la ventanilla que deseaba Momo; si
aun mirándole a la cara que hace, al semblante que muda, no
puede el más atento sacar traslado del interior, ¿qué sería si no
le mirase? Mírele y remírele, y de hito en hito, y aun plegue a
Dios que dé en el hito de la intención y crea que ve misterios,

léale el alma en el semblante, note si muda colores, si arquea las cejas, brujúlele el corazón. Esta regla, como digo, quédese para aquella cortesía del buen tiempo, si ya no entiende algún discreto por activa, procurando conseguir aquella inestimable felicidad de no tener que mirar al otro la cara. Oíd esta otra, que me da gusto siempre que la leo: Pondera el autor que es una bárbara asquerosidad después de haberse sonado las narices, ponerse a mirar en el lienzo la inmundicia, como si echasen perlas o diamantes del cerebro. —Pues ella, señor mío, dijo Critilo, es una advertencia tan cortesana cuan precisa, si no prolija, mas para la necedad nunca sobran avisos. —Que no, replicó el Cortesano, que no lo entendéis, perdóneme el autor y enseñe todo lo contrario. Diga que sí, que miren todos y vean lo que son en lo que echan; advierta el otro, presumiendo de bachiller, y conózcase que es un rapaz mocoso, que aún no discurre ni sabe su mano derecha, no se desvanezca; entienda el otro que se estima de nasudo y de sagaz que no son sentencias ni sutilezas las que piensa, sino crasicies (1) que destila el alambique de su nariz aguileña. Persuádase la otra linda que no es tan Ángel como la mienten, ni es ámbar lo que alienta, sino que es un albañal afeitado. Desengáñese Alejandro, que no es hijo de Júpiter, sino de la putrición, nieto de la nada. Entienda todo divino que es muy humano, y todo desvanecido que, por más viento que tenga en la cabeza, y por más humo, todo viene a resolverse en asco, y cuanto más sonado, más mocoso. Conozcamos todos y entendamos que somos unos sacos de hediondez. Esa otra que sigue es totalmente superflua: dice que por ningún caso el cortesano, estando con otros, se saque la cera de los oídos, ni la esté retorciendo con los dedos, como quien hace fideos. Pregunto, señores, ¿quién hay que pueda hacer esto? ¿A quién han dejado ya cera en los oídos, unos y otras, aquéllos y éstas? Cuanto menos, que sobre para hacer fideos. Lo que él había de encargar es que no nos la sacasen tanto embestidor, tanta harpía, tanto escribano, y otros que callo. Pero con la que yo estoy muy mal es con aquella otra que enseña que es grande vulgaridad, estando en un corrillo o conversación, sacar las tijerillas del estuche y ponerse muy de propósito a cortar las uñas. Ésta la tengo por muy perniciosa doctrina, porque a más de que ellos tienen buen cuidado de no cortárselas ni aun en secreto, cuanto menos en público, fuera mejor que mandara se las cortaran delante de todo el mundo, como hizo el Almirante en Nápoles, pues está escandalizado de ver algunos cuán largas las tienen; que sí, saquen tijeras, aunque sean de tundir, mas no de trasquilar, y córtense esas uñas de rapiña, y artúfenlas hasta las mismas manos cuando las tienen tan largas. Algunos hombres hay caritativos que suelen acudir a los hospitales a cortarles las uñas a los pobres enfermos: gran caridad es, por cierto, pero no fuera

_____
(1) Vocablo antiguo: grasitud.

malo ir por las casas de los ricos y cortarles aquellas uñas de gavilanes con que se hicieron hidalgos de rapiña y desnudaron a estos pobrecitos, y los pusieron por puertas, y aún los echaron en el hospital. Tampoco tenía que encargar aquello de quitar el sombrero con tiempo; gran liberalidad de cortesía es ésta: no sólo quitan ya el sombrero sino la capa, la ropilla, hasta la camisa y hasta el pellejo, pues desuellan al más hombre de bien y dicen que le hacen mucha cortesía; guardan otros tanto esta regla, que se entran de gorra en todas partes. Ésta que leo aquí os aseguro que es contra toda moralidad, yo no sé cómo no la han prohibido: dice que cuando uno se pasea no vaya con cuidado de pisar las rayas, ni atienda a poner el pie en medio, sino donde cayere. No digo yo: en lugar de aconsejar al Cortesano que atienda mucho a no pisar la raya de la razón ni pasarla, que esté muy a la raya de la ley de Dios, que lo contrario es quemarse, y que no pase de los límites de su estado, que por eso tantos han caído; que no pise la regla, sino en espacio, que eso es compasarse y medirse, que no alargue más el brazo ni el pie de lo que puede; todo esto le aconsejaría yo, que mire dónde pone el pie y cómo le asienta, que vea dónde entra y dónde sale, pise firme siempre en el medio y no vaya por extremos, que son peligrosos todos, y eso es andar bien. ¿Que no vaya hablando consigo, que es necedad? Pues ¿con quién mejor puede hablar que consigo mismo? ¿Qué amigo más fiel? Háblese así y dígase la verdad, que ningún otro se la dirá. Pregúntese y oiga lo que le dice la conciencia, aconséjese bien consigo y crea que todos los demás le engañan, y que ningún otro le guardará secreto ni aun la camisa al rey don Pedro. ¿Que no pegue golpes hablando, que es aporrear alma y cuerpo? Dice bien, si el otro escucha, pero ¿y si hace el sordo?, y a veces a lo que más importa.

Así como tiene algunas reglas superfluas, otras tiene muy frías, como lo es ésta, que no se acerque mucho cuando hablare, ni salpique, que verdaderamente algunos hay poco atentos en esto, que deberían avisar antes de abrir la boca y decir: agua va, para que se apartasen los oyentes o se vistiesen los albornoces, y de ordinario éstos hablan sin escampar. Yo, señores, por más dañoso tengo el echar fuego por la boca que agua, y más son los que arrojan llamas de malignidad, de murmuración, de cizaña, de torpeza y de escándalo; harto peor es echar espumarajos sin decir primero: cólera va. Reprenda el vomitar veneno, que ya es niñería el escupir; poco mal puede hacer una rociada de perdigones. Dios nos libre de la bala rasa de la injuria, de la bomba de una traición y de la artillería del artificio maldiciente.

También hay algunas muy ridículas, como aquella otra que cuando hablare con alguno no le esté pasando la mano por el pecho, ni madurando los botones de la ropilla hasta hacerlos caer, de puro retorcerlos. He que sí, déjeles tomar el pulso en el pecho y dar un tiento al corazón, déjeles examinar si palpita, tienten también si tienen almilla los botones, que hay hombres que ni aun allí la tienen; tírenle de la manga al que se desmanda y de la faldilla al que se estira, porque no se salga de sí. Ésta que se sigue en ninguna República se practica, ni aun en la de Venecia, era del tiempo antiguo; que no coma a dos carrillos, que es una grande fealdad. Va otra semejante, que no coma con la boca cerrada; por cierto, ¡sí que buena regla es ésta para este tiempo, en que tantos andan a la sopa! Aun de este modo no está seguro el bocado, que nos lo quitan de la misma boca, ¿qué sería en boca abierta? A más de que en ninguna ocasión importa tanto tenerla cerrada y con candados que cuando se come y se bebe, así lo observó el célebre Marqués de Espínola cuando lo convidó a comer Enrique. Y para ser nimio y menudo de todas maneras encarga ahora que su cortesano de ningún modo regüelde, que aunque salud, es grosería. Créame y déjeles que echen fuera el viento de que están ahítos y más llenos cuanto más vacíos: ojalá acabaran de despedir de una vez todo el que tienen en aquellas cabezas, que tengo para mí que al que estornuda le ayuda Dios a echar el viento de su vanidad y por eso le damos la enhorabuena.

Sólo un consejo me contentó mucho del *Galateo* y me pareció muy sustancial, para que se verifique aquel dicho común que no hay libro sin algo bueno: encarga, pues, por capital precepto y como el fundamento de toda su obra cortesana, que el galante Galateo procure tener los bienes de fortuna para vivir con lucimiento: que sobre esta base de oro le han de levantar la estatua de cortesía, discreción, galantería, despejo y todas las demás prendas de varón culto y perfecto; y advierta que si fuere pobre jamás será ni entendido, ni cortés, ni galante, ni gustoso, y esto es lo que yo siento del *Galateo*. —Pues si no os contenta, dijo el librero, porque no instruye sino en la cortesía material, no da sino una capa de personas, una corteza de hombres; aquí está la juiciosa y grave instrucción del prudente Juan de Vega a su hijo, cuando le enviaba a la Corte. Realzó esta misma instrucción, que no la comentó, muy a lo señor y portugués, que es cuanto decir se puede, el Conde de Portoalegre, en semejante ocasión de enviar otro hijo a la Corte. —Es grande obra, dijo el Cortesano, y sobrado grande, pues es sólo para grandes personajes, y yo no tengo por buen oficial el que quiere calzar a un enano el zapato de un gigante. Creedme que no hay otro libro más a propósito, que parece le escribió viendo lo que en Madrid pasa; ya sé que me tendréis por paradójico y aun estoico, pero más importa la verdad: digo que el libro que habíais de buscar, y leerlo de cabo a cabo, es la célebre *Tilisiada* de Homero; aguardar, no os admiréis hasta que me declare. ¿Qué, pensáis que el peligroso golfo que él describe es aquel de Sicilia y que las sirenas están acullá en aquellas Sirtes con sus caras de mujeres y sus colas de pescados, la Circe encantadora en su Isla y el soberbio Cíclope en su

cueva? Sabed que el peligroso mar es la Corte, con la Scila de
sus engaños y la Caribdis de sus mentiras; ¿veis esas mujeres que
pasan, tan prendidas de libres y tan compuestas de disolutas?
Pues ésas son las verdaderas sirenas y falsas hembras, en sus
fines monstruosos y amargos dejos; ni basta que el cauto Ulises
se tapie los oídos, menester es que se ate al firme mástil de la
virtud y encamine la proa del saber al puerto de la seguridad,
huyendo de sus encantos. Hay encantadoras Circes que a muchos
que entraron hombres los han convertido en brutos, ¿qué diré
de tantos Cíclopes, tan necios como arrogantes, con sólo un ojo,
puesta la mira en su gusto y presunción? Este libro os digo que
repaséis, que él os ha de encaminar para que, como Ulises, esca-
péis de tanto escollo como os espera y tanto monstruo como os
amenaza.

Tomaron su consejo y fueron entrando en la Corte, experimentando al pie de la letra lo que el Cortesano les había prevenido y Ulises enseñado. No encontraron pariente, ni amigo, ni
conocido por lo pobres. No podían descubrir su deseada Felisinda. Viéndose, pues, tan solos, tan desfavorecidos, determinó Critilo probar la virtud de ciertas piedras orientales, muy preciosas,
que había salvado de sus naufragios; sobre todo quiso hacer experiencia de un finísimo diamante, por ver si vencería tan grandes
dificultades su firmeza, y de una rica esmeralda, si conciliaba las
voluntades, como escriben los filósofos. Sacólas a luz, mostrólas
y al mismo punto obraron maravillosos efectos, porque comenzaron a ganar amigos, todos se les hacían parientes y aún había
quien decía eran de la mejor sangre de España: galanes, entendidos y discretos. Fue tal el ruido que hizo un diamante, que se
les cayó en un empeño de algunos centenares, que se oyó por
todo Madrid, conque los enjambres de amigos, de conocidos y
de parientes, más primos que un Rey, más sobrinos que un Papa.
Pero el caso más agradablemente raro fue el que le sucedió a
Andrenio, desde la calle Mayor a Palacio: llegóse a él un pajecillo, galán de librea y libre de desenfado, que desenvainando una
hoja en un billete le dejó tan cortado que no acertó a descartarse (1) Andrenio, antes brujuleándole descubrió una prima su ser-
vidora en la firma. Dábale la bienvenida a la Corte y muchas
quejas de que, siendo tan propio, se hubiese portado tan extraño;
suplicábale se dejase ver que allí estaba aquel paje para que le
guiase y le sirviese. Quedó atónito Andrenio oyendo el reclamo
de prima cuando él no creía tener madre, y llevado más de su
curioso deseo que del ajeno agasajo, asistido del pajecillo tomó el
rumbo para la casa. Lo que aquí vio en maravillas y le sucedió
en portentos dirá la siguiente Crisi.

_____

(1) Verdadero «calembour» muy ingenioso: desenvainando una «hoja»
(de papel, un billete) le dejó tan «cortado» (sorprendido), y por otra parte
¿que más lógico que al desenvainar una hoja le dejen cortado?; que no
supo «descartarse», es decir, deshacerse de la carta, hoja o billete.

CRISI XII

LOS ENCANTOS DE FALSIRENA

Fue Salomón el más sabio de los hombres y fue el hombre a quien más engañaron las mujeres, y con haber sido el que más las amó, fue el que más mal dijo de ellas, argumento de cuán gran mal es del hombre la mujer mala, y su mayor enemigo, más fuerte es que el vino, más poderosa que el Rey y que compite con la verdad siendo toda mentira. Más vale la maldad del varón que el bien de la mujer, dijo quien más bien dijo, porque menos mal te hará un hombre que le persiga que una mujer que te siga. Mas no es un enemigo solo, sino todos en uno, que todos han hecho plaza de armas en ella; de carne se compone, para descomponerle, el hombre la viste, que para poder vencerle a él se hizo el mundo de ella, y la que el mundo se viste del demonio se reviste en sus engañosas caricias. Gerión de los enemigos, triplicado lazo de la libertad, que difícilmente se rompe, de aquí sin duda procedió el apellidarse todos los males hembras: las furias, las parcas, las sirenas y las harpías, que todo es una mujer mala. Hácenle guerra al hombre diferentes tentaciones, en sus edades diferentes, unas en la mocedad y otras en la vejez, pero la mujer en todas. Nunca está seguro de ellas: ni mozo, ni viejo, ni sabio, ni valiente, ni aun santo; siempre está tocando al arma este enemigo común y tan casero que los mismos criados del alma la ayudan, los ojos franquean la entrada a su belleza, los oídos escuchan su dulzura, los labios la pronuncian, la lengua la vocea, las manos la atraen, los pies la buscan, el pecho le suspira y el corazón la abraza. Si es hermosa, es buscada; si fea, ella busca; y si el Cielo no hubiera prevenido que la hermosura fuera de ordinario trono de la necedad, no quedara hombre a vida, que la libertad lo es. ¡Oh, cómo le previno el escarmentado Critilo al engañado Andrenio, mas qué poco le aprovechó!

Partió ciego a buscar luz a la casa de los incendios, no consultó a Critilo, temiéndole severo; y así solo, y mal guiado de un pajecillo, que suelen ser las pajuelas de encender el amoroso fuego, caminó un gran rato, torciendo calles y doblando esquinas. —Mi señora, decía el rapaz, la honestísima Falsirena, vive muy fuera del mundo, ajena del bullicio cortesano, ya por natural recato, haciendo desierto de las Cortes, ya por poder gozar de la campaña en sus alegres jardines.

Llegaron a una casa que en la apariencia aún no prometía comodidad cuanto menos magnificencia, extrañándolo harto Andrenio; mas luego que fue entrado parecióle haber hallado el mismo Alcázar de la Aurora, porque tenía las entradas buenas a un patio muy desahogado, teatro capaz de maravillosas apariencias, y aun toda la casa era harto desenfadada; en vez de firmes Atlantes en columnas, coronaban el atrio hermosas ninfas, por la materia y por el arte raras, asegurando sobre sus delicados hombros firmeza a un Cielo, alternado de serafines pero sin estrella. Señoreaba el Cielo una agradable fuente, equívoca de aguas y fuegos, pues un Cupidillo cortejado de las Gracias, ministrándole arpones todas ellas, estaba flechando cristales abrasadores, ya llamas y ya hielos. Ninfas íbanse deslizando por aquellos nevados tazones de alabastro, despeñándose siempre y huyendo de los que las seguían, y murmurando después de los mismos que lisonjearon antes. Donde acababa el patio comenzaba un Chipre tan verde que pudiera darlo el más buen gusto, si bien todas sus plantas eran más lozanas que fructíferas, todo flor y nada fruto. Coronábase de flores vistosamente odoríferas, parando todo en espirar humos fragantes. El vulgo de las aves le recibió con salva de armonía, si ya no fue darle la vaya, silbándole a porfía el Céfiro y Favonio, que él lo tuvo por donaire. Era el jardín con toda propiedad un pensil, pues a cuantos le lograban suspendía: fuese acercando Andrenio al centro de su amenidad, donde estaba la Primavera, deshilando copos en jazmines, digo la vana Venus de esta Chipre, que nunca hay Chipre sin Venus. Salió Falsirena a recibirle, hecha un sol muerto de risa, y formando de sus brazos media luna le puso entre las puntas de su Cielo. Mezcló favores con quejas, repitiendo algunas veces: —¡Oh, primo mío sin segundo!, ¡oh, señor Andrenio!, seáis tan bienvenido como deseado. Mas como decía, ensartando perlas hilo a hilo y mentiras en cadena: —¿Cómo os ha permitido el corazón que estando aquí esta casa tan vuestra os hayáis desterrado a una posada? Siquiera por las obligaciones de parentesco, cuando no por la conveniencia del regalo. Viéndoos estoy y no lo creo, ¡qué retrato tan al vivo de vuestra hermosa madre! A fe que no la desmentís en cosa, no me harto de miraros, ¿por qué estáis tan encogido? Al fin como tan fresco cortesano: —Señora, respondió, yo os confieso que estoy turbadamente admirado de oíros decir que seáis mi prima cuando yo ignoro madre, desconociendo a quien tanto me ha desconocido; yo no sé que tenga pariente alguno, tan hijo soy de la nada, mirad bien no os hayáis equivocado con algún otro más dichoso. —Que no, dijo, señor Andrenio, no por cierto, muy bien os conozco y sé quién sois y cómo nacisteis en una Isla en medio de los mares. muy bien sé que vuestra madre, mi tía y señora, ¡ah, qué linda era!, y aun por eso tan poco venturosa, ¡oh, qué gran mujer y qué discreta! Pero ¿qué Dánae escapó de un engaño?, ¿qué Elena de una fuga?, ¿qué Lucrecia de una violencia?, ¿o qué Europa de un robo? Viniendo, pues, Felisinda, que éste es su dichoso nombre... Aquí Andrenio se conmovió entrañablemente, oyendo nombrar por madre suya la repetida esposa de Critilo. Notóo luego Falsirena y porfió por saber la causa. —Porque he oído hartas veces ese nombre, dijo Andrenio. Y ella: —Ahí veréis que no os miento en cuanto digo. Estaba, pues, Felisinda casada en secreto con un tan discreto cuan amante caballero, que quedó preso en Goa, si bien en su corazón le traía, y a vos por prenda suya en las entrañas. Ejecutáronla los dolores del parto en una Isla, debiendo al Cielo doblados. Providencias con que pudo salvar su crédito, no fiándolo ni de sus mismas criadas, enemigas mayores de un secreto; sola, pues, aunque tan asistida de su valor y su honra, os echó a luz; cuando os arrojó de sus entrañas al suelo, más blando que ellas, allí mal envuelto entre unas mantas que la servían a ella de galán abrigo, os encomendó en la cuna de la hierba al piadoso Cielo, que no se hizo sordo, pues os proveyó de ama en una fiera, que no fue la primera vez ni será la última que sustituyeron maternas ausencias. ¡Oh, cómo me lo contaba ella muchas veces y con más lágrimas que palabras me ponderaba su sentimiento! Lo que se ha de alegrar cuando os vea, ahora os restituirá las caricias en abrazos, que allí os negó violentada de su honor.

Estaba atónito Andrenio escuchando el suceso de su vida, y careando tan individuales circunstancias con las noticias que él tenía, reventando en lágrimas de ternuras comenzó a destilar el corazón en líquidos pedazos por los ojos. —Dejemos, dijo ella, dejemos tristezas ya pasadas, no vuelvan en llanto a moler el corazón. Subamos arriba, veréis mi pobre y ya dichoso albergue. Hola, prevenid dulces, que nunca faltan en esta casa. Fueron subiendo por unas gradas de pérfidos, ya pórfidos, que al bajar serían ágatas a la esfera del sol en lo brillante y a la luna en lo vario; registraron muchas cuadras muy desenfadadas todas, tan artesonados los techos, que remedando cielos hicieron ver a muchos a su despecho las estrellas; había viviendas para todos tiempos, menos para el pasado, y todas eran muy buenas piezas, repitiendo ella: —Todo es tan vuestro como mío. Mientras duró la dulcísima merienda le cantaron Gracias y le encantaron Circes. —En todo caso habéis de quedar aquí, dijo la primera, aunque tan a costa de vuestro gusto; dispóngase luego el traeros la ropa, aunque para aquí no os hará falta, pero basta ser vuestra; no tendréis que salir para ello, que mis criados, con una señal, la cobrarán, y pagarán lo que se debiere. —Será preciso, replicó Andrenio, que yo vaya, porque habéis de saber que no soy solo, y que la merced que me hacéis ha de ser doblada: daré razón a Critilo, mi padre. —¿Cómo es eso de padre?, dijo asustada Falsirena. —Yo llamo padre a quien me hace obras de tal, y tengo que es el esposo de Felisinda, aquel caballero que en Goa quedó preso. Dijo Falsirena: —Id luego al punto, y volved al mismo con Critilo, y traed la ropa en todo caso. Mirad, primo, que no comeré un solo bocado, ni reposaré un instante, hasta volver a veros. Partió Andrenio, seguido del mismo pajecillo, de ella espía y de él recuerdo; halló a Critilo, ya muy cuidadoso; fuese a echar a sus pies, besándole apretadamente las manos, repitiendo muchas veces: —¡Oh, padre, oh, señor mío, que ya el corazón me lo

decía! —¿Qué novedad es ésta?, replicó Critilo. —Que no es nuevo para mí, respondió, el teneros por padre, que la misma sangre
me lo está voceando en las venas. Sabed, señor, que vos sois
quien me ha engendrado y después hecho persona; mi madre es
vuestra esposa Felisinda, que todo me lo ha contado una prima
mía, hija de una hermana de mi madre, que ahora vengo de
verla. —¿Cómo es eso de prima?, preguntó Critilo; ese nombre
de prima no me suena nada bien. —Sí, hará, porque es muy
cuerda; venid, señor, a su casa, que allá volveremos a oír esta
novedad siempre gustosa. Estaba suspenso Critilo entre el oír
tan individuales circunstancias y el temer tantos engaños en la
Corte; pero como es fácil creer lo que se desea, dejóse convencer
a título de informarse y así se fueron juntos a casa de Falsirena.
Parecía ya otra, siempre mejorada, y aunque ahora muy a lo
grave y autorizado, pero siempre con apariencias de un Cielo.
—Seáis muy bien llegado, dijo ella, señor Critilo, a esta vuestra
casa, que sólo ignorarla os ha podido excusar de no haberla honrado antes; ya os habrá referido mi primo las obligaciones recíprocas de nuestro parentesco y cómo su madre y vuestra esposa,
la hermosa Felisinda, era mi tía y mi señora, y mucho más mi
amiga que parienta; harto sentí yo su falta y aun la lloro. Aquí
sobresaltado Critilo: —Pues ¿cómo, dijo, es muerta? —Que no,
señor, respondió, no tanto mal, basta la ausencia. Sus padres se
murieron y aun de pena de ver que nunca quiso elegir esposo
entre ciento que la competían; quedó a la sombra y tutela de
aquel gran Príncipe que hoy asiste la Alemania, Embajador del
Católico; allá pasó con la Marquesa como parienta y encomendada, donde sé que vive y muy contenta, así Dios nos la vuelva,
como espero; quedé yo aquí con mi madre, hermana suya, y,
aunque solas, muy acomodadas de honra y hacienda; mas como
no vienen solas las desdichas, de cobardes, faltóme también mi
madre, sin duda del sentimiento de su ausencia, asístenme los
parientes y a todo el mundo debo harto; es la virtud mi empleo,
procuro conservar la honra, heredad que deben más unas personas que otras a sus antepasados; ésta, señores, es mi casa, de
hoy en adelante vuestra para toda la vida, que sea la de Néstor.
Ahora quiero que veáis la mejor de mis galerías. Y fuelos conduciendo hasta desembarcar en un puerto de rosas y de claveles.
Aquí les fue mostrando valientes tablas, obra de prodigiosos pinceles, todo el suceso de su vida y sus tragedias, con no poco
espanto de ambos, correspondiendo a extremos del arte con extremos de admiración.

No ya sólo Andrenio, pero el mismo Critilo quedó vencido
de su agasajo y convencido de su información; después de alter-
nar disculpas con agradecimientos trató de traer su ropa, y entre
ella algunas piedras muy preciosas, ruinas ya de aquella su rica
casa. Hizo alarde de ellas, y, como fruta de damas, brindó con
todas las de su buen gusto a Falsirena; aquí ella, aunque las

celebró mucho, mandó sacar otras tantas y muy a lo bizarro dijo que las gozase todas. Replicó Critilo fuese servida de guardarlas y ella lo cumplió bien. Suspiraba Critilo por su deseada Felisinda y así un día sobre mesa propuso su jornada para Alemania, donde estaba; mas Andrenio, cautivo de la afición de su prima, divirtió la plática, disgustando mucho de la ausencia; ella más a lo sagaz, habiendo alabado la resolución, puso largas al asunto a título de conveniencia, mas ofrecióse luego ocasión y sazón de ir, sirviendo a la gran Fénix de España que iba a coronarse de Águila del Imperio. No tuvo excusa Andrenio, y entre tanto que disponía la partida propuso Falsirena el preciso lance de ir a ver aquellos dos milagros del mundo: El Escorial del Arte y el Aranjuez de la Naturaleza, paralelos del sol de Austria, según gustos y tiempos; pero estaba tan ciego de su pasión Andrenio que no le quedaba vista para ver otro, aunque fuesen prodigios. Hacía instancias Falsirena, y Critilo, aunque fuese solo en pagar a la curiosidad una tan justa deuda, que después ejecuta en tormento de no haber visto lo que todos celebran, y aun la propia imaginación castiga por toda la vida, representando por lo mejor aquello que se dejó ver. Partióse solo para admirar por muchos: halló aquel gran templo del Salomón católico, asombro del hebreo, no sólo satisfacción a lo concebido, sino pasmo en el exceso; allí vio la ostentación de un real poder, un triunfo de la piedad católica, un desempeño de la arquitectura, pompa de la curiosidad, ya antigua, ya moderna, el último esfuerzo de las artes, y donde la riqueza, la grandeza y la magnificencia llegaron de una vez a echar el resto. De aquí pasó a Aranjuez, estancia perpetua de la Primavera, patria de Flora, retiro de su amenidad en todos los meses del año, guardajoyas de las flores y centro de las delicias. A todo gusto y contento dejó en ambas maravillas empeñada su admiración para toda la vida.

Volvió a Madrid muy satisfecho de prodigios, fuese a hospedar a casa de Falsirena, pero hallóla más cerrada que un tesoro y más sordo que un desierto; repitió aldabadas el impaciente criado, resonando el eco de cada una en el corazón de Critilo. Enfadados los vecinos le dijeron: —No se canse ni nos muela, que ahí nadie vive, todos mueren. Asustado Critilo, replicó: —¿No vive aquí una señora principal, que pocos días ha dejé sana y buena? —Eso de buena, dijo uno riéndose, perdonadme, que no lo era. —Ni señora, añadió otro, quien toda la vida gasta en mocedades. —Ni aún mujer, dijo un tercero, que es una harpía, si ya no es peor mujer de estos tiempos. No acababa de persuadirse Critilo lo que no deseaba; volvió a instar: —Señores, ¿no vive aquí Falsirena? Llegóse en esto uno y dijo: —No os canséis ni recibáis enfado; es verdad que ha vivido ahí unos días una Circe en el zurcir y una Sirena en el cantar, causa de tantas tempestades, tormentos y tormentas, porque a más de ser ruin, aseguran que es una famosa hechicera, una célebre encantadora, pues convierte a los hombres en bestias. —¿Y no los transforma en asnos de oro? —No, sino de necedad y pobreza: por esa Corte van a millares convertidos, después de divertidos, en todo género de brutos. Lo que yo sé decir es que en pocos días que aquí he estado he visto entrar muchos hombres y no he visto salir uno solo que lo fuese, y por lo que esta Sirena tiene de pescado les pesca a todos el dinero, las joyas, los vestidos, la libertad y la honra, y para no ser descubierta se muda cada día, no la condición ni las costumbres, sino de puestos: de un cabo de la villa salta al otro, con lo cual es imposible hallarla, de tan perdida. Tiene otra igual astucia la brújula con que se rige en este golfo de los enredos, y es que, en llegando un forastero rico, al punto se informa de quién es, de dónde y a qué viene, procurando saber lo más íntimo, estudia el nombre, averíguale la parentela; con esto a unos se miente prima, a otros sobrina, y a todos por un cabo o por otro parienta; muda tantos nombres como puestos: en una parte es Cecilia por lo Scila, en otro Serena por lo Sirena; Inés, porque ya no es; Teresa, por lo traviesa; Tomasa, por lo que toma, y Quiteria, por lo que quita; con estas argucias los pierde a todos y ella gana y ella reina. No acababa de satisfacerse Critilo y deseando entrar en la casa preguntó si estaría a mano la llave. —Sí, dijo uno, yo la tengo encomendada, por si llegan a verla. Abrió, y al punto que entraron dijo Critilo: —Señores, que no es ésta la casa o yo estoy ciego, porque la otra era un palacio por lo encantado. —Tenéis razón, que los más son de esa suerte: aquí no hay jardines sino montones de moral basura, las fuentes son albañales y los balcones zahurdas. —¿Os ha pescado algo esta Sirena? Decidnos la verdad. —Sí, y mucho: joyas, perlas y diamantes; pero lo que más siento es haber perdido un amigo; no se habrá perdido para ella, sino para sí mismo; habrálo transformado en bestia, conque andará por esa Corte vendido. ¡Oh, Andrenio mío!, dijo suspirando, ¿dónde estarás? ¿Dónde te podré hallar? ¿En qué habrás parado? Buscóle por toda la casa, que fue paso de risa para los otros y para él de llanto, y despidiéndose de ellos tomó la ruta para su antigua posada.

Dio mil vueltas a la Corte, preguntando a unos y a otros y nadie le supo dar razón, que de bien pocos se da en ella; perdía el juicio, alambicándole en pensar trazas cómo descubrirle; resolvió al cabo volver a consultar a Artemia. Salió de Madrid como se suele: pobre, engañado, arrepentido y melancólico. A poco trecho que hubo andado encontró con un hombre bien diferente de los que dejaba: era nuevo prodigio, porque tenía seis sentidos, uno más que de ordinario. Hízole harta novedad a Critilo, porque hombres con menos de cinco ya los había visto y muchos, pero con más ninguno: unos sin ojos, que no ven las cosas más claras, siempre a ciegas y a tientaparedes, y todo eso nunca paran, sin saber por dónde van; otros que no oyen palabra, todo aire, lisonja, vanidad y mentira; muchos que no huelen poco ni mu-

cho, y menos lo que pasa en sus casas, conque arrojan harto mal
olor a todo el mundo, y de lejos huelen lo que no les importa;
éstos no perciben el olor de la buena fama, ni quieren ver ni
oler sus contrarios y teniendo narices para el negro humo de la
honrilla no las tienen para la fragancia de la virtud. También
había encontrado no pocos sin género alguno de gusto, perdido
para todo lo bueno, hombres desabridos en su trato, enfadados y
enfadosos; otros de mal gusto, escogiendo lo peor en todo, y otros
aún muy de su gusto y nada del ajeno. Otra cosa aseguraba más
notable, que había hallado hombres, si así pueden nombrarse, que
no tenían tacto y menos en las manos, donde suele prevalecer, y
así proceden sin tiento en todas sus cosas, aun las más importantes; éstos de ordinario todo lo yerran aprisa, porque no tocan
las cosas con las manos, ni las experimentan. Este de Critilo era
todo al contrario, que a más de los cinco sentidos muy despiertos
tenía otro sexto, mejor que todos, que aviva todos los demás
y aun hace discurrir y hallar las cosas, por más recónditas que
estén; halla trazas, inventa modos, da remedios, enseña a hablar,
hace correr y aun volar y adivinar lo por venir. Y era la necesidad, ¡cosa bien rara! Que la falta de los objetos sea sobra de
inteligencia. Es ingeniosa, activa, cauta, inventiva, perspicaz y un
sentido de sentidos.

En reconociéndole, dijo Critilo: —¡Oh, cómo nos podemos juntar ambos!, huélgome de haberte hallado, que en todo no suele
venir mal, esta vez estoy de día. Contóle su tragedia en la Corte.
—Eso creeré yo muy bien, dijo Egenio, que éste era su nombre, y
aunque yo iba a la gran Feria del mundo, publicada en los confines de la juventud y edad varonil, aquel gran puerto de la vida;
con todo, por servirte, vamos a la Corte, que te aseguro de poner
todos mis seis sentidos en buscarle, y que hombre o bestia, que
será lo más seguro, le hemos de descubrir. Entraron con toda
atención, buscándole lo primero en aquellos cómicos corrales,
vulgares plazas, patios y mentideros. Encontraron luego unas
grandes y riquísimas acémilas, atadas unas a otras, que iban
siguiendo las que venían detrás las mismas huellas de las que
iban delante, sucediéndolas en todo, muy cargadas de oro y plata,
pero gimiendo bajo la carga, cubiertas con reposteros bordados
de oro y seda, y algunas de brocados; tremolaban en las testeras
muchas plumas, que hasta las bestias se honran con ellas, movían
gran ruido de pretales. —¿Si sería alguna de éstas?, dijo Critilo.
—De ningún modo, respondió Egenio. Éstos son, digo eran, grandes hombres, gente de cargo y de carga, y aunque los ves tan bizarros, en quitándoles aquellos ricos jaeces parecen llenos de feí-
simas llagas por sus grandes vicios. —Aguarda, ¿si sería alguno
de estos otros que van arrastrando carretas gruñidoras, por villa-
nas? —Tampoco, ésos tienen ojos bajo las puntas y por eso sufren tanto. —Allí parece que nos ha llamado un papagayo, ¿si
sería él? —No lo creas, ése será algún lisonjero, que jamás dijo

lo que sentía, algún político de estos que tienen uno en el pico y otro en el corazón, algún hablador que repite lo que le dijeron, de estos que hacen del hombre y no lo son, todos se visten de verde, esperando el premio de sus mentiras y lo consiguen de verdad. —¿Tampoco será aquel compuesto mojigato, que esconde uñas y ostenta barbas? —De éstos hay muchos que cazan a lo beato, no sólo cogen lo mal alzado sino lo más guardado, pero no juzguemos tan temerariamente, digamos que son gente de pluma. —¿Y aquel perro viejo, que está allí ladrando? Aquél es un mal vecino, algún maldiciente, un malintencionado, un melancólico, uno de los que pasan de los sesenta. —Sé que no sería aquel simio que nos está haciendo gestos desde aquel balcón, ¡oh, gran hipócrita, que quiere parecer hombre de bien y no lo es!, el maestro de cuentos, licenciado de chistes, que como siempre está tan de burlas nunca son hombres de veras, gente toda ésta de chanza y de poca sustancia. —¿Qué tal sería que estuviese entre los tigres y los leones en el Retiro? —Dúdolo, que aquella toda es gente de arbitrios y ejecuciones. —¿Ni entre los cisnes de los estanques? —Tampoco, que ésos son Secretarios y Consejeros, que cantando bien acaban. —Allá veo un animal inmundo que pródigamente se está revolcando en la hediondez de un asquerosísimo cenagal, y él piensa que son flores. —Si alguno había de ser, era ése, respondió Egenio, que estos torpes y lascivos, anegados en la inmundicia de sus viles deleites, causan asco a cuantos hay, y ellos tienen el cieno por Cielo, y oliendo mal a todo el mundo no advierten, antes tienen la hediondez por fragancia y el más sucio albañal por Paraíso. Déjamelo mirar desde lejos: ahora digo que no es él, sino un ricazo, que con su muerte ha de dar un buen día a herederos y gusanos.

—¿Que es posible, se lamentaba Critilo, que no le podamos hallar entre tantos brutos como vemos, entre tanta bestia como hallamos? ¿Que es posible que tanto desfiguren a un hombre estas cortesanas Circes? ¿Que no se contenten con despojarlos de los arreos del cuerpo sino de los del ánimo, quitándoles el mismo ser de personas? Y dime, Egenio, amigo, cuando le hallásemos hecho un bruto, ¿cómo lo podríamos restituir a su primer ser de hombre? —Ya que le hallásemos, respondió, eso no sería tan dificultoso, muchos han vuelto en sí perfectamente, aunque a otros siempre les queda algún resabio de lo que fueron. Apuleyo estuvo peor que todos, y con la rosa del silencio curó; gran remedio de necios, si ya no es que, rumiados los materiales gustos y considerada su vileza, desengañan muchos al que los masca. Los camaradas de Ulises estaban rematadas fieras, y comiendo las raíces amargas del árbol de la virtud cogieron el dulce fruto de ser personas. Daríamosle a comer algunas hojas del árbol de Minerva, que se halla muy estimado en los jardines del culto y erudito Duque de Orleáns, y si no las del moral prudente, que yo sé que presto volvería en sí y sería hombre.

Habían dado cien vueltas con más fatiga que fruto, cuando
dijo Egenio: —¿Sabes qué he pensado? Que vamos a la casa
donde se perdió, que entre aquel estiércol habemos de hallar
esta joya perdida. Fueron allá, entraron y buscaron. —He que es
tiempo perdido, decía Critilo, que ya yo le busqué por toda ella.
—Aguarda, dijo Egenio, déjame aplicar mi sexto sentido, que es
único remedio contra este sexto achaque. Advirtió que de un gran
montón de suciedad lasciva salía un humo muy espeso. —Aquí,
dijo, fuego hay. Y apartando toda aquella inmundicia moral apareció una puerta de una horrible cueva; abriéronla, no sin dificultad, y divisaron dentro, a la confusa vislumbre de un infernal
fuego, muchos desalmados cuerpos tendidos por aquellos suelos.
Había mozos galanes de tan corto seso cuan largo cabello, hombres de letras pero necios, hasta viejos ricos; tenían los ojos abiertos pero no veían; otros los tenían vendados con mal piadosos
lienzos; en los más no se percibía otro que algún suspiro, todos
estaban dementados y adormecidos y tan desnudos que aun una
sabanilla no le habían dejado siquiera para mortaja. Yacía en
medio Andrenio, tan trocado que el mismo Critilo su padre le
desconocía; arrojóse sobre él voceando y llorando, pero nada oía;
apretábale la mano, mas no le hallaba ni pulso ni brío; advirtió
entre tanto Egenio que aquella preciosa luz no era de antorchas,
sino de una mano que de la misma pared nacía, blanda y fresca,
adornada de hilos de perlas que costaron lágrimas a muchos, coronados los dedos de diamantes muy finos a precio de falsedades; ar-
dían los dedos como candelas, aunque no tanto daban luz cuanto
fuego que abrasaba las entrañas. —¿Qué mano de ahorcado es
ésta?, dijo Critilo. —No es sino del verdugo, respondió Egenio,
pues ahoga y mata. Removióla un poco, y al mismo punto comenzaron a rebullir ellos. —Mientras ésta ardiere no despertarán.
Probóse a apagarla alentando fuertemente, mas no pudo, que éste
es el fuego de alquitrán, que con viento de amorosos suspiros y
con agua de lágrimas más se aviva; el remedio fue echar polvo
y poner tierra en medio; con esto se extinguió aquel fuego más
que infernal y al punto despertaron los que dormían valiente-
mente, digo aquellos que por ser hijos de Marte son hermanos de
Cupido: los ancianos muy corridos, que este vil fuego de la torpeza no perdona ni verde ni seco; los sabios execrando su necedad decían: ¿que París afrente a Palas?, era mozo e ignorante;
pero los entendidos, ésa es doblada demencia. Andrenio, entre
los Benjamines de Venus, mal herido, atravesado el corazón de
medio a medio, en reconociendo a Critilo, se fue para él. —¿Qué
te parece, le dijo éste, cuál te ha parado una mala hembra? Sin
hacienda, sin salud, sin honra y sin conciencia te ha dejado,
ahora conocerás lo que es. Aquí todos a porfía comenzaron a
execrarla: uno la llamaba Scila de marfil, otro Caribdis de esmeralda, peste afeitada, veneno en néctar. Donde hay juncos, decía
uno, hay agua; donde humo, fuego, y donde mujeres, demonios.

—-Basta, que no tiene ingenio sino para mal, decía Critilo; pero
Andrenio: —Callad, que con todo el mal que me han causado
confieso que no las puedo aborrecer ni aun olvidar, y os aseguro
que de todo cuanto en el mundo he visto; oro, plata, perlas, piedras, palacios, jardines, flores, aves, astros, luna y el Sol mismo,
lo que más me ha contentado es la mujer. —Alto, dijo Egenio
vamos de aquí, que ésta es la locura sin cura, y el mal que yo
tengo que decir de la mujer mala es mucho, doblemos la hoja
para el camino. Salieron todos a la luz de dar en la cuenta, desconocidos de los otros, pero conocidos de sí; encaminóse cada
uno al templo de su escarmiento, a dar gracias al noble desengaño, colgando en sus paredes los despojos del naufragio y las
cadenas de su cautiverio.

CRISI XIII

LA FERIA DEL MUNDO

Contaban los antiguos que cuando Dios creó al hombre encarceló todos los males en una profunda cueva acullá lejos, y aún
quieren decir que en una de las Islas Fortunadas, de donde tomaron su apellido. Allí encerró las culpas y las penas, los vicios
y los castigos, la guerra, el hambre, la peste, la infamia, la tristeza, los dolores, hasta la misma muerte. Encadenados todos entre
sí, echó puertas de diamante con candados de acero. Entregó la
llave al albedrío del hombre, para que estuviese más asegurado de
sus enemigos y advirtiese que si él no les abría la puerta no podían salir eternamente. Dejó al contrario libres por el mundo
todos los bienes, las virtudes, los premios, las felicidades y contentos, la paz, la honra, la salud, la riqueza y la misma vida.
Vivía con esto el hombre felicísimo, pero duróle poco esta dicha,
que la mujer, llevada de su curiosa ligereza, no podía sosegar
hasta ver lo que había dentro de la fatal caverna; cogióle un
buen día, bien aciago para ella y para todos, el corazón del hombre, y después la llave, y sin más pensarlo (que la mujer primero
ejecuta y después piensa) se fue resuelta a abrirla. Al poner la
llave aseguran se estremeció el Universo, corrió el cerrojo y al
instante salieron de tropel todos los males, apoderándose a porfía
de toda la redondez de la Tierra. La soberbia, como primera en
todo malo, cogió la delantera y halló con España, pareciéndola
tan de su genio que se perpetuó en ella, allí vive y allí reina con
todos sus aliados: la estimación propia, el desprecio ajeno, el
querer mandarlo todo y no servir a nadie, hacer del Don Diego
y vengo de los Godos, el lucir, el campear, el alabarse, el hablar
mucho, alto, y hueco, el fausto, el brío, con todo género de presunción, y todo esto desde el más noble hasta el más plebeyo.
La codicia, que venía a los alcances, hallando desocupada la
Francia se apoderó de toda ella, desde la Gascuña hasta la Pi-

cardía, distribuyó su humilde familia en todas partes: la miseria, el abatimiento de ánimo, el ser esclavos de las demás naciones, aplicándose a los más humildes oficios, el alquilarse por un vil interés, la mercancía laboriosa, el andar desnudos y descalzos con los zapatos bajo el brazo, finalmente cometen cualquier bajeza por el dinero, si bien dicen que la Fortuna compadecida, para realzar tanta vileza, introdujo su nobleza, pero tan bizarra que hacen dos extremos sin medio.

El engaño trascendió toda Italia, echando hondas raíces en los italianos pechos, en Nápoles hablando y en Génova tratando; en toda aquella provincia está muy valido, con toda su parentela; la mentira, el embuste y el enredo, las invenciones, trazas, tramoyas, y todo eso dicen, es política y tener brava testa. La ira echó por otro rumbo, pasó al África y a sus islas adyacentes, gustando de vivir entre árabes y fieras. La gula, con su hermana la embriaguez, asegura la preciosa Margarita de Valois se sorbió toda en Alemania, alta y baja, gustando y gastando en banquetes los días y las noches, las haciendas y las conciencias, y aunque algunos no se han emborrachado sino una vez, les dura toda la vida. Devoran en la guerra las Provincias, devastan los campos, y aun por eso formaba el emperador Carlos V de los alemanes el vientre de su ejército. La inconstancia aportó a Inglaterra, la simplicidad a Polonia, la infidelidad a Grecia, la barbaridad a Turquía, la astucia a Moscovia, la atrocidad a Suecia, la injusticia a la Tartaria, las delicias a la Persia, la cobardía a la China, la temeridad al Japón; la pereza aun esta vez llegó tarde y hallándolo todo ocupado hubo de pasar a la América a morar entre los indios; la lujuria, pareciéndola corta una sola provincia, se extendió por todo el mundo, ocupándolo de cabo a cabo; concertóse con los demás vicios, habiéndose tanto con ellos que en todas partes está tan valida que no es fácil averiguar en cuál más: todo lo llena y todo lo inficiona. Pero como la mujer fue la primera con quien embistieron los males, hicieron presa en ella, quedando rebutida de malicia de pies a cabeza.

Esto les contaba Egenio a sus camaradas cuando habiéndolos sacado de la Corte por la puerta de la luz, que es el Sol mismo, les conducía a la gran Feria del mundo, publicada para aquel grande emporio que divide los amenos prados de la juventud de las ásperas montañas de la edad varonil, y donde de una y de otra parte acudían ríos de gentes, unos a comprar y otros a vender, y otros a estarse a la mira como más cuerdos. Entraron ya por aquella gran plaza de la conveniencia, emporio universal de gustos y de empleos, alabando unos lo que abominan otros. Así como asomaron por una de sus muchas entradas acudieron a ellos dos corredores de oreja, que dijeron ser filósofos, el uno de la una banda y el otro de la otra, que todo está dividido en pareceres. Díjoles Sócrates (que así se llamaba el primero): —Venid a esta parte de la feria y hallaréis todo lo que hace al propósito de ser

personas. Mas Simónides (que así se llamaba el contrario) les
dijo: —Dos estancias hay en el mundo, la una de la honra y la
otra del provecho; aquélla yo siempre la he hallado llena de viento y humo y vacía de todo lo demás, esta otra llena de oro y
plata; aquí hallaréis el dinero, que es un compendio de todas las
cosas; según esto ved a quién habéis de seguir. Quedaron todos
perplejos, altercando a qué mano echarían; dividiéronse en pareceres, así como en afectos, cuando llegó un hombre que traía un
tejo de oro en las manos y llegándose a ellos les fue asiendo de
las suyas y refregándoselas en el oro, reconociéndolas después.
—¿Qué pretende este hombre?, dijo Andrenio. —Yo soy el contraste de las personas, el aquilatador de su fineza. —Pues ¿qué es
la piedra de toque? —Ésta es, dijo señalando el oro. —¿Quién tal
vio?, replicó Andrenio. Antes es el oro el que se toca y se examina con la piedra Lidia. —Así es, pero la piedra de toque de los
mismos hombres es el oro: a los que se les pega en las manos no
son hombres verdaderos sino falsos, y así al Juez que le hallamos
las manos untadas, luego le condenamos de oidor a tocador; el
Prelado que atesora los cincuenta mil pesos de renta, por bien que
hable no será el boca de oro, sino el bolsa de oro; el Cabo con
cabos bordados y con mucha plumajería, señal que despluma a los
soldados y no los socorre, como el valiente Borgoñón don Claudio
San Mauricio; el caballero que rubrica su ejecutoria con sangre de
pobres en usuras, en verdad que no es hidalgo; la otra que sale
muy bizarra, cuando el marido anda deslucido, muy mal parece, y
en una palabra, todos aquellos que yo hallo que no son limpios de
manos digo que no son hombres de bien. Y así tú, a quien se te
ha pegado el oro, dejando rastro en ellas, dijo a Andrenio, cree que
no lo eres, echa por la otra banda; pero éste (señalando a Critilo)
que no se le ha pegado, ni queda señalado con el dedo, éste persona es, eche por la banda de la entereza. —Antes, replicó Critilo,
para que él lo sea también importará me siga.

Comenzaron a discurrir por aquellas ricas tiendas de la mano
derecha, leyeron un letrero que decía: aquí se vende lo mejor y
lo peor; entraron dentro, hallaron que se vendían lenguas. Un
poco más adelante estaba un hombre señando que callasen, tan lejos de pregonar su mercancía. —¿Qué vende éste?, dijo Andrenio.
Y él al punto le puso en boca: —Pues de este modo, ¿cómo sabremos lo que vende? —Sin duda, dijo Egenio, que vende el callar. —Mercadería es bien rara y bien importante, dijo Critilo, yo
creí que se había acabado en el mundo, ésta la deben traer de
Venecia, especialmente el secreto, que acá no se coge, —¿Y quién
le gasta? —Eso estáse dicho, respondió Andrenio, los anacoretas,
los monjes, porque ellos saben lo que vale y aprovecha. —Pues yo
creo, dijo Critilo, que los que más lo usan no son los buenos, sino
los malos. Los deshonestos callan, las adúlteras disimulan, los asesinos punto en boca, los ladrones entran con zapato de fieltro.
—Ni aun eso, replicó Egenio, que ya está el mundo tan rematado

que los que habían de callar son los que más hablan y los que
hacen gala de sus ruindades. Veréis el otro, que funda su caballe-
ría en bellaquería, que no le agrada la torpeza si no es descarada, el acuchillador se precia de que sus valentías den en rostro,
el otro pretende título que sea sobrescrito de sus bajezas; de este
modo todos los ruines son los más ruidosos. —Pues, señores,
¿quién compra? —El que apaña piedras, el que hace y no dice, el
que hace su negocio y Harpócrates a quien nadie reprende. —Sepamos el precio, dijo Critilo, que querría comprar cantidad, que
no sé si la hallaremos en otra parte. —El precio del silencio, le
respondieron, es silencio también. —¿Cómo puede ser? —Muy
bien, que buen callar se paga con otro; éste calla porque aquel
calle, y todos dicen: callar y callemos.

Pasaron a una botica cuyo letrero decía: Aquí se vende una
quintaesencia de salud. —¡Gran cosa!, dijo Critilo. Quiso saber
qué era y dijéronle que la saliva del enemigo. —Ésa, dijo Andrenio, llámola yo quintaesencia del veneno, más letal que el de los
basiliscos; más quisiera que me escupiera un sapo, que me picara
un escorpión, que me mordiera una víbora. Saliva del enemigo,
¿quién tal oyó? Si dijera del amigo fiel y verdadero, ésa sí que es
el único remedio de males. —He que no lo entendéis, dijo Egenio,
harto más mal hace la lisonja de los amigos, aquella pasión con
que todo lo hacen bueno, aquel afecto con que todo lo disimulan,
hasta dar con un amigo enfermo de sus culpas en la sepultura
de su perdición. Creedme, que el varón sabio se aprovecha más
del licor amargo del enemigo bien alambicado, pues con él saca
las manchas de su honra y los borrones de su fama: aquel temor
de que no lo sepan, de que no se huelguen, hace a muchos contenerse a la raya de la razón. Llamáronlos de otra tienda a gran
prisa que se acababa la mercadería, y era verdad, porque era la
ocasión, y pidiendo el valor, dijeron: Ahora va dada, pero después no se hallará un solo cabello por un ojo de la cara, y menos
la que más importa. Gritaba otro: daos prisa a comprar, que
mientras más tardéis más perdéis y no podréis recuperarlo por
ningún precio: éste vendía tiempo. —Aquí, decía otro, se da de
balde lo que vale mucho. —¿Y qué es? —Escarmiento. —Gran
cosa, ¿y qué cuesta? —Los necios le compran a su costa, los sabios a la ajena. —¿Dónde se vende la experiencia?, preguntó Critilo, que también vale mucho. Y señaláronle acullá lejos en la
botica de los años. —¿Y la amistad?, pregunta Andrenio. —Ésta,
señor, no se compra, aunque muchos la venden, que los amigos
comprados no lo son y valen poco. Con letras de oro decía en
una: aquí se vende todo y sin precio. —Aquí entro yo, dijo Critilo. Hallaron tan pobre al vendedor que estaba desnudo, y toda
la tienda desierta, no se veía cosa en ella. —¿Cómo dice eso en el
letrero? —Muy bien, respondió el mercader. —Pues ¿qué vendéis? —Todo cuanto hay en el mundo. —¿Y sin precio? —Sí,
porque con desprecio, despreciando cuanto hay, seréis señor de

todo, y al contrario, el que estima las cosas no es señor de ellas,
sino ellas de él. Aquí el que da se queda con la cosa dada y le
vale mucho, y los que la reciben se quedan muy pagados con ella:
averiguaron era la cortesía. —Aquí se vende, pregonaba uno, lo
que es propio, no lo ajeno. —¿Qué mucho es eso?, dijo Andrenio.
—Sí es, que muchos os venderán la diligencia que no hacen, el
favor que no pueden y aunque pudieran no lo hicieran. Fuéronse
encaminando a una tienda donde con gran cuidado los mercaderes
les hicieron retirar, y con cuantos se allegaban hacían lo mismo.
—¿O vendéis o no?, dijo Andrenio. Nunca tal he visto, que el
mercader mismo desvíe los compradores de su tienda, ¿qué pretendéis con eso? Gritáronles otra vez se apartasen y comprasen de
lejos. —Pues ¿qué vendéis aquí? ¿O es engaño o es veneno?
—Ni uno ni otro, antes la cosa más estimada de cuantas hay, pues
es la misma estimación, que en rozándose se pierde, la familiari-
dad la gasta y la mucha conversación la envilece. —Según eso,
dijo Critilo, la honra de lejos, ningún profeta en su patria y si las
mismas estrellas vivieran entre nosotros dos días perdieran su lucimiento: por eso los pasados son estimados de los presentes, los
presentes de los venideros.

—Aquélla es una rica joyería, dijo Egenio, vamos allá; feriare-
mos algunas piedras preciosas, que ya en ellas solas se hallan las
virtudes y las finezas. Entraron, y hallaron en ella al discretísimo
Duque de Villahermosa, que estaba actualmente pidiendo al lapidario le sacase algunaas de las más finas y de más estimación. Dijo
que sí tenía algunas bien preciosas: cuando aguardaban todos
algún valax oriental, los diamantes al tope, la esmeralda que alegra por lo que promete, y todas por lo que dan, sacó un pedazo
de azabache tan negro y tan melancólico como él es, diciendo:
—Ésta, señor excelentísimo, es la piedra más digna de admiración
de cuantas hay, aquí echó la naturaleza el resto, aquí el Sol, los
astros y los elementos se unieron en influir fineza. Quedaron admirados de oír tales exageraciones nuestros feriantes, y dijo el discreto Duque: —Señores, ¿qué es esto? ¿Este no es un pedazo de
azabache? Pues ¿qué pretende este lapidario con esto? ¡Tiénenos
por Indios! —Ésta, volvió a decir el mercader, es más preciosa que
el oro, más provechosa que los rubíes, más brillante que el carbunclo, ¿qué tienen que ver con ella las margaritas? (1). Ésta es
la piedra de las piedras. Aquí, no pudiendo ya sufrir el de Villahermosa, le dijo: —Señor mío, ¿esto no es un trozo de azabache?
—Sí, señor, respondió él. —Pues ¿para qué tan exorbitantes enca-
recimientos? ¿De qué sirve esta piedra en el mundo? ¿Qué virtudes
le han hallado hasta hoy? Ella no vale para alegrar la vista, como
las brillantes y transparentes, ni aprovecha para la salud porque
no alegra, como la esmeralda, ni conforta como el diamante, ni
purifica como el zafiro, pues ¿de qué sirve sino para hacer jugue-

_____

(1) Las perlas, en latín «margaritas».

tes de niño? —¡Oh, señor, dijo el lapidario, perdone V. E. que
no es sino para hombres, y muy hombres, porque es la piedra
filosofal, que enseña la mayor sabiduría y en una palabra muestra
a vivir, que es lo que más importa! —¿De qué modo? —Echando
una higa a todo el mundo y no dándosele nada de todo cuanto
hay; no perdiendo el comer, ni el sueño, no siendo tontos y eso
es vivir como un Rey, que es lo que aún no se sabe. —Dádmela
acá, dijo el Duque, que la he de vincular en mi casa.

—Aquí se vende, gritaba uno, un remedio único para cuantos
males hay. Acudía tanta gente que no cabía de pies, pero sí de
cabeza. Llegó impaciente Andrenio y pidió le diesen de la mercadería presto. —Sí, señor, le respondieron, que se conoce bien la
habéis menester; tened paciencia. Volvió de allí a poco a instar
le diesen lo que pedía. —Pues señor, dijo el mercader, ¿ya no
se os ha dado? —¿Cómo dado? —Sí, que yo lo he visto por mis
ojos, decía otro. Enfurecíase Andrenio negando: —Dice verdad,
aunque no tiene razón, respondió el mercader, que aunque se la
han dado él no la ha tomado, tened espera. Iba cargando la gente
y el amo les dijo: —Señores, servíos de despejar y dar lugar a los
que vienen, pues ya tenéis recado. —¿Qué es esto? replicó Andrenio, ¿burláis de nosotros? ¡Qué linda flema, por cierto!, dadnos
lo que pedimos, y nos iremos. —Señor mío, dijo el mercader,
andad con Dios, que ya os han dado recado y aun dos veces. —¿A
mí? —Sí, a vos. —No me han dicho sino que tuviese paciencia.
—¡Oh, qué lindo!, dijo el mercader, dando una gran risada. Pues
señor mío, ésa es la preciosa mercadería, y ésa es el remedio
único para cuantos males hay, y quien no la tuviere, desde el Rey
hasta el Roque, váyase del mundo. Tanto valí cuanto sufrí.
—Aquí lo que se vende, decía otro, no hay bastante oro ni plata
en el mundo para comprarlo. —Pues ¿quién feriará? —Quien no
la pierda. —¿Y qué cosa es? —La libertad. Gran cosa aquella de
no perder de la voluntad ajena, y más de un necio, de un modo-
rro, que no hay tormento como la imposición de hombres sobre
las cabezas.

Entró un feriante en una tienda y díjole al mercader le vendiese
sus orejas. Riéronlo mucho todos, sino Egenio, que dijo: —Es lo
primero que se ha de comprar, no hay mercadería más importante,
y pues habemos feriado lenguas para no hablar, compremos aquí
orejas para no oír y unas espaldas de ganapán o molinero. Hasta
el mismo vender hallaron se feriaba, porque saber uno vender sus
cosas vale mucho, que ya no se estiman por lo que son, sino por
lo que parecen: los más de los hombres ven y oyen con ojos y
oídos prestados, viven de información de ajeno gusto y juicio.
Repararon mucho en que todos los famosos hombres del mundo,
el mismo Alejandro en persona, dos Césares, Julio y Augusto, y
otros de este porte, y entre los modernos el invicto Señor Don
Juan de Austria, frecuentaban mucho una botica en que no había
letrero; llevólos a ella su mucha curiosidad y preguntaron a unos

y a otros qué era lo que allí se vendía y nadie lo confesaba. Creció más su deseo cuando advirtieron que los sabios y entendidos eran sus mercaderes. —Aquí gran misterio hay, dijo Critilo; llegóse a uno y muy en secreto le dijo qué era lo que allí se vendía. Respondióle que no se vende, sino que se da por gran precio. —¿Qué cosa es? —Aquel inestimable licor que hace inmortales a los hombres y entre tantos millares como ha habido y habrá los hace conocidos, quedando los demás sepultados en perpetuo olvido, como si nunca hubiera habido tales hombres en el mundo. —¡Preciosísima cosa!, exclamaron todos. ¡Oh, qué buen gusto tuvieron Francisco I de Francia, Matías Corvino y otros! Decidnos, señor, ¿no habrá para nosotros siquiera una gota? —Sí, la habrá, con que deis otra. —¿Otra de qué? —De sudor propio, que tanto más cuanto uno suda y trabaja, se le da de fama y de inmortalidad. Pudo bien Critilo feriarla y así les dieron una redomilla de aquel eterno licor; miróla con curiosidad, y cuando creyó sería alguna confección de estrellas o alguna quintaesencia del lucimiento del Sol y trozos de Cielo alambicados, halló era una poca tinta mezclada con aceite; quiso arrojarla, pero Egenio le dijo: —No hagas tal, y advierte que el aceite de las vigilias de los estudiosos y la tinta de los escritores, juntándose con el sudor de los varones hazañosos y tal vez con la sangre de sus heridas, fabrican la inmortalidad de su fama. De esta suerte la tinta de Homero hizo inmortal a Aquiles, la de Virgilio a Augusto, la propia a César, la de Horacio a Mecenas, la de Jonio al Gran Capitán, la de Pedro Mateo a Enrique IV de Francia. —Pues ¿cómo todos no procuran una excelencia como ésta? —Porque no todos tienen esta dicha ni este conocimiento.

Vendía Tales Milesio obras sin palabras, y decía que los hechos son varones y las palabras hembras. Horacio carecía especialmente de ignorancia y aseguraba ser la sabiduría primera. Pitaco, aquel otro sabio de la Grecia, andaba poniendo precios a todos, y muy moderados, igualando las balanzas, y en todas partes encargaban su *ne quid nimis*. Estaban muchos leyendo un gran letrero que decía: Aquí se vende el bien a mal precio. Entraban pocos. —No os espantéis, que es mercadería poco estimada en el mundo. Entren los sabios, decía el mercader, que vuelven bien por mal, y negocien con esto cuanto quieran. —Aquí hoy no se fía, decía otro, ni aun del mayor amigo, porque mañana será enemigo. —Ni se porfía, decía otro, y aquí entraban poquísimos valencianos, como ni en las del secreto. Había al fin una tienda común, donde de todas las demás acudían a saber el valor y la estimación de todas las cosas, y el modo de apreciarlas era bien raro, porque era hacerlas piezas, arrojarlas en un pozo, quemarlas y al fin perderlas; y esto hacía aún de las más preciosas, como la salud, la hacienda, la honra, y en una palabra, cuanto vale. —¿Esto es dar valor?, dijo Andrenio. —Señor, sí, le respondieron, que hasta que se pierden las cosas no se conoce lo que valen.

Pasaron ya a la otra acera de esta gran feria de la vida humana, a instancias de Andrenio y despecho de Critilo; pero muchas veces los sabios yerran para que no revienten los necios. Había también muchas tiendas, pero muy diferentes, correspondiendo en emulación una de esta parte a la de la otra; y así decía un letrero: Aquí se vende el que compra. —Primera necedad, dijo Critilo. —No sea maldad, replicó Egenio. Iba ya a entrar Andrenio y detúvole, diciendo: —¿Dónde vas, que vas vendido? Miraron de lejos y vieron cómo se vendían unos a otros, hasta los mayores amigos. Decía en otra: —Aquí se vende lo que se da; unos decían eran mercedes, otros presentes de estos tiempos. —Sin duda, dijo Andrenio, que aquí se da tarde, que es tanto como no dar. —No será sino que se pide lo que se da, replicó Critilo, que es muy caro lo que cuesta la vergüenza de pedir y mucho más el exponerse a un: no quiero. Pero Egenio averiguó eran dádivas de villano mundo. —¡Oh, qué mala mercadería!, gritaba uno a una puerta; con todo no cesaban de entrar a porfía y los que salían, todos decían: ¡Oh, maldita hacienda, si no la tenéis, causa deseo; si la tenéis, cuidado; si la perdéis, tristeza. Pero advirtieron había otra botica llena de redomas vacías, cajas desiertas, y con todo eso muy embarazada de gentes y ruido: a este reclamo acudió luego Andrenio, preguntó qué se vendía allí, porque no se veía cosa, y respondiéronle que viento, aire y aun menos. —¿Y hay quién lo compre? —Y quien gasta en ello todas sus rentas. Aquella caja está llena de lisonjas, que se pagan muy bien; aquel bote es de favores, que se pagan no poco, aquella arca grande está llena de mentiras, que se despachan harto mejor que las verdades. —¡Hay tal cosa!, ponderaba Critilo. ¡Que haya quien compre el aire y se pague de él! —¿De qué os espantáis?, le dijeron. Pues ¿en el mundo qué hay sino aire?, al mismo hombre quitadle el aire y veréis lo que queda. Aún menos que aire se vende aquí y muy bien se paga. Vieron que actualmente estaba un boquirrubio dando muchas y muy ricas joyas y galas a un demonio de una fea por quien andaba perdido, y preguntando qué le agradaba en ella, respondió que el airecillo. —De modo, señor mío, dijo Critilo, que aún no llega a ser aire y enciende tanto fuego. Estaba otro dando largos ducados porque le matasen un contrario. —Señor, ¿qué os ha hecho? —No ha llegado a tanto, hame dicho una palabrilla. —¿Y era afrentosa? —No, pero el airecillo con que lo dijo me ofendió mucho. Gastaba un gran príncipe sus rentas en truhanes y bufones y decía que gustaba mucho de sus gracias y donaires. De esta suerte se vendían tan caros puntillos de honra, el modillo, el airecillo y el donaire.

Pero lo que les espantó mucho fue ver una mujer tan fiera que pasaba plaza de furia infernal, de harpía, en arañar a cuantos llegaban a su tienda, y gritaba: ¿quién compra pesares, quebraderos de cabeza, rejalgares, malas comidas y peores cenas? Entraban ejércitos enteros y era lo malo que haciendo alarde, y salían pa-

sando crujía, y los que vivos, que eran bien pocos, corriendo sangre, más acribillados de heridas que un Marqués del Borro, y con
verlos no cesaban de entrar los que de nuevo venían. Estábase
Critilo espantado, mirando tal atrocidad, díjole Egenio: —Sabe
cuántos males ahí le ponen un cebillo al hombre para pescarle:
la codicia, oro; la lujuria, deleites; la soberbia, honras; la gula,
comidas; la pereza, descansos; sólo la ira no da sino golpes, heridas y muertes, y con eso tantos y tantos la compran tan cara.

Pregonaba uno: —Aquí se venden esposas. Llegaban unos y
otros preguntando si eran de hierro o mujeres. —Todo es uno,
que todas son prisiones. —¿Y el precio? —De balde, y menos
aún. —¿Cómo puede ser menos? —Sí, pues se paga para que las
lleven. —Sospechosa mercadería: mujeres y pregonadas, ponderó
uno; eso no llevaré yo; la mujer, ni vista ni conocida, pero también será desconocida. Llegó uno y pidió la más hermosa. Diéron-
sela a precio de gran dolor de cabeza, y añadió el casamiento:
—El primer día os parecerá bien a vos, todos los demás a los
otros. Escarmentado, otro pidió la más fea. —Vos la pagaréis con
un continuo enfado. Convidábanle a un mozo que tomase esposa
y respondió: aún es temprano; y un viejo: ya es tarde. Otro que
se picaba de discreción pidió una que fuese entendida, buscáronle
una feísima, toda huesos y que todos le hablaban. —Venga una
que sea igual en todo, dijo un cuerdo, porque la mujer me aseguran es la otra mitad del hombre y que realmente eran antes
una misma cosa entrambos, mas que Dios los separó porque no
se acordaban de su Divina Providencia y que ésta es la causa
de aquella tan vehemente propensión que tiene el hombre a la
mujer, buscando su otra mitad. —Casi tiene razón, dijeron, pero
es cosa dificultosa hallarle a cada uno su mitad: todas andan barajadas comúnmente, la del colérico damos al flemático, la del
triste al alegre, la del hermoso al feo, y tal vez la del mozo de
veinte años al caduco de setenta, ocasión de que los más viven
arrepentidos. —Pues eso, señor casamentero, dijo Critilo, no tiene
disculpa. —Qué queréis, ellos se ciegan y lo quieren así. —Pero
ellas, ¿cómo pasan por eso? —Es, señor, que son niñas y desean
ser mujeres. Mas eso no tiene remedio; tomad ésta conforme la
deseáis. Miróla y halló que era en todo dos o tres puntos más
corta: en la edad, en la calidad, en la riqueza, y reclamando no
era tan ajustada como deseaba. —Llevadla, dijo, que con el tiempo vendrá a ajustarse, y de otra manera pasaría y sería mucho
peor; y tened cuidado de no darle todo lo necesario, porque en
teniéndolo querrá lo superfluo. Fue alabado mucho uno que, en
diciéndole viese una que había de ser su mujer, respondió que él
no se casaba por los ojos, sino por los oídos; y así se llevó en
dote la buena fama.

Convidáronles a la casa del buen gusto: —Será casa de gula,
dijo Andrenio. —Sí, será, respondió Critilo, pero los que entran
parecen comedores y los que salen comidos. Había sentado un

gran señor, rodeado de gentilhombres, enanos, truhanes, valientes y lisonjeros, que parecía el arca de las sabandijas; comió bien, pero echáronle la cuenta muy larga, porque dijeron comía cien mil ducados de renta; él sin réplica pasaba por ello. Reparó Critilo: —¿Cómo puede ser esto? No ha comido la centésima parte de lo que dicen. —Es verdad, dijo Egenio, que él no los come, sino éstos que le van alrededor. —Pues según eso, no digan que tiene el Duque cien mil de renta sino mil, y los demás de dolor de cabeza. Todo se lo tragaban algunos y todo se lo bebían; muchas tragaban saliva y los más mordían cebolla, y al cabo todos los que comían quedaban comidos hasta de los gusanos. En todas estas tiendas no feriaron cosa de provecho, sí en las otras de la mano derecha preciosos bienes, verdades de finísimos quilates y sobre todo a sí mismos, que el sabio consigo y Dios tiene lo que le basta. De esta suerte salieron de la feria, hablando cómo les había ido, Egenio ya otro, porque rico trató de volver a su alojamiento, que en esta vida no hay casa propia. Critilo y Andrenio se encaminaron a pasar los puertos de la edad varonil en Aragón, de quien decía aquel famoso Rey que en naciendo fue destinado para dar tantos Santiagos, para ser Conquistador de tantos Reinos: comparando las naciones de España a las edades, que los Aragoneses eran los varones.

SEGUNDA PARTE

JUICIOSA CORTESANA FILOSOFÍA
(EN EL OTOÑO DE LA VARONIL EDAD)

CRISI I

Renuncia el hombre inclinaciones de siete en siete años, cuanto más alterna genios en cada una de sus cuatro edades. Comienza a medio vivir, quien poco o nada percibe; ociosas pasan las potencias en la niñez, aun las vulgares, que las nobles sepultadas yacen en una puerilidad insensible: punto menos que bruto, aumentándose con las plantas y vegetándose con las flores. Pero llega el tiempo en que también el alma sale de mantillas, ejerce ya la vida sensitiva, entra en la juventud, que de allí tomó apellido; ¡qué sensual, qué delicioso! No atiende sino a holgarse el que nada entiende, no vaca al noble ingenio, sino al delicioso genio, sigue sus gustos, cuando tan malo le tiene. Llega al fin, pues, siempre tarde, a la vida racional, y, muy de hombre, ya discurre y se desvela, y porque se reconoce hombre, trata de ser persona: estima el ser estimado, anhela el valer, abraza la virtud, logra la amistad, solicita el saber, atesora noticias y atiende a todo sublime empleo. Acertadamente discurría quien comparaba el vivir del hombre al correr del agua, cuando todos morimos y como ella nos vamos deslizando. Es la niñez fuente risueña: nace entre menudas arenas, que de los polvos de la nada salen los lodos del cuerpo: brota tan clara como sencilla, ríe lo que no murmura, bulle entre campanillas de viento, arróllase entre pucheros y cíñese de verduras, que le fajan. Precipítase ya la mocedad en un impetuoso torrente, corre, salta, se arroja y se despeña, tropezando con las guijas, rifando con las flores, va echando espumas, se enturbia y se enfurece; sosiégase ya río en la varonil edad, va pasando tan callado cuan profundo, caudalosamente vagoroso, todo es fondos, sin ruido, dilatarse espaciosamente grave, fertiliza los campos, fortalece las ciudades, enriquece las provincias y de todas maneras aprovecha. Mas, ¡ay!, que al cabo viene a parar en el amargo mar de la vejez, abismo de achaques, sin que le falte una gota; allí pierden los ricos sus bríos, su nombre, su

dulzura, va a orza el carcomido bajel, haciendo agua por cien
partes, y a cada instante zozobrando entre borrascas tan deshechas
que le deshacen, hasta dar al través con dolor y con dolores en
el abismo de un sepulcro, quedando encallado en el perpetuo
olvido.

Hallábanse ya nuestros dos Peregrinos del vivir, Critilo y Andrenio, en Aragón, que los extranjeros llaman la buena España,
empeñados en el mayor reventón de la vida: acababan de pasar,
sin sentir, cuando con mayor sentimiento, los alegres prados de
la juventud, lo alegre de sus verduras, lo florido de sus lozanías,
e iban subiendo la trabajosa cuesta de la edad varonil, llena de
asperezas, si no malezas; emprendían una montaña de dificultades.
Hacíasele muy cuesta arriba a Andrenio, como a todos los que
suben a la virtud, que nunca hubo altura sin cuesta; iba acezando,
y aun sudando; animábale Critilo con prudentes recuerdos y con-
solábale en aquella esterilidad de flores, con la gran copia de
frutos de que se veían cargados los árboles, pues tenían más que
hojas, contando las de los libros. Subían tan alto que les pareció
señoreaban cuanto contiene el mundo, muy superiores a todos.
—¿Qué te parece de esta nueva región?, dijo Critilo, ¿no percibes
qué aires éstos tan puros? —Así es, respondió Andrenio, paréceme que ya llevamos otros aires; ¡qué buen punto es éste para
tomar aliento y asiento, si ya es tiempo de tenerle! Pusiéronse a
contemplar lo que habían caminado hasta hoy. —¿No atiendes
qué de verduras dejamos atrás, tan pisadas como pasadas, cuán
bajo y cuán vil parece todo lo que habemos andado hasta aquí?
Todo es niñería respecto de la gran Provincia que emprendemos,
¡qué humildes y qué bajas se reconocen todas las cosas pasadas,
qué profundidad tan notable se advierte de aquí allá! Despeño sería
volver a ellas. ¡Qué pasos tan sin provecho cuantos habemos dado
hasta hoy!

Esto estaban filosofando cuando descubrieron un hombre, muy
otro de cuantos habían hallado hasta aquí, pues se estaba haciendo ojos para notarlos, que ya poco es ver; fuese acercando
y ellos advirtiendo que realmente venía todo rebutido de ojos
de pies a cabeza, y todos suyos y muy despiertos. —¿Qué gran
mirón es éste, dijo Andrenio. —No, sino prodigio de atenciones,
respondió Critilo. Si él es hombres, no es de estos tiempos, y si
lo es, no es marido, ni aun pastor, ni trae cetro, ni cayado; mas
¿si sería Argos? Pero no, que ése fue del tiempo antiguo y ya no
se usan semejantes desvelos. —Antes sí, respondió él mismo, que
estamos en tiempo que es menester abrir el ojo, y aun no basta,
sino andar con cien ojos; nunca fueron menester más atenciones
que cuando hay tantas intenciones que ya ninguno obra de primera, y advertid que de adelante ha de ser el andar despabilados,
que hasta ahora todos habéis vivido a ciegas, y aun a dormidas.
Dinos, por tu vida, tú que ves por cierto y vives por otros tantos,
¿guardas aún bellezas? —¡Qué vulgaridad tan rancia, respondió

él, y quién me mete a mí en imposibles, antes me guardo de
ellas, y guardo a otros bien entendidos! Estaba atónito Andrenio,
haciéndose ojos también, o en desquite, o en imitación, y reparando en ello Argos le dijo: —¿Ves o miras?, que no todos miran
lo que ven. —Estoy, respondió, pensando de qué te pueden servir
tantos ojos; porque en la cara están en su lugar, para ver lo que
pasa, y aun en el colodrillo para ver lo que pasó; pero en los
hombros, ¿a qué propósito? —¡Qué bien lo entiendes!, dijo Argos.
Ésos son los más importantes, y los que más estimaba Don Fa-
drique de Toledo. —Pues ¿para qué valen? —Para mirar un hombre la carga que se echa a cuestas, y más si se casa o se arrasa,
el cargo y entrar en el empleo, ahí es el ver y tantear la carga,
mirando y remirando, midiéndola con sus fuerzas, viendo lo que
pueden sus hombros, que él que no es un Atlante, ¿para qué se ha
de meter a sostener las estrellas?, y el otro que no es un Hércules, ¿para qué se entromete a sustituto del peso del mundo?
Él dará con todo en tierra. ¡Oh!, si todos los mortales tuviesen
estos ojos, yo sé que no se echarían tan a carga cerrada las obligaciones que no pueden cumplir, y así andan toda la vida gimiendo la carga incomportable: el uno de un matrimonio sin pa-
trimonio, el otro del demasiado punto sin coma; éste con empeño
en que se despeña y aquél con honor que es horror. Estos ojos
humerales abro yo primero muy bien, antes de echarme la carga
a cuestas, que el abrirlos después no sirve, sino para la desesperación o para el llanto. —¡Oh, cómo tomaría yo otros dos!, dijo
Critilo, no sólo para no cargar obligaciones, pero ni aun encargar-
me de cosa alguna, que abrume la vida y haga sudar la conciencia.
—Yo confieso que tienes razón, dijo Andrenio, y que están bien
los ojos en los hombros, pues todo hombre nació para la carga.
Pero dime, esos que llevas en las espaldas, ¿para qué pueden
ser buenos? Si ellas de ordinario están arrimadas, ¿de qué sirven?
—Y aun por eso, respondió Argos, para que miren bien dónde
se arriman. ¿No sabes tú que casi todos los arrimos del mundo
son falsos, chimeneas tras tapiz, que hasta los parientes falsean
y se hallan peligros en los mismos hermanos? Maldito el hombre
que confía en otro, y sea quien fuere. ¿Qué digo amigos y hermanos? De los mismos hijos no hay que asegurarse, y necio del
padre que en vida se despoja. No decía del todo mal quien decía
que vale más tener que dejar en muerte a los enemigos, que pedir
en vida a los amigos; ni aun en los mismos padres hay que confiar, que algunos han echado dado falso a los hijos, y cuántas
madres hoy venden las hijas. Hay gran cogida de falsos amigos
y muy poca acogida en ellos, ni hay otra amistad, que dependencia, a lo mejor falsean, y dejan a un hombre en el lodo en que
ellos le metieron. ¿Qué importa que el otro os haga espaldas en
el delito, si no os hace cuello después en el degüello? —Buen
remedio, dijo Critilo, no arrimarse a cabo alguno, estarse solo,
vivir a lo filósofo y a lo feliz. Rióse Argos y dijo: —Si un hom-

bre no se busca algún arrimo, todos le dejarán estar, y no vivirá;
ningunos más arrimados hay que los que no se arriman, aunque
sea un gigante en méritos le echará a un rincón; así puede ser
más benemérito que nuestro Obispo de Barbastro, más hombre
de bien que nuestro Patriarca, más valiente que Domingo de
Eguía, más docto que el Cardenal de Lugo, nadie se acordará de
él, y aun por eso toda conclusión se arrima a buen poste y todo
Jubileo a buena esquina: creedme, que importan mucho estas
atenciones respaldares.

—Éstos sean los míos, dijo Andrenio, y no los de las rodillas.
Desde ahora los renuncio allí, y ¿para qué, si no para cegarse
con el polvo y quedar estrujados en el suelo? —¡Qué mal lo discurres!, respondió Argos. Ésos son hoy los prácticos, porque más
políticos. ¿Es poco mirar un hombre a quién se dobla, a quién
hinca la rodilla, qué numen adora, quién ha de hacer el milagro?
Que hay imágenes viejas de adoración pasada, que no se les hace
ya fiesta, figuras del descarte, barajadas de la fortuna. Estos ojos
son para brujulear quién triunfa, para hacerse hombre, ver quién
vale y quién ha de valer. —De verdad que no me desagradan,
dijo Critilo, y que en las Cortes dicen que se estiman harto: por
no tener yo otros como ésos voy siempre rodando, ésta mi entereza me pierde. —Una cosa no me pueden negar, replicó Andrenio,
que los ojos en las espinillas no sirven sino para lastimarse. Señor,
en los pies están en su lugar, para ver un hombre dónde entra y
sale, en qué pasos anda, pero ¿en las piernas para qué? —¡Oh, sí!,
para no echarlas, ni hacerlas con el poderoso, con el superior:
atienda el sagaz con quién se toma, mire con quién las ha, y en
reconociéndole la cuesta, no parta peras con él, cuanto menos
piedras. Si éstos hubiera tenido aquel hijo del polvo, no se hubiera metido entre los brazos del Hércules, nunca hubiera luchado
con él; ni los rebeldes titanes se hubieran atrevido a descompo-
nerse con el Júpiter de España, que estas necias temillas tienen
abrumados a muchos. Prométoos que para poder vivir es menester
armarse un hombre de pies a cabeza, no de ojillos, sino de ojazos,
muy despiertos, ojos en las orejas para descubrir tanta falsedad
y mentira; ojos en las manos, para ver lo que da y mucho más
lo que toma; ojos en los brazos, para no abarcar mucho y apretar
poco; ojos en la misma lengua, para mirar muchas veces lo que
ha de decir uno; ojos en el pecho, para ver en lo que se de tener;
ojos en el corazón, ateniendo a quién le tira o le hace tiro; ojos
en los mismos ojos, para mirar cómo miran; ojos, y más ojos y
reojos, procurando ser el mirante en un siglo tan adelantado.

—¿Qué hará, ponderaba Critilo, quien no tiene sino dos, y
ésos nunca bien abiertos, llenos de lagañas, y mirando aniñada-
mente con dos niñas? ¿No nos venderías, que ya nadie da, sino
es el Señor (Don Juan de Austria), un par de esos que te sobran?
—¿Qué es sobrar?, dijo Argos. De mirar nunca hay harto, a más
de que no hay precio para ellos, sólo uno, y ése es un ojo de la

cara. —Pues ¿qué ganaría yo en eso?, replicó Critilo. —Mucho, respondió Argos. El mirar con ojos ajenos, que es una gran ventaja, sin pasión y sin engaño, que es verdadero mirar; pero vamos, que yo os ofrezco que antes que nos dividamos habéis de lograr otros tantos como yo, que también se pegan, como el entendimiento cuando se trata con quien le tiene. —¿Dónde nos quiere llevar?, preguntó Critilo. Y ¿qué haces aquí, en esta plaga del mundo, que todo él se compone de plagas? —Soy guarda, respondió, en este puesto de la vida, tan dificultoso cuan realzado, pues comenzándole todos a pasar mozos se hallan al cabo hombres, aunque no lo sienten tanto como las hembras; conque de mozas que antes eran se hallan después dueñas, mas ellas reniegan de tanta autoridad, y ya que no tienen remedio, buscan consuelo en negar, y es tal su pertinacia, que estarán muchas canas de la otra parte, y porfían que comienzan ahora a vivir; pero callemos, que lo han hecho crimen de descortesía y dicen: más querríamos nos desafiasen, que desengañasen. —¿De modo, dijo Critilo, que eres guarda de los hombres? —Sí, y muy hombres; de los viandantes, porque ninguno pasa mercaderías de contrabando de la una Provincia a la otra, hay muchas cosas prohibidas, que no se pueden pasar de la juventud a la virilidad; permítense en aquélla, y en ésta están vedadas no graves penas, a más de ser toda mala mercadería, y perdida por ser mala hacienda; cuéstales a algunos muy cara la niñería, porque hay pena de infamia, y tal vez de la vida, especialmente si pasan deleites y mocedades. Para obviar este daño tan pernicioso al género humano hay guardas muy atentas, que corren todos estos parajes, cogiendo los que andan descaminados; yo soy sobre todos, y así os aviso que miréis bien si lleváis alguna cosa que no sea muy de hombres, y la depongáis, porque, como digo, a más de ser cosa perdida, quedaréis afrentados cuando seáis reconocidos, y advertid que por más escondida que la llevéis os la han de hallar, que del mismo corazón redundará luego a la boca, y los colores al rostro. Demudóse Andrenio, mas Critilo, por desmentir indicios, mudó de plática y dijo: —En verdad que no es tan áspera la subida como habíamos concebido; siempre se adelanta la imaginación a la realidad. ¡Qué sazonados están todos estos frutos! —Sí, respondió Argos, que aquí es todo madurez; no tienen aquella acedía de la juventud, aquel desabrimiento de la ignorancia, lo insulso de su conversación, lo crudo de su mal gusto, aquí ya están en su punto: ni tan pasados como en la vejez, ni tan crudos como en la mocedad, sino en un buen medio. Hallaban muchos descansos, con sus asientos, bajo de frondosos morales muy copados, cuyas hojas, según decía Argos, hacen sombra saludable y de gran virtud para las cabezas, quitándoles a muchos el dolor de ella, y aseguraba haberlos plantado algunos célebres sabios, para alivio en el cansado viaje de la vida; pero lo más importante era que a trechos hallaban algunos refrescos del saber, confortativos del valor, que se decía haberlos fundado allí a costa de su sudor algunos varones singulares, dotándolos de rentas de doctrina, y así en una parte les brindaron las quintaesencias de Séneca, en otras divinidades de Platón, néctares de Epicuro y ambrosías de Demócrito, y de otros muchos autores sacros y profanos, con que cobraban no sólo aliento, pero mucho ser de personas, adelantándose a todos los demás.

Al sublime centro habían llegado de aquellas eminencias, cuando descubrieron una gran casa labrada, más de provecho que de artificio, y aunque muy capaz, nada suntuosa, de profundos cimientos, asegurando con firmes estribos las fuertes paredes; mas no por eso se empinaba, ni poblaba el aire de castillos, ni de torres; no brillaban capiteles, ni andaban rodando las giraldas; todo era a lo macizo, de piedras sólidas y cuadradas, muy a marchamartillo, y aunque tenía muchas vistas con ventanas y claraboyas a todas luces, pero no tenía reja alguna, ni balcón, porque entre hierros, aunque dorados, se suelen forjar los mayores, y aun ablandarse los pechos más de bronce. El sitio era muy exento, señoreando cuanto hay a todas partes y participando de todas luces, que ninguno aborrece. Lo que más la ilustraba eran dos puertas grandes y siempre patentes: la una al Oriente, de donde se viene, y la otra al Ocaso, donde se va, y aunque ésta parecía falsa, era la más verdadera y principal; por aquélla entraban todos y por ésta salían algunos.

Causóles aquí extraña admiración ver cuán mudados salían los pasajeros, y cuán otros de lo que entraban, pues totalmente diferentes de sí mismos; así lo confesó uno a la que le decía: —Yo soy aquélla, respondiéndole: —Yo no soy aquél. Los que entraban risueños, salían muy pensativos; los alegres, melancólicos; ninguno se reía, todo era autoridad, y así los muy ligeros antes, ahora procedían graves; los bulliciosos, pausados; los flacos, que en cada ocasión daban de ojos, ahora en la cuenta; pisando firme los que antes de pie quebrado; los livianos, muy sustanciales. Estaba atónito Andrenio viendo tal novedad y tan impensada mudanza. —Aguarda, dijo, aquel que sale hecho un Catón, ¿no era poco ha un chisgarabís? —El mismo. —¿Hay tal transformación? ¿No véis aquél, que entraba saltando y bailando a la francesa, cómo sale muy tétrico y muy grave a la española? Pues aquel otro sencillo, ¿no notáis qué doblado y qué cauto se muestra? —Aquí, dijo Andrenio, alguna Circe habita, que transforma así las gentes; ¿qué tienen que ver con éstas todas las metamorfosis que celebra Ovidio? Mirad aquél, que entró hecho un Claudio Emperador, cual sale hecho un Ulises. Todos se movían antes con ligera facilidad y ahora proceden con maduro juicio. Hasta el color sacan, no sólo alterado, pero mudado, y realmente era así, porque vieron entrar un boquirrubio y salió luego barbinegro; los colorados pálidos convertidas las rosas en retamas, y en una palabra, todos trocados de pies a cabeza, pues ya no se movía ésta con ligereza a un lado y a otro, sino que la tenían tan quieta

que parecía haberles echado a cada uno una libra de plomo en
ella; los ojos altaneros muy mesurados; asentaban el pie, no jugando del brazo; la capa sobre los hombros, muy a lo chapado.
—No es posible, sino que aquí hay algún encanto, repetía Andrenio. Aquí algún misterio hay. O esos hombres se han casado,
según salen pensativos. —¿Qué mayor encanto, dijo Argos, que
treinta años a cuestas?; ésta es la transformación de la edad;
advertid que en tan poca distancia como hay de la una parte a
la otra, hay treinta leguas de diferencia, no menos que de ser
mozo a ser hombre. Éste es el pasadizo de la juventud a la varonil edad: en aquella primera puerta dejan la locura, la liviandad,
la ligereza, la facilidad, la inquietud, la risa, la desatención, el descuido con la mocedad, y en esta otra cobran el seso, la gravedad,
la severidad, el sosiego, la pausa, la espera, la atención y los
cuidados con la virilidad; y así veréis que aquel que hablaba de
tarabilla, ahora tan despacio que parece que da audiencia; pues
aquel otro, que le iba chapando el seso, mira qué capado que
sale; el otro con sus cascos de corcho, qué sustancial se muestra;
¿no atendéis aquél tan medido en sus acciones, tan comedido en
sus palabras?, éste era aquél casquilucio; tened cuenta cuál entra
aquél con sus pies de pluma, veréis luego cuál saldrá con pies
de plomo; ¿no véis cuántos valencianos entran y qué de aragoneses salen? Al fin, todos muy otros de sí mismos, cuanto más
vuelven en sí; su andar pausado, su hablar grave, su mirar compuesto que compone, y su proceder concertado, que cada uno parece un Chumacero.
	Dábales ya priesa Argos que entrasen, y ellos: —Dinos pri-
mero qué casa es ésta tan rara. —Ésta es, respondió, la Aduana
general de las edades; aquí comparecen todos los pasajeros de la
vida, aquí manifiestan la mercadería que pasan, averiguan de
dónde vienen y adónde van a parar. Entraron dentro y hallaron
un Areópago, porque era el presidente del Juicio, un gran sujeto,
asistiéndole el Consejo, muy hombre; el Modo, muy bien hablado; el Tiempo, de grande autoridad; el Concierto, de mucha
cuenta; el Valor, muy ejecutivo, y así otros grandes personajes.
Tenían delante un libro abierto de cuenta y razón, cosa se le hizo
muy nueva a Andrenio, como a todos los de su edad, y que pasan
a ser gente de veras. Llegaron a tiempo, que actualmente estaban
examinando a unos viandantes de qué tierra venían. —Con razón,
dijo Critilo, porque de ella venimos y a ella volvemos. —Sí, dijo
otro, que sabiendo de dónde venimos, sabremos mejor dónde vamos; muchos no atinan a responder, que los más no saben dar
razón de sí mismos; y así preguntándole a uno dónde caminaba,
respondió que a donde le llevaba el tiempo, sin cuidarse más que
de pasar y hacer tiempo. —Vos le hacéis y él os deshace, dijo el
Presidente, y remitióle a la reforma de los que hacen número
en el mundo. Respondió otro que él pasaba adelante por no poder
volver atrás. Los más decían que porque los habían echado, con

harto dolor de su corazón, de los floridos países de su mocedad, que si eso no fuera toda la vida se estarían con gusto, dándose verdes de mocedades, y a éstos los remitieron a la reforma de animados. Estábase lamentando un Príncipe de verse a sí tan adelante y a su antecedente tan atrás, porque hasta entonces, divertido con los pasatiempos de la mocedad, no había pensado en ser algo, pero aquéllos ya acabados le daba gran pena ver que le sobraban años y le faltaban empleos; remitiéronle a la reforma de la espera, si no quería reinar por falto, que era despeñarse. En busca de la honra dijeron algunos que iban, muchos tras el interés y muy pocos los que a ser personas, aunque fueron oídos de todos con aplauso y de Critilo con observación.

Llegaron en esto los guardas, con una gran tropa de pasajeros, que los habían cogido descaminados: mandaron fuesen luego reconocidos por la Atención y el Recato, y que les escudriñasen cuanto llevaban. Halláronle al primero no sé que libros, y algunos muy metidos en los señores; leyeron los títulos y dijeron ser todos prohibidos por el Juicio, contra las pragmáticas de la prudente gravedad, pues eran de novelas y comedias; condenáronlos a la reforma de los que sueñan despiertos, y los libros mandaron se quitasen a los hombres que lo son, y se relajasen a los pajes y doncellas de labor; generalmente, todo género de poesía en lengua vulgar, especialmente burlesca, y amorosas letrillas, jácaras, entremeses, follaje de primavera, se entregaron a los pisaverdes. Lo que más admiró a todos fue que la misma Gravedad en persona ordenó seriamente que de treinta años arriba ninguno leyese ni recitase coplas ajenas, mucho menos propias o como suyas, so pena de ser tenidos por ligeros, desatentos o versificantes. Lo que es leer algún poeta sentencioso, heroico, moral y aun satírico, en verso grave, se les permitió a algunos de mejor gusto que autoridad, y esto en sus retretes, sin testigos, haciendo el desconocido de tales niñerías, pero allá a escondidas chupándose los dedos. El que quedó muy corrido fue uno a quien le hallaron un libro de caballerías. —Trasto viejo, dijo la Atención, de alguna barbería; afeáronsele mucho y constriñeron lo restituyese a los escuderos y boticarios, mas los autores de semejantes disparates a locos estampados. Replicaron algunos que para pasar el tiempo se les diese facultad de leer las obras de algunos otros autores, que habían escrito contra estos primeros, burlándose de su quimérico trabajo; y respondióles la Cordura que de ningún modo, porque era dar del todo en el cieno y había sido querer sacar del mundo una necedad con otra mayor. En lugar de tanto libro inútil (Dios se lo perdone al inventor de la estampa), ripio de tiendas y ocupación de legos, les entregaron algunos Sénecas, Plutarcos, Epictetos y otros que supieron hermanar la utilidad con la dulzura.

Acusaron éstos a otros, que no menos ociosos, y más perniciosos, se habían jugado el Sol y quedado a la Luna, diciendo

que para pasar el tiempo, como si él no los pasase a ellos, y como
si el perderlo fuera pasarlo; de hecho le hallaron a uno una
baraja: mandaron al punto quemar las cartas, por el peligro del
contagio, sabiendo que barajas ocasionan baragas, y de todas maneras empeños, barajando la reputación, la atención, la modestia,
la gravedad, y tal vez el alma; mas al que se los hallaron, con
todos los tahúres, hasta los cultos, que es la cuarta generación, le
barajaron las haciendas, las casas, la honra, el sosiego, para toda
la vida. En medio de esta suspensión y silencio se oyó silbar a
uno, cosa que escandalizó mucho a todos los circunstantes y más
a los españoles, y averiguada la desatención, hallaron había sido
un francés y condenáronle a nunca estar entre personas. Más le
ofendió un sonsonete, como son de guitarra, instrumento vedado
so graves penas de la Cordura, y así refieren que dijo el Juicio
en sintiendo las cuerdas? —¿Qué locura es ésta? ¿Estamos entre
hombres o entre bárbaros? Hízose averiguación de quién la tañía
y hallaron era un portugués, y cuando creyeron todos que le
mandarían dar un trato de cuerda, oyeron que le rogaban (que
a los tales se les ruega) tañese algún son moderno y lo acompa-
ñase de alguna tonadilla; con harta dificultad lo recabaron, y con
mayor después que cesase; gustaron mucho, aun los más serios
ministros de la reforma humana, y generalmente se les mandó a
todos los que pasan de mozos a hombres que de allí adelante
ninguno tañese instrumento ni cantase, pero que bien podían oír
tañer y cantar, que es más gusto y más decoro.

Iban con tanto rigor en esto de reconocer los humanos pasajeros, que llegaron las guardas a desnudar algunos de los sospechosos; cogiéronle a uno un retrato de una dama, ahorcado de
un dogal de azar, quedó él tan perdido cuan escandalizado, todos
los cuerdos, que aun de mirar el retrato no se dignaron, sino lo
que bastó para dudar cuál era la pintada, si ésta o aquélla; reparó
una de las guardas y dijo: —Éste ya yo le he quitado a otro, y
no ha muchos días; mandáronlo sacar y hallaron una docena de
ellos. —Basta, dijo el Presidente, que una loca hace ciento. Reco-
gíanlos como moneda falsa, doblones de muchas caras, y a él le
intimaron que o menos barbas o menos figurerías, y que esto de
trillar en la calle, dar vueltas, comer hierros, apuntalar esquinas,
deshollinar balcones, lo dejasen para los Adonis boquirrubios. El
que causó mucha risa fue uno que llegó con un ramo en la mano,
y averiguado que no era médico ni valenciano, sino pisaverde, le
atropelló la Atención, diciéndole que era ramo de locura, tablilla
de mesón, vacío de seso. Vieron uno que no miraba a los otros,
y sin ser tosco tenía puestos los ojos en el sombrero. —Pues no
será de corrido, dijo la Sagacidad, y en sospechas de liviandad
llegaron a reconocerle, y le hallaron un espejillo clavado en la
copa del sombrero, y por cosa cierta averiguaron era primo loco,
sucesor de Narciso. No se admiraron tanto de éstos cuanto de
un otro que repetía para Catón en la severidad, y aun se emper-

digaba para repúblico: miráronle de pies a cabeza y brujuleáronle
una faldilla de un jubón verde, color muy mal visto de la autoridad. ¡Oh, qué bien merecía otro!, votaron todos, pero por no
escandalizar el populacho, muy a lo callado, le remitieron al
Nuncio de Toledo, que le absolviese de juicio. A otro, que debajo
una sotanilla negra traía un calzón acuchillado, le condenaron
a que terciase la falda, prendiéndola de la pretina, para que todo
el mundo viese su desgarro. Intimaron a otros seriamente, que en
adelante ninguno llevase arremangada la falda del sombrero a la
copa, si no es yendo a caballo, cuando ninguno es cuerdo; ni
decantado el sombrero a un lado de la cabeza, dejando desabrigado el seso del otro; que no se vayan mirando a sí mismos, ni
por sombra, so pena de mal vistos, ni por los pies, que no es bien
pavonearse; plumas y cintas de colores se les vedaron, si no es
a los soldados bisoños, mientras van o vuelven de la campaña:
que todos los anillos se entregasen a los médicos y abades, a
éstos porque entierran los que aquéllos destierran.

Pasaron ya los ministros de aquella gran Aduana del tiempo a
la reforma general de todos cuantos pasan de pajes de la juventud a gentileshombres de la virilidad, y lo primero que se ejecutó
fue desnudarles a todos la librea de la mocedad, el pelo rubio y
dorado, y cubrirles de pelo negro, luto en lo melancólico y lo
largo, pues cerrando las sienes viene a ser pelo en pecho. Orde-
náronles seriamente que nunca más peinasen pelo rubio, y menos
hacia la boca y los labios, color profano y mal visto en adelante,
vedándoles todo género de bozo y de guardejas rizadas, para excusar las risadas de los cuerdos; toda color material, que no la
formal, les prohibieron, no permitiéndoles aún el volver colorados,
sino pálidos, en sus cuidados; convirtiéronse las rosas de las mejillas en espinas de la barba. De suerte que de pies a cabeza los
reformaban: echábanles a todos un candado en la boca, un ojo
en cada mano, y otra cara Janual, pierna de grulla, pie de buey,
oreja de gato, espalda de camello, nariz de rinoceronte, y de culebra el pellejo. Hasta el material gusto les reformaban, ordenán-
doles que en adelante no mostrasen apetecer las cosas dulces, so
pena de niños, sino las picantes y agrias, y algunas saladas, y
porque a uno le hallaron algunos confites le fue intimado se pusiese el babador siempre que los hubiese de comer, y así todos
se guardaban de trocar el cardo por las pasas y todos comían la
ensalada. Cogieron a otro comiendo unas cerezas y volvióse de
su color: saltáronle a la cara; mandáronle que las trocase en
guindas; de modo que aquí no está vedada la pimienta, antes
se estima más que el azúcar, mercadería muy acreditada, que
algunos hasta en el entendimiento la usan, y más si se junta con
la naranja; la sal también está muy valida, y hay quien la come
a puñados, pero sin lo útil no entra en provecho: salan muchos
los cuerpos de sus obras, porque nunca se corrompan, ni hay
tales aromas para embalsamar libros, libres de los gusanos roedo-

res, como los picantes y las sales. Están tan decantados los dulces
que aun la misma panegírica de Plinio a cuatro bocados enfada;
ni hay hartazgo de zanahorias como unos cuantos sonetos de
Petrarca y otros tantos de Boscán, que aun a Tito Livio hay quien
le llama tocino gordo, y de nuestro Zurita no falta quien luego
se empalaga.

Tenga ya gusto y voto, no siempre viva del ajeno, que los más
en el mundo gustan de lo que ven gustar a otros, alaban lo que
oyeron alabar, y si les preguntáis en qué está lo bueno de lo
que celebran, no saben decirlo, de modo que viven por otros y
se guían por entendimientos ajenos. Tenga, pues, juicio propio
y tendrá voto en su censura, guste de tratar con hombres, que no
todos los que parecen lo son; razone, más que hable, converse
con los varones noticiosos y podrá tal vez contar algunos chistes,
encaminado a la gustosa enseñanza, pero con tal moderación que
no sea tenido por Maese cuentos, el Licenciado del chiste, y
truhán de balde. Podrá tal vez, acompañado de sí mismo, pasearse
pensando, no hablando. Sea hombre de museo, aunque ciñas espadas y tenga delecto con los libros, que son amigos manuales;
no embuta de borra los estantes, que no está bien un pícaro al
lado de un noble ingenio, y si ha de preferir, sean los juiciosos
a los ingeniosos. Muestre ser persona en todo, en sus dichos y
en sus hechos, procediendo con gravedad apacible, hablando con
madurez tratable, obrando con entereza cortés, viviendo con atención en todo, y preciándose más de tener buena testa que talle.
Advierta que el proporcional Euclides dio el punto a los niños,
a los muchachos la línea, a los mozos la superficie y a los varones la profundidad y el centro. Éste fue el arancel de preceptos
de ser hombres, la tarifa de la estimación, los estatutos de ser
personas, que en voz ni muy alta ni muy caída les leyó la Atención, a instancia del Juicio. Después Argos, con un extraordinario
licor, alambicado de ojos de águilas y de linces, de corazones
grandes y de cerebros, les dio un baño tan eficaz que a más de
fortalecer mucho, haciéndolos más impenetrables por la cordura
que un Roldán por el encanto, al mismo tiempo se les fueron
abriendo muchos y varios ojos por todo el cuerpo, de cabeza a
pies, que habían estado ciegos con las legañas de la niñez, y con
las inadvertidas pasiones de la mocedad, y todos ellos tan perspicaces y tan despiertos que ya nada se les pasaba por alto, todo
lo advertían y lo notaban. Con esto les dieron licencia de pasar
adelante a ser personas, y fueron saliendo todos de sí mismos, lo
primero, para más volver en sí. Fuelos no guiando, que de aquí
adelante ni se llama médico ni se busca guía, sino conduciéndolos
Argos a lo más alto de aquel puerto, puerta ya de un otro mundo, donde hicieron alto para lograr la mayor vista que se halla
en el viaje de toda la vida. Los muchos y maravillosos objetos
que desde aquí vieron, todos ellos grandes y plausibles, referirá
la siguiente Crisi.

CRISI II

LOS PRODIGIOS DE SALASTANO

Tres soles, digo Tres Gracias, en fe de su belleza, discreción y
garbo (contaba un Cortesano verídico, ya prodigio), intentaron
entrar en el palacio de un gran Príncipe, y aun de todos. Coronaba la primera brillantemente gallarda de fragantes flores, rubias
trenzas, y recamaba su verde ropaje de líquidos aljófares, tan
risueña que alegraba un mundo entero; pero en injuria de su
gran belleza la cerraron tan anticipadamente las puertas y ventanas, que aunque se probó a entrar por cien partes no pudo, que
teniéndola por entremetida hasta los más sutiles resquicios la habían entredicho, y así hubo de pasar adelante, convirtiendo su
risa en llanto. Fuese acercando la segunda, tan hermosa cuan
discreta, y chanceándose con la primera a lo Zapata le decía:
—Anda tú, que no tienes arte, ni la conoces; verás cómo yo, en
fe de mi buen modo, tengo de hallar entrada. Comenzó a introducirse, buscando medios e inventando trazas, pero ninguna salía,
pues al mismo tiempo que brujuleaban su buena cara, todos se
la hacían muy mala, y ya no solas las puertas y ventanas la ce-
rraban, pero aun los ojos, por no verla, y los oídos, por no sen-
tirla. —He que no tenéis dicha, dijo la tercera, agradablemente
linda; atended cómo yo por la puerta del favor me introduzco en
Palacio, que ya no se entra por otra. Fuese entremetiendo con
mucho agrado; mas aunque a los principios halló cabida, fue engañosa y de apariencia, y al cabo hubo de retirarse mucho más
desairada. Estaban tribuladas todas tres, ponderando, como se usa,
sus muchos méritos y su poca dicha, cuando llevado de su curiosidad el Cortesano se fue acercando lisonjero, y habiéndolas
celebrado significó su deseo de saber quiénes eran, que lo que es
el Palacio bien conocido lo tenía, como tan pateado. —Yo soy,
dijo la primera, la que voy dando a todos los buenos días, mas
ellos los toman malos y los dan peores; yo la que hago abrir los
ojos y a todo hombre que recuerde; yo la deseada de los enfermos
y temida de los malos, la madre de la vividora alegría; yo aquella
tan decantada esposa de Tritón, que en este punto dejó el camarín de nácar. —Pues, señora Aurora, dijo el Cortesano, ahora no
me espanto de que no tengáis cabida en los palacios, donde no hay
hora de oro, con ser todas tan pesadas; ahí no hay mañana, todo
es tarde, díganlo las esperanzas, y con ser así nada es hoy, todo
mañana; así que no os canséis, que ahí nunca amanece, aun para
vos por tan clara. Volvióse a la segunda, que ya decía: —¿Nunca
oíste nombrar aquella buena madre de un mal hijo? Pues yo soy,
y él es el odio; yo la que siendo tan buena todos me quieren
mal, cuando niños me babean, y como no les entro de los dientes
adentro, me escupen cuando grandes, tan esclarecida soy como

la misma luz, que si no miente Luciano hija soy, no ya del tiempo, sino del mismo Dios. —Pues, señora mía, dijo el Cortesano, si vos sois la Verdad, ¿cómo pretendéis imposibles? ¿Vos en los palacios? Ni de mil leguas. ¿De qué pensáis que sirve tanta afilada cuchilla? Que no asegura tanto de traición, no por cierto cuanto de vos. Bien podéis por ahora, y aun para siempre, desistir de la empresa. Ya en esto la tercera, dulcísimamente linda, robando corazones, dijo: —Aquélla soy sin quien no hay felicidad en el mundo, y con quien toda infelicidad se pasa. En las demás dichas de la vida se hallan muy divididas las ventajas del bien, pero en mí todas concurren, la honra, el gusto y el provecho; no tengo lugar sino entre los buenos; que entre los malos, como dice Séneca, ni soy verdadera, ni constante; denomínome del amor, y así a mí no me han de buscar en el vientre, sino en el corazón, centro de la benevolencia. —Ahora digo que eres la Amistad, aclamó el Cortesano, tan dulce tú cuan amarga la Verdad; pero aunque lisonjera, no te conocen los Príncipes, que sus amigos todos son del Rey y ninguno de Alejandro, así lo decía él mismo. Tú haces de dos uno, y es imposible poder ajustar el amor a la Majestad. Paréceme, mi señora, que todas tres podéis pasar adelante: tú, Aurora, a los trabajadores; tú, Amistad, a los semejantes, y tú, Verdad, yo no sé adónde. Este crítico suceso les iba contando el noticioso Argos a nuestros dos peregrinos del mundo, y les aseguro haberlo oído ponderar al mismo Cortesano, aquí en este puesto, decía, que por esto me he acordado. Hallábanse ya en lo más eminente de aquel puesto de la varonil edad, corona de la vida tan superior que pudieron desde allí señorear toda la naturaleza, espectáculo tan importante cuan agradable. Porque descubrían países nunca andados, regiones nunca vistas: la del Valor y del Saber, las dos grandes provincias de la Virtud y la Honra, los países del Tener y del Poder, con el dilatado reino de la Fortuna y del Mando; estancias todas muy de hombres y que a Andrenio se le hicieron bien extrañas. Muchos les valieron a qué sus cien ojos, que todos los emplearon; vieron ya muchas personas que es la mejor vista de cuantas hay, perdóneme hoy la Belleza; pero, cosa rara, lo que a unos parecía blanco, a otros negro, tal es la variedad de los juicios y gustos, ni hay anteojos de colores que así alteren los objetos como los afectos. —Veamos de una cuanto hay, decía Critilo, que todo se ha de ver y en lo más raro reparar; y comenzando por lo más lejos que, como digo, se descubría, no sólo desde el un cabo del mundo al otro, pero desde el primer siglo hasta éste. —¿Qué insanos edificios son aquellos, hablando con la propiedad Mariana, que acullá lejos, apenas se divisan, ya glorias campean? —Aquéllas, respondió Argos (que de todo daba razón en desengaños), son las siete maravillas del orbe. —¿Aquéllas, replicó Andrenio, maravillas? ¿Cómo es posible? ¿Una estatua, que se ve entre ellas, puede serlo? —¡Oh, sí, que fue Coloso de un sol! —Aunque sea el Sol mismo, si es una estatua, a mí no me maravilla. —No fue tan estatua que no fuese una bien política atención adorando el Sol que sale, y levantando estatua al poder que amanece, desde ahora la venero.

—¿Aquel otro parece sepulcro? —También es maravilla y bien extraña. —¿Cómo puede, siendo sepultura de un mortal? —¡Oh, que fue de mármoles y jaspes! —Aunque fuera el mismo Panteón. —¿No veis que lo erigió una mujer a su marido? —¡Oh, qué bueno! A trueque de enterrarle, no digo yo de pórfidos, pero de diamantes, de perlas, si no lágrimas, había mujer que le construyese para sí; pero aquello de ser Mausoleo, que dice permanece sola, convertida en tortolilla, creedme que fue un prodigio de fe.

—Dejemos maravillas que caducan, dijo Andrenio: ¿no hay alguna moderna? ¿No hace ya milagros el mundo? Sin duda es que así como dicen que van degenerando los hombres, siendo más pequeños cuanto más va, de suerte que cada siglo marcan un dedo, y a este paso vendrán a parar en títeres y figurillas, que ya poco les falta a algunos; sospecho que también los corazones se les van achicando y así se halla tanta falta de aquellos grandes sujetos que conquistaban mundos, que fundaban ciudades, dándolas sus nombres, que era su real *faciebat*. Ya no hay Rómulos, ni Alejandros, ni Constantinos. —También se hallan algunas maravillas flamantes, respondió Argos, sino que como se miran de cerca, no parecen. —Antes habían de verse más, que cuanto más de cerca se miran las cosas mucho mayores parecen. —¡Oh, no!, dijo Argos, que la vista de la estimación es muy diferente de la de los ojos en esto del aprecio. Con todo esto, atención a aquellas sublimes agujas que campean en la gran cabeza del Orbe. —Aguarda, dijo Critilo, aquella tan señalada es la gran cabeza del mundo. —¿Cómo puede ser, si está entre pies de Europa, a pierna tendida de Italia, por medio del Mediterráneo y Nápoles su pie? —Ésa, que te parece a ti andar entre pies de la tierra, es el Cielo, coronada cabeza del mundo y muy señora de todo él, la sacra y triunfante Roma, por su valor, saber, grandeza, mando y religión, Corte de personas, oficina de hombres, pues restituyéndolos a todo el mundo, todas las demás ciudades la son colonias de policía. Aquellos empinados obeliscos que en sus plazas majestuosamente se ostentan, son plausibles maravillas modernas, y advertid una cosa: que con ser tan gigantes aún no llegan con mucho a la superioridad de prendas de sus Santísimos dueños. ¿Ahora no me dirás una verdad? ¿Qué pretendieron estos sacros héroes con estas agujas tan excelsas que aquí algún misterio apuntan, digno de su piadosa grandeza? —¡Oh, sí!, respondió Argos; lo que pretendieron fue coser la Tierra con el Cielo, empresa que pareció imposible a los mismos Césares, y éstos la consiguieron.

—¿Qué estás mirando tú con tan juicioso reparo? —Miro, dijo Andrenio, que en cada provincia hay que notar aquel murciélago de ciudades, anfibia Corte, que ni bien está en el mar, ni bien

en tierra, siempre a dos vertientes. —¡Oh, qué política!, exclamó
Argos, que tan de sus principios le viene, tan fundamentalmente
comienza, y de este su bravo modo de estar celebraba el bravo
Duque de Osuna la razón de su estado: aquélla es la nombrada
canal, con que del mismo mar saben traer acanalada su conveniencia. —¿No hay maravillas en España?, dijo Critilo, volviendo
la mira a su centro. ¿Qué ciudad es aquélla, que tan en punta
parece que amenaza al Cielo? —Será Toledo, que a fianzas de
sus discreciones aspira a taladrar las estrellas, si bien ahora no
la tiene. —¿Qué edificio tan raro es aquél, que desde el Tajo sube
escalando su Alcázar, encaramando cristales? —Ése es el tan celebrado artificio de Juanelo, una de las maravillas modernas. —No
sé yo por qué, replicó Andrenio, si al uso de las cosas artificiosas
tuvo más de gusto que de provecho. —No discurría así, dijo Argos, cuando lo vio el eminentemente discreto Cardenal Triburcio,
pues dijo que no había habido en el mundo artificio de más utilidad. —¿Cómo pudo decir eso quien tan al caso discurría? —Ahí
veréis, dijo Argos, enseñando a traer el agua a su molino desde
sus principios, haciendo venir de un cauce en otro al Palacio del
Católico Monarca, el mismo río de la Plata, las pesquerías de
las perlas, el uno y otro mar con la inmensa riqueza de ambas
Indias.

—¿Qué palacio será aquél, preguntó Critilo, que entre todos
los de la Francia se corona de las flores de oro? —Gran casa y
gran cosa, respondió Argos. Ése es el trono real, ésa la más brillante esfera, ése el primer palacio del Rey Cristianísimo en su
gran Corte de París y se llama el Lobero. —¿El Lobero? ¡Qué
nombre tan poco cortesano y qué sonsonete tan de grosería! Por
cualquier parte que le busquéis, la denominación suena poco y
nada bien. Llamárase el Jardín de los más fragantes lirios, el
quinto Cielo de tanto Cristianísimo Marte, la popa de los soplos
de la Fortuna; pero el Lobero no es nombre decente a tanta majestad. —He que no lo entendéis, dijo Argos; creedme que dice
más de lo que suena y que encierra gran profundidad. Llámase
el Lobero (y no voy con vuestra malicia) porque ahí se les ha
armado siempre la trampa a los rebeldes lobos con pie de ovejas,
digo aquellas terribles fieras hugonotes. —¡Oh, qué brillante alcázar aquel otro, dijo Andrenio, corona de los demás edificios,
fuente de lucimiento, comunicándoles a todos las luces de su per-
manente resplandor. ¿Si sería del augusto Fernando Tercero, aquel
gran César que está hoy esparciendo por todo el orbe el resplandor de sus ejemplos? También podría ser de aquel valerosa-
mente religioso monarca Juan Casimiro de Polonia, victorioso
primero de sí mismo y triunfante después de tanto monstruo rebelde. ¡Oh, qué claridad de alcázar y qué rayos están esparciendo
a todas partes, merece serlo del mismo sol! —Y lo es, respondió
Argos, digo de aquella sola Reina, entre cuantas hay, la inmortal
Virtelia, mas por allí habéis de encaminaros para bien ir. —Yo

allá voy desde luego, dijo Critilo. —Y allí veréis, añadió Argos,
que aunque es tan majestuoso y brillante aún no es digno epiciclo
de tanta belleza.

Estando en esta divertida función de grandezas vieron venir
hacia sí cierta maravilla corriente; era un criado pronto, y lo que
más les admiró fue que decía bien de su amo. Preguntó en llegando cuál era el Argos verdadero, cuando todos por industria
lo parecían. —¿Qué me quieres?, respondió el mismo. —A ti me
envía un caballero, cuyo nombre y fama es Salastano, cuya casa
es un teatro de prodigios, cuyo discreto empleo es lograr todas
las maravillas, no sólo de la naturaleza y arte, pero más las de
la fama, no olvidando las de la fortuna, y con tener hoy ateso-
radas todas las más plausibles, así antiguas como modernas, nada
le satisface, hasta tener alguno de tus muchos ojos, para la admiración y para la enseñanza. —Toma éste de mi mano, dijo
Argos, y llévaselo depositado en este cofrecillo de cristal, y dírasle
que lo emplee en tocar con ocular mano todas las cosas antes
de creerlas. Partíase tan diligente como gustoso, cuando dijo Andrenio: —Aguarda, que me ha salteado una curiosa pasión de
ver esa cara de Salastano y lograr tanto prodigio. —Y a mí de
procurar su amistad, añadió Critilo, ventajosa felicidad de la vida.
—Id, confirmó Argos, y en tan buena hora, que no os pesará
en toda la vida.

Fue el viaje peregrino, oyéndole referir cosas bien raras: —Solas las que he diligenciado, decía, pudieran admirar al mismo
Plinio, a Gesnero y a Aldrobando, y dejando los materiales portentos de la naturaleza, allí veréis en fieles retratos todas las
personas insignes de los siglos, así hombres como mujeres, que
de verdad las hay; los sabios y los valerosos, los Césares y las
Emperatrices, no ya en oro, que ésa es curiosidad ordinaria, sino
en piedras preciosas y en camafeos. —Ésa, dijo Critilo, con vuestra licencia la tengo por una diligencia inútil, porque yo más
querría ver retratados sus relevantes espíritus que el material
gesto, que comúnmente en los grandes hombres carece de belleza.
—Uno y otro lograréis en caracteres de sus hazañas, en libros
de su doctrina y sus retratos también, que suele decir mi amo
que después de la noticia de los ánimos es parte del gusto ver
el gesto, que de ordinario suele corresponder con los hechos; y
si por ver un hombre eminente, un Duque de Alba los entendidos,
un Lope de Vega los vulgares, caminaban muchas leguas apreciando las eminencias, aquí se caminan siglos. —Primor fue siempre de acertada política, ponderó Critilo, eternizar los varones
insignes en estatuas, en sellos y en medallas, ya para ideas a los
venideros, ya para premio a los pasados, véase que fueron hombres y no son imposibles sus ejemplos. —Al fin, dijo el criado,
háselos entregado a la Antigüedad a mi amo, que ya que no los
pudo eternizar en sí mismos, se consuela de conservarlos en imágenes. Pero las que muchos celebran y las miran, y aun llegan

a tocarlas con las manos, son las mismas cadenillas de Hércules,
que procediéndole a él de la lengua aprisionaban a los demás de
los oídos, y quieren decir las hubo de Antonio Pérez. —Ésa es
una gran curiosidad, ponderó Critilo, garabato para llevarse el
mundo tras sí. ¡Oh, gran gracia la de las gentes! —¿Y de qué
son?, preguntó Andrenio, porque de hierro cierto es que no serán.
—En el sonido parecen de plata y en la estimación de perlas, de
una muy cortesana elocuencia.

A este modo les fue refiriendo raras curiosidades, cuando descubrieron desde un puesto bien picante, en el centro de un gran
llano, una ciudad siempre victoriosa. —Aquel ostentoso edificio
con rumbos de palacio, dijo, es la noble casa de Salastano, y éstos
que ya gozamos, sus jardines. Fuelos introduciendo por un tan
delicioso cuan dilatado parque, que coronaban frondosas plantas
de Alcides, prometiéndole en sus hojas, por símbolos de los días,
eternidades de fama. Comenzaron a registrar fragantes maravillas,
hallaron luego con el mismo laberinto de azahares, cárcel del
secreto, amenazando riesgos al que le halla y evidentes al que le
descubre. Más adelante se veía un estanque, gran espejo del Cielo,
surcado de numerosos cisnes, y aislado en medio de él un florido
peñón, ya culto Pindo. Paseábale la vista por aquellas calles, entapizadas de rosas y mosquetas, alfombradas de amaranto, la
hierba de los héroes, cuya propiedad es inmortalizarlos. Admiraron el loto, planta también ilustre, que de raíces amargas de la
virtud rinde los sabrosos frutos del honor. Gozaron flores a toda
variedad, y todas raras, unas para la vista, otras para el olfato
y otras hermosamente fragantes, acordando misteriosas transfor-
maciones. No registraban cosa que no fuese rara, hasta las sabandijas tan comunes en otras huertas aquí eran extraordinarias, porque estaban los camaleones en alcándaras de laureles, dándose
hartazgos de vanidad. Volaban sin parar las efímeras, traídas del
Bósforo con sus cuatro alas, solicitando la comodidad para siglos,
no habiendo de vivir sino un día, viva imagen de la necia codicia. Aquí se oían cantar, y las más veces gemir, las pintadas ave-
cillas del Paraíso, con picos de marfil pero sin pies, porque no
le han de hacer en cosa terrena. Sintieron un ruido, como de
campanilla, y al mismo instante apretó a huir el criado, voceándoles su riesgo en ver el venenoso Zárate, que él mismo cecea,
para que todo entendido huya de su lascivo aliento.

Entraron con esto dentro de la casa, donde parecía haber de-
sembarcado la de Noé, teatro de prodigios tan a sazón que estaba
actualmente el discreto Salastano haciendo ostentación de maravillas a la curiosidad de ciertos caballeros de los muchos que
frecuentan sus camarines. Hallábase allí Don Juan de Balboa,
Teniente de Maestre de Campo General, y Don Alfonso de Mercado, Capitán de Corazas Españolas, ambos muy bien hablados,
tan alumnos de Minerva como de Belona, con otros de su discreción bizarra. Tenía uno en la mano celebrando con lindo gusto

una redomilla llena de lágrimas y suspiros de aquel filósofo llorón, que más abría los ojos para llorar que para ver, cuando de
todo se lamentaba. *(Heráclito.)* —¿Qué hiciera éste si hubiera
alcanzado nuestros tiempos?, ponderaba Don Francisco de Araujo
(Capitán también de Corazas, baste decir portugués para galante
y entendido); si él hubiera visto lo que nosotros, y pasado tal fatalidad de sucesos y tal conjuración de monstruosidades, sin duda
que hubiera llenado cien redomas, o se hubiera podrido de todo
punto. —Yo, dijo Balboa, más estimara un otro frasquillo de las
carcajadas de aquel otro socarrón, su antípoda, que de todo se
reía. *(Demócrito.)* —Eso, señor mío, de la risa, respondió Salastano, yo la gasto y el otro la guarda. —¡Oh, cómo llegamos a
buen punto, dijo el criado, presentándole el nuevo ocular portento, para que se desengañe Critilo, que no acaba de creer haya
en el mundo muchas de las cosas raras que ha de ver esta tarde.
Suplícote, señor, me desempeñes a excesos. —Pues ¿en qué dudáis?, dijo Salastano después de haber hecho la salva a su venida,
¿qué os puede parecer ya imposible, viendo lo que pasa? ¿Qué
queda ya que dudar en los ensanches de la fortuna, que ya los
prodigios de la naturaleza y arte no suponen? —Yo os confieso,
dijo Critilo, que he tenido siempre por un ingenioso embeleco el
Basilisco, y no soy tan sólo que sea necio, porque aquello de
matar en viendo parece una exageración repugnante, en que el
hecho está desmintiendo el testigo de vista. —¿En eso ponéis
duda?, replicó Salastano; pues advertid que éste no le tengo yo
por prodigio sino por un mal cotidiano, pluguiera al Cielo no fuera
tanta verdad, y si no decidme: ¿un médico, en viendo un enfermo,
no le mata? ¿Qué veneno como el de su tinta en un récipe? ¿Qué
basilisco más criminal y pagado que un Harmócrates, que aun
soñando mató a Andrágoras? Dígoos que dejan atrás a los mismos basiliscos, pues aquéllos, poniéndoles un cristal delante, ellos
se matan a sí mismos, y éstos, poniéndoles un vidrio, que trajeron
de un enfermo, con sólo mirarle le echan en la sepultura, estando
cien leguas distante. —Déjenme ver el el proceso, dice el Abogado,
quiero ver el testamento, veamos papeles; y tal es el ver, que acaba con la hacienda y con la sustancia del desdichado litigante,
que en ir a él ya fue mal aconsejado. Pues que un Príncipe con
sólo decir: Yo lo veré, no deja consumido a un pretendiente, ¿no
es el Basilisco mortal una belleza, que si la miráis, mal, y si ella
os mira, peor? ¿Con cuantos ha acabado aquel vulgar veremos,
el pesado veámonos, el prolijo verse ha, y el vicio «ya lo tengo
visto y todo mal mirado no mata»? Creedme, señores, que está
el mundo lleno de Basiliscos del ver y aun del no ver, por no
ver y no mirar; así estuvieran todos como éste, y mostróles uno
embalsamado.

—Yo también, prosiguió Andrenio, siempre he tenido por un
encarecimiento ingenioso el Unicornio, aquello de que en bañando
él su punta, al punto purifica las emponzoñadas aguas: está bien

ínventado, mas no experimentado. —Más dificultoso es eso, respondió Salastano, porque hacer bien, más raro es en el mundo que hacer mal, más usado el matar que el dar vida; con todo veneramos algunos de estos prodigios salutíferos, que con la eficacia de su buen celo han ahuyentado los pestilentes venenos y purificado las aguas populosas. Y si no decidme: aquel nuestro inmortal héroe, el Rey Católico Don Fernando, ¿no purificó a España de moros y de judíos? Siendo hoy el Rey más Católico que reconoce la Iglesia, el Rey Don Felipe el Dichoso, porque bueno, ¿no purgó otra vez a España del veneno de los moriscos en nuestros días? ¿No fueron éstos salutíferos Unicornios? Bien es verdad que en otras provincias no se hallan así frecuentes, ni tan eficaces como en éste, que si eso fuera, no hubiera ya ateísmos donde yo sé, ni herejías donde yo callo, cismas, gentilismos, perfidias, sodomías y otros mil géneros de monstruosidades. —¡Oh, señor Salastano!, replicó Critilo, que ya hemos visto algunos de éstos en otras partes, que han procurado con cristianísimo valor desvelar las oficinas de veneno rebelde a Dios y al Rey, donde se habían hecho fuertes estas ponzoñosas sabandijas. —Yo lo confieso, dijo Salastano, mas temo no fuese más por razón de Estado: digo, no tanto por ser rebeldes al Cielo cuanto a la Tierra, y si no decidme: ¿a qué otros Reinos extraños los desterraron? ¿Qué Áfricas poblaron de herejes, como Felipe de moriscos? ¿Qué tributos a millones perdieron, como Fernando? ¿Qué Ginebras han arrasado, qué Moravias despoblado, como hoy día el piadoso Ferdinando? —No os canséis, que esa pureza de fe, ponderó Balboa, sin consentir mezcla, sin sufrir un átomo de veneno infiel, creedme que es felicidad de los Estados de la Casa de España y de Austria, debida a sus coronados Unicornios. —A cuyo real ejemplo, prosiguió Salastano, vemos sus cristianos generales y virreyes limpiar las provincias que gobiernan y los ejércitos que conducen del veneno de los vicios. Don Álvaro de Sande, tan religioso como valiente, ¿no desterró los juramentos de la católica milicia, condenándolos a infamia? ¿Don Gonzalo de Córdoba, no purificó los ejércitos de insultos y torpezas? ¿El Duque de Alburquerque en Cataluña y el Conde de Oropesa en Valencia, no libraron aquellos dos reinos, siendo justicieros Presidentes, del veneno sanguinario bandolero? ¿Qué tósigo de vicios no ha ahuyentado en éste nuestro Reino de Aragón con su ejemplo y con su celo el inmortal Conde de Lemos? Llegaos a este camarín, que os quiero franquear los muchos preservativos y contravenenos que yo guardo. En este rico vaso de Unicornio han brindado la pureza de la fe los Católicos Reyes de España. Estas arracadas, también de Unicornio, traía la Católica Reina doña Isabel para guardar el oído de ponzoña de las informaciones malévolas. Con este anillo confortaba su invicto corazón el emperador Carlos V. En esta caja confeccionada de aromas, llegaos y percibid su fragancia, han conservado siempre el buen nombre de su honestidad y recato

las señoras Reinas de España. Fueles mostrando otras muchas
piezas muy preciosas, haciendo la prueba y confesando todas su
virtud eficaz.

—¿Qué dos puñales son aquellos que están en el suelo, preguntó Araujo, que aunque van por tierra no carecen de misterio?
—Ésos fueron, respondió Salastano, los puñales de ambos Brutos;
y dándoles el pie, sin quererlos tocar con su leal mano, éste, dijo,
fue de Juno, y este otro de Marco. —Con razón los tenéis en tan
despreciado lugar, que no merecen otro las traiciones, y más contra su Rey y Señor, aunque sea el monstruo tarquinado. —Decís
bien, respondió Salastano, pero no es ésa la razón principal por
que los he arrojado en el suelo. —Pues ¿cuál será juiciosa? —Porque ya no admiran; en otro tiempo, por singulares, se podrían
aguardar, mas ya no suponen, no espantan ya, antes son niñería
después que un cuchillo infame en la mano de un verdugo, man-
dado de la mal ajustada justicia, llegó a la real garganta. Pero no
me atrevo yo a referir lo que ellos ejecutan: erizándoseles los cabellos a cuantos lo oyeron, oyen y oirán, único no ejemplar, sino
monstruo; sólo digo que ya los Brutos se han quedado muy atrás.
—Algunas cosas tenéis aquí, señor Salastano, que no merecen
estar entre las demás, dijo Critilo; mucha desigualdad hay, porque
de qué sirve aquel retorcido caracol que allí tenéis, una alhaja
tan vil que anda ya en boca de villanos? Para recoger bestias:
¡eh, sacadle de aquí, que no vale un caracol! Aquí, suspirando,
Salastano dijo: —¡Oh, tiempos; oh, costumbres! Este mismo, ahora
tan profanado, en aquel dorado siglo resonaba por todo el orbe
en la boca de un Tritón pregonando las hazañas, llamando a ser
personas, y convocando los hombres a ser héroes.

Mas si ése os parece civil reparo, quiero mostraros el prodigio
que yo más estimo: hoy habéis de ver los bizarrísimos airones,
los encrespados penachos de la misma Fénix. Aquí, sonriéndose
todos: —¿Qué otro ingenioso imposible es ése?, dijeron. Pero Salastano: —Ya sé que muchos la niegan y los más la dudan y
que no la habéis de creer, mas yo quedaré satisfecho con mi
verdad; yo también a los principios la dudé, y más que en nuestro
siglo la hubiese; con esa curiosidad no perdoné ni a diligencia
ni a dinero, y como éste dé alcance a cuanto hay, aun los mismos
imposibles, haciendo reales los entes de razón, hallé que verdaderamente la hay y las ha habido, bien que raras y una sola en
cada siglo, y si no decidme: ¿cuántos Alejandros Magnos ha habido en el mundo, cuántos Julios en tantos Agostos? ¿Qué Teo-
dosios, qué Trajanos? En cada familia, si bien lo censuráis, no
hallaréis sino una Fénix, y si no pregunto: ¿Cuántos Don Her-
nando de Toledo ha habido Duques de Alba? ¿Cuántas Anas de
Memoransi? (Montmorency). ¿Cuántos Álvaros Bazanes Marque-
ses de Santa Cruz? Un solo Marqués del Valle admiramos, un
Gran Capitán Duque de Sesa aplaudimos, un Vasco de Gama y
un Alburquerque celebramos. Hasta de un nombre no oiréis dos

famosos: sólo un Don Manuel Rey de Portugal, un solo Carlos V
y un Francisco I de Francia. En cada linaje no suele haber sino
un hombre docto, un valiente y un rico, esto yo lo creo, que las
riquezas no envejecen. En cada siglo no se ha conocido sino un
orador perfecto, confiesa el mismo Tulio, un filósofo, un gran
poeta, una sola Fénix ha habido en muchas provincias, como un
Carlos en Borgoña, Castrioto en Chipre, Cosme en Florencia, y
Don Alfonso el Magnánimo en Nápoles, y aunque este nuestro
siglo ha sido tan pobre de eminencias en la realidad, con todo
eso quiero ostentar las plumas de algunos inmortales Fénix. Ésta
es —yo sacó una bellísimamente coronada— la pluma de la Fama
de la Reina nuestra Señora Doña Isabel de Borbón, que siempre
lo han sido las Isabeles en España, con excepción de la singularidad. Con esta otra voló a la esfera de la inmortalidad la más
preciosa y más fecunda Margarita. Con éstas coronaban sus celadas el Marqués Espínola, Galaso Picolomini, Don Felipe de
Silva y hoy el de Mortara. Con estas otras escribieron Baronio,
Belarmino, Barbosa, Lugo y Diana, y con ésta el Marqués Virgilio Malveci. Confesaron todos la enterísima verdad y convirtieron
sus incredulidades en aplausos.

—Todo esto está bien, replicó Critilo, sólo una cosa yo no
puedo acabar de creer, aunque muchos la afirman. —¿Y qué es?,
preguntó Salastano. —No hay que tratar, que yo no la he de
conceder; he que no es posible, no os canséis, que no lleva camino. —¿Es acaso aquel pescadillo tan vil y tan sin jugo, sin
sabor y sin saber, que en fe de su flaqueza ha detenido tantas
veces los navíos de alto bordo, y las mismas Capitanas Reales,
que iban viento en popa al puerto de su fama? Porque éste, aquí
le tengo ya accinado. —No es sino aquel prodigio de la mentira,
aquel superlativo embeleco, aquel mayor imposible: el Pelícano.
Yo confieso que hay Basilisco, yo creo el Unicornio, yo celebro
la Fénix, yo paso por todo, pero el Pelícano no lo puedo tragar.
—Pues ¿en qué reparáis? ¿Por ventura en el picarse el pecho,
alimentando con sus entrañas sus polluelos? —No, por cierto, ya
yo veo que es padre y que el amor obra tales excesos. —¿Dudáis
acaso en que ahogados de la envidia los resucite? —Menos, que
si la sangre hierve, obra milagros. —Pues ¿en qué reparáis? —Yo
os lo diré: en que haya en el mundo quien no sea entremetido,
que se halle uno que no guste de hablar, que no mienta, no murmure, no enrede, que viva sin embeleco, éste yo no lo he de
creer. —Pues advertid que este pájaro solitario en nuestros días
lo vimos en el Retiro, entre otras aladas maravillas. —Si eso es
así, dijo Critilo, él dejó de ser ermitaño y se puso a entrometido.

—¿Qué arma tan extraordinaria es aquélla?, preguntó, como
tan soldado, Don Alonso Estorea. Respondió Salastano: —Y fue
de la reina de las Amazonas, trofeo de Hércules, con el Bulteo,
que pudo entrar en docena. —¿Y es preciso, replicó Mercado,
creer que hubo Amazonas? —No sólo que las hubo, sino que

las hay de hecho y en hechos: ¿y que no lo es hoy la Serenísima señora Doña Ana de Austria, florida Reina de Francia? Así como lo fueron siempre todas las Señoras Infantas de España, que coronaron de felicidades y de sucesión aquel Reino. ¿Qué es sino una valerosa Amazona la esclarecida Reina polona, Belona digo, Cristiana, siempre al lado de su valeroso Marte en las campañas? ¿Y la Excelentísima Duquesa de Cardona no se portó como tal, encarcelada donde había sido Virreyna?

—Pero venerando, que no olvidando tantos plausibles prodigios, quiero que veáis otro género de ellos, tenidos por increíbles, y al mismo punto les fue mostrando con el dedo un hombre de bien en estos tiempos, un Oidor sin manos pero con palmas, y, lo que es más, sin mujer; un grande de España desempeñado; un Príncipe, en esta era, dichoso; una Reina fea; un Príncipe oyendo verdades; un letrado pobre; un poeta rico; una persona Real que murió sin que se dijese de veneno; un español humilde; un francés grave y quieto; un alemán aguado, y juró Balboa era el Barón de Sábac; un privado no murmurando; un príncipe cristiano en paz; un docto premiado; una viuda de Zaragoza flaca; un necio descontento; un casamiento sin mentira; un indiano liberal; una mujer sin enredo; uno de Calatayud en el Limbo; un portugués necio; un real de a ocho en Castilla; Francia pacífica; el Septentrión sin herejes; el mar constante, la tierra igual y el Mundo mundo.

En medio de esta folla de maravillas entró un otro criado, que en aquel punto llegaba de muy lejos, y recibiólo Salastano con extraordinarias demostraciones de gusto. —Seas tan bien llegado como esperado; ¿hallaste, dime, aquel portento tan dudado? —Señor, sí. —¿Y tú le viste? —Y le hallé. —¿Qué tal preciosidad se halla en la tierra, que es verdad? Ahora digo, señores, que es nada cuanto habéis visto; ciegue el Basilisco, retírese la Fénix, enmudezca el Pelícano. Estaban tan atónitos cuan atentos los discretos huéspedes, oyendo tales exageraciones, muy deseosos de saber cuál fuese el objeto de tan grande aplauso. —Dinos presto lo que viste, instó Salastano, no nos atormentes con suspensiones. —Oíd, señores, comenzó el criado, la más portentosa maravilla de cuantas habéis visto ni oído. Pero lo que él les refirió diremos fielmente, después de haber contado lo que le pasó a la Fortuna con los Bragados y Cornados.

CRISI III

LA CÁRCEL DE ORO Y CALABOZOS DE PLATA

Cuentan, y yo lo creo, que una vez entre otras, tumultuaron los franceses y con la ligereza que suelen se presentaron delante de la Fortuna tragando saliva y vomitando saña. —¿Qué murmuráis de mí, dijo ella misma, que me he vuelto española? Sed vosotros

cuerdos que nunca para mi rueda. Por eso lo es; ni a vosotros os
para cosa en las manos, todo se os rueda de ellas. Será sin duda
algún antojo, y por lo envidioso, de larga vista de la felicidad de
España. —¡Oh, madrastra nuestra, respondieron ellos, y madre de
los españoles, cómo te sangras en salud! ¿Es posible que siendo
la Francia la flor de los Reinos, por haber florido siempre en
todo lo bueno desde el primer siglo hasta hoy, coronada de Reyes
santos, sabios y valerosos, Silla un tiempo de los Romanos Pon-
tífices, Trono de la tetrarquía, teatro de las verdaderas hazañas,
escuela de sabiduría, engaste de la nobleza y centro de toda la
virtud, méritos todos dignos de los primeros favores y de inmortales premios; ¿es posible que dejándonos a nosotros en las flores
les des a los españoles los frutos? ¿Qué mucho hagamos sentimiento contigo si tú con ellos haces excesos de favor? Dísteles
las unas y las otras Indias, cuando a nosotros una Florida en el
nombre, que en la realidad muy seca; y como cuando tú comienzas a perseguir los unos y a favorecer los otros no paras hasta
que apuras, has llegado a verificar con ellos los que antes se
tenían por entes de quimera, haciendo prácticos los mismos imposibles, como son Ríos de Plata, Montes de Oro, Golfos de
Perlas, Bosques de Aromas, Islas de Ámbares; y sobre todo los
has hecho señores de aquella verdad soñada, donde los ríos son
de miel, los peñascos de azúcar, los terrenos de bizcochos, y con
tantos y tan sabrosos dulces que es el Brasil un Paraíso confitado.
Todo para ellos y para nosotros nada, ¿cómo se puede tolerar?
—No digo yo, exclamó la Fortuna, que vosotros sois unos ingratos, pobres necios. ¿Cómo que no os he dado Indias? ¿Eso podéis
negar con verdad? Y si no decidme: ¿Qué Indias para Francia
como la misma España? Venid acá: lo que los españoles ejecutan
con los indios, ¿no lo desquitáis vosotros con los españoles? Si
ellos los engañan con espejillos, cascabeles y alfileres, sacándoles
con cuentas los tesoros sin cuento, vosotros con lo mismo, con
peines, con estuchitos y con trampas de París, ¿no les volvéis a
chupar a los españoles toda la plata y todo el oro, y esto sin
gastos de flotas, sin disparar una bala, sin derramar una gota de
sangre, sin lograr minas, sin penetrar abismos, sin despoblar vuestros Reinos, sin atravesar mares? Andad y acabad de conocer esta
certísima verdad y estimadme este favor: creedme que los españoles son vuestros indios, y aun más desatentos, pues con sus
flotas os traen a vuestras casas la plata ya acuñada y ya acen-
drada, quedándose ellos con el vellón, cuando más trasquilados.
No pudieron negar esta verdad tan clara; con todo eso no parecían quedar satisfechos, antes andaban murmurando allá entre
dientes: —¿Qué es eso que dijo la Fortuna? —Hablad claro, acabad, decid. —Quisiéramos, Madama, que ese favor fuera cumplido y que así como nos has dado el provecho nos dieses también la honra, para que nos trajésemos a casa la plata sirviendo
a los españoles con la vileza que sabemos y la esclavitud que

callamos. —¡Oh, qué lindo!, alzó la voz la Fortuna. ¡Bueno, por mi vida! Monsiures: honra y doblones no caben en un saco; ¿no sabéis que allá cuando se partieron los bienes, a los españoles les cupo la honra, a los franceses el provecho, a los ingleses el gusto y a los italianos el mando? Cuán incurable sea esta hidropesía intenta ponderar esta Crisi, después de haberse desempeñado de aquel plausible portento que el criado de Salastano, con gran gusto de todos, refirió de ésta suerte.

—Partí, señor, en virtud de su precepto en busca de aquel raro prodigio, el amigo verdadero; fui preguntando por él a unos y a otros y todos me respondían con más risa que palabras: a unos se les hacía nuevo, a otros inaudito y a todos imposible. Amigo fiel y verdadero y como ha de ser, y en estos tiempos y en este país, más lo extrañaban que el Fénix. Amigos de la mesa, del coche, de la Comedia, de la merienda, de la huelga, del paseo, del día de la boda, en la privanza y en la prosperidad, me respondió Timón el de Luciano, de estos bien hallaréis hartos, y más cuanto más hartos, que a la hora del comer son sabañones y a las del ayudar son callos. —Amigos mientras me duró el valimiento tenía yo, dijo un caído, no tenían número por muchos, ni ahora por ninguno. Pasé adelante y díjome un discreto: —¿Cómo es eso? ¿De modo que buscáis un otro yo? Ese misterio sólo en el Cielo se halla. —Yo he visto cerca de cien vendimias, me respondió uno, y diría verdad porque parecía del buen tiempo, y con que toda la vida he buscado un amigo verdadero no he podido hallar sino medio, y ése a prueba. —Allá en el tiempo que rabiaban los Reyes, digo cuando se enojaban, oí contar, dijo una vieja, de un cierto Pílades y Orestes una cosa como ésa; pero a fe, hijo, yo siempre lo he tenido más por conseja que por consejo. —No os canséis en ello, me juró y votó un soldado español, porque yo he rodado y aun rodeado todo el mundo, y siempre por tierras de mi Rey, y con que he visto cosas bien raras como los gigantes en la Tierra del Fuego, los Pigmeos en el aire, las Amazonas en las aguas de su Río, los que no tienen cabeza, que son muchos, y los de solo un ojo, y éste en el estómago, los de solo un pie a lo grullo, sirviéndoles de tejado; los Sátiros y los Faunos, Batuecos y Chichimecos, sabandijas todas que caben en la gran Monarquía Española; yo no he hallado este prodigio que ahora oigo. Sólo dejé de ver la Isla Atlántida, por incógnita, podría ser que allí estuviese, como otras cien mil cosas buenas que no se hallan. —Que no está tan lejos como eso, le dije, antes me aseguran que le he de hallar dentro de España. —Eso no creeré yo, replicó un crítico, porque primeramente él no estará donde hincan el clavo por la cabeza, nunca cediendo al ajeno dictamen, aun del más acertado amigo. Menos donde de cuatro partes las cinco son palabras, y amistades obras, y obras son amores. Pues donde no se dejan faltar, sino por servirles farautes, tampoco, que aun de sí mismos no se dignan aquellos señores hidalgos. En tierra corta, donde todo es poca cosa, yo lo dudo, y hablemos quedo no nos oigan, que harán punto de esto mismo. Pues donde todo se va en flor, sin fruto, es cosa de risa, y allí todos los hidalgos, aunque muchos, corren a lo de Guadalajara. —¿Y en Cataluña, señor mío?, repliqué yo. —Ahí podría aún ser, que los catalanes saben ser amigos de sus amigos, también son malos para enemigos; bien se ve, piénsanlo mucho antes de comenzar una amistad, pero una vez confirmada, hasta las aras. —¿Cómo puede ser esto, instó un forastero, si allí se hereda la enemistad y hasta más allá del caducar la venganza, siendo fruta de la tierra la bandolina? —Y aun por eso, respondió, que quien no tiene enemigos, tampoco suele tener amigos. Con estas noticias me fui empeñando la Cataluña adentro, corrila toda, que bien poco me faltaba cuando sentíme atraer el corazón de los imanes de una agradable estancia, antigua casa, pero no caduca. Fuime entrando por ella, como Pedro por ésa, y notando a toda observación cuanto veía, que de las alhajas de una casa se colige el genio de su dueño. No encontré en toda ella ni con niños ni con mujeres; hombres sí, y mucho, aunque no muchos, que a prueba me introdujeron allá. Criados pocos, que de los enemigos, los menos. Estaban cubiertas las paredes de retratros, en memoria de los ausentes, alternado con unos grandes espejos, y ninguno de cristal, por excusar toda quiebra; de acero sí, y de plata, tan tersos y tan claros como fieles. Todas las ventanas, con sus cortinillas, no tanto defensivo contra el calor como contra las moscas, que aquí no se toleran ni enfadosos ni entremetidos. Penetramos al corazón de la casa, al último retrete, donde estaba un prodigio triplicado, un hombre compuesto de tres, digo tres que hacían uno, porque tenía tres cabezas, seis brazos y seis pies. Luego que me brujuleó me dijo: —¿Búscasme a mí, o a ti mismo? ¿Vienes al uso de todos, que es buscarse a sí mismos cuando más parece que buscan un amigo? Y si no se advierte antes, se experimenta después, que no los trae otro que su provecho o su honra o su deleite. —¿Quién eres tú, le dije, para saber si te busco aunque por lo raro ya podría? —Yo soy, me respondió, el de tres uno, aquel otro yo, idea de la amistad, norma de cómo han de ser los amigos; yo soy el tan nombrado Gerión. Tres somos y un solo corazón tenemos: que el que tiene amigos buenos y verdaderos tantos entendimientos logra; sabe por muchos, obra por todos, conoce y discurre con los entendimientos de todos, ve por tantos ojos, oye por tantos oídos, obra por tantas manos y diligencia con tantos pies, tantos pasos da en su conveniencia como dan todos los otros; mas entre todos un solo querer tenemos, que la amistad es una alma en muchos cuerpos. El que no tiene amigos, no tiene pies, no tiene manos, manco vive, a ciegas camina, y ¡ay del solo, que si cayere no tendrá quien le ayude a levantar!

Luego que le oí, exclamé: —¡Oh, gran prodigio de la amistad verdadera, aquella gran felicidad de la vida, empleo digno de la edad varonil, ventaja única del ya hombre, a ti te busco, criado soy de quien tan bien te estima cuan bien te conoce y hoy solicita tu correspondencia, porque dice que sin amigos del genio y del ingenio no vive un entendido ni se logran las felicidades, que hasta el saber es nada si los demás no saben que tú sabes. —Ahora digo, me respondió el Gerión, que es bueno para amigo Salastano, buen gusto tiene en tenerlos, que lo demás es envidiarse los bienes con necia infelicidad. ¡Oh, qué bien decía aquel grande amigo de sus amigos, y que tan bien lo sabía ser, el Duque de Nochera: No me habéis de preguntar qué quiero comer hoy, sino con quién, que del convivir se llamó convite! De esta suerte fue celebrando las excelencias de la amistad: —Y a lo último quiero, dijo, que registres mis tesoros, que para los amigos siempre están patentes, y aun ellos son los mayores. Mostróme primero la granada de Darío, ponderando que los tesoros del sabio no son los rubíes, ni los zafiros, sino los Zopiros. —Mira bien esta sortija, que el amigo ha de venir como anillo en dedo; ni tan apretado que lastime, ni tan holgado que no ajuste, con riesgo de perderse. Atiende mucho a este diamante, no falso, sí al tope cuando conviene y aun haciendo punta, otras veces es cuadrado y en almohada del conejo, con muchos fondos y quilates de fineza, tan firme que ni en el yunque quiebra, expuesto a los golpes de la fortuna; ni con las llamas de la cólera salta, ni con el unto de la lisonja ni del soborno se ablanda, sólo el veneno de la sospecha le puede hacer mella. Fue haciendo erudito alarde de preciosísimos símbolos de la amistad; a lo último sacó una bujetilla de olor que despedía confortativa fragancia, y cuando yo creí ser alguna quintaesencia de ámbar realzado del almizcle, me dijo: —No es sino un rancio néctar, de un vino, aunque viejo, más jubilante que jubilado; bueno para amigo que conforte el corazón, que le alivie y que le alegre y juntamente sane las mortales llagas. Entregóme, al despedirme, esta lámina preciosa con este su retrato, dedicado a la amigable fineza. Miráronle todos con admiración y aun repararon en que aquellos rostros eran sus verdaderos retratos, ocasión de quedar declarada y confirmada la amistad entre todos, muy a la enseñanza de Gerión, feliz empleo de la varonil edad. Despidiéronse, ya sin partirse, los soldados para sus alojamientos, que en esta vida no hay casa propia; nuestros dos peregrinos del mundo, no pudiendo hacer alto en el viaje del vivir, salieron a proseguirle por la Francia.

Vencieron las asperezas del hipócrita Pirineo, desmentidor de su nombre a tanta nieve, donde muy temprano el invierno tiende sus blancas sábanas y se acuesta. Observaron con admiración aquellas gigantes murallas con que la atenta naturaleza afectó dividir estas dos primeras provincias de la Europa, a España de la Francia, fortificando la una contra la otra con muralla de rigores, dejándolas tan distantes en lo político cuanto tan confinantes en lo material; y ahora conocieron con cuánto fundamento de verdad aquel otro cosmógrafo había delineado en un mapa estas dos provincias en los dos extremos del orbe, caso bien reído de todos: de unos por no entendidos y de otros por aplaudido. Al mismo tiempo que metieron el pie en la Francia conocieron sensiblemente la diferencia en todo, en el temple, clima, aire, cielo y tierra; pero mucho más la total oposición de sus moradores en genios, ingenios, costumbres, inclinaciones, naturales, lenguas y trajes.

—¿Qué te ha parecido España?, dijo Andrenio. Murmuremos un rato de ella, aquí donde no nos oyen. —Y aunque nos oyeran, ponderó Critilo, son tan galantes los españoles que no hicieran crimen de nuestra civilidad; no son tan sospechosos como los franceses, más generosos corazones tienen. —Pues dime, ¿qué concepto has hecho de España? —No malo. —¿Luego bueno? —Tampoco. —Según eso, ¿ni bueno ni malo? —No digo eso. —Pues qué, ¿agridulce? —¿No te parece muy seca, y que de ahí les viene a los españoles aquella su sequedad de condición y melancólica gravedad? —Sí, pero también es sazonada en sus frutos y todas sus cosas son muy sustanciales. De tres cosas, dicen, se han de guardar mucho en ella, y más los extranjeros. —¿De tres solas? ¿Y qué son? —De sus vinos, que dementan; de sus soles, que abrasan, y de sus femeniles lunas, que enolquecen. —¿No te parece que es muy montuosa y aun por eso poco fértil? —Así es, pero muy sana y templada, que si fuera llana en los veranos sería inhabitable. —Está muy despoblada. —También vale una de ella por ciento de otras naciones. —Es poco amena. —No le faltan vegas muy deliciosas. —Está aislada entre ambos mares. —También está defendida, y coronada de capaces puertos y muy regalada de pescados. —Parece que está muy apartada del comercio de las demás provincias y al cabo del mundo. —Aún había de estarlo más, pues todos la buscan y la chupan lo mejor que tiene: sus generosos vinos Inglaterra, sus finas lanas Holanda, su vidrio Venecia, su azafrán Alemania, sus sedas Nápoles, sus azúcares Génova, sus caballos Francia, y sus patacones todo el mundo. —Dime, y de sus naturales, ¿qué juicio has hecho? —Ahí hay más que decir, que tienen tales virtudes como si no tuviesen vicios, y tales vicios como si no tuviesen tan relevantes virtudes. —No me puedes negar que los españoles son muy bizarros. —Sí, pero de ahí les nace el ser altivos. Son muy juiciosos, no tan ingeniosos. Son valientes, pero tardos. Son leones, mas con cuartana. Muy generosos, y aun perdidos. Parcos en el comer y sobrios en el beber, pero superfluos en el vestir. Abrazan todo lo extranjero, pero no estiman lo propio. No son muy crecidos de cuerpo, pero de grande ánimo. Son poco apasionados por su patria, y trasplantados son mejores. Son muy allegados a la razón, pero arrimados a su dictamen. No son muy devotos, pero tenaces de su religión. Y absolutamente es la primera nación de Europa, odiada porque envidiada.

Más dijeran, si no les interrumpiera su vulgar murmuración un otro pasajero que con serlo, y tan de priesa, tomaba muy de veras el vivir. Veníase encaminado hacia ellos y Critilo: —Éste, dijo, es el primer francés que hallamos; notemos bien su genio, su hablar y su proceder, para saber cómo nos habemos de portar con los otros. —Pues ¿qué, visto uno, estarán vistos todos? —Sí, que hay genio común en las naciones, y más en ésta, y la primera treta del trato es no vivir en Roma a lo húngaro, como algunos, que en todas partes viven al revés. La primera pregunta que el francés les hizo, aun antes de saludarlos, viendo que iban de España, fue si había llegado la flota. Respondiéronle que sí, y muy rica, y cuando creyeron se había de desazonar mucho con la nueva, fue al contrario, que comenzó a dar saltos de placer, haciéndose son a sí mismo. Admirado Andrenio, le preguntó: —Pues ¿de ello te alegras siendo tú francés? Y él: —¿Por qué no, cuando las más remotas naciones la festejan? —Pues ¿de qué provecho le es a Francia que enriquezca España y se aumente su potencia? —¡Oh, qué bueno está esto!, dijo el Monsiur. ¿No sabéis vosotros que un año que no vino la flota por cierto incidente no le pudieron hacer guerra al Rey Católico ninguno de sus enemigos?, y ahora, frescamente, cuando se ha alterado algo la plata del Perú, ¿no se han turbado todos los Príncipes de la Europa, y todos sus Reinos con ellos? Creedme, que los españoles brindan flotas de oro y plata a la sed de todo el mundo, y pues venís de España, muchos doblones traeréis. —No, por cierto, respondió Critilo, lo que menos nos habemos curado. —Pobre de vosotros, ¡qué perdidos venís!, exclamó el francés. Basta, que aún no sabéis vivir, con ir tan adelante, que hay muchos que aún a la vejez no han comenzado a vivir. ¿No sabéis que el hombre da principio a la vida por el deleite cuando mozo, pasa al provecho ya hombre, y acaba viejo por la honra? —Venimos, le dijeron, en busca de una Reina, que si por gran dicha nuestra la hallamos, nos han asegurado que con ella hallaremos cuanto bien se puede desear, y aun decía uno que todos los bienes le habían entrado a la par con ella. —¿Cómo decís que se nombra? —Sí, que bien nombrada es, la plausible Sofisbella. —Ya sé quién decís, ésa en otro tiempo bien bien estimada era en todo el mundo por su mucha discreción y prendas, mas ya por pobre no hay quien haga caso ni casa de ella; en viéndola sin dote en oro y plata, muchos la tienen por necia y todos por infeliz. Es cosa de cuento todo lo que no es de cuenta. Entended una cosa: que no hay otro saber como el tener; el que tiene es sabio, es galán, valiente, noble, discreto y poderoso, es Príncipe, es Rey y será cuanto él quisiere. Lástima me hacéis de veros tan hombres y tan poco personas. Ahora venid conmigo, echaremos por el atajo del valer, que aún tendréis remedio. —¿Dónde nos piensas llevar? —Donde hallaréis hombres lo que mozos despreciasteis. ¡Cómo se echa de ver que no sabéis vosotros en qué siglo vivís! Vamos andando.

que yo os lo diré. Y preguntó: ¿En cuál pensáis vivir, en el de
oro o en el de lodo? —Yo diría, respondió Critilo, que en el de
hierro, que con tantos, todo anda errado en el mundo y todo al
revés; si ya no es en el de bronce, que es peor, con tanto cañón
y bombarda, todo ardiendo en guerras, no se oye otro que sitios,
asaltos, batallas, degüellos, que hasta las mismas entrañas parece
se han vuelto de bronce. —No faltará quien diga, respondió Andrenio, que es el siglo de cobre y no de pague. Mas yo digo que
el de lodo, o cuando todo lo veo puesto de él, tanta inmundicia
de costumbres, todo lo bueno por tierra; la virtud dio en el suelo
con su letrero: aquí yace. La basura a caballo, los muladares dorados, y al cabo al cabo todo hombre es barro. —No decís cosa,
replicó el francés, aseguróos de que no es sino el siglo de oro; mira
¿quién tal creyera? Sólo el oro es el estimado, el buscado, el
adorado y querido; no se hace caso de otro, todo va a parar en
él y por él, y así dice bien, cuando más mal, aquel público maldiciente: «tutti tiramo a questo diabolo di argento».

Relucía ya, y de muy lejos, uno como palacio grande pero no
magnífico, y tan lindo como un oro. Reparó luego Andrenio y
dijo: —¡Qué rica cosa y casa, parece un ascua de oro, así luce y
así quema! —¿Qué mucho, si lo es?, respondió el Monsiur, bailando de contento, que como al dar llaman ellos bailar siempre
andan bailando. —¿Todo el palacio es de oro?, preguntó Critilo.
—Todo, desde el plinto hasta la cima, por dentro y por fuera, y
cuanto hay en él todo es oro y todo plata. —Muy sospechoso se
me hace, dijo Critilo, que la riqueza es gran comadre del vicio y
aún se dice vive mal con él. Pero ¿de dónde han podido juntar
tanto oro y tanta plata, que parece imposible? —¿Cómo de dónde? Pues si España no hubiera tenido los desaguaderos de Flandes, las sangrías de Italia, los sumideros de Francia, las sangui-
juelas de Génova, ¿no estarían hoy todas sus ciudades enladri-
lladas de oro y muradas de plata? ¿Qué duda hay en eso? A más
de que el poderoso dueño que es este palacio mora tiene tal
virtud, no sé yo si dada del Cielo o tomada de la Tierra, que
todo cuanto toca si con la mano izquierda lo convierte en plata,
si con la derecha en oro. —He, Monsiur, dijo Critilo, que ésa
fue una novela, tan antigua como necia, de cierto Rey, llamado
Midas, tan sin medida ni tasa en su codicia que al cabo, como
suelen todos los ricos, murió de hambre y enfermó de ahíto.
—¿Cómo, que es fábula?, dijo el francés; no es sino verdad tan
cierta como practicada hoy en el mundo. Pues qué, ¿es nuevo
convertir un hombre en oro cuanto toca? Con una palmada que
da un Letrado en un bártulo, cuyo eco resuena allá en el Barto-
lomico de pleiteante, ¿no hace saltar los ciento y los doscientos
al punto, y no de la dificultad? Advertid que jamás da palmada
en vacío, y aunque estudia en Baldo, no es de balde su ciencia,
¿Un médico pulsando no se hace él de oro y a los otros de tierra?
¿Hay vara de virtudes como la del alguacil, y la pluma del es-

cribano, y más de un secretario, que por encantado que esté el
tesoro, por más guardado, lo sacan de bajo de tierra? Las vanas
Venus de la belleza, cuanto más tocadas y prendidas, ¿no convierten en oro la inmundicia de su torpeza? Hombre hay que
con sola una pulgarada que da convierte en el oro más pesado
el hierro más pasado. ¿Al tocar de las cajas no anda la milicia
más a la rebatiña que al rebato? ¿Las pulgaradas del mercader
no convierten en oro la seda y la holanda? Creedme, que hay
muchos Midas en el mundo, así los llama él, cuando más des-
medidos andan, que todo se ha de entender al contrario. El interés es el rey de los vicios, a quien todos sirven y le obedecen, y
así no os admiréis que yo diga que el Príncipe que allí vive convierte en oro cuanto toca; y una de las causas porque yo voy
allá es para que me toque también y me haga de oro. —Monsiur,
instó Andrenio, ¿cómo puede vivir de ese modo? —Muy bien.
—Pues dime, ¿no se le convierte en oro el manjar así como le
toca? —Buen remedio calzarse unos guantes, que muchos hoy
comen con ellos. —Sí, pero en llegando a la boca el manjar, en
comenzando a mascar, ¿no se le ha de volver todo oro, sin poderlo tragar? —¡Oh, qué mal discurres!, dijo el francés, ese melindre fue allá en otro tiempo; no se embarazan tanto ya las
gentes, ya se ha hallado traza de hacer el oro potable y comes-
tible; ya de él se confeccionan bebidas, que confortan el corazón
y le alegran grandemente; ni falta quien ha inventado el hacer
caldo de doblones, y dicen que es tan sustancial que basta a resucitar un muerto, que eso de alargar la vida es niñería. Demás de
que hoy viven millares de miserables de no querer comer; todo
lo que no comen, ni beben ni visten, dicen que lo convierten en
oro, ahorran porque no se aforran, mátanse de hambre a sí y a
sus familias y de matarse viven.

Con esto se fueron acercando y descubrieron a las puertas muchas guardas, que a más de estar armadas todas con espaldares
castellanos contra los petos gallegos, eran tan inexorables que no
dejaban llegar a ninguno, ni de cien leguas, y si alguno porfiaba
en querer entrar, arrojábanle un no, salido de una cara de hierro,
que no hay bala que así atraviese y deje sin habla al más osado.
—¿Cómo haremos para entrar?, dijo Andrenio, que cada guarda
de éstas parece un Nerón sincopado y aun más cruel. —No os
embarace eso, dijo el francés, que esta guarda sólo guarda de la
juventud, no dejan entrar los mozos; y así era, porque por ningún
caso los dejaban entrar en la hacienda, a todos se les vinculaban
hasta ser hombres; pero de treinta años arriba las franqueaban
a todo hombre, si ya no fuese algún jugador, descuidado, gastador
o castellano, gente toda de la Cofradía del Hijo Pródigo; mas a
los viejos, a los franceses y catalanes puerta franca, y aun le con-
vidaban con el manejo. Con esto, viéndolos ya tan hombres y
tan a la francesa, sin dificultad alguna los dejaron pasar. Pero
luego hubo otro tope y mayor, que a más de ser las puertas de

bronce, y más duras que las entrañas de un rico, de un cómitre, de una madrastra, de un genovés, que es más que todo, estaban cerradas y muy atrancadas con barras catalanas y candados vizcaínos, y aunque llegaban unos y otros a llamar, nadie respondía, ni a propósito mucho menos correspondía. —Mira, decía uno, que soy tu pariente; y respondía el de adentro: —Más quiero mis dientes que mis parientes. Cuando yo era pobre, no tenía parientes ni conocidos, que quien no tiene sangre no tiene consanguíneos, y ahora me nacen como hongos y se me pegan como lepra. —¿No me conoces, que soy tu amigo?, gritaba otro. Y respondíanle: —En tiempo de hijos, higas. Con mucha cortesía rogaba un gentilhombre, y respondía un villano: —Ahora que tengo, todos me dicen: Enhorabuena estéis, Pedro. —Pues a tu padre, decía un buen viejo; y el hijo respondía: —En esta casa no se tiene ley con nadie. Al contrario, rogaba a su padre un hijo le dejase entrar, y él respondía: —Eso no, mientras yo viva. Ninguno se ahorraba con el otro, ni hermanos con hermanos, ni padres con hijos, pues ¿qué sería suegras con nueras? Oyendo esto desconfiaron de todo punto de poder entrar; trataban de tomarse la honra, si no el provecho, cuando el francés les dijo: —¡Qué presto desmayáis!, ¿no entraron los que están adentro? Pues no nos faltará traza a nosotros; dinero no falte, y trampa adelante. Mostróles una valiente maza, que estaba pendiente de una dorada cencerra: —Miradla bien, dijo, que en ella consiste nuestro remedio. ¿Cúya pensáis que es? —Si fuera de hierro, y con sus puntas aceradas, dijo Critilo, aún creyera yo era la clava de Hércules. —¿Cómo de Hércules?, dijo el francés. Fue juguete aquélla, un melindre, respecto de ésta, y todo cuanto el entonado de Juno obró con ella fue niñería. —¿Cómo hablas tú así, Monsiur, de una tan famosa y celebrada clava? —Dígote que no valió un clavo respecto de ésta, ni supo Hércules lo que se hizo, ni supo vivir, ni entendió el modo de hacer la guerra. —¿Cómo no? Si con aquélla triunfó de todos los monstruos del mundo, con ser tantos. —Pues con ésta se vencen los mismos imposibles; creedme, que es mucho más ejecutiva, y sería nunca acabar querer yo relataros los portentos de dificultades que se han hallado con ésta. —Será encantada, dijo Andrenio, no es posible otra cosa, obra grande de algún poderoso nigromántico. —Que no está encantada, dijo el francés, aunque sí hechiza a todos; más no digo, que aquélla sólo en la diestra de Hércules valía algo; mas ésta en cualquier mano, aunque sea en la de un enano, de una mujer o de un niño, obra prodigios. —Eh, Monsiur, dijo Andrenio, no tanto encarecimiento; ¿cómo puede ser eso? Como yo os lo diré: porque es toda ella de oro macizo, aquel poderoso metal que todo lo riñe y todo lo rinde. ¿Qué pensáis vosotros que los Reyes hacen las guerras con el bronce de las bombardas, con el hierro de los mosquetes y con el plomo de las balas? Que no por cierto, sino por «dinari, e dinari, e piú dinari». Mal año para la tizona del Cid y para la encantada de Roldán, respecto de una maza preñada de doblones. Y porque lo veáis, aguardad. Descolgóla y pegó con ella en las puertas un ligerísimo golpecillo, pero tan eficaz que al punto se abrieron de par en par, quedando atónitos ambos peregrinos, y blasonando el Monsiur. Aunque fueran de la Torre de Dánae, pero son de Dame, que es más.

Cuando todo estuvo llano, ya no lo estaba la voluntad de Critilo, antes dudaba mucho el entrar, porque dudaba el poder salir: hallaba, como prudente, grandes dificultades, mas el retintín de un dinero que oyó contar, que por eso se llamó moneda, *a mo-nendo*, porque todo lo persuade y recaba y a todos convence, se dejó vencer; atrájole el reclamo del oro y de la plata, que no hay armonía de Orfeo que así arrebate. En estando dentro se volvieron a cerrar las puertas con otros tantos cerrojos de diamantes, mas ¡oh, espectáculo raro, oh, increíble!, donde creyeron hallar un palacio, centro de libertades, hallaron una cárcel llena de prisiones, pues a cuantos entraban los aherrojaban, es lo bueno que a título de hacerlos muchos favores; estaban persuadiendo a una hermosa mujer que la enriquecían y engalanaban, y echábanla al cuello una cadena de una esclavitud de por vida, y aun por muerte, la argolla de un rico collar, las esposas de unos preciosos brazaletes, que paran en ajorcas, el apretador de sus obligaciones, el esmaltado lazo de un nudo ciego, la gargantilla de un ahogo; ello fue casamiento y cárcel verdadera. Echáronle a un cortesano unos pesados grillos de oro, que no le dejaban mover, y persuadíanle que podía cuanto quería. Los que imaginaron salones, eran calabozos poblados de cautivos voluntarios, y todos ellos cargados de prisiones, argollas y cadenas de oro, pero todos tan contentos como engañados. Hallaron, entre otros, un cierto sujeto rodeado de gatos, poniendo toda su fruición en oírlos maullar.
—¡Hay tan mal gusto en el mundo como el tuyo!, dijo Andrenio. ¿No fueran mejores algunos pajarillos enjaulados que con sus dulces cantos te aliviaran las prisiones?; pero gatos, y vivos, y que gustes de oír sus enfadosos maullidos, que a todos los demás atormentan. —Quita, que no lo entiendes, respondió él; para mí es la más regalada música de cuantas hay; éstas son las voces más dulces y más suaves del mundo; ¿qué tienen que ver los gorjeos del pintado jilguerillo, los requiebros del canario, las melodías del dulce ruiseñor, con los maullidos del gato? Cada vez que los oigo se regocija mi corazón y se alboroza mi espíritu; mal año para Orfeo y su lira, para el gustoso Correa y su destreza; ¿qué tiene que ver toda la armonía de los instrumentos músicos con el maullido de mis gatos? —Si fueran muertos, replicó Andrenio, aún me tentaras, pero vivos... —Sí, vivos, y después muertos; y vuelvo a decir que no hay más regalada voz en cuantas hay. —Pues dinos: ¿Qué hallas de suavidad en ella? —¿Qué? Aquel decir mío, y todo es mío, y siempre mío, y nada para vos: ésa es la voz más dulce para mí de cuantas hay.

Hallaron cosas a este tono bien notables; mostráronlos algunos, y aun los más, que se decía no tener corazones, ni aun entrañas, no sólo para con los otros, pero ni aun para consigo mismos, y con todo eso vivían. —¿Cómo se sabe, preguntó Andrenio, que estén descorazonados? —Muy bien, le respondieron, en no dar fruto alguno; a más de que, buscándoseles a algunos, se les ha hallado enterrados en sepulcros de oro y amortajados en sus talegos. —¡Desdichada suerte, exclamó Critilo, la de un avaro, que nadie se alegra con su vida ni se entristece en su muerte! Todos bailan en ella, al son de las campanas; la viuda rica con el un ojo llora y con el otro repica; la hija, desmintiendo sus ojos hechos fuentes, el río de las lágrimas que lloró; el hijo porque hereda; el pariente porque se va acercando a la herencia; el criado por la manda y por lo que se desmanda; el médico por su paga y no por su pago; el sacristán porque dobla; el mercader porque vende sus bayetas; el oficial porque las cose; el pobre porque las arrastra. Miserable suerte la del miserable: mal si vive y peor si muere. En un gran salón vieron un grande personaje; quedaron espantados de cosa tan nueva y tan extraña en semejantes puestos. —¿Qué hace aquí este señor?, preguntó Critilo a uno de sus enemigos no excusado. —Adorar.. —Pues ¿qué, es gentil? —Lo que menos tiene es de gentil y de hombre. —Pues ¿qué adora? —Dora y adora un arca. —¿Que sería judío? —En la condición ya podría, pero en la sangre no, que es muy noble, de los ricos hombres de España. —¿Y con todo eso no es hidalgo? —Antes porque no lo es, es hombre rico. —¿Qué arca es ésta que adora? —La de su testamento. —¿Y es de oro? —Dentro sí, mas por fuera de hierro; pues no sabe qué, ni por qué, ni para qué, ni para quién.

Aquí vieron ejecutada aquella exagerada crueldad que cuentan de las víboras: cómo la hembra al concedir corta la cabeza al macho y cómo luego los hijuelos vengan la muerte de su padre agujereándole el vientre y rasgándola las entrañas por salir y campear; cuando vieron que la mujer, por quedar rica y desahogada, ahoga al marido; luego el heredero, pareciéndole vive sobrada la madre y él no vive sobrado, la mata a pesares. A él, por heredarle, su hermano segundo le despacha. De suerte que unos a otros como víboras crueles se emponzoñan y se matan. El hijo procura la muerte del padre y de la madre, pareciéndole que viven mucho y que él se hará señor antes de llegar a ser señor. El padre teme al hijo, y cuando todos festejan el nacimiento del heredero, él enluta su corazón, temiéndole como a su más cercano enemigo, pero el abuelo se alegra y dice: —Seáis bienvenido, ¡oh enemigo de mi enemigo! Fueles materia de risa, entre las muchas de pena, lo que le aconteció a uno de estos guardadores; que un ladrón de otro ladrón, que hay ladrones de ladrones, con tal sutileza le engañó que le persuadió se robase a sí mismo, de modo que le ayudó a quitarse cuanto tenía; él mismo llevó a cuestas toda la ropa, el oro y plata de su casa, transportándola y escondiéndola donde jamás la vio ni la gozó. Lamentábase después doblando el sentimiento de ver que él había sido el ladrón de sí mismo, el robador y el robado. —¡Oh, lo que puede el interés!, ponderaba Critilo, que le persuada a un desdichado que él se robe, que esconda su dinero, que atesore para ingratos jugadores y perdidos, y que él ni coma, ni beba, ni vista, ni duerma, ni descanse, ni goce de su hacienda, ni de su vida; ladrón de sí mismo, merece muy bien los cientos, contados al revés, y que le destierre el discreto Horacio, a par de un Tántalo necio.

Habían dado una vuelta entera a todo aquel palacio de calabozos sin haber podido descubrir el coronado necio de su dueño, cuando a lo último, imaginándole en algún salón dorado, ocupando rico trono a toda majestad, vestido de brocados rozagantes, con su ropón imperial, le hallaron por el contrario metido en el más estrecho calabozo, que aun luz no gastaba por no gastarla, ni aun de día por no ser visto para dar ni prestar; con todo, brujulearon su mala catadura, cara de pocos amigos y menos parientes, aborreciendo por igual a los deudos y deudas, la barba crecidamente descompuesta, que aun el regalo de quitársela se envidiaba; mostraba unas grandes ojeras de rico trasnochado; siendo tan horrible en su aspecto, nada se ayudaba con el vestido, que de viejo la mitad era ido y la otra se iba aborreciendo todo lo que cuesta; estaba solo quien de nadie se fiaba, y todos le dejaban estar, rodeado de gatos con almas de doblones, propias de desalmados, que aun muertos no olvidan las mañas del ahorro; parecía en lo crudo un Radamante. Así como entraron, como quien a nadie puede ver, fue a abrazarlos, que los quisiera de oro; mas ellos, temiendo tanta preciosidad, se retiraron buscando ya por dónde salir de aquella dorada cárcel, palacio de Plutón, que toda casa de avaro es infierno en lo penoso y limbo en lo necio. Con este deseo, apelándose al desengaño de todo vicio, en especial de la tiranía codiciosa, buscaban a toda priesa por dónde escapar; mas como en casa del desdichado se tropieza en los azares, yendo en fuega cayeron en una disimulada trampa, cubierta con las limaduras de oro de la misma cadena, tan apretado lazo que cuanto más forcejeaban por librarse más se añudaban. Lamentaba Critilo su inconsiderada ceguera; suspiraba Andrenio su mal vendida libertad. Cómo la consiguieron contará la otra Crisi.

CRISI IV

EL MUSEO DEL DISCRETO

Solicitaba un entendido por todo un ciudadano emporio, y aun dicen Corte, una casa que fuese de personas, mas en vano, porque aunque entró en muchas curioso, de todas salió desagradado, por hallarlas, cuanto más llenas de ricas alhajas, tanto más vacías

de las preciosas virtudes. Guióle ya su dicha a entrar en una, y
aun única, y al punto, volviéndose a sus discretos, les dijo: —Ya
estamos entre personas, esta casa huele a hombres. —¿En qué lo
conoces?, le preguntaron; y él: —¿No véis aquellos vestigios de
discreción? Y mostróles algunos libros que estaban a mano:
—Éstas, ponderaba, son las preciosas alhajas de los entendidos.
¿Qué jardín del Abril, qué Aranjuez de Mayo como una librería
selecta? ¿Qué convite más delicioso para el gusto de un discreto
como un culto museo, donde se recrea el entendimiento, se enriquece la memoria, se alimenta la voluntad, se dilata el corazón
y el espíritu se satisface? No hay lisonja, no hay fullería para un
ingenio como un libro nuevo cada día. Las pirámides de Egipto
ya acabaron; las torres de Babilonia cayeron; el romano Coliseo
pereció; los palacios dorados de Nerón caducaron; todos los ma-
lignos del mundo perecieron, y sólo permanecen los inmortales
escritos de los sabios que entonces florecieron y los insignes varones que celebraron. ¡Oh, gran gusto el leer! Empleo de personas,
que si no las halla, las hace. Poco vale la riqueza sin la sabiduría,
y de ordinario andan reñidas; los que más tienen menos saben,
y los que más saben menos tienen, que siempre conduce la ignorancia borregos con vellocino de oro.

Esto les estaba ponderando, ya para consuelo, ya para enseñanza, a los dos presos en la cárcel del interés, en el brete de
su codicia, un hombre, y aun más; pues en vez de brazos batía
alas, tan volantes que se romontaba a las estrellas y en un instante se hallaba donde quería. Fue cosa notable que cuando a
otros, en llegando, les amarraban fuertemente sin dejarles libertad
ni para dar un paso, cargándoles de grillos y de cadenas, y a
éste, al punto que llegó, le jubilaron de una que al pie arrastraba
y le apegaba de modo que no le permitía echar un vuelo. Admirado Andrenio le dijo: —Hombre o prodigio, ¿quién eres? Y él
prontamente: —Ayer nada, hoy poco más y mañana menos.
—¿Cómo menos? —Sí, que a veces más valiera no haber sido.
—¿De dónde vienes? —De la nada. —¿Y adónde vas? —Al
todo. —¿Cómo vienes tan sólo? —A mí la mitad me sobra. —Ahora digo que eres sabio. —Sabio no; deseoso de saber, sí. —Pues
¿con qué ocasión viniste acá? —Vine a tomar el vuelo, que pudiendo levantarme a más altas regiones en alas de mi ingenio, la
envidiosa pobreza me tenía apegado. —Según eso, ¿no piensas
quedarte aquí? —De ningún modo, que no se permuta bien un
adarme de libertad por todo el oro del mundo; antes en tomando
lo preciso de lo precioso volaré. —¿Y podrás? —Siempre que
quiera. —¿Podríamos librar a nosotros? —Todo es que queráis.
—Pues ¿no habíamos de querer? —No sé, que es tal el encuentro
de los mortales, que están a gusto en sus cárceles, y muy hallados
cuando más perdidos; ésta, con ser un encanto, es la que más
aprisionados les tiene, porque más apasionados. —¿Cómo es eso
de encanto?, dijo Andrenio. Pues ¿no es éste que vemos tesoro

verdadero? —De ningún modo, sino fantástico. —Éste que reluce, ¿no es oro? —Dígolo lodo. —¿Y tanta riqueza? —Vileza.
—Éstos no son montones de reales? —No hay una realidad en
todos ellos. —Pues éstos que tocamos, ¿no son doblones? —Sí,
en lo doblado. —¿Y tanto aparato? —No es sino aparador, pues
al cabo para en nada. Y porque os desengañéis que todo esto
es apariencia, advertid que en boqueando cualquiera, el más rico,
el más poderoso, en nombrando Cielo, en diciendo Dios valedme,
al mismo punto desaparece todo y se convierte en carbones, y
aun cenizas; así fue que en diciendo uno Jesús, dando la última
boqueada, se desvaneció toda su pompa, como si fuera sueño,
tanto que despertando los varones de las riquezas, y mirándose
a las manos, las hallaron vacías; todo paró en sombra y en
asombro, y fue un espectáculo bien horrible ver que los que antes
eran estimados por reyes, ahora fueron reídos. Los monarcas
arrastrando púrpuras, las reinas, las damas rozando galas, los señores recamados, todos se quedaron en blanco y por no haber
dado en él: no ya ocupaban tronos de marfil, sino tumbas de luto,
de sus joyas sólo quedó el eco en hoyas y sepulcros; las sedas y
damascos, las piedras finas, se trocaron en losas frías; las sartas
de perlas en lágrimas: los cabellos tan rizados, ya erizados; los
olores hedores; los perfumes humos; todo aquel encanto paró en
canto y en responso, y los ecos de la vida en huecos de muerte;
las alegrías fueron pésames, porque no les pesa más la herencia
a los que quedan, y toda aquella máquina de viento, en un abrir
y cerrar de ojos se resolvió en la nada.

Quedaron nuestros dos peregrinos más vivos, cuando más muertos, pues desengañados preguntáronle a su remediador alado dónde
estaban. Y él les dijo que muy hallados, pues en sí mismos. Pro-
púsoles si le querían seguir al palacio de la discreta Sofisbella,
donde él iba y donde hallarían la perfecta libertad. Ellos, que
no deseaban otro, le rogaron, pues había sido su libertador, les
fuese guía. Preguntáronle si conocía aquella sabia Reina. —Luego
que me vi con alas, respondió (y vamos caminando), determiné
ser suyo: son pocos los que la buscan y menos los que la hallan.
Discurrí por todas las más célebres Universidades, sin poder des-
cubrirla, que aunque muchos son sabios en latín, suelen ser grandes necios en romance. Pasé por las casas de algunos que el
vulgo llama Letrados, pero como me veían sin dinero decíanme
leyes; hablé con muchos tenidos por sabios, mas entre muchos
Doctores no hallé un docto. Finalmente conocí que iba perdido
y me desengañé, que de sabiduría y de bondad no hay sino la
mitad de la mitad, y aun de todo lo bueno. Mas como voy volando por todas partes he descubierto un palacio fabricado de
cristales, bañado de resplandores, cambiando luces: si en alguna
estancia se ha de hallar esta gran Reina, ha de ser en este centro,
porque ya acabó la docta Atenas y pereció la culta Corinto.

Oyóse en esto una confusa vocería, vulgar aplauso de una insolente turba que asomaba: pararon al punto y repararon en un chabacano monstruo que venía arrancando sendas, seguido de innumerable turba. Extraña catadura, la primera mitad de hombre y la otra de serpiente. De modo que de medio arriba miraba el Cielo y de medio abajo iba arrastrando por tierra. Conocióle luego el varón alado y previno a sus camaradas le dejasen pasar sin hacer caso ni preguntar cosa. Mas Andrenio no pudo contenerse, que no preguntase a uno del gran séquito quién era aquel serpihombre. —¿Quién ha de ser, le respondió, sino quien sabe más que las culebras? Éste es el sabio de todos, el milagro del vulgo, y éste es el pozo de ciencia. —Tú te engañas y le engañas, replicó el alado, que no es sino uno que sabe al uso del mundo; todo su saber es estulticia del Cielo: éste es de aquellos que saben para todos y no para sí, pues siempre andan arrastrados. Éste es el que habla más y sabe menos, y éste es el necio que sabe todas las cosas mal sabidas. —¿Y adónde os lleva?, preguntó Andrenio. —¿Dónde? A ser sabios de fortuna. Extrañóle mucho el término y replicóle: —¿Qué es ser sabio de ventura? —Uno que sin haber estudiado es tenido por docto, sin cansarse es sabio, sin haberse quemado las cejas trae barba autorizada, sin haber sacudido el polvo a los libros levanta polvaredas, sin haberse desvelado es muy lucido, sin haber trasnochado ni madrugado ha cobrado buena fama; al fin él es un oráculo del vulgo, y que todos han dado en decir que sabe, sin saberlo. ¿Nunca has oído decir: ventura te dé Dios, hijo? Pues éste es el mismo, y nosotros lo pensamos también ser. Mucho le contentó a Andrenio aquello de saber sin estudiar, letras sin sangre, fama sin sudar, atajo sin trabajo, valer de balde, y atraído del gran séquito, que el plausible sabio arrastraba, hasta de carrozas, literas y caballos, ceñándole todos, y brindándole con el descanso, volviéndose a sus compañeros, les dijo: —Amigos, vivir un poco más y saber un poco menos, y metióse entre sus tropas, que al punto desaparecieron.

—Basta, dijo el varón alado al atónito Critilo, que el verdadero saber es de pocos. Consuélate, que más presto le hallarás tú a él que él a ti, conque tú serás el hallado y él el perdido. Quisiera ir en busca suya Critilo; mas viendo ya brillar el gran palacio que buscaban, olvidado aun de sí mismo y sin poder apartar los ojos de él, caminó allá embelesado. Campeaba, sin poder esconderse, en una clarísima eminencia, señoreando cuanto hay; era su arquitectura extremo del artificio y de la belleza, engolfado en luces y a todas ellas, que para recibirlas bien, a más de ser diáfanas sus paredes y toda su materia transparente, tenía muchas claraboyas, balcones rasgados y ventanas patentes, todo era luz y todo claridad. Cuando llegaron cerca vieron algunos hombres, que lo eran, que estaban como adorando y besando sus paredes; pero mirándolo mejor; advirtieron que las lamían, y sa-

cando algunas cortezas las mascaban y se paladeaban con ellas.
—¿De qué provecho puede ser eso?, dijo Critilo. Y uno de ellos:
—Por lo menos es de sumo gusto, y convidóle con un terrón
limpio y transparente, que en llegándole a la boca conoció era
sal, y muy sabrosa, y los que imaginaron cristales no lo eran,
sino sales gustosísimas. Estaba la puerta siempre patente, con que
no entraban sino personas, y éstas, bien raras; vestíanla hiedras
y coronábanla laureles, con muchas inscripciones ingeniosas por
toda la majestuosa fachada. Entraron dentro y admiraron un
espacioso patio, muy a lo señor, coronado de columnas tan firmes
y tan eternas, que le aseguró el varón alado podían sustentar el
mundo, y algunas de ellas el Cielo, siendo cada una un non plus
ultra de su siglo.

Percibieron luego una armonía tan dulce que tiranizaba no
sólo los ánimos, pero las mismas cosas inanimadas, trayendo a
sí los peñascos y las fieras. Dudaron si sería su autor el mismo
Orfeo y con esa curiosidad fueron entrando por un majestuoso
salón, y muy capaz, en quien los copos de nieve, en marfiles, y
las ascuas de oro, en piñas, maravillosamente se atemperaban para
construir su belleza. Aquí los recibieron, y aun cortejaron, el
buen gusto y el buen genio, y con el agrado que suelen los con-
dujeron a la agradable presencia de un sol humano, que parecía
mujer divina. Estaba animando un tan suave plectro que les aseguraron no sólo hacía inmortales los vivos, pero que daba vida
a los muertos, componía los ánimos, sosegaba los espíritus, aunque tal vez los encendía en el furor bélico, que no hiciera más
el mismo Homero. Llegaron ya a saludarla, entre fruiciones del
verla pero más de oírla, y ella en honra de sus peregrinos huéspedes hizo alarde de armonía. Estaba rodeada de varios instrumentos, todos ellos muy sonoros; mas suspendiendo los antiguos
aunque tan suaves, fue echando mano de los modernos: el primero que pulsó fue una cítara, haciendo extremada armonía, aunque la percibían pocos, que no era para muchos; con todo notaron en ella una desproporción harto considerable, que aunque sus
cuerdas eran de oro finísimo y muy sutiles, la materia de que se
componía, debiendo ser de un marfil terso, o de un ébano bruñido,
era de haya, y aun más común. Advirtió el reparo la conceptuosa
ninfa, y con un regalado suspiro les dijo: —Si en este culto plectro cordobés hubiera correspondido a la moral enseñanza la heroica composición, los asuntos graves, la cultura de su estilo y
la materia a la bizarría del verso, a la sutileza de sus conceptos,
no digo de un marfil, pero de un finísimo diamante merecía for-
marse su concha. Tomó ya un italiano rabelejo, tan dulce que
al pasar el arco pareció suspender la misma armonía de los
Cielos, si bien para ser pastoril y tan fino pareció sobradamente
conceptuoso. Tenía muy a mano dos laúdes, tan igualmente acordes que parecían hermanos. —Éstos, dijo por los aragoneses, son
graves, puédelos oír el más severo Catón sin nota de liviandad;

en el metro tercero son los primeros del mundo, pero en el cuarto,
ni aun quintos. Vieron una arquicítara de extremada composición,
de maravillosa traza, y aunque estaba bajo de otra, pero en el
material artificio, ni ésta le cedía, ni aquélla en la invención le
excedía, y así dijo el ama de los instrumentos: —Si el Ariosto
hubiera atendido a las morales alegrías como Homero, de verdad
no le fuera inferior.

Resonaba mucho, y embarazaba a muchos un instrumento, que
unieron cáñamo y cera; parecía órgano por lo desigual y era
compuesto de las cañas de Siringa, cogidas en la más fértil vega;
llenábanse de viento popular, mas con todo este aplauso no les
satisfizo, y dijo entonces la poética belleza: —Pues sabed que éste
en aquel tiempo desaliñado fue bien oído, y lleno por lo plausible
todos los teatros de España. Descolgó una vihuela tan de marfil
que afrentaba la misma nieve, pero tan fría que al punto se le
helaron los dedos, y hubo de dejarla, diciendo: —En estas rimas
del Petrarca se ven unidos dos extremos, que son su mucha frialdad
con el amoroso fuego. Colgóla junto a otras dos muy sus semejantes, de quienes dijo: —Éstas más se suspenden que suspenden,
y en secreto confesóles eran del Dante Alighero y del español
Boscán. Pero entre tan graves plectros vieron unas tejuelas pi-
cariles, de que se escandalizaron mucho. —No las extrañéis, les
dijo, que son muy donosas; con éstas espantaba sus dolores Mar-
cia en el hospital. Tañó con indecible melodía unas solias a una
lira conceptuosa, que todos celebraron mucho, y con razón. —Basta, dijo, ser plectro portugués, tiernamente regalado, que él mismo
se está diciendo de qué amo es. Gustaron no poco de ver una
gaita, y aun ella la animó con lindo gusto, aunque descompuso
algo de su gran belleza, y dijo: —Pues de verdad que fue de
una musa princesa, a cuyo son solía bailar Gila en la noche de
aquel santo. Grande asco les causó ver una tiorba italiana, llena
de suciedad, y que frescamente parecía haber caído en algún
cieno, y sin osarla tocar, cuanto menos tañer, la recatada ninfa
dijo: —Lástima es que este culto plectro del Marino haya dado
en tanta inmundicia y lascivia. Estaba un laúd real, artificiosamente fabricado, en un puesto oscuro; con todo, desprendía gran
resplandor de sí y de muchas piedras preciosas, de que estaba
todo él esmaltado. —Ésta, ponderó, solía hacer un tan regalado
son que los mismos reyes se dignaban de escucharle, y aunque
no ha salido a luz en estampa, luce tanto que de él se puede decir:
el Alba sale.

Allí vieron un culto instrumento, coronado del mismo laurel de
Apolo, aunque algunos no lo creían. Oyeron una muy gustosa
zampoña, mas por tener cáncer la musa que la tocaba, a cada
concepto se le equivocaban las voces. Hacíase bien sentir una lira,
aunque mediana, mas en lo satírico superior, y dábase a entender
latinizando. Otro oyeron de feliz arte, mas dudaron si su prosa
era verso y si su verso prosa. Vieron en un rincón muchos otros

instrumentos, que con ser nuevos y acabados de hacer, estaban ya acabados y cubiertos de polvo. Admirado Critilo, dijo: —¿Por qué, oh gran reina del Parnaso, éstos tan presto los arrimas? Y ella: —Porque rimas, todos se arriman a ellas, como más fáciles; pocos imitan a Homero y Virgilio en los graves y heroicos poemas. —Para mí tengo, dijo Critilo, que Horacio los perdió, cuando más los quiso ganar, desanimándolos con sus rigurosos preceptos. —Aun no es eso, respondió la gloria de los Cisnes, que son tan romancistas algunos que no entienden el arte, sino que para las obras grandes son menester ingenios agigantados. Aquí está el Taso, que es un otro Virgilio cristiano, y tanto, que siempre se desempeña con ángeles y con milagros. Había un vacío en un buen lugar, y notándolo Critilo, dijo: —De aquí algún gran plectro han robado. —No será eso, sino que estará destinado para alguno moderno. —Si sería, dijo Critilo, uno que yo conozco y estimo por bueno. No pudieron detenerse más, porque la edad les daba priesa, y así hubieron de dejar esta primera estancia de un tan culto Parnaso, y en lo fragante Paraíso.

Llamóles el tiempo a un otro salón más dilatado, pues no se le veía fin: introdújoles en él la memoria, y aquí hallaron otra bien estimada ninfa, que tenía la mitad del rostro arrugado, muy de vieja, y la otra mitad fresco, muy de joven; estaba mirando a dos haces: a lo presente y a lo pasado, que lo porvenir remitíalo a la Providencia. En viéndola, dijo Critilo: —Ésta es la gustosa Historia. Mas el varón alado: —No es sino maestra de la vida, la vida de la fama, la fama de la verdad, y la verdad de los hechos. Estaba rodeada de varones y mujeres, señalados unos por insignes y otros por ruines, grandes y pequeños, valerosos y cobardes, políticos y temerarios, sabios e ignorantes, héroes y viles, gigantes y enanos, sin olvidar ningún extremo. Tenía en la mano algunas plumas, no muchas, pero tan prodigiosas, que con una sola que entregó a uno le hizo volar y remontarse hasta los dos coluros; no sólo daba vida con el licor que destilaba, sino que eternizaba, no dejando envejecer jamás los famosos hechos. Íbalas repartiendo con notable atención, porque a ninguno daba la que él quería, y esto a petición de la verdad y de la entereza; y así notaron que llegó un gran personaje ofreciendo por una gran suma de dinero, y no sólo no se la concedió, sino que le cargó la mano, diciéndole que estos libros, para ser buenos, han de ser libres, ni se vuela a la eternidad en plumas alquiladas. Replicaron otros se la diese, que antes sería para más ignominia suya. —Eso no, respondió la eterna historia; no conviene, porque aunque ahora sería reída, de aquí a cien años sería creída. Con esta misma atención a ninguno daba pluma, que no fuese después de cincuenta años de muerto, y a todo muerto pluma viva, con lo cual ni Tiberio el astuto, ni Nerón el inhumano, pudieron escaparse de Cornelio ni de Tácito. Fue a sacar una buena para que un escritor grande escribiese de un gran Príncipe, y porque la vio algo untada de oro, la arrojó

con desaire, conque había escrito otras cosas harto plausiblemen-
te, y dijo: —Creedme que toda pluma de oro escribe versos. Solicitaba un otro a grandes diligencias alguna que escribiese bien de
él; informóse la ninfa si era benemérito, averiguó que no, replicó
él que para serlo; no se la quiso conceder, aunque alabó su honrado deseo, diciéndole que las palabras ajenas no pueden hacer
insignes los hombres, sino los hechos propios, bien ejecutados primero y bien escritos después. Al contrario, un otro famoso varón
pidió le mejorase, porque la que le había dado era llana y sencilla,
y consolóle con que sus grandes hechos campeaban más en aquel
estilo que los de otros, no tales, entre mucha elocuencia. Que-
járonse algunos célebres modernos de que sus inmortales hechos
se pasaban en silencio, habiendo habido elogios plausibles del
Jovio para otros no tan esclarecidos. Aquí se enojó mucho la noticiosa ninfa, y aun con escandescencia dijo: —Si vosotros los des-
preciáis, los perseguís, y tal vez los encarceláis a mis dilectísimos
escritores no haciendo caso de ellos, ¿cómo queréis que os cele-
bren? La pluma, príncipes míos, no ha de ser apreciada, pero sí
preciada. Daban en rostro las demás naciones a la española el no
haberse hallado una pluma latina que con satisfacción la ilustrase;
respondía que los españoles más atendían a manejar la espada que
la pluma, a obrar las hazañas que a placearlas, y que aquello de
tanto cacarearlas más parecía de gallinas. No la valió, antes la
arguyeron de poco política y muy bárbara, poniéndola por ejemplo los romanos, que en todo florecieron, y un César que pluma
y espada rige. Oyendo esto y viéndose señora del mundo, determinó llegar a pedir pluma. Juzgó la Reina de los tiempos tenía
razón, mas reparó en cuál la daría, que la desempeñase bien, después de tanto silencio, y aunque tiene por ley general no dar
jamás a Provincia algún escritor natural, so pena de no ser creído,
con todo, viéndola tan odiada de las demás naciones, se resolvió
en darla una pluma propia. Comenzaron luego a murmurarlo las
demás naciones y a mostrar sentimiento, mas la verdadera ninfa
las procuró quietar, diciendo: —Dejad que el Mariana, aunque es
español de cuatro cuartos, si bien algunos lo han afectado dudar;
pero él es tan tétrico y escribirá con tanto rigor que los mismos
españoles han de ser los que queden menos contentos de su entereza. Esto no le fiaron a la Francia, y así entregó la pluma de sus
últimos sucesos y de sus reyes a un italiano, y no contenta aún
con esto, le mandó salir de aquel reino, y que se fuese a Italia a
escribir libremente, y así ha historiado tan acertadamente Henrico
Catalino, que ha oscurecido al Guicciardino, y aun causado recelo
a Tácito. Con esto cada uno llevaba la que menos pensaba y quisiera. Las que parecían de unas aves eran de otras, como la que
pasó plaza del Conestagio en la unión de Portugal con Castilla,
que bien mirada se halló no ser suya, sino del Conde de Portalegre, para deslumbrar la más atenta prudencia. Pidió uno las de la
Fénix, para escribir de ella, y encargósele seriamente no las gas-

tase, sino en las de la fama. La que se conoció con toda claridad
ser de Fénix fue la de aquella Princesa, excepción de la hermosura, no ya necia, aunque sí desgraciada, la inestimable Margarita
de Valois, a quien y al César solos se les permitió escribir con
acierto de sí mismos. Pidió un Príncipe soldado una pluma, la
más bien cortada de todas; por el mismo caso se la dio sin cortar
diciéndole: —Vuestra misma espada le ha de dar el corte, que si
ella cortare bien, la pluma escribirá mejor. Otro gran Príncipe, y
aun Monarca, pretendió la mejor de todas, por lo menos la más
plausible, porque él quería inmortalizarse con ella, y viendo que
realmente la merecía, escogió entre todas y diole una entresacada
de las alas de un cuervo; no quedó contento, antes murmuraba
que cuando pensó le daría la de algún águila real, que levantase
el vuelo hasta el Sol, le daba aquella tan infausta. —He, señor,
que no lo entendéis, dijo la Historia; éstas que son de cuervo en
el picar, en el adivinar las intenciones, en desentrañar los más profundos secretos, ésta del Comines es la más plausible de todas.
Trataba un gran personaje de mandar quemar una de éstas, desen-
gañáronle no le intentase, porque son como las de Fénix, que en
el fuego se eternizan, y en prohibiéndolas vuelan por todo el mundo. La que celebró mucho y por eso la dio a Aragón, fue una
cortada de un girasol: —Ésta, dijo, siempre mirará a los rayos de
la verdad.

Admiráronse mucho de ver que habiendo tanta copia de historiadores modernos no tenía su pluma la inmortal ninfa en su
mano, ni las ostentaba, sino cual y cual, la de Pero Mateo, del
Santoro, Babía, del Conde de la Roca, Fuen Mayor y otros; mas
desengañáronse cuando advirtieron que eran de simplicísimas palomas, sin la hiel de Tácito, sin la sal de Curcio, sin el picante de
Suetonio, sin la atención del Justino, sin la mordacidad del Platín.
—Que no todas las naciones, decía la gran Reina de la verdad,
tienen numen para la historia; aquéllos por ligeros fingen, estos
otros porque llanos descaecen, y así las más de estas plumas modernas son chabacanas, insulsas y en nada eminentes; veréis muchas maneras de historiadores: unos gramaticales, que no atienden sino al vocablo y a la colocación de las palabras, olvidándose
del alma de la historia; otros cuestionarios, todo se les va en disputar y averiguar puntos y tiempos. Hay anticuarios, gaceteros y
relacioneros, sin fondo de juicio ni altanería de ingenio. Halló
una pluma de caña dulce destilando néctar, y al punto la sacudió
de sí diciendo: —Éstas no tanto eternizan las hazañas cuanto
confitan los desaciertos. Aborrecía sumamente toda pluma teñida,
teñida por apasionada, decantándose siempre, ya al lado del odio,
ya de la afición. Fue a salir una y reparó: —Ésta ya ha salido
otra vez, y si mal no me acuerdo, fue a Illescas, a quien le traslada
capítulos enteros del Sandoval, basta que yo me he equivocado.
Mucho se detuvieron, y aún se estuvieran, tan entretenida es la
mañana de la Historia.

Pasaron ya cortejados del ingenio por la de la humanidad, lograron muchas y fragantes flores, delicias de la agudeza, que aquí asistía tan aliñada cuan hermosa, leyéndolas en latín Erasmo, el Eborense y otros, y escogiéndolas en romance las Florestas españolas, las Facecias italianas, las recreaciones del Guicciardino. Hechos y dichos modernos del Botero, de un solo Rufo seiscientas flores, los Gustos Palmirenos, las Librerías del Doni, sentencias, dichos y hechos de varios, elogios, teatros, plazas, silvas, oficinas, jeroglíficos, empresas geniales, polianteas y fárragos. No fue menos de admirar la ninfa anticuaria: de más de curiosidad que sutileza, tenía por estancia un erario, enriquecido de estatuas, piedras, inscripciones, sellos, monedas, medallas, insignias, urnas, barros, láminas con todos los libros que tratan de esta noticiosa antigüedad, tan acreditada con los eruditos diálogos de Don Antonio Agustín, ilustrada de los Golcios, y últimamente enriquecida con las noticias de las monedas antiguas españolas del Lastanosa. Al lado de éste hallaron otro tan embarazado de materialidades que a la primera vista creyeron sería algún obrador mecánico; mas cuando vieron globos celestes, y terrestres, y esferas, astrolabios, brújulas, dioptrías, cilindros, compases y pantómetros, conocieron ser los desvanes del entendimiento y el taller de las Matemáticas, sirviendo de alma muchos de todas estas artes, y aun de las vulgares; pero de la noble pintura y arquitectura había tratados superiores. Fueron registrando todos estos nichos de paso, lo que basta para no ignorar, así como el de la indagadora natural Filosofía, levantando mil testimonios a la naturaleza. Servían de estantes a los curiosos tratados los cuatro elementos, y en cada uno los libros que tratan de sus pobladores, como de las aves, peces, brutos, plantas, flores, piedras preciosas, minerales, y en el fuego de sus meteoros, fenómenos y de la artillería. Pero enfadados de tan desabrida materialidad, los sacó de allí el Juicio para tenerlos en sí.

Veneraron ya una semideidad en lo grave y lo sereno, que en la más profunda estancia y más compuesta estaba entresacando las saludables hojas de algunas plantas para confeccionar medicinas y destilar quintas esencias con que curar el ánimo, y en que conocieron luego era la Moral Filosofía, cortejáronla de propósito y ella les dio asiento entre sus venerables sujetos. Sacó en primer lugar unas hojas, que parecían del Dictamo, gran contraveneno, y mostró estimarlas mucho, si bien a algunos les parecieron secas, y aun frías, de más provecho que gusto, pero de verdad muy eficaces, y aseguró haberlas cogido por su mano en los huertos de Séneca. En un plato, que pudo ser fuente de doctrina, puso otras diciendo: —Éstas, aunque más desabridas, son divinas. Allí vieron el ruibarbo de Epicteto, y otras purgativas de todo exceso de humor para aliviar el ánimo. Para apetito y regalo hizo una ensalada de los diálogos de Luciano, tan sabrosa que a los más descomidos les abrió el gusto, no sólo de comer, pero de rumiar, los

grandes preceptos de la prudencia. **Después de éstos** echó mano
de unas hojas muy comunes, mas ella las comenzó a celebrar con
exageraciones; estaban admirados los circunstantes, cuando las
habían tenido más por pasto de bestias que de personas. —No tenéis razón, dijo, que en estas fábulas de Esopo hablan las bestias
para que entiendan los hombres, y haciendo una guirnalda se
coronó con ellas. Para sacar una quintaesencia general recogió
todas las del Alciato, sin desechar una, y aunque las vio imitadas
en algunos, pero eran contrahechas y sin la eficaz virtud de la
moralidad ingeniosa. De los morales de Plutarco se valía para
comunes remedios: echaban gran fragancia todo género de apo-
tegmas y sentencias; pero no haciéndose mucho caso de sus reco-
piladores, mandó fuesen algunos de ellos premiados con estimación
por haberles ayudado mucho, y aun, como Lucinas, haberles dado
forma de una aguda donosidad. Halló unas grandes hojazas muy
extendidas, no de mucha eficacia, y así dijo: —Éstas del Petrarca,
Justo Lipsio y otros, si tuvieran tanto de intención como tienen de
cantidad, no hubiera precio bastante para ellas. Acertó a sacar unas
de tal calidad que al mismo tiempo los circunstantes las apetecie-
ron, y unos las mascaban, otros las molían y estaban todo el día
sin parar, aplicando el polvo a las narices. —Basta, dijo, que estas
hojas de Quevedo son como las del tabaco, de más vicio que provecho, más para reír que aprovechar. De la Celestina y otros
tales, aunque ingeniosos, comparó sus hojas a las del perejil, para
poder pasar sin asco la carnal grosería. Estas otras, aunque vulgares, son picantes y tal señor hay que gasta su renta en ellas.
Éstas de Barclayo y otros son como las de la mostaza, que aunque
irritan las narices dan gusto con su picante. Al contrario, otras
muy dulces, así en el estilo como en los sentimientos, las remitió
más para paladear niños y mujeres que para pasto de hombres.
Las empresas de Jovio puso entre las olorosas y fragantes, que
con su buen olor recrean el cerebro. Ostentó mucho unas hojas,
aunque mal aliñadas y tan feas que les causaron horror, mas la
prudente ninfa dijo: —No se ha de atender al estilo del Infante
Don Manuel, sino a la extremada moralidad y al artificio con que
enseña. Por buen dejo sacó una alcachofa, y con lindo gusto la
fue deshojando, y dijo: —Estos raguallos del Bocalino son muy
apetitosos, pero de toda una hoja sólo se come el cabo con su
sal y su vinagre.

Muy gustosos y muy cebados se hallaban aquí, sin tratar de
dejar jamás estancia tan de hombres. Sola la conveniencia pudo
arrancarlos, que a la puerta de otro gran salón, y muy su semejante, aunque más majestuoso, les estaba convidando y decía:
—Aquí es donde habéis de hallar la sabiduría más importante, la
que enseña a saber vivir. Entraron por razón de Estado, y hallaron
una coronada ninfa, que parecía atender más a la comodidad que
a la hermosura, porque decía ser bien ajeno, y aun se le oyó
decir tal vez: Dadme grosura y os daré hermosura. A lo que se

conocía, todo su cuidado ponía en estar bien acomodada, mas aunque muy disimulada y de rebozo, la conoció Critilo y dijo: —Ésta, sin más ver, es la Política. —¡Qué presto la has conocido!, no suele ella darse a entender tan fácilmente. Era su ocupación (que no hay sabiduría ociosa) fabricar coronas, unas de nuevo, otras de remiendo, y perfeccionábalas mucho. Había de todas materias y formas: de plata, de oro, de cobre, de palo, de roble, de frutos y de flores, y todas las estaba repartiendo con mucha atención y razón. Ostentó la primera muy artificiosa sin defecto alguno ni quiebra, pero más para vista que para practicada, y dijeron todos eran las Repúblicas de Platón, nada a propósito para tiempos de tanta malicia. Al contrario, vieron otras dos, aunque de oro pero muy descompuestas y de tan mal arte aunque buena apariencia, que al punto las arrojó al suelo y las pisó, diciendo: —Este Príncipe del Maquiavelo y esta República del Bodino no pueden parecer entre gentes, no se llamen de razón, pues son tan contrarias a ella, y advertid cuánto denotan ambas políticas la ruindad de estos tiempos, la malignidad de estos siglos y cuán acabado está el mundo. La de Aristóteles fue una buena vieja. A un Príncipe tan católico como prudente encomendó una, toda embutida de perlas y de piedras preciosas, era la razón de Estado de Juan Botero: estimóla mucho y se lució bien. Aquí vieron una cosa harto extraña, que habiendo salido a luz una otra muy perfecta y labrada, conforme a las verdaderas reglas de política cristiana, alabándola todos con mucho fundamento, llegó un gran personaje, mostrando grandes ganas de haberla a su mano, trató de comprar todos los ejemplares y dio cuanto pidieron por ellos; y cuando todos creían nacía de estimación, para presentársela a su Príncipe, fue tan al revés, que porque no llegase a sus manos mandó hacer un gran fuego y quemar todos los ejemplares, esparciendo al aire sus cenizas. Mas aunque fue en secreto, llegó a noticia que la atenta ninfa, que como tan política se las entiende a todo el mundo, y al punto mandó al mismo autor la volviese a estampar, sin que faltase un tilde, y repartióla por toda Europa, con estimación universal, cuidando que no volviese ningún ejemplar a manos de aquel político contra Política. Sacó del seno una caja tan preciosa como odorífera, y rogándole todos la abriese y les mostrase lo que contenía, dijo: —Es una riquísima joya, ésa no sale a luz, aunque da tanta: son las instrucciones que dio la experiencia de Carlos Quinto a la gran capacidad de su prudente hijo. Estaba allí apartada una, que aspiraba a eterna, más en la cantidad que en la calidad, obra de tomo, nadie se atrevía a emprenderla. —Sin duda, dijo Critilo, que es la Bobadilla, que todos, cansados, la dejan descansar. —Esta otra, aunque pequeña, sí que es preciosa, dijo la sagaz ninfa; no tiene otra falta esta Política, sino de autor autorizado. Estaban en haces muchas coronas, unas sobre otras, que en el poco aliño se conoció su poca estimación; reconociéronlas y hallaron que estaban huecas, sin rastro de sustancia. —Éstas, dijo, son las Repúblicas del mundo, que no dan razón más que de las cosas superficiales de cada reino, no desentrañan lo recóndito, conténtanse con la corteza. Conocieron el Galateo y otros sus semejantes, y pareciéndoles no era éste su lugar, ella porfió que sí, pues pertenecía a la política de cada uno, a la razón especial de ser personas. Lograron muchas maneras de instrucciones de hombres grandes a sus hijos, varios aforismos políticos, sacados del Tácito y de otros sus secuaces, si bien había muchos por el suelo, y dijo: —Éstos son varios discursos de arbitrios en quimeras, que todos son aire y vienen a dar en tierra. Coronaba todas estas mansiones eternas uno, no ya camarín sino sagrario, inmortal dentro del espíritu, donde presidía el Arte de las Artes, la que enseña la Divina Política, y estaba repartiendo estrellas en libros santos, tratados devotos, obras ascéticas y espirituales. —Éste, dijo el varón alado, advierte que no tanto es estante de libros cuanto Atlante de un Cielo. Aquí exclamó Critilo: —¡Oh, fruición del entendimiento; oh, tesoro de la memoria, realce de la voluntad, satisfacción del alma, Paraíso de la vida! Gusten unos de jardines, hagan otros banquetes, sigan éstos la caza, cébense aquéllos en el juego, rocen galas, traten de amores, atesoren riquezas con todo género de gustos y de pasatiempos, que para mí no hay gusto como el leer, ni contento como una selecta librería. Hizo señal de leva el varón alado, mas Critilo: —Eso no, dijo, sin ver primero en persona la hermosa Sofisbella, que un tanto Cielo como éste no puede dejar de tener por dueño al mismo sol. Suplícote, ¡oh conductor alado!, quieras introducirme ante su divina presencia, que ya me la imagino idea de beldades, ejemplar de perfecciones; ya me parece que admiro la serenidad de su frente, la perspicacia de sus ojos, la sutileza de sus cabellos, la dulzura de sus labios, la fragancia de su aliento, lo divino de su mirar, lo humano de su reír, el acierto con que discurre, la discreción con que conversa, la sublimidad de su talle, el decoro de su persona, la gravedad de su trato, la majestad de su presencia. Ea, acaba, ¿en qué te detienes?, que cada instante que tardas se me vuelve eternidades de pena. Cómo se desempeñó el varón alado, cómo logró Critilo su dicha, veremos después de dar noticia de lo que le aconteció a Andrenio en la gran plaza del vulgo.

CRISI V

PLAZA DEL POPULACHO Y CORRAL DEL VULGO

Estábase la Fortuna, según cuentan, bajo su soberano dosel, más asistida de sus cortesanos que asistiéndoles, cuando llegaron dos pretendientes de dicha a solicitar sus favores. Suplicó el primero le hiciese dichoso entre personas, que le diese cabida con los varones sabios y prudentes; miráronse unos a otros los curiales y dijeron: —Éste se alzará con el mundo; mas la Fortuna, con semblante mesurado y aun triste, le otorgó la gracia pretendida. Llegó el segundo y pidió, al contrario, que le hiciese venturoso con todos los ignorantes necios; riéronlo mucho todos los del cortejo, solemnizando gustosamente una petición tan extraña; mas la Fortuna, con rostro muy agradable, le concedió la suplicada merced. Partiéronse ya entrambos, tan contentos como agradecidos, abundando cada uno en su sentir. Mas los áulicos, que siempre están contemplando el rostro de su Príncipe y brujuleándole los afectos, notaron mucho aquel tan extravagante cambiar semblantes de su Reina; reparó ella también en su reparo y muy galante les dijo: —¿Cuál de estos dos pensáis vosotros, oh cortesanos míos, que ha sido el entendido? ¿Creeréis que el primero? Pues sabed que os engañáis de medio a medio; sabed que fue un necio; no supo lo que pidió, nada valdrá en el mundo. Este segundo sí supo negociar; éste se alzará con todo. Admiráronse mucho, y con razón, oyendo tan paradójico sentir, mas desempeñóse ella diciendo: —Mirad, los sabios son pocos, no hay cuatro en una ciudad; ¿qué digo cuatro?, ni dos en todo un reino; los ignorantes son los muchos, los necios son los infinitos, y así el que los tuviere a ellos de su parte, ése será señor del mundo entero.

Sin duda que estos dos fueron Critilo y Andreno cuando éste, guiado del Cecrope, fue a ser necio con todos; era increíble el séquito que arrastraba el que todo lo presume y todo lo ignora. Entraron ya en la Plaza Mayor del Universo, pero nada capaz, llena de gente, pero sin persona, a dicho de un sabio que con la antorcha en la mano al mediodía iba buscando un hombre que lo fuese, y no había podido hallar uno entero, todos lo eran a medias, porque el que tenía cabeza de hombre tenía cola de serpiente, y las mujeres de pescado; al contrario, el que tenía pies no tenía cabeza. Allí vieron muchos Anteones, que luego que cegaron se convirtieron en ciervos. Tenían otros cabezas de camellos, gente de cargo y de carga, muchos de bueyes en lo pelado, que no en lo seguro; no pocos de lobos, siempre en la fábula del pueblo; pero los más de estólidos jumentos muy a lo simple maliciosos. —Rara cosa, dijo Andrenio, que ninguno tiene cabeza de serpiente, ni de elefante, ni aun de vulpeja. —No, amigo, dijo el filósofo, que aun con ser bestias no alcanzan esa ventaja. Todos eran hombres a remiendo, y así, cuál tenía garra de león y cuál de oso en pie; hablaba uno por boca de ganso y otro murmuraba con hocico de puerco; éste tenía pies de cabra y aquél orejas de Midas; algunos tenían ojos de lechuzas y los más de topo, risa de perro quien yo sé, mostrando entonces los dientes.

Estaban divididos en varios corrillos, hablando, que no razonando, y así oyeron en uno que estaban peleando a toda furia: ponían sitio a Barcelona, la tomaban en cuatro días por ataques, sin perder dinero ni gentes; pasaban a Perpiñán mientras duraban las guerras civiles de Francia; restauraban toda España; marchaban a Flandes que no había para dos días; daban la vuelta a Francia, dividíanla en cuatro potentados, contrarios entre sí como los elementos, y finalmente venían a parar en ganar la Casa Santa. —¿Quién son éstos, preguntó Andrenio, que tan bizarramente pelean? ¿Si estaría aquí el bravo Picolomini? ¿Es por ventura aquel Conde de Fuensalida y aquel otro Totavila? —Ninguno de éstos es soldado, respondió el Sabio. No han visto jamás la guerra. ¿No ves tú que son cuatro villanos de un aldea; sólo aquel que habla más que todos juntos es el que lee las cartas, el que compone los razonamientos, el que le va a los alcances al cura, digo el barbero. Impaciente Andrenio dijo: —Pues si éstos no saben otro que destripar terrones, ¿por qué tratan de allanar reinos y conquistar provincias? —He, dijo el Cecrope, que aquí todo se sabe. —No digas que se sabe, replicó el Sabio, sino que todo se habla. Hallaron en otros que estaban gobernando el mundo: uno daba arbitrios, otro publicaba pragmáticas, adelantaban los comercios y reformaban los gastos. —Éstos, dijo Andrenio, serán del Parlamento; no pueden ser otros, según hablan. —Lo que menos tienen, dijo el Sabio, es de consejo; toda es gente que habiendo perdido sus casas trata de restaurar las Repúblicas. —¡Oh, vil canalla!, exclamó Andrenio. ¿Y de dónde les vino a éstos meterse a gobernar? —Ahí verás, respondió el serpihombre, que aquí todos dan su voto, y aun su cuero, replicó el Sabio, y acercándose a un herrador. —Advertid, le dijo, que vuestro oficio es herrar bestias, dad alguna en el clavo; y a un zapatero lo metió en un zapato, pues le mandó no saliese de él. Más adelante estaban otros altercando de linajes, cuál sangre era la mejor de España; si el otro era gran soldado de más ventura que valor, y que toda su dicha había consistido en no haber tenido enemigo; ni perdonaban a los mismos Príncipes, definiendo y calificándolos si tenían más vicios de hombre que prendas de Reyes; de modo que todo lo llevaban por un rasero. —¿Qué te parece?, dijo Cecrope, ¿pudieran discurrir mejor los siete sabios de Grecia? Pues advierte que todos son mecánicos, y los más sastres. —Eso creyera yo, que desastres siempre hay muchos. Y Andrenio: —Pues ¿quién los mete a ellos en esos puntos? —¡Oh, sí, que es su oficio tomar la medida a cada uno y cortarle de vestir, y aun todos en el mundo son ya sastres en descoser vidas ajenas y dar cuchilladas en la más rica tela de la fama!

Aunque era tan ordinario aquí el ruido y tan común la vocería, sintieron que hablaban más alto allí cerca, en una no bien casa, ni mal zahúrda, aunque muy enramada, que en habiendo riego hay ramos. —¿Qué estancia o qué estanque es éste?, preguntó Andrenio, y el Cecrope, agestándose del misterio: —Éste es, dijo, el Areópago; aquí se tiene el Consejo de Estado de todo el mundo. —Bueno irá él, dijo Andrenio, si por aquí se gobierna; ésta más parece taberna. —Así como lo es, respondió el Sabio, que como se les suben los humos a la cabeza, todos dan en quererlo ser. —Por lo menos, replicó el Cecrope, no pueden dejar de dar en el blanco. —Y aun en el tinto, respondió el Sabio. —Pues de verdad, volvió a instar, que han salido de aquí hombres muy famosos, y que dieron harto que decir de sí. —¿Quiénes fueron ellos? —¿Cómo quiénes? Pues ¿no salió de aquí el tundidor de Segovia, el cardador de Valencia, el segador de Barcelona y el carnicero de Nápoles, que todos salieron a ser cabezas y fueron bien descabezados? Escucharon un poco y oyeron que unos en español, otros en francés, en irlandés algunos y todos en tudesco, estaban disputando cuál era el más poderoso de sus Reyes, cuál tenía más rentas, qué gente podían meter en campo, quién tenía más Estados, brindándose a la salud de ellos y a su gusto. —De aqu, sin duda, dijo Andrenio, salen tantos como andan rodando por esa gran vulgaridad, dando su voto en todo; yo creía qne procedía de estar tan acabados los hombres que andaban ya en cueros, mas ahora veo que todos los cueros andan en ellos. —Así es, ponderó el Sabio, no verás otro por ahí sino pellejos rebutidos de poca sustancia: mira aquél, cuanto más hinchado más vacío; aquel otro está lleno de vinagre a lo ministro; aquellos botillos pequeños son de agua de azahar, que con poco tienen harto, luego se llenan; aquellos otros son de vino, y por eso en tierra; aquellos los que, en siendo devoto, son de bota. Muchos están embutidos de paja, que la merecen; colgados otros, por ser hombres fieros, que hasta del pellejo de un bárbaro están acullá haciendo un tambor, para espantar muertos sus contrarios, tan allá resuena la fiereza de éstos.

De la mucha canalla que de adentro redundaba, se descomponían por allí cerca muchos otros corrillos, y en todos estaban murmurando del gobierno, y esto siempre y en todos los reinos, aun en el siglo de oro y de la paz. Era cosa ridícula oír los soldados tratar de los Consejos, dar priesa al despacho, reformar los cohechos, residenciar los oidores, visitar los tribunales. Al contrario, los Letrados era cosa graciosa verles pelear, manejas las armas, dar asaltos y tomar plazas. El labrador hablando de los tratos y contratos, el mercader de la agricultura, el estudiante de los ejercicios y el soldado de las escuelas; el seglar ponderando las obligaciones del eclesiástico y el eclesiástico las desatenciones del seglar; arjados los estados, metiéndose los del uno en los del otro, saltando cada uno de su coro y hablando todos de lo que menos entienden. Estaban unos viejos diciendo mucho mal de los tiempos presentes y mucho bien de los pasados, exagerando la insolencia de los mozos, y la libertad de las mujeres, el estrago de las costumbres, la perdición de todo. —Yo menos entiendo el mundo, decía éste, cuanto más va. —Y yo lo desconozco del todo, decía aquél. Otro mundo es éste del que nosotros hallamos. Llegóse en esto el Sabio, díjoles volviesen la mira atrás, y viesen otros tantos vicios, que estaban diciendo mucho más mal del tiempo que ellos tanto alababan; y detrás de aquellos otros y otros, encadenándose hasta el primer viejo su vulgaridad. Media docena de hombres muy autorizados con más barbas que dientes, mucho ocio y poca renta, estaban en otro corro allí cerca, tratando de desempeñar las casas de los Señores y restituirlas a aquel su antiguo lustre. —¡Qué casa, decía uno, la del Duque del Infantado, cuando se hospedó en ella el Rey de Francia prisionero, y lo que Francisco la celebró! —Pues ¿qué la debía, dijo otro, la del Marqués de Villena, cuando hacía y deshacía; y la del Almirante en tiempo de los Reyes Católicos?, ¿púdose imaginar mayor grandeza? —¿Quiénes son ellos?, preguntó Andrenio. —Éstos, respondió el hombre sierpe, son hombres de honor en los Palacios, llámanse Gentilhombres o Escuderos; y en buen romano, dijo el Sabio, son gente que después de haber perdido la hacienda están perdiendo el tiempo, y los que habiendo sido la polilla de sus casas, vienen a ser la honra de las ajenas, y que siempre verás, que los que no supieron para sí, quieren saber para los otros.

—Nunca pesé ver, ponderaba Andrenio, tanto Necidiscreto junto, y aquí veo de todos estados y géneros, hasta legos. —¡Oh, sí, dijo el Sabio, que en todas partes hay vulgo, y por atildada que sea una Comunidad, hay ignorantes en ella, que quieren hablar de todo, y se meten a juzgar de las cosas, sin tener punto de juicio. Pero lo que extrañó mucho Andrenio, fue ver entre tales heces de la República, en medio de aquella sentina vulgar, algunos hombres lucidos, y que se decía eran grandes personajes. —¿Qué hacen aquí éstos, Señor? Que se hallen aquí más esportilleros que en Madrid, más aguadores que en Toledo, más gorrones que en Salamanca, más pescadores que en Valencia, más segadores que en Barcelona, más palanquines que en Sevilla, más cavadores que en Zaragoza, más mochilleros que en Milán, no me espanta. Pero gente de porte el Caballero, el Título, el Señor, no sé qué me diga. —¿Qué piensas tú, dijo el Sabio, que en yendo uno en litera, ya por eso es sabio? ¿En yendo bien vestido, es entendido? Tan vulgares hay algunos y tan ignorantes como sus mismos lacayos; y advierte, que aunque sea un Príncipe, en no sabiendo las cosas, quererse meter en hablar de ellas, a dar su voto en lo que no sabe, ni entiende, al punto se declara hombre vulgar y plebeyo, porque el vulgo no es otra cosa que una sinagoga de ignorantes presumidos, que hablan más de las cosas cuanto menos las entienden.

Volvieron los rostros a uno que estaba diciendo: —Si yo fuera Rey, y era un mochillero. —Y si yo fuera Papa, decía un gorrón. —¿Qué habías de hacer vos, si fuerais Rey? —¿Qué? Lo primero, me había de teñir los bigotes a la española; luego me había de enojar, y yo: no, no juréis, que todos estos que echan votos, huelen a cueros. Digo, que había de hacer colgar media docena: yo sé, que oliera la casa a hombre, y que mirarían algunos cómo perdían las victorias y los Ejércitos; cómo entregaban las fortalezas al enemigo. No me había de llevar encomienda quien no fuese soldado, y de reputación, pues para ellos se instituyeron; y no de esos de las plumas, sino un Sargento Mayor Soto, un Monroy, y

un Pedro Estévez, que se han hallado en cien batallas y en mil
sitios. Qué Virreyes, qué Generales hiciera yo, qué Ministros;
todos habían de ser Oñates, y Caracenas; qué Embajadores, ¿qué
no hiciera? —¡Oh, no me viera yo un mes Papa!, decía el estudiante. Yo sé qué de otra manera irían las cosas: no se había de
proveer Dignidad, ni Prebenda, sino por oposición, todo por méritos; yo examinaría quién venía con más letras que favores, quién
traía quemadas las cejas. Abrióse en esto la portería de un Convento, y metiéronse a la sopa.

Hallaban varias y desvariadas oficinas por toda aquella gran
plaza mecánica. Los Pasteleros hacían valientes empanadas de
perro, ni faltaban aquí tantas moscas como allá mosquitos. Los
Caldereros siempre tenían calderas que adobar. Los Olleros alabando lo quebrado. Los Zapateros a todo hombre buscando la
horma de los zapatos, y los Barberos haciendo las barbas. —¿Es
posible, dijo Andrenio, que entre tanta botica mecánica no hallemos una de medicina? —Basta, que hay hartas Barberías, dijo el
Cecrope. —Y hartos en ellas, respondió el Sabio, que como bárbaros, hablan de todo; mas lo que ellos saben, ¿quién lo ignora?
—Con todo esto, dijo Andrenio, en una vulgaridad tan común, es
mucho que no haya un Médico que recete, por lo menos no había
de faltar a la murmuración civil. —No hacen falta, replicó el Sabio. —¿Cómo no? Porque aunque todos los males tienen remedio,
hasta la misma locura tiene cura en Zaragoza, o en Toledo, y en
cien partes; pero la necesidad no la tiene, ni ha habido jamás
hombre que curase de tonto. Con todo eso veis allí unos que lo
parecen; venían dándose a las furias, de que todos se les entro-
meten en su oficio, y quieren curar a todos con un remedio; y eso
sería nada, si algunos no se metiesen a quererles dar doctrina a
ellos mismos, disputando con el Médico los jarabes y las sangrías.
—Eh, decían, déjense matar sin decir palabra. Pero los Herreros
llevan brava herrería, y aún todos parecían Caldereros. Enfadados
los Sastres, les dijeron que callasen y dejasen oír, si no entender.
Sobre esto armaron una pendencia, aunque no nueva en tales
puestos; tratáronse muy mal, pero no se maltrataron, y dijéronles
los Herreros a los Sastres, después de encomios solemnes: —Qui-
tad de ahí, que sois gente sin Dios. —¿Cómo sin Dios?, respondieron ellos enfurecidos. Si dijerais sin conciencia, pase; pero sin
Dios, ¿qué quiere decir eso? —Sí, repitieron los Herreros, que no
tenéis un Dios Sastre, como nosotros un Herrero; y cuando todos
le tienen: los Taberneros a Baco, aunque en celos con Tetis; los
Mercaderes a Mercurio, de quien tomaron las trampas con el
nombre; los Panaderos a Ceres; los Soldados a Marte; los Boticarios a Esculapio; mira qué tales sois vosotros, que ningún Dios
quiere. —Andad de ahí, respondieron los Sastres, que sois unos
Gentiles. —Vosotros sí lo sois, que a todos queréis hacer gentilhombres. Llegó en esto el Sabio y metió paz, consolando a los
Sastres, con que ya no tenían Dios, todos los daban al diablo.

—Prodigiosa cosa, dijo Andrenio, que con meter tanto ruido
no tengan habla. —¿Cómo no?, replicó el Cecrope, antes jamás
paran de hablar; ni tienen otro que palabras. —Pues yo, replicó
Andrenio, no he percibido aún habla que lo sea. —Tienes razón,
dijo el Sabio, que todas son hablillas, y todas falsas. Corrían
actualmente algunas bien desatinadas: que habían de caerse muertos muchos cierto día, y los señalaban, y hubo quien murió de
espanto dos días antes; que había de venir un terremoto, y habían
de quedar todas las casas por tierra. Pues ver lo que se iba extendiendo un disparate de éstos, y los muchos que se lo tragaban y
bebían, y lo que contaban unos a otros; si algún cuerdo reparaba,
se enfurecían, sin saber de dónde ni cómo nacía. Resucitaba cada
año un desatino, sin ser bastante el desengaño fresco corriendo
grasa; y era de advertir, que las cosas importantes y verdaderas
luego se les olvidaban, y un disparate lo iban heredando de abuelas a nietas, y de tías a sobrinas, haciéndose eterno por tradición.
—No sólo no tiene habla, añadió Andrenio, pero ni voz. —¿Cómo
que no?, replicó el Cecrope: voz tiene el Pueblo, y aun dicen
que su voz es la de Dios. —Sí, del Dios Baco, respondió el Sabio,
y si no escuchadla un poco, y oiréis todos los imposibles, no sólo
imaginados, pero aplaudidos. Oíd aquel español lo que está contando del Cid, cómo de un papirote derribó una torre, y de un
soplo un gigante; atended aquel otro francés lo que refiere, y con
qué credulidad, del Roldán, y cómo de un revés rebanó caballo
y un caballero armado; pues yo os aseguro que el portugués no se
olvida tan presto de la pala de la victoriosa Forneira.

Pretendió entrar en la bestial plaza un gran Filósofo y poner
tienda de ser personas, feriando algunas verdades bien importantes, aforismos convenientes; pero jamás pudo introducirse ni despachó una tan sola verdad, ni el más mínimo desengaño, conque
se hubo de retirar. Al contrario, llegó un embustero sembrando
cien mil desatinos, vendiendo pronósticos llenos de disparates,
como que se había de perder España otra vez, que había acabado
ya la casa Otomana, leía profecías de Moros y de Nostradamus,
y al punto se llenó la tienda de gente, y comenzó a despachar sus
embustes con tanto crédito, que no se hablaba de otro, y con tal
aseveración como si fueran evidencias; de modo que aquí más
supone un adivino que Séneca, un embustero que un sabio. Vieron en esto una monstrimujer con tanto séquito, que muchos de
los pasados, y los más de los presentes, la cortejaban, y todos con
las bocas abiertas escuchándola. Era tan gruesa y tan asquerosa
que por doquiera que pasaba dejaba el aire tan espeso que le podían cortar. Revolvióle las entrañas al Sabio, comenzó a dar arcadas. —¡Qué cosa tan sucia!, dijo Andrenio, ¿y quién es ésta?
—Ésta es, dijo el Cecrope, la Minerva de esta Atenas, ésta la invencible, y aún la casa. Dijo el Filósofo: —Ella puede ser Minerva, mas a fe que es pingüe; y quien tanto engorda, ¿quién puede
ser sino la ignorante satisfacción?, veamos dónde va a parar. Pasó

de las vendaderas a sentarse en el banco del Cid. —Aquélla, dijo
el Cecrope, es la paciencia de tanto lego, allí están graduando a
todos, y calificando los méritos de cada uno; allí se dice el que
sabe y el que no sabe; si el argumento fue grande, si el sermón
docto, si tan bien discurrido como razonado, si el discurso fue
cabal, si magistral la lección. —¿Y quiénes son los que juzgan,
preguntó Andrenio, y los que dan el grado? —¿Quiénes han de
ser, sino un ignorante y otro mayor? Uno que ni ha estudiado
ni visto libro en su vida, cuando mucho una Sylva de Varia Lección, y el que más, más un para Todos. —¡Oh!, dijo el Cecrope;
¿no veis que éstos son los más plausibles personajes del mundo?
Todos son bachilleres; aquel que veis allí muy grave es el que
en la Corte anda diciendo chistes, hace cuento de todo, muerde
sin sal cuanto hay, saca sátiras, vomita pasquines, el duende de
los corrillos. Aquel otro es es el que todo lo sabía ya, nada le
cuentan de nuevo; saca gacetas, se escribe con todo el mundo, y
no cabiendo en todo él, se entremete en cualquier parte. Aquel
Licenciado es el que en las Universidades cobra las patentes,
hace coplas, mantiene los corrillos, soborna votos, habla por todos,
y habiendo Conclusiones, ni es visto ni oído. Aquel Soldado
nunca falta en las Campañas, habla de Flandes; hallóse en el
sitio de Ostende, conoció al Duque de Alba, acude a la tienda
dal General; el demonio del mediodía mantiene la conversación,
cobra el primero, y el día de la pelea se hace invisible. —Paréceme que todos ellos son zánganos del mundo, ponderó Andrenio,
¿y éstos son los que gradúan de valientes y de sabios? —Y es de
modo, respondió el Cecrope, que el que ellos una vez dan por
docto, ése lo es, sepa o no sepa; ellos hacen Teólogos y Predica-
dores, buenos Médicos y grandes Letrados, y bastan a desacredi-
tar un Príncipe; dígalo el Rey Don Pedro; más, que si el barbero del lugar no quiere, nada valdrá el sermón más docto, ni
será tenido por orador el mismo Tulio. A éstos están esperando,
sin que hablen los demás y sin osar decir blanco, ni negro, hasta
que éstos se declaran y al punto gritan: gran hombre, gran sujeto,
y dan en alabar a uno, sin saber en qué ni por qué; celebran lo
que menos entienden, y vituperan lo que no conocen, sin más
entender ni saber. Por eso el buen político suele echar buena es-
quilla, que guía el vulgo a donde él quiere. —¿Y hay, preguntó
Andrenio, quién se paga de tan vulgar aplauso? —¿Cómo si hay?,
respondió el Sabio, y muchos: hombres vulgares, chabacanos, amigos de la popularidad y que la solicitan con milagrones, que llamamos pasma simples y espanta villanos; obras gruesas y plausibles porque aquí no tienen lugar los primores ni los realces.
Páganse muchos otros de la gracia de las gentes, del favor del
populacho; pero no hay que fiar en su gracia, que hay gran
distancia de sus lenguas a sus manos. Que fue verlos bravear ayer
en un motín en Sevilla, y enmudecer hoy en un castigo; ¿qué se
hicieron las manos de aquellas lenguas y las obras de aquellas

palabras?, son sus ímpetus como los del viento, que cuando más furioso, calma.

Encontraron con unos que estaban durmiendo, y no aprieta, como encargaba otro a su criado, no movían pie ni mano; y era tal la vulgaridad, que los despiertos soñaban lo que los otros dormían, imaginando que hacían grandes cosas; y era de modo que no corría otro en toda la plaza, sino que estaban peleando y triunfando de los enemigos. Dormía uno a pierna tendida, y decían ellos estaba desvelándose, estudiando noche y día y quemándose las cejas. De esta suerte publicaba que eran los mayores hombres del mundo, y gente de gran gobierno. —¿Cómo es esto, dijo Andrenio, hay tamaña vulgaridad? —Mira, dijo el Sabio, aquí si dan en alabar a uno, si una vez cobra buena fama, aunque se eche después a dormir, él ha de ser un gran hombre, aunque ensarte después cien mil disparates, dicen que son sutilezas y que es la primera cosa del mundo; todo es que den en celebrarle; y por el contrario, a otros que estarán muy despiertos haciendo cosas grandes, dicen que duermen y que nada valen. ¿Sabes tú lo que le sucedió aquí al mismo Apolo con su divina lira, que desafiándole a tañer un zafio Gañán, con una pastoril zampoña, nunca quiso el culto Numen salir, aunque se lo rogaron las Musas y el salvajazo le zahería su temor, y se jactaba de la victoria; no hubo remedio, no más de porque había de ser su juez el vulgacho, no queriendo arriesgar su gran reputación a un juicio tan sin él. Y por no haber querido hacer otro tanto, fue condenada la dulcísima Filomela en competencia del jumento, y aún la Rosa dicen estuvo a pique de ser vencida de la Adelfa; que desde entonces por su indigno atrevimiento quedó letal a los suyos; ni el pavón se atrevió a competir de belleza con el cuervo, ni el diamante con el guijarro, ni el mismo Sol con el escarabajo, con tener tan asegurado su partido, por no sujetarse a la censura de un vulgo tan desatinado. Mala señal, decía un discreto, cuando mis ojos agradan a todos, que lo muy bueno es de pocos, y el que agrada al vulgo, por consiguiente ha de desagradar a los pocos, que son los entendidos.

Asomó en esto por la plaza, haciéndola, un raro ente, que todos le recibieron como plausible novedad, seguíale la turba, diciendo: —Ahora en este punto llega del Jordán, mas tiene ya de cuatrocientos años. —Mucho es, decía uno, que no le acompañen ejércitos de mujeres, cuando va a desarrugarse. —¡Oh, no!, decía otro, ¿no veis que va en secreto?; pues si eso no fuera, ¿qué fuera? Por lo menos no se pudiera traer por acá una botija de aquella agua que yo sé que vendiera cada gota a doblón de oro. No tiene él necesidad de dinero, pues cada vez que echa mano a la bolsa, halla un patacón. ¿Qué otra felicidad ésta?, no sé yo cuál me escogiera de las dos. —¿Quién es éste?, preguntó Andrenio. Y el Sabio: —Éste es Juan de Parasiempre, que Juan había de ser. Brollaban de estas donosísimas vulgaridades y todas muy creídas, levantando mil testimonios a la naturaleza, y aun a la misma posibilidad. Sobre todo estaban muy acreditados los duendes, había pasa de ellos como de hechizadas, no había Palacio viejo donde no hubiese dos por lo menos; unos los veían vestidos de verde, otros de colorado, y los más de amarillo, y todos eran tamañicos, y tal vez con su capuchito, inquietando las razas, y nunca aparecían a las viejas, que no dicen trasgos con trasgos. No moría mercader que no fuese rodeado de monas y de micos; había brujas tantas como viejas, y todas las mal contentas endiabladas. Tesoros encantados y escondidos, sin cuenta y con cuento, cavando muchos tontos por hallarlos; minas de oro y de plata riquísimas; pero tapiadas hasta que se acaben las Indias, las Cuevas de Salamanca y de Toledo; mal año para quien se atreviera a dudarlas.

Mas he aquí que en un instante se conmovió toda aquella acorralada necedad, sin saber cómo ni por qué, que es tan ordinario como fácil alborotarse un vulgo; y más si es tan crédulo como el de Valencia, tan libre como el de Barcelona, tan necio como el de Valladolid, tan bárbaro como el de Zaragoza, tan novelero como el de Toledo, tan insolente como el de Lisboa, tan hablador como el de Sevilla, tan sucio como el de Madrid, tan vocinglero como el de Salamanca, tan embustero como el de Córdoba, y tan vil como el de Granada. Fue el caso, que asomó por una de sus entradas, no la principal donde todas son comunes, un monstruo, aunque raro, muy vulgar: no tenía cabeza y tenía lengua, sin brazos y con hombros para la carga, no tenía pecho con llevar tantos, ni mano en cosa alguna, dedos sí para señalar; era su cuerpo en todo disforme, y como no tenía ojos daba grandes caídas; era furioso en acometer, y luego se acobardaba. Hízose en un instante señor de la plaza, llenándola toda de tan horrible oscuridad que no vieron más el Sol de la verdad. —¿Qué horrible trasgo es éste, preguntó Andrenio, que ahí lo ha eclipsado todo? —Éste es, respondió el Sabio, el hijo primogénito de la ingorancia, el padre de la mentira, hermano de la necedad, casado con su malicia; éste es el tan nombrado vulgacho. Al decir esto, descolgó el rey de los Cecropes de la cinta un retorcido caracol, que hurtó a Fauno, y alentándolo de vanidad, fue tal su ruido y tan grande el horror que les causó, que agitados todos de un terror fanático, dieron a huir por cosa que no montaba un caracol. No fue posible ponerlos en razón, ni detenerlos, que no se descolgasen muchos por las ventanas y balcones, más a ciegas que pudieran en la Plaza de Madrid; huían los soldados gritando: que nos cortan, que nos cortan; comenzaron algunos a herirse y a matarse más bárbaramente que gentílicos bacanales. Fuele forzoso a Andrenio retirarse a toda fuga; tan arrepentido como desengañado, echaba mucho de menos a Critilo; pero valióle la asistencia de aquel Sabio, la luz que la antorcha de su saber le comunicaba. Dónde fue a parar, dirá la Crisi siguiente.

CRISI VI

CARGOS Y DESCARGOS DE LA FORTUNA

Comparecieron ante el Divino Trono de Luceros el hombre y la mujer a pedir nuevas mercedes, que a Dios y al Rey pedir y volver. Solicitaban su perfección de manos de quien habían recibido el ser. Habló allí el hombre en primer lugar, y pidió como quien era, porque viéndose cabeza, suplicó le fuese otorgada la inestimable prenda de la sabiduría; pareció bien su petición y decretóse luego la merced, con tal que pagase en agradecimiento la media anata. Llegó ya la mujer, y ateniendo a que si no es cabeza, tampoco es pies, sino la cara, suplicó con mucho agrado al Hacedor Divino que la dotase en belleza. Fata la gracia, dijo el gran Padre Celestial, serás hermosa, pero con la pensión de tu flaqueza. Partiéronse muy contentos de la Divina Presencia, que de ella nadie sale descontento, estimando el hombre por su mayor prenda el entendimiento, y la mujer la hermosura, él la testa y ella el rostro. Llegó esto a oídos de la Fortuna, y dicen quimereó agravios, dando quejas de que no hubiesen hecho caso de la ventura. —¿Es posible, decía con profundo sentimiento, que nunca haya él oído decir: Ventura te dé Dios, hijo, ni ella: Ventura desea? Dejadles y veremos qué hará él con su sabiduría, y ella con su lindeza, si no tienen ventura. Sea sabio él, y linda ella, que de hoy adelante me han de tener por contraria; desde aquí me declaro contra el Saber y la Belleza; yo les he de malograr sus prendas, ni él será dichoso ni ella venturosa. Desde este día aseguran que los sabios y entendidos quedaron desgraciados; todo les sale mal, todo se les despinta: los necios son los venturosos; los ignorantes favorecidos y premiados, desde entonces se dijo ventura de fea. Poco vale el saber, el tener los amigos, y cuanto hay, si no tiene un hombre dicha, y poco le importa ser un sol a la que no tiene estrella.

Esto le ponderaba un enano al melancólico Critilo, desengañándole que su porfía en querer ver en persona la misma Sofisbella, empeño en que le había puesto el varón alado, el cual, sin poderle satisfacer, se le había desaparecido. —Créeme, decía el enano, que todo pasa en imagen y aun en imaginación en esta vida; hasta esta casa del saber, toda ella es apariencia. —¿Qué, pensabas tú ver y tocar con las manos a la misma Sabiduría? Muchos años ha que se huyó al Cielo con las demás virtudes, en aquella fuga general de Astrea. No han quedado en el mundo sino unos borrones de ella en estos escritos, que aquí se eternizan. Bien es verdad que solía estar metida en las profundas mentes de sus sabios, mas ya aun esto acabaron; no hay otro saber sino el que se halla en los inmortales caracteres de los libros; ahí la has de buscar y aprender. —¿Quién, pues, fue, preguntó Critilo, el

hombre de tan bizarro gusto, que juntó tan precioso libro y tan
selecto? ¿Cúyo es un tan erudito Museo? Si estuviéramos en Aragón, dijo el Pigmeo, yo creyera ser del Duque de Villahermosa,
Don Fernando; si en París, del erudito Duque de Orleáns; si en
Madrid, del Gran Filipo, y si en Constantinopla, del discreto Os-
mán, conservado entre cristales. Mas como digo, ven conmigo
en busca de la Ventura, que sin ella ni vale el saber ni el tener,
y todas las prendas se malogran. —Quisiera hallar primero, replicó Critilo, aquel mi camarada que te he dicho, que echó por
la vereda de la necedad. —Si por ahí fue, ponderó el Enano, sin
duda estará ya en casa de la Dicha, que antes llegan éstos que
los sabios, ten por cierto que le hallaremos en aventajado puesto.
—¿Y sabes tú el camino de la Dicha?, preguntó Critilo. Ahí consiste la mayor dificultad, que una vez puestos en él, nos llevará al
colmo de toda felicidad. Con todo, paréceme que es éste en lo
desigual; demás, que me dieron por señal estas yedras, que arrimadas se empinan y entremetidas medran.

Llegó en esto un soldado muy de leva, que es gente que vive
apriesta, y preguntó si iba bien para la Ventura. ¿Cuál buscas,
dijo el Enano, la falsa o la verdadera? —Pues ¿qué hay Ventura
falsa? Nunca tal oí. —¡Y cómo si la hay! Ventura hipócrita antes
es la que hoy más corre. Tiénese por dichoso uno en ser rico, y
es de ordinario un desventurado. Cuenta el otro por gran dicha
el haber escapado en mil insultos de las manos de la Justicia, y
es éste su mayor castigo. Un ángel fue para mí aquel hombre,
dice éste, y no fue sino un demonio que le perdió. Tiene quel
gran suerte el no haber padecido jamás ni revés de fortuna, y no
es sino un bofetón, de que no le ha tenido por hombre el Cielo
para fiarle un acto de valor. Tal dice: Dios me vino a ver, y no
fue sino el mismo Satanás en sus logros. Cuenta el otro por gran
felicidad el no haber estado en toda su vida indispuesto, y hubiera sido su único remedio para sanar en el ánimo. Alábase el
lascivo de haber sido siempre venturoso con mujeres, y ésta es su
mayor desventura. Estima la otra desvanecida por su mayor dicha
su buena gracia, y ésta fue su mayor desgracia. Así que los más
de los mortales yerran en este punto, teniendo por felicidad la
desdicha; que en errando los principios, todas salen falsas las
consecuencias.

Entremetióseles un pretendiente (que es otro trasto éste del enfado) y al punto comenzó a quejarse y murmurar; y un estudiante a contradecirle; que todos cuantos piensan saber algo, dan
en espíritu de contradicción. Pasaron de una en otra a burlarse
del Enano. ¡Bravo aliento! Pero ¿cómo podrá ser esto? Muy bien,
como quisiere mi señora la Fortuna, que si ella favorece, los pigmeos son gigantones y si no los gigantes son pigmeos. Otros más
ruines que yo están muy bien encaramados; que no hay prendas
que tengan, ni hay sabiduría, ni ignorancia, ni valor, ni cobardía,
ni hermosura, ni fealdad, sino ventura o desdicha, tener lunar o

estrella; todo es risa lo demás: al fin ella se dará maña, como yo
sea grande o lo parezca, que todo es uno. —Voto a tal, dijo el
Soldado, que, quiera o no, ella habrá de hacer la razón. —No tan
alto, señor Soldado, dijo el Estudiante, más bajo. —Éste es mi
bajo, y mucho más he de alzar la voz, aunque sea en la sala de
Don Fernando Ruiz de Contreras; peor es acobardarse con la
Fortuna, sino mostrarla dientes, que sólo se burla con los sufridos;
y así veréis que unos socarronazos, cuatro bellacones atrevidos, se
salen con cuanto quieren y se burlan de todo el mundo; ellos son
los medrados, que de los hombres de bien no hay quien se acuerde. Juro, voto, que hemos de andar a mojicones, y que ha de
hacerme favor, aunque reviente. —No sé yo cómo será ello, replicó el Licenciado, que la Fortuna no hay entenderla, tiene bravos reveses; a otros más estirados he oído ponderar, que no hay
que tomarla el tino. —Yo, por lo menos, dijo el Cortesano, de mis
zalemos pienso valerme, y mil veces hacerla el buz. —Buz de
arca, dijo el Soldado, ha de ser mío; ¿yo besarla la mano? Si me
hiciese merced, esto bien, y si no, lo dicho, dicho.

—Ya me parece que me la veo, decía el Enano, y que ella no
me ve a mí, por ser pequeño, que sólo son visibles los bien vistos. —Menos me verá a mí, dijo el Estudiante, por ser pobre,
que a los deslucidos nadie los puede ver, aunque les salten al
rostro los colores. —¿Cómo os ha de ver, dijo el Cortesano, si es
ciega? —¿Y esto más?, ponderó Critilo. ¿De cuándo acá ha ce-
gado? —No corre otro en la Corte. Pues ¿cómo podrá repartir
los bienes? —¿Cómo? A ciegas. —Así es, dijo el Estudiante, y
así la vio un sabio entronizada en un árbol muy copudo, de cuyas
ramas, en vez de frutos, pendían Coronas, Tiaras, Cidaris, Mitras,
Capelos, Bastones, Hábitos, Borlas y otros mil géneros de insignias, alternados con cuchillos, dogales, remos, grillos y corozas.
Estaban bajo el árbol confundidos, hombres y brutos, un bueno
y otro malo, un sabio y un jumento, un lobo y un cordero, una
sierpe y una paloma; sacudía ésta a ciegas, esgrimiendo su palo,
dé donde diere y Dios te la depare buena. Caía sobre la cabeza de
uno una corona, y sobre el cuello del otro un cuchillo, sin más
averiguar que la suerte, y las más veces se encontraban; pues
daba en manos de uno un bastón, que estuviera mejor un remo;
a un docto le caía una mitra allá en Cerdeña, o acá en Jaca, y
a un idiota bien cerca, todo a ciegas.

—Y aún a locas, añadió el Estudiante. —¿Cómo es eso?, replicó
Critilo. —Todos dicen que ha enloquecido, y se conoce, pues no
va cosa con concierto. —¿Y de qué enloqueció? —Cuéntanse varias causas: la más constante opinión es que la malicia la ha
dado bebedizas, y a título de descansarla se le ha alzado con el
mando; y así da a los favorecidos cuanto quiere; a los ladrones
las riquezas; a los soberbios las honras; a los ambiciosos las dignidades; a los menguados las dichas; a las necias la hermosura; a
los cobardes las victorias; a los ignorantes los aplausos, y a los

embusteros todo: el más ruin jabalí se come la mejor bellota, y
así no van ya por méritos los premios, ni por culpas los castigos;
unos yerran y otros los murmuran: al fin todo va a locas, como
digo. —¿Y por qué no a malas también?, añadió el Soldado. Pues
fa hacen fama de ruin, amiga de los jóvenes, siempre favorecién-
doles, y contraria de los varones ancianos, ya maduros, madrastra
de los buenos, envidiosa con los sabios, tirana con los insignes,
cruel con los afligidos, inconstante con todos. —¿Es posible, ponderó Critilo, que de tantos azares se compone? ¿Y con todo eso
la vamos a buscar desde que nacimos? Y más ciegos y más locos
nos vamos tras ella.

Ya en esto se descubría un extravagante Palacio, que por una
parte parecía edificio y por otra ruina. Torres de viento sobre
arena, soberbia máquina sin fundamento; y de todo el que imaginaron edificio, no había sino la escalera, que en esta gran casa
de la Fortuna no hay otro que subir y caer. Las gradas parecían
de vidrio, más quebradizas cuando más dobles, y todas llenas de
deslizaderos, no había barandillas para tenerse, riesgos sí para rodar. El primer escalón era más dificultoso de subir que una montaña, pero una vez puestos en él, las demás gradas eran facilísi-
mas; al contrario sucedía en las de la otra banda para bajar, procediendo con tal correspondencia, que así como comenzaba uno
a subir por esta parte, al punto caía otro por la otra, aunque más
apriesa. Llegaron cuando actualmente rodaba uno con aplauso
universal; porque al punto que comenzó a tumbar, soltó de las
manos la gran presa que había hecho de oficios y represa de
beneficios, cargos, dignidades, riquezas, encomiendas, títulos, todo
iba rodando allí abajo; daba aquí un bote una encomienda, y
saltaba acullá a manos de un enemigo suyo; agarraba otro de
vuelo del oficio, y todos andaban a la rebatiña; haciendo grande
fiesta del trabajo ajeno, mas así se usa. Solemnizólo mucho Critilo,
y riéronlo todos, diciendo: —¡Qué bravo chasco de la Fortuna!
—Pues si hubierais visto rodar a Alejandro el Magno, aquel verle
soltar un mundo entero y saltar tantas coronas, reinos y provincias como nueces cuesta abajo, y coja quien pudiere; aségúroos
que fue una Babilonia.

Acercóse Critilo a la primer grada con sus camaradas, donde
estaba toda la dificultad de subir, porque aquí asistía el Favor,
primer Ministro de la Fortuna, y muy confidente; éste alargaba
la mano a quien se le antojaba, para ayudarle a subir; y esto sin
una atendencia que su gusto, que debía ser muy malo, pues por
maravilla daba la mano a ningún bueno, a ninguno que lo mereciese, siempre escogía lo peor; en viendo un ignorante, le llamaba, y dejaba mil sabios; y aunque todo el mundo le murmuraba, nada se le daba, que de sus temeridades tenía hechos callos
en el qué dirán; de una legua columbraba un embustero, y
a los hombres de sustancia y de entereza no los podía ver, porque
le parecía le notaban sus locuras y abominaban de sus quimeras.

Pues un adulador, un mentiroso, no ya la mano, entrambos brazos le echaba; y para los hombres de veras y de su palabra, era un topo, que jamás halló con un hombre de verdad; siempre echaba mano a tales como él; perdíase naturalmente por los hombres de tronera, encargándoles cuanto hay, y así todo lo confundían. Había millares de hombres por aquel suelo, aguardando les favoreciese, pero él en viendo un entendido, un varón de prendas decía: Hola no, quien tal le ayudase, es muy hombre, no conviene; sujeto al fin de bravo capricho. Era de modo que acababa con todos los hombres eminentes en gobiernos, en armas, en letras, en grandeza y en nobleza, que había muchos y muy a propósito; pero ¡qué mucho, si descubrieron que estaba ciego de todas pasiones, y andaba a ciegas, topando con las paredes del mundo, acabando con todo él!

Ésta, como digo, era la escala para subir a lo alto. No tenía remedio Critilo por lo desconocido, ni el Cortesano por conocido, ni el Estudiante, ni el Soldado por merecerlo, sólo el Enano tuvo ventura, porque se le hizo pariente, y así luego estuvo arriba. Apurábase el Soldado de ver que las gallinas volaban, y el Estudiante de que las bestias corrían. Estando en esta dificultad, asomóse acullá en lo más alto Andrenio, que por lo vulgar había subido tan arriba, y estaba muy adelantado en el valer, conoció a Critilo, que no fue poco desde tan alto, y de donde muchos desconocieron a sus padres e hijos, mas fue llamado de la sangre, diole luego la mano y levantóse, y entre los dos pudieron ayudar a subir los demás. Iban trepando aquellas gradas con harta facilidad de una en otra; ganada la primera, de un cargo en otro, y de un premio en muchos. Notaron una cosa bien advertida, estando a media escalera, y fue que todos cuantos miraban de la parte de arriba, y que subían delante, les parecían grandes hombres, unos gigantes y gritaban: ¡Qué gran Rey el pasado! ¡Qué Capitán aquel que fue! ¡Qué sabio el que murió! Y al revés todos cuantos venían atrás, les parecían poca cosa, y unos enanos. —¡Qué cosa es, dijo Critilo, ir un hombre delante! Aquello de ser primero o venir detrás; todos los pasados nos parece que fueron grandes hombres, y todos los presentes y los que vienen nos parecen nada. Que hay gran diferencia en el mirar a uno como superior o inferior desde arriba o desde abajo.

Llegaron ya a la última grada, donde estaba la Fortuna. Pero, ¡oh cosa rara! ¡Oh prodigio nunca creído! Y de que quedaron atónitos, y aún pasmados: digo, cuando vieron una Reina totalmente diversa de lo que habían concebido, y muy otra de lo que todo el mundo publicaba; porque no sólo no era ciega, como se decía; pero tenía en una cara de cielo al mediodía, unos ojos más perspicaces que un águila; más penetrantes que un lince; su semblante, aunque grave, muy sereno, sin ceños de madrastra, y toda ella muy compuesta; no estaba sentada, porque siempre está de leva y en continuo movimiento; calzaba ruedecillas por chapines;

su vestir era la mitad de luto y la otra mitad de gala. Miráronla,
y miráronse unos a otros, encogiéndose de hombros, y arqueando
las cejas, admirados de tal novedad, y aún duraron si era ella.
—Pues ¿quién había de ser?, respondió la Equidad, que la asistía
con unas balanzas en la mano. Oyólo la misma Fortuna, que ya
había notado de reojo los ademanes de su espanto; y con voz
harto agradable, les dijo: —Llegaos acá, decid, ¿de qué os habéis
turbado? No reparéis en decir la verdad, que yo gusto mucho
de los audaces. Estaban todos tan mudos como encogidos; sólo el
Soldado con valentía en el desahogo, y desahogo en el hablar, alzando la voz de modo que pudo oírle todo el mundo, dijo: —Gran
Señora de los favores, Reina poderosa de las dichas, yo te he de
decir hoy las verdades. Todo el mundo de cabo a cabo, desde la
Corona a la abarca, está murmurando de ti y de tus procederes;
yo te hablo claro, que los Príncipes nunca estáis al cabo de las
nuevas, siempre ajenos de lo que se dice. —Ya sé que todos se
quejan de mí, dijo ella misma; pero ¿de qué y por qué? ¿Qué
es lo que dicen? —Más que no dicen, respondió el Soldado, al
fin yo comienzo, con tu licencia, si no con tu agrado. Dicen, lo
primero, que eres ciega. Lo segundo, que eres loca. Lo tercero,
necia. Lo cuarto... —Aguarda, aguarda, basta, vete poco a poco,
dijo, que hoy quiero dar satisfacción al Universo. Protesto lo primero, que soy hija de buenos, pues soy de Dios y de su Divina
Providencia, y tan obediente a sus órdenes que no se mueve una
hoja de un árbol, ni una paja del suelo, sin su sabiduría y direc-
ción. Hijos, es verdad que no los tengo, porque no se heredan
ni las dichas ni las desdichas. El mayor cargo que me hacen los
mortales, y el que yo más siento, es decir que favorezco a los
ruines, que aquello de ser ciega seréis vosotros testigos. Pues yo
digo que ellos son los malos y de ruines procederes, que dan las
cosas a otros tales como ellos. El ricazo da su hacienda al asesino; el valentón, el truhán, los ciento y los doscientos a la ramera, y traerá desnuda al ángel de una hija, y al serafín de una
virtuosa consorte; en esto emplean sus grandes rentas. Los poderosos dan los cargos, y se apasionan por los que menos los merecen,
y positivamente los desmerecen; favorecen al ignorante, premian
al adulador, ayudan al embustero, siempre adelantando los peores,
y del más merecedor ni memoria, cuanto menos voluntad. El padre se apasiona por el peor hijo, y la madre por la hija más
loca; el Príncipe por el Ministro más temerario; el Maestro por
el discípulo incapaz; el Pastor por la oveja roñosa; el Prelado por
el súbdito relajado; el Capitán por el Soldado más cobarde. Y si
no mirad cuando gobiernan hombres de entereza y de virtud,
como ahora, si son estimados los buenos, si son premiados los
sabios. Escoge el otro por amigo al enemigo de su honra; y por
confidente al más ruin, con ése se acompaña y ése que le gasta
la hacienda. Creedme, que en los mismos hombres está el mal;
ellos son los malos, y los peores; ellos ensalzan el vicio y despre-

cian la virtud, que no hay cosa hoy más aborrecida. Favorezcan ellos los hombres de bien, que yo no deseo otro; veis aquí mis manos, miradlas, reconocedlas, que no son mías, ésta es de un Príncipe Eclesiástico, y esta otra de un seglar; con éstas reparto los bienes, con éstas hago mercedes, con éstas dispenso las felicidades, ved a quién dan estas manos, a quién medran, a quién levantan, que yo siempre doy las cosas por manos de los mismos hombres, ni tengo otras; y para que veáis cuánta verdad es ésta:

—Hola, hola, llamadme aquí luego el dinero, venga la honra, los cargos, premios y felicidades; venga acá cuanto vale y se estima en el mundo, comparezcan aquí todos cuantos se nombran bienes míos. Concurrieron luego todos, y comenzó a alborotarlos cuerdamente. —Venid acá, decía, ruin canalla, gente baja y soez, que vosotros infames me tenéis sin honra. Di tú, bellacón; di, tú, dinero: ¿Por qué estás reñido con los hombres de bien? ¿Por qué no vas a casa de los buenos y virtuosos? ¿Es posible que me digan que siempre andas con gente ruin haciendo camarada con los peores del mundo, y me aseguran que nunca sales de sus casas; esto se puede tolerar? —Señora, respondió el dinero, primeramente, todos los ruines, como son rufianes, farsantes, espadachines y rameras, jamás tienen un real, ni para en su poder. Y si los buenos tampoco le tienen, no tengo yo la culpa. —Pues ¿quién la tiene? —Ellos mismos. —¿Ellos, de qué suerte? —Porque no me saben buscar: ellos no roban, no trampean, no mienten, no estafan, no se dejan cohechar, no desuellan al pobre, no chupan la sangre ajena, no viven de embeleco, no adulan; no son terceros, no engañan; ¿cómo han de enriquecer si no me buscan? —¿Que es menester buscarle? Váyase él, pues corre tanto, a sus casas mismas, ruégueles y sírvales. —Señora, ya voy tal vez, o por premio o por herencia, y no me saben guardar, luego me echan la puerta afuera, haciendo limosnas, remediando necesidades más que el Archipreste de Daroca; pagan luego lo que deben, prestan, son caritativos, no saben hacer una ruindad, y así luego me echan la puerta afuera. —No es eso echarte a rodar, sino bien alto, pues es en el Cielo. Y tú, honra, ¿qué respondes? —Lo mismo, que los buenos no son ambiciosos, no pretenden, no se alaban, no se entremeten, antes se humillan, se retiran del bullicio, no multiplican cartas, no presentan; y así, ni me saben buscar, ni a ellos los buscan. —¿Y tú, hermosura? —Que tengo muchos enemigos, todos me persiguen cuando más me siguen, quiérenme para el mundo, nadie para el Cielo, siempre ando entre locas y necias, las vanas me placean, me sacan a vistas; las cuerdas me encierran, me esconden, no me dejan ver; y así siempre me hallan con gente ruin a tontas y a locas. —Habla tú, ventura. —Yo, señora, siempre voy con los mozos, porque los viejos no son atrevidos; los prudentes, como piensan mucho, hallan grandes dificultades; los locos son arrojados, los temerarios no reparan, los desesperados no tienen que perder. ¿Qué quieres tú que diga? —¿No ves, exclamó la Fortuna, lo que pasa? Conocieron todos la verdad, y valióle.

Sólo el Soldado volvió a replicar, y dijo: —Muchas cosas hay que no dependen de los hombres, sino que tú absolutamente las dispensas, las repartes como quieres, y se quejan que son notable desigualdad. Al fin, yo no sé cómo es que todos viven descontentos: las discretas, porque las hiciste feas; las hermosas, porque necias; los ricos, porque ignorantes; los sabios, porque pobres; los poderosos, sin salud; los sanos, sin hacienda; los hacendados, sin hijos; los pobres, cargados de ellos; los valientes, porque desdichados; los dichosos viven poco; los desdichados son eternos. Así que a nadie tienes contento; no hay ventura cumplida ni contento puro, todos son aguados. Hasta la misma naturaleza se queja o se excusa con que en todo te le opones, siempre andáis las dos de punta, que tenéis escandalizado el mundo. Si la una echa por un cabo, la otra por el otro. Por el mismo caso que la naturaleza favorece a uno, tú le persigues; si ella da prendas, tú las desluces y las malogras; que vemos infinitos perdidos por esto, grandes ingenios sin ventura, valentías prodigiosas sin aplauso, un Gran Capitán retirado, un Rey Francisco de Francia preso, un Enrique Cuarto muerto a puñaladas, un Marqués del Valle pleiteando, un Rey Don Sebastián vencido, un Belisario ciego, un Duque de Alba encarcelado, un Don Lope de Hoces abrasado, un Infante Cardenal antecogido, un Príncipe Don Baltasar, Sol de España, eclipsado; dígoos que traéis revuelto el mundo.

—Basta, dijo la Fortuna, que lo que más me habían de estimar los hombres, esto me calumnian. Hola, Equidad, vengan las balanzas; veislas, veislas; pues sabed que no doy cosa que no la pese y contrapese primero, igualando muy bien estas balanzas. Venid acá, necios, inconsiderados; si todo lo diera a los sabios, ¿qué hiciérades vosotros? ¿Habíais de quedar destituidos de todo? ¿Qué había de hacer una mujer si fuera necia y fea y desdichada? Desesperarse. ¿Y quién se pudiera averiguar con una hermosa, si fuera venturosa y entendida? Y si no hagamos una cosa: traigan acá todas mis dádivas, vengan las lindas, si tan desgraciadas son, truequen con las feas. Vengan los discretos, si tan descontentos viven, truequen con los ricos necios, que todo no se puede tener. Fue luego pesando sus dádivas y disfavores, Coronas, Cetros, Tiaras, riquezas, oro, plata, dignidades y venturas; y fue tal el contrapeso, de cuidados a las honras, de dolores a los gustos, de descréditos a los vicios, de achaques a los deleites, de pensiones a las dignidades, de ocupaciones a los cargos, de desvelos a las riquezas, de trabajos a la salud, de crudezas al regalo, de riesgos a la valentía, de desdoros a la hermosura, de pobreza a las letras, que cada uno decía: démonos por buenos. —Estas dos balanzas, proseguía la Fortuna, somos la Naturaleza y yo, que igualamos la sangre: si ella se decanta a la una parte, yo a la otra; si ella favorece al sabio, yo al necio; si ella a la hermosa, yo a la fea, siempre al contrario, contrapesando los bienes.

—Todo esto está bien, replicó el Soldado; pero ¿por qué no has de ser constante en una cosa, y no andar variando cada día? ¿Para qué es buena tanta mudanza? —¿Qué más quisieran los dichosos?, respondió la Fortuna. Bueno por cierto, que siempre gozasen unos mismos los bienes, y que nunca les llegase su vez a los desdichados. De esto me guardaré yo muy bien. Hola, Tiempo, ande la rueda, dé una vuelta, y otra vuelta, y nunca pare; abátanse los soberbios y sean ensalzados los humildes, vayan a veces; sepan unos qué cosa es padecer, los otros gozar. Pues si aun con saber esto y llamarme la mudable, no se dan por entendidos los poderosos, los entronizados, ninguno se acuerda de mañana, despreciando los inferiores, atropellando los desvalidos; ¿qué hicieran, si ellos supieran que no había de haber mudanza? Hola, Tiempo, ande la rueda. Si aún de este modo son intolerables los ricos, los mandones, ¿qué fuera si se aseguraban, echando un clavo a su felicidad? Ése sí que fuera yerro. Hola, Tiempo, ande la rueda, y desengáñese todo el mundo, que nada permanece, sino la virtud. No tuvo más que replicar el Soldado, antes volviéndose al Estudiante, le dijo: —Pues vosotros, los Bachilleres sois los que más satirizáis la Fortuna, ¿cómo calláis ahora? Decid algo, que en las oraciones es el tiempo del hablar. Confesó él que no lo era, sólo venía a pretender un Beneficio bobo. Mas la Fortuna: —Ya se dijo que los sabios son los que hablan más mal de mí, y en eso muestran serlo. Escandalizáronse todos mucho de oír esto, y ella: —Yo me desempeñaré. No es porque ellos así lo sientan, sino porque lo sienta el vulgo, para tener a raya los soberbios. Yo soy el coco de los poderosos, conmigo les hacen micos; teman los ricos, tiemblen los afortunados, escarmienten los validos, enfrénense todos. Una cosa os quiero confesar, y es que los verdaderos sabios, que son los prudentes y virtuosos, son muy superiores a las Estrellas. Bien es verdad que tengo cuidado no engorden, porque no duerman, que el enjaulado jilguero, en teniendo qué comer no canta. Y porque veáis que ellos saben ser dichosos: Hola, arrastrad aquella mesa. Era redonda y capaz de todos los siglos; en medio de ella se ostentaban muchas venturas en bienes, digo Cetros, Tiaras, Coronas, Mitras, Bastones, Varas, Laureles, Púrpuras, Capelos, Toisones, Hábitos, Borlas, oro, plata, joyas y todas sobre un riquísimo tapete. Mandó luego llamar todos los pretendientes de Ventura, que fueron todos los vivientes, que ¿quién hay que no desee? Coronaron la gran mesa, y teniéndolos así juntos, les dijo: Mortales: todos estos bienes son para vosotros, alto, disponeos para conseguirlos, que yo nada quiero repartir por no tener quejosos; cada uno escoja lo que quisiere, y coja lo que pudiere. Hizo señal de agarrar, y al punto comenzaron todos a porfiar, a largar los brazos y estirarse para alcanzar cada uno lo que deseaba; pero ninguno podía conseguirlo. Estaba ya uno muy cerca de alcanzar una Mitra, aunque no la merecía tanto como un Vicario General, y sea el Doctor Sala, anduvo porfiando toda la vida tras ellas, mas nunca las pudo asir, y murió con aquel buen deseo. Daba saltos un otro por la Llave Dorada, y aunque se fatigó y fatigó a otros, como tenía dientes, se le defendía. Empinábanse algunos la Rono, y al cabo se quedaban en blanco. Anhelaba otro, y aun sudaba tras un Bastón, mas vino una bala y derribóle a lo que le iba a empuñar. Cogían unos la carrera muy de atrás, y a veces por rodeos e indirectas, daban valientes saltos por alcanzar alguna cosa y quedábanse burlados. Andaba cierto personaje, aunque a lo disimulado, por alcanzar una Corona; cansábase de ser Príncipe de retén, mas quedóse con estas esperanzas. Llegó un bravo Gigantón, un castillo de huesos, que ya está dicho de carne; no se dignó de mirar a los demás, burlándose de todos. —Éste sí, dijeron, que se ha de alzar con todos, y más, que tiene cien garras; alzó el brazo, que fue izar una antena, hizo temblar todos los bienes de la Fortuna; mas aunque le alargó mucho, y le estiró cuanto pudo, y casi, casi llegó a rozarse con una Corona, no la pudo asir, de que quedó hostigadísimo, maldiciendo y blasfemando su fortuna. Probábanse ya por una parte, ya por otra, porfiaban, anhelaban, y al cabo todos se tendían. —¿No hay algún sabio?, gritó la Fortuna. Venga un entendido y pruébese. Salió al punto un hombre muy pequeño de cuerpo, que los largos raras veces fueron sabios. Riéronse todos en viéndole, y decían: —¿Cómo ha de conseguir un Enano lo que tantos Gigantes no han podido? Mas él, sin hacer del hacendado, sin correr, ni correrse, sin matarse, ni matar, con linda mañana, asiendo del tapete, lo fue tirando hacia sí, y trayendo con él todos los bienes juntos. Aquí alzaron todos el aplauso; y la Fortuna dijo: —Ahora veréis el triunfo del saber. Hallóse en un punto con todos los bienes en su mano, señor de todos ellos; fuelos tanteando, y habiéndolos sopesado, ni tomó la Corona, ni la Tiara, ni el Capelo, ni la Mitra: sino una medianía, teniéndola por única felicidad. Viendo esto el Soldado, llegóse a él, y rogóle alcanzase un Bastón de aquéllos, y el Cortesano un Oficio. Preguntóle si quería ser ayuda de cámara, y él dijo: —De cámara no, de mesa sí, mas no se halló tal plaza, que era muerta. Dábanle una Tenencia de la Guarda, tampoco la aceptó, por ser Oficio de coscorrones, de más ruido que provecho. Toma, pues, esta Llave Capona. —¿Y cómo comeré yo sin dientes? No te canses en buscarme oficio en Palacio, que todos es ser mozo; búscame un Gobierno allá en Indias, y mejor cuanto más lejos. Al Estudiante le alcanzó su beneficio. Para Critilo y Andrenio, un Espejo de desengaños. Mas ya en esto tocaron a despejar, el tiempo con su muleta, la muerte con su guadaña, el olvido con su pala, la mudanza dando temerarios empellones, el disfavor puntapiés, la venganza mojicones: comen-

zaron a rodar unos y otros por una y otra parte; que para el caer
no había sido una grada, y ésa deslizadera, todo lo demás era
un despeño. Cómo salieron de este común riesgo nuestros dos
Peregrinos de la vida, que lo mejor del correr es el parar bien, y
lo más dificultoso de la ventura es el buen dejo; ése será el principio de la Crisi siguiente.

CRISI VII

EL YERMO DE HIPOCRINDA

Componían al hombre todas las demás criaturas, tributándole
perfecciones, pero de prestado; iban a porfía amontonando bienes
sobre él, mas todos al quitar; el Cielo le dio la alma, la Tierra el
cuerpo, el fuego el calor, el agua los humores, el aire la respiración, las estrellas ojos, el Sol cara, la fortuna haberes, la fama
honores, el tiempo edades, el mundo casa, los amigos compañía,
los padres la naturaleza, y los Maestros la sabiduría. Mas viendo
él que todos eran bienes muebles, no raíces, prestados todos, y
al quitar, dicen que preguntó: —Pues ¿qué será mío? Si todo
es de prestado, ¿qué me quedará? Respondiéronle que la virtud:
ésta es bien propia del hombre, nadie se la puede repetir. Todo
es nada sin ella, y ella eslo todo: los demás bienes son de burlas,
ella sola es de veras: es alma de la alma, vida de la vida,, realce
de todas las prendas, corona de las perfecciones, y perfección de
todo el ser; centro es de la felicidad, trono de la honra, gozo de
la vida, satisfacción de la conciencia, respiración del alma, banquete de las potencias, fuente del contento, manantial de las alegrías; es rara, porque dificultosa, y dondequiera que se halla es
hermosa, y por eso tan estimada. Todos querrían parecer tenerla,
pocos de verdad la procuran, hasta los vicios se cubren con su
buena capa, y mienten sus apariencias; los más malos querrían
ser tenidos por buenos. Todos la querrían en los otros, mas no en
sí mismos: pretende éste que aquél le guarde fidelidad en el trato,
que no le murmure, ni le mienta, ni le engañe, trate siempre
verdad, que en nada le ofenda, ni agravie; y él obra todo lo contrario. Con ser tan hermosa, noble y apacible, todo el mundo se
ha mancomunado contra ella; y es de modo que la verdadera
Virtud ya no se ve, ni parece, sino la que lo parece, cuando pensamos está en alguna parte, hallamos con sola su sombra, que es
la hipocresía; de suerte que un bueno, un justo, un virtuoso, florece
como la Fénix, que por único se lleva la palma.

Esto les iba ponderando a Critilo y Andrenio una agradable
doncella, ministra de la Fortuna, de sus más allegadas, que compadecida de verlos en el común riesgo, estando ya para despeñarse, les asió del copete de la ocasión y los detuvo, y dando una
voz al Acaso le mandó echar la puente levadiza, con que los
traspuso de la otra parte de un alto a otro, de la Fortuna a la

Virtud, conque se libraron del fatal despeño. —Ya estáis en salvo,
les dijo, dicha de pocos lograda, pues visteis caer mil a vuestro
lado y diez mil a vuestra diestra; seguid ese camino, sin torcer a
un lado ni a otro, aunque un Ángel os dijese lo contrario, que
él os llevará al Palacio de la hermosa Virtelia, aquella gran Reina
de las felicidades. Presto le divisaréis encumbrado en las coroni-
llas de los montes; porfiad en el ascenso, aunque sea con violencia, que de los valientes es la corona. Y aunque sea áspera la
subida, no desmayéis, poniendo siempre la mira en el fin premiado.
Despidióse con mucho agrado, echándoles los brazos; volvióse a
pasar de la otra parte, y al mismo punto levantaron la puente.
—¡Oh, dijo Critilo, qué cortos hemos andado en no preguntarla
quién era! ¿Es posible que no hayamos conocido una tan gran
bienhechora? —Aún estamos a tiempo, dijo Andrenio, que aún
no la habemos perdido ni de vista ni de oído. Dieron las voces
y ella volvió un Cielo en su cara, y dos soles en un Cielo, esparciendo favorables influencias. —Perdona, señora, dijo Critilo, nuestra inadvertencia, no grosería; y así te favorezca tu Reina más
que a todas, que nos digas quién eres. Aquí ella, sonriéndose:
—No lo queráis saber, dijo, que os pesará; pero ellos más deseosos con esto, porfiaron en saberlo; y así les dijo: —Yo soy la
hija mayor de la Fortuna, yo la pretendida de todos, yo la buscada, yo la deseada, la requerida, yo soy la Ventura, y al momento se traspuso. —Juráralo yo, dijo suspirando Critilo, que en
conociéndote, te habías de desaparecer. ¡Hase visto más poca
suerte en la dicha! Así acontece a muchos cada día: —¡Oh, cuántos teniendo la dicha entre manos no la supieron conocer, y después la desearon! Pierde uno los cincuenta, los cien mil de hacienda, y después guarda un real. No estima el otro la consorte
casta y prudente que le dio el Cielo, y después la suspira muerta
y adorada en la segunda. Pierde éste el puesto, la dignidad, la
paz, el contento, el estado, y después anda mendigando mucho
menos. —Verdaderamente que nos ha sucedido, dijo Andrenio, lo
que a un galán pasionado, que no conociendo su dama, la desprecia; y después perdida la ocasión, pierde el juicio. Desta suerte
malograron muchos el tiempo, la ocasión, la felicidad, la comodidad, el empleo, el Reino, que después lo lamentaron harto. Así
sollozaba el Rey Navarro, pasando el Pirineo, y Rodrigo en el
Río de su llanto. Pero desdichado sobre todo quien pierde el Cielo.
   Así se iban lamentando prosiguiendo su viaje, cuando se les
hizo encontradizo un hombre venerable por su aspecto, muy autorizado de barba, el rostro ya pasado, y todas sus facciones deste-
rradas, hundidos los ojos, la color robada, chupadas las mejillas,
la boca despoblada, ahiladas las narices, la alegría entredicha, el
cuello de azucena lánguido, la frente encapotada, su vestido, por
lo pío remendado, colgando de la cinta unas disciplinas, lastiman-
do más los ojos del que las mira que las espaldas del que las
afecta, zapatos doblados a remiendos, de más comodidad que

gala; al fin él parecía semilla de ermitaños. Saludóles muy a lo
del Cielo, para ganar más tierra; y preguntóles para dónde caminaban. —Vamos, respondió Critilo, en busca de aquella flor
de Reinas, la hermosa Virtelia, que nos dicen mora aquí en lo
alto de un monte, en los confines del Cielo; y si tú eres de su
casa y de su familia, como lo pareces, suplícote que nos guíes.
Aquí él, después de una gran casa tronada de suspiros, prorrumpió
en una copiosa lluvia de lágrimas: —¡Oh, cómo vais engañados,
les dijo, y qué lástima que os tengo! Porque esta Virtelia que
buscáis, Reina es, pero encantada vive, aunque más muere, en un
monte de dificultades, poblado de fieras, serpientes que emponzoñan, dragones que tragan, y sobre todo hay un León en el camino
que desgarra a cuantos pasan; a más de que la subida es inaccesible, al fin cuesta arriba, llena de malezas y deslizaderos, donde
los más caen haciéndose pedazos; bien pocos son y bien raros
los que llegan a lo alto, y cuando toda esa montaña de rigores
hayáis sobrepujado, queda lo más dificultoso, que es su Palacio
encantado, guardadas sus puertas de horribles Gigantes que con
mazas aceradas en las manos defienden la entrada, y son tan espantosos que sólo el imaginarlos arredra. Verdaderamente me
hacéis duelo de veros tan necios que queráis emprender tanto
imposible junto; un consejo os daría yo, y es que echéis por el
atajo, por donde hoy todos los entendidos y que saben vivir caminan, porque habéis de saber que aquí más cerca, en lo fácil,
en lo llano, mora otra gran Reina, muy parecida en todo a Virtelia, en el aspecto, en el buen modo; hasta en el andar, que la ha
cogido los aires, al fin un retrato suyo, sólo que no es ésta, pero
más agradable y más plausible, tan poderosa como ella y que
también hace milagros; para el efecto es la misma; porque decidme, vosotros: ¿qué pretendéis en buscar a Virtelia y tratarla?,
¿que os honre, que os califique, que os abone para conseguir
cuanto hay, la dignidad, el mando, la estimación, la felicidad, el
contento?; pues sin tanto cansancio, sin costaros nada, a pierna
tendida lo podéis aquí conseguir, no es menester sudar, ni afanar,
ni reventar como allá. Dígoos que este atajo, y así está hoy tan
valido en el mundo, que no se usa otro modo de vida.

—¿De suerte, preguntó Andrenio, ya vacilando, que esa otra
Reina que tú dices es tan poderosa como Virtelia? —Y que no la
debe nada, respondió el ermitaño, lo que es el parecer tan bueno
le tiene, y aun mejor, y se precia de ello, y procura mostrarlo.
¿Qué puede tanto? Ya os digo que obra prodigios; otra ventaja
más, y no la menos codiciable, que podréis gozar de los contentos, de los gustos de esta vida, del regalo, de la comodidad, de
la riqueza, juntamente con este modo de virtud, que aquella otra
por ningún caso los consiente. Ésta en nada escrupulea, tiene
buen estómago, con tal que no haya nota, ni se sepa, todo ha
de ser en secreto: aquí veréis juntos aquellos dos imposibles del
Cielo y tierra juntos, que los sabe lindamente hermanar. No fue

menester más para que se diese por convencido Andrenio; hízose
al punto de su banda, ya le seguía, ya volaba. —Aguarda, decía
Critilo, que te vas a perder; mas él respondía: —No quiero montones, quita allá Gigantes, Leones guarda. Iban ya de carrera
arrancada, seguíales Critilo voceando: —Mira que vas engañado.
Y él respondía: —Vivir, vivir, virtud holgada, bondad al uso.
—Seguidme, seguidme, repetía el falso ermitaño, que éste es atajo
del vivir, que lo demás es un morir continuado. Fueles introduciendo por un camino encubierto, y aun solapado entre arboledas
y ensenadas, y al cabo de un laberinto con mil vueltas y revueltas
dieron en una gran casa, harto artificiosa, que no fue vista hasta
que estuvieron en ella. Parecía Convento en silencio, y todo el
mundo en la multitud: todo era callar y obrar, hacer y no decir,
que aun campana no se tañía, por no hacer ruido no se dé campanada. Era tan espaciosa y había tanta anchura, que cabrían en
ella más de las tres partes del mundo, y bien holgadas. Estaba
entre unos montes, que la impedían el Sol, coronada de árboles tan
crecidos y tan espesos, que la quitaban la luz con sus verduras.
—¡Qué poca luz tiene este Convento!, dijo Andrenio. —Así conviene, respondió el ermitaño, que donde se profesa tal virtud no
convienen lucimientos. Estaba la puerta patente, y el Portero muy
sentado, por no cansarse en abrir; tenía calzados unos zuecos de
conchas de tortugas, desaliñadamente sucio y remendado. —Éste,
dijo Critilo, a ser hembra, fuera la pereza. —¡Oh, no!, dijo el ermitaño; no es sino el sosiego, no hace aquello de lejamiento, sino
de pobreza, no es suciedad, sino desprecio del mundo. Saludóles,
dando gracias de su linda vida; intimólos luego, sin moverse, con
un gancho, un letrero que estaba encima de la puerta y decía
con unas letras góticas: Silencio, y comentóselas el ermitaño:
—Quiere decir que de aquí adentro no se dice lo que se siente,
nadie habla claro, todos se entienden por señas, aquí callar, y
callemos. Entraron en el Claustro; pero muy cerrado, que es lo
más cómodo para todos tiempos.

Iban ya encontrando algunos que en el hábito parecían Monjes, y era, aunque al uso bien extraño hoy de fuera, lo que se
veía era de piel de oveja; mas por dentro, lo que no se parecía,
era de lobos novicios, que quiere decir rapaces. Notó Critilo que
todos llevaban capa, y buena: —Es instituto, dijo el ermitaño;
no se puede deponer jamás, ni hacer cosa que no sea con capa
de santidad. —Yo lo creo, dijo Critilo, y aun con capa de lastimarse está aquél murmurando de todo; con capa de corregir se
venga el otro; con capa de disimular permite éste que todo se
regale; con capa de necesidad hay quien se regala, y está bien
gordo; con capa de justicia es el Juez un sanguinario; con capa
de celo, todo lo malea el envidioso; con capa de galantería anda
la otra libertada. —Aguarda, dijo Andrenio, ¿quién es aquélla que
pasa con capa de agradecimiento? —¿Quién ha de ser?, sino la
Simonía, y aquella otra la Usura paliada; con capa de servir a la

República, y al bien público se encubre la ambición. —¿Quién
será aquel que toma la capa o el manto para ir al Sermón, al
visitar el Santuario, y parece el reflejo? —El mismo, oh maldito
sacrílego, con capa de ayuno, ahorra la avaricia; con capa de
gravedad nos quiere desmentir la grosería: aquel que entra allí
parece que lleva capa de amigo, y realmente lo es, y aun con la
de pariente se introduce el adulterio.

—Éstos, dijo el ermitaño, son de los milagros que obra cada
día esta superiora, haciendo que los mismos vicios pasen plaza
de virtudes, y que los malos sean tenidos por buenos, y aun por
mejores: los que son unos demonios hace que parezcan unos An-
gelicos, y todo con capa de virtud. —Basta, dijo el Critilo, que desde
que al mismo justo le sortearon la capa los malos, ya la tienen
por suerte, andan con capa de virtud, queriendo parecer al mismo
Dios y a los suyos. —¿No notáis, dijo el falso ermitaño y verdadero embustero, qué ceñidos andan todos, cuando menos ajustados? —Sí, dijo Critilo, pero con cuerda. —Eso es lo bueno,
respondió, para hacer bajo cuerda cuanto quieren, y todo va bajo
manga; no se les ven las manos, tanto es su recato. —No sea,
replicó Critilo, que tiren la piedra y escondan la mano. ¿No veis
aquel bendito qué fuera del mundo anda, qué metido va, pues no
piensa en cosa suya sino en las ajenas, que no tiene cosa propia,
no se le ve la cara, no es lo mejor lo descarado?; a nadie mira
a la cara, y a todos quita el sombrero, anda descalzo por no ser
sentido, tan enemigo es de buscar ruido. —¿Quién es tal, preguntó Andrenio, es profeso? Sí, conque cada día toma hábito, y es
muy bien disciplinado, dicen que es un arrapa Altares, por temer
mucho de Dios. Hace una vida extravagante, toda la noche vela,
nunca reposa; no tiene cosa ni casa suya, así es dueño de todas
las ajenas; y sin saber cómo, ni por dónde, se entra en todas y
se hace luego dueño de ellos; es tan caritativo que a todos ayuda
a llevar la ropa, y a cuantos halla las capas; y así le quieren, de
modo que cuando se parte de alguna, todos quedan llorando y
nunca se olvidan de él. —Éste, dijo Andrenio, con tantas prendas
ajenas, más me huele a ladrón que a Monje. —Ahí verás el milagro de nuestra Hipocrinda, que siendo lo que tú dices, le hace
parecer un Bendito; tanto, que está ya consultado en un gran
cargo, en competencia de otro de casa de Virtelia, y se tiene por
cierto, y que le ha de hurtar la bendición cuando no trata de irse
a Aragón, donde muera de viejo.

—¡Qué lucido está aquel otro!, dijo Critilo. —Es honra de la
penitencia, respondió el ermitaño, y aunque tan bueno, no puede
detenerse en pie ni acierta a dar un paso. —Bien lo creo, que
no andará muy derecho. —Pues sabed que es un hombre muy
mortificado; nadie le ha visto comer jamás. —Eso creeré yo, que
a nadie convida, con ninguno parte: todo es predicar ayuno. —Yo
juraré por él, que en muchos años no se ha visto un pecho de
perdiz en la boca; y yo también; y tras toda esta austeridad que

usa consigo, es muy suave. —Así lo entiendo, suave de día y
su ave de noche; mas ¿cómo está tan lucido? —Ahí verás, la
buena conciencia; tiene buen buche, no se ahoga con poco ni se
agita con cosillas, engorda con la merced de Dios, y así todos le
echan mil bendiciones; pero entremos en su Celda, que es muy
devota. Recibiólos con mucha caridad y franqueóles una Alacena,
no tan a secas que no fuese de regadío, dando de fruto de dulces,
perniles y otros regalos. —¿Así se ayuna?, dijo Critilo. —Y así
hay una gentil bota, respondió el ermitaño; éstos son los milagros
de esta casa, que siendo éste antes tenido por un Epicuro, en
tomando tan buena capa, se ha trocado de modo que compite
con un Macario; y es tanta verdad, que antes de mucho le veréis
con una dignidad.

—¿También hay Soldados Cofrades de la apariencia?, preguntó Andrenio. —Y son los mejores, respondió el ermitaño. Tan
buenos Cristianos, que aun al enemigo no le quieren hacer mala
cara, conque no se quieren ver. ¿No ves aquél? Pues en dando
un Santiago se mete a Peregrino, en su vida se sabe que haya
hecho mal a nadie, no tenga miedo que él beba de sangre de sus
contrarios; aquellas plumas que tremola, yo juraría que son más
de Santo Domingo de la Calzada que de Santiago; el día de la
muestra es Soldado, y el de la batalla, ermitaño; más hace él con
un lanzón que otros con una pica; sus armas siempre fueron
dobles, desde que tomó capa de valiente, es un Ruiz Díaz atildado. Es de tan sano corazón, que siempre le hallarán en el cuar-
tel de la salud; no es nada vanaglorioso, y así suele decir que
más quiere escudos que armas; en dando un espaldar al enemigo,
acude al confesor con un peto, y así es tenido por un buen Soldado, muy aplaudido, y en competencia de los Bernardos está
consultado en un Generalato, y dicen que él será el hombre, y
los otros se lo jugarán, que aquí importa más el parecer que el
ser. Aquel otro es tenido por un pozo de sabiduría, más honda
que profunda; y él dice que en eso está su gozo: aquí más valen
textos que testa, nunca se cansa de estudiar, su mayor concepto
dice ser el que de él se tiene, y aun todos los ajenos nos vende
por suyos, que para eso compra los libros; de letras menos de
la mitad basta, y lo demás de fortuna, que el aplauso más ruido
hace en vacío; y al fin, más fácil es y menos cuesta el ser tenido
por docto, por valiente y por bueno, que el serlo.

—¿De qué sirven, preguntó Andrenio, tantas estatuas como
aquí tenéis? —Oh, dijo el ermitaño, son ídolos de la imaginación,
fantasmas de la apariencia; todas están vacías y hacen creer que
están llenas de sustancia y solidez; métese uno por dentro en la
de un Sabio, y húrtale la voz y las palabras; otro en vez de un
señor, y a todos manda y todos sin réplica le obedecen, pensando
que habla el poderoso, y no es sino bergante. Ésta tiene la nariz
de cera, que se la tuercen y retuercen como quieren la información y la pasión, ya al derecho, ya al siniestro, y ella pasa por

todo. Mirad bien, reparad en aquel Ministro de Justicia, qué celoso, qué justiciero se muestra: no hay Alcalde Ronquillo rancio, ni fresco Quiñones que le llegue; con nadie se ahorra y con todos se viste, a todos los va quitando las ocasiones del mal para quedarse con ellas, siempre va en busca de ruindades, y con este título entra en todas las casas ruines libremente, desarma los valientes y hace una casa de armería, destierra los ladrones por quedar él solo; siempre va repitiendo justicia, mas no por su casa, y todo esto con buen título y aun colorado. Vieron otros dos, que con nombre de celosos eran dos grandísimos impertinentes, todo lo querían remediar y todo lo inquietaban sin dejar vivir a nadie, diciendo se perdía el mundo, y ellos eran los más perdidos. A esta traza iban encontrando raros milagros de la apariencia, extrañas maravillas de la hipocresía, que engañaran a un Ulises.

—Cada día acontece, ponderaba el ermitaño, salir de aquí un sujeto, amoldado en esta oficina, instruido en esta escuela, en competencia de otro de aquella de arriba, de la verdadera y sólida virtud, pretendiendo ambos una dignidad, y parecer éste mil veces mejor, hallar más favor, tener más amigos y quedarse el otro corrido y aunque cansado; porque los más en el mundo no conocen ni examinan lo que cada uno es, sino lo que parece; y creedme que de lejos tanto brilla un claveque como un diamante; pocos conocen las finas virtudes ni saben distinguirlas de las falsas. Veis allí un hombre más liviano que un bofe, y parece en lo exterior más grave que un Presidente. —¿Cómo es eso?, dijo Andrenio; qué querría aprender esta arte de hacer parecer, ¿cómo se hacen esos plausibles milagros? —Yo os lo diré. Aquí tenemos variedad de formas para amoldar cualquier sujeto, por incapaz que sea, y ajustarle de pies a cabeza: si pretende alguna dignidad, le hacemos luego cargado de espaldas; si se casamiento, que ande más derecho que un huso, y aunque sea un chisgarabís le hacemos que muestre autoridad, que ande a espacio, hable pausado, arquee las cejas, pare gesto de ministro y de misterio, y para subir alto que hable bajo; ponémosle unos anteojos, aunque vea más que un lince, que autorizan grandemente, y más cuando los desenvaina y se los calza en una gran nariz, y se pone a mirar de caballo, hace estremecer los mirados. A más de esto, tenemos muchas maneras de tintes que de la noche a la mañana transfiguran las personas, de un cuervo a un cisne callado, y que si hablare, sea dulcemente palabras confitadas; si tenía piel de víbora, le damos un baño de paloma, de modo que no muestre la hiel aunque la tenga, ni se enoje jamás, porque se pierde en un instante de cólera cuanto se ha ganado de crédito y de juicio en toda la vida, mucho menos muestre asomo de liviandad, ni en el dicho ni en el hecho. Vieron uno que estaba escupiendo y haciendo grandes ascos. —¿Qué tiene éste?, preguntó Andrenio. —Acércate y le oirás decir mucho mal de las mujeres y de sus trajes. Cerraba

los ojos por no verlas. —Éste sí, dijo el ermitaño, que es cauto.
—Más valiera casto, replicó Critilo, que de esta suerte abrasan muchos el mundo en fuego de secreta lujuria, introdúcense en las casas como golondrinas, que entran dos y salen seis.

—Mas ahora, que hemos nombrado mujeres, dime: ¿no hay clausura para ellas? Pues de verdad que pueden profesar de enredo. —Sí la hay, dijo el ermitaño. Convento hay, y bien malignamente. Dios nos defienda de su multitud: aquí están de parte, y asomóles a una ventana para que viesen de paso, no de propósito, su proceder. Vieron ya unas muy devotas, aunque no de San Lino, ni de San Hilario, que no gustan de devociones al uso, sí de San Alejo y de toda romería: —Aquella que allí se parece, dijo el ermitaño, es la viuda recatada, que cierra su puerta al Ave-María. Mira la doncella, qué puesta en pretina, no sea en cinta. Aquella otra es una bella casada; tiénela su marido por una santa, y ella le hace fiestas, cuando menos de guardar; a esta otra nunca le faltan joyas, porque ella lo es buena; a aquélla la adora su marido, será porque lo dora, no gusta de galas, por no gastar la hacienda, y gástale la honra. De aquélla dice su marido que metería las manos en un fuego por ella; más valiera que las pusiera en ella, apagando el de su lujuria. Estaba una riñendo unas criadas pequeñas, porque brujuleó no sé qué señas, y ella con mayor decía: En esta casa no se consiente, ni aun el pensamiento, y repetía entre dientes la criada el eco. De esta otra anda siempre predicando su madre, lo que ella no se confiesa. Decía otra buena madre de su hija: es una bienaventurada, y era así, que siempre quisiera estar en gloria. —¿Cómo están tan descoloridas aquéllas?, reparó Andrenio. Y el ermitaño: —Pues no es de malas, sino de puro buenas, son tan mortificadas que echan tierra en lo que comen, no sea barro. Mira qué celosas se muestran éstas, más valiera celadas.

—¿Nunca llegamos, dijo Critilo, a ver esta virtud acomodada, esta prelada suave, esta práctica bondad? —No tardaremos mucho, respondió el ermitaño, que ya entramos en el refitorio, donde estará sin duda haciendo penitencia. Fueron entrando, y descubriendo cuerpo, y cuerpo, y más cuerpo, al fin una mujer toda carne, nada espíritu: tenía el gesto estragado, mas no el gusto, desmentidor del regalo, y cuanto más amarillo, dice que tiene mejor color; hasta el Rosario era de palo santo, y tenía por extremo, que siempre anda por ellos, una muerte, para darse mejor vida. Estaba sentada, que no podía tenerse en pie, equivocando regüeldos con suspiros, muy rodeada de novicias del mundo, dándoles lecciones de saber vivir. —No me seáis simples, les decía, aunque lo podéis mostrar; que es gran ciencia saber mostrar no saber; sobre todo os encomiendo el recato y el no escandalizar. Ponderábales la eficacia de la apariencia; aquí está todo en el bien parecer, que ya en el mundo no se atiende a lo que son las cosas, sino a lo que parecen. —Porque mirad, decía, unas cosas hay que ni son

ni lo parecen, y ésa es ya necedad, que aunque no sea de ley,
procure parecerlo; otras hay, que son y lo parecen, y eso no es
mucho; otras, que son y no parecen, y ésa es la suma necedad;
pero el gran primor es no ser y parecerlo, eso sí que es saber.
Cobrad opinión y conservadla, que es fácil, que los más viven de
crédito; no os metáis en estudiar, pero alabaos con arte; todo Médico y Letrado han de ser de ostentación; mucho vale el pico, que
hasta un papagayo, porque le tiene, halla cabida en los Palacios y
ocupa el mejor balcón. Mirad que os digo que si sabéis vivir os
sabréis acomodar, y sin trabajo alguno, sin que os cueste cosa, sin
sudar ni reventar, os he de sacar personas; por lo menos que lo
parezcáis, de modo que podáis ladearos con los más verdaderos
virtuosos, con el más hombre de bien; y si no, tomad ejemplo en
la gente de autoridad y de experiencia, y veréis lo que han aprovechado con mis reglas, y en cuán grande predicamento están
hoy en el mundo, ocupando los mayores puestos.

Estaba tan admirado Andrenio, que pagado de tan barata felicidad, de una virtud tan de balde, sin violencias, sin escalar montañas de dificultades, sin pelear con fieras, sin correr agua arriba,
sin remar ni sudar, trataba ya de tomar el hábito de una buena
capa, para toda libertad, y profesar de hipócrita, cuando Critilo,
volviéndose a su ermitaño, le preguntó: —Dime por tu vida larga,
si no buena, ¿con esta virtud fingida podremos nosotros conseguir
la felicidad verdadera? —¡Oh, pobre de mí!, respondió el ermitaño; en eso hay mucho que decir, quédese para otra sitiada.

CRISI VIII

ARMERÍA DEL VALOR

Estando ya sin virtud el valor, sin fuerzas, sin vigor, sin brío y
a punto de expirar, dícese que acudieron allá todas las Naciones,
instándole hiciese testamento en su favor y les dejase sus bienes.
—No tengo otros que a mí mismo, les respondió. Lo que yo os
podré dejar será este mi lastimoso cadáver, este esqueleto de lo
que fui; id llegando, que yo os lo iré repartiendo. Fueron los primeros los Italianos, porque llegaron primero, y pidieron la testa:
—Yo os la mando, dijo; seréis gente de gobierno, mandaréis el
mundo a entrambas manos. Inquietos los Franceses, fuéronse entremetiendo, y deseosos de meter mano en todo, pidieron los
brazos. —Temo, dijo, que si os los doy, habéis de inquietar todo el
mundo; seréis activos, gente de brazo, no pararéis un punto, malos
sois para vecinos. Pero los Genoveses de paso les quitaron las
uñas, no dejándoles ni con qué asir ni con qué detener las cosas;
pero a los Españoles les han dado tan valientes pellizcos en su
plata, que no hiciera más una bruja, chupándoles la sangre, cuando más dormidos. Ítem más, dejó el rostro a los Ingleses. —Seréis

lindos, unos Ángeles; mas temo que como las hermosas, habéis de ser fáciles en hacer cara a un Calvino, a un Lutero, y al mismo diablo; sobre todo guardaos no os vea la vulpeja, que dirá luego aquello de hermosa fachata, mas sin celebro. Muy atentos los Venecianos, pidieron los carrillos. Riéronse los demás, pero el Valor: —No lo entendéis, les dijo; dejad que ellos comerán con ambos y con todos. Mandó la lengua a los Sicilianos, y habiendo duda entre ellos y los Napolitanos, declaró que a las dos Sicilias. A los Irlandeses el hígado. El talle a los Alemanes: —Seréis hombres de gentil cuerpo; pero mira que no lo estiméis más que el alma. La melsa a los Polacos. El liviano a los Moscovitas. Todo el vientre a los Flamencos y Holandeses: —Con tal que no sea vuestro Dios. El pecho a los Suecos. Las piernas a los Turcos, que con todos pretenden hacerlas, y donde una vez meten el pie nunca más lo levantan. Las entrañas a los Persas, gente de buenas entrañas. A los Africanos los huesos, que tengan que roer, como quien son. Las espaldas a los Chinos, el corazón a los Japoneses, que son los Españoles del Asia, el espinazo a los Negros. Llegaron los últimos los Españoles, que habían estado ocupados en sacar huéspedes de su casa, que vinieron de allende a echarlos de ella: —¿Qué nos dejas a nosotros?, le dijeron; y él: —Tarde llegáis, ya está todo repartido. —Pues a nosotros, replicaron, que somos tus primogénitos, ¿qué menos que un mayorazgo nos has de dejar? —No sé ya qué daros; si tuviera dos corazones, vuestro fuera el primero; pero mirad, lo que podéis hacer es que, pues todas las Naciones os han inquietado, revolved contra ellas, y lo que Roma hizo antes haced vosotros después: dad contra todas, repelad cuanto pudiérades en fe de mi permisión. No lo dijo a los sordos, hanse dado tan buena maña que apenas hay nación en el mundo que no la hayan dado su pellizco, y a pocos repelones se hubieran alzado con todo el valor de pies a cabeza.

Esto les iba exagerando a Critilo y Andrenio, a la salida de Francia por la Picardía un hombre que lo era, y mucho; pues así como tienen unos cien ojos para ver, y otros cien manos para obrar, éste tenía cien corazones para sufrir, y todo él era corazón. —¿Saldréis, decía, con cariño de Francia? —No, por cierto, le respondieron, cuando sus mismos naturales la dejan y los extranjeros no la buscan. —¡Gran provincia!, dijo el de los cien corazones. —Sí, respondió Critilo, si se contentase con sí misma. —¡Qué poblada de gente! —Pero no de hombres. —¡Qué fértil! —Mas no de cosas sustanciales. —¡Qué llana y qué agradable! —Pero combatida de los vientos, de donde se les origina a sus naturales la ligereza. —¡Qué industriosa! —Pero mecánica. —¡Qué laboriosa! —Pero vulgar. —La Provincia más popular que se conoce. ¡Qué belicosos y gallardos sus naturales! —Pero inquietos, los duendes de la Europa en mar y tierra. Son un rayo en los primeros acometimientos y un desmayo en los segundos. —Son dóciles. —Sí, pero fáciles. —Oficiosos. —Pero despreciables y esclavos de las

otras Naciones. Emprenden mucho, y ejecutan poco y conservan
nada; todo lo emprenden y todo lo pierden. —¡Qué ingeniosos!,
¡qué vivos y qué prontos! —Pero sin fondo. —No se conocen
tontos entre ellos. —Ni doctos, que nunca pasan de una medianía.
Es gente de gran cortesía, mas de poca fe, que hasta sus mismos
Enricos no viven exentos de sus alevosos cuchillos. —Son sabios.
—Así es, al paso que codiciosos. —No me podéis negar que han
tenido grandes Reyes. —Pero los más de poquísimo provecho.
—Tienen bizarras entradas para hacerse señores del mundo. —Pero
¡qué desairadas salidas! Que si entran a Laudes, salen a Vísperas.
—Acuden con sus armas a amparar cuantos se socorren de ellas.
—Es que son los rufianes de las Provincias adúlteras. —Son apro-
vechados. —Sí, y tanto que estiman más una onza de plata que
un quintal de honra. El primer día son esclavos, pero el segundo
amos, el tercero tiranos insufribles; pasan de extremo a extremo,
sin medio; de humanos a insolentísimos. Tienen grandes virtudes
y tan grandes vicios que no se puede fácilmente averiguar cuál sea
el Rey; y al fin, ellos son antípodas de los Españoles. —Pero decidme, ¿cómo fue aquello del ermitaño, qué salida dio a la sagaz
pregunta de Critilo? —Contestóme que a la virtud aparente no le
corresponde premio sólido ni verdadero, que bien se les puede
echar, dado falso a los hombres, pero que Dios no es reído. Oyendo esto, hicimos del ojo, y en viendo la nuestra, tratamos de colgar el mal hábito de fingidos y saltar las vallas de la vil hipocresía.
   —¡Oh, qué bien hiciste!, porque el gozo del hipócrita no dura
un instante entero, es como un punto. Entended una verdad, que
de cien leguas se conoce la que es verdadera virtud o falsa, está
ya muy despabilada la advertencia, luego le conocen a uno de qué
pie se mueve y de cuál cojea, al paso que el engaño anda meta-
físico, también la cautela sutil; vale a los alcances, y por más capa
que tome de bondad no se le escapa de vicio. La virtud sólida y
perfecta es la que puede salir a vistas del Cielo y de la tierra; ésa
la que vale y dura, que es tenida por clara y por eterna. La bellísima Virtelia es la que importa buscar y no parar hasta hallarla,
aunque sea pasando por picas y por puñales, que ella os encami-
nará a vuestra Felisinda, en cuya busca toda la vida vais peregri-
nando. Animábales mucho a emprender aquel monte de dificultades que tan acobardado tenía a Andrenio. —Ea, acaba, le decía,
que esa tu cobarde imaginación te pinta aquel leonazo del camino
muy más bravo de lo que es: advierte que muchos tiernos mancebos y delicadas doncellitas le han desquijarado. —¿De qué suerte?,
preguntó Andrenio. —Armándose primero muy bien, y peleando
mejor después, que todo lo vence una resolución gallarda. —¿Qué
armas son ésas y dónde las hallaremos? —Venid conmigo, que yo
os llevaré donde las podréis escoger, si no al gusto, al provecho.
Íbanle ya siguiendo y razonando: —¿Qué importa, decía, sobren
armas, si falta el valor? Eso más sería llevarlas para el enemigo.
—¿De modo que ya finó el valor?, preguntó Critilo. —Sí, ya aca-

bó, respondió él; ya no hay Hércules en el mundo que sujeten
monstruos, que deshagan tuertos, agravios y tiranías, que las hagan
sí, que las conserven también, obrando cien mil monstruosidades
cada día. Un solo Caco había entonces, un embustero solo, un
ladrón en toda una ciudad, y ahora en cada esquina hay el suyo
y cada casa es su cueva. Muchos Anteos hijos del siglo, nacidos
del polvo de la tierra, pues harpías agarradoras, hidras de siete
cabezas y de siete mil caprichos, jabalíes de su torpeza, leones de
su soberbia, todo está hirviendo de monstruos adocenados, sin
hallarse ya quien tenga valor para pasar las columnas de la Fortaleza y fijarlas en los fines de los humanos intentos, poniendo
término a sus quimeras. —¡Qué poco duró el valor en el mundo!,
dijo Andrenio. —Poco, que el hombre valiente, y aquellas sus camaradas nunca duran mucho. —¿Y de qué murió? —De veneno.
—¡Qué lástima!; si fuera en una inmortal, por tan mortal, batalla
de Norlinguen, en un sitio de Barcelona, pase, que un buen fin
toda la vida corona; pero de veneno... ¿hay tanta fatalidad? ¿Y en
qué se le dieron? —En unos polvos más letíferos que los de Milán; más pestilentes que los de un royo, de un malsín, de un
traidor, de una madrastra, de un cuñado y de una suegra. —Di-
ráslo porque estos valientes siempre acaban levantando polvaredas, que paran en lodos de sangre. —No, sino con toda realidad
digo que la malicia humana se ha adelantado de modo que no
deja qué obrar a los venideros; ella ha inventado ciertos polvos
tan venenosos y tan eficaces que han sido la peste y la ruina de
todos los grandes hombres, y desde que éstos corren y aun vuelan,
no ha quedado hombre de valor en el mundo, con todos los famosos han acabado. No hay que tratar ya de Cides, ni de Roldanes,
como en otros tiempos. Fuera ahora Hércules juguete; viviera
Sansón de milagro; dígoos que han desterrado del mundo la valentía y la braveza. —¿Y qué polvos son ésos tan traidores?, preguntó Critilo. ¿Son acaso de Basiliscos molidos?, ¿de entrañas de
víboras destiladas?, ¿de colas de escorpiones?, ¿de ojos envidiosos
o lascivos?, ¿de intenciones torcidas?, ¿de voluntades malévolas?,
¿de lenguas maldicientes? ¿Hase vuelto a quebrar otra redomilla
en Dosos, apestando toda la Asia? —Aún son peores y aunque
dicen componerse de aquel acrebite infernal del salitre estigio, y
de carbones alentados a estornudos del demonio; pero yo digo
que del corazón humano, que excede a la intratabilidad de las furias, a la inexorabilidad de las Parcas, a la crueldad de la guerra,
a la tiranía de la muerte, que no puede ser otro una invención
tan sacrílega, tan execrable, tan impía y tan fatal como es la
pólvora, dicha así porque convierte en polvo el género humano.
Ésta ha acabado con los Héctores de Troya, con los Aquiles de
Grecia, con los Bernardos de España; ya no hay corazón ni valen
fuerzas, ni aprovecha la destreza; un niño derriba un Gigante,
una gallina hace tiro a un León, y al más valiente el cobarde,
conque ya ninguno puede lucir ni campear. —Ante ahora, dijo

Critilo, he oído ponderar que está más adelantado el valor que antes; porque ¿cuánto más corazón es menester para meterse un hombre por cien mil bocas de fuego; cuánto más ánimo para esperar un torbellino de bombardas, hecho terrero de rayos? Ése sí que es valor, que todo lo antiguo fue niñería; ahora está el valor en su punto, que es en un corazón intrépido, que entonces en tener un gañán un buen brazo, más que fuerza en los jarretes de un salvaje. —Engáñase de barra a barra quien tal dice; ¡qué dictamen tan exótico y errado!, pues ése que él celebra no es valor ni lo conoce: no es sino temeridad y locura, que es muy diferente. —Ahora digo, confirmó Andrenio, que ya la guerra es para temerarios, y aun por eso diría aquel gran hombre, tan celebrado de prudente en España, en la primera batalla y la última en que se halló oyendo zumbar las balas: ¿Es posible que de esto gustaba mi padre? Y hanle seguido muchos, confirmándose en su opinión tan segura. Siempre oí decir que desde que riñeron la valentía y la cordura, nunca más han hecho paz; aquélla salió de sus casillas a campaña y ésta se apeló al juicio. —No tienes razón, dijo el Valeroso; ¿qué hiciera la fortaleza sin la prudencia?, que por eso en la varonil edad está en su sazón, y del valor tomó el renombre de varonil; es en ella valor lo que en la mocedad audacia, y en la vejez recelo, aquí está en un medio muy proporcionado.

Llegaron ya a una gran casa, tan fuerte como capaz, dieron y tomaron el nombre, que aquí se cobra la fama. Entraron dentro y vieron un espectáculo de muchas maravillas de valor, de instrumentos prodigiosos de la fortaleza. Era una armería general de todas armas, antiguas y modernas, calificadas por la experiencia, y a prueba de esforzados brazos de los más valientes hombres que siguieron los pendones marciales. Fue gran vista lograr juntos todos los trofeos del valor, espectáculo bien gustoso y gran empleo de la admiración. —Acercaos, decía, reconoced y estimad tanto y tan ejecutivo portento de la fama. Pero falseóle de pronto un intensísimo sentimiento a Critilo, que le apretó el corazón, hasta exprimirle por los ojos. Reparando en ello el Valeroso, solicitó la causa de su pena, y él: —¿Es posible, dijo, que todos estos fatales instrumentos se forjaron contra una tan frágil vida? Si fuera para conservarla, estuviera bien, merecían toda recomendación; pero para ofenderla y destruirla, ¿contra una hoja que se la lleva el viento tantas hojas afiladas ostentan su potencia? ¡Oh, infelicidad humana, que haces trofeo de tu misma miseria! —Señor, los filos de este alfanje cortaron el hilo de la vida a un famoso Rey Don Sebastián, digno de la vida de cien Néstores; este otro la del desdichado Ciro, Rey de Persia; esta saeta fue la que atravesó el lado al famoso Rey Don Sancho de Aragón, y esta otra al de Castilla; malditos sean tales instrumentos y execrable su memoria; no los vea yo de mis ojos: pasemos adelante. —Ésta tan luciente espada, dijo el Valeroso, fue la celebrada de Jorge Castrioto, y esta otra del Marqués de Pescara. —Déjamelas ver muy a mi gusto; y después de bien miradas, dijo: —No me parecen tan raras como yo pensaba; poco se diferencian de las otras; muchas he visto yo de mejor temple y no de tanta fama. —Es que no ves los dos brazos que las movían, que en ellos consistía la braveza. Vieron otras dos, todas tintas en sangre, desde la punta al pomo, muy parecidas: —Estas dos están de competencia a cuál venció más batallas campales. —¿Y cúyas son? —Ésta es del Rey Don Jaime el Conquistador, y esta otra del Cid Castellano. —Yo me atengo a la primera, como más provechosa, y quede el aplauso para la segunda, más fabulosa. —¿Dónde está la de Alejandro Magno, que deseo mucho verla? —No os canséis en buscarla, que no está aquí. —¿Cómo no, habiendo conquistado todo un mundo? —Porque no tuvo valor para vencerse a sí, mundo pequeño; sujetó toda la India, mas no su ira. Tampoco hallaréis la de César. —¿Ésa no, cuando yo creí fuera la primera? —Tampoco, porque gastó más sus aceros contra los amigos y segó las cabezas más dignas de vida. —Algunas hay aquí que, aunque buenas, parecen quedar cortas. —No dijera eso el Conde de Fuentes, a quien ninguna le pareció corta, con avanzarse, decía, un paso más al contrario. Estas tres son de los famosos Franceses: Pepino, Carlos Magno y Luis Nono. —¿No hay más Francesas?, preguntó Critilo. —No sé yo que haya más. —Pues ¿habiendo habido en Francia tan insignes Reyes, tantos Pares sin par y tan valerosos Mariscales? ¿Dónde están las de los dos Birones, la del Grande Enrico Cuarto; cómo no más de tres? —Porque estas tres solas emplearon su valor contra los Moros, todas las demás contra Cristianos. Muy metida en su vaina vieron una, cuando todas las otras estaban desnudas, ya brillantes, ya sangrientas; riéronlo mucho, mas el Valeroso: —De verdad, dijo, que es heroica, y llamada por antonomasia la grande. —¿Cómo no está desnuda? —Porque el Gran Capitán, su gran dueño, decía que la mayor valentía de un hombre consistía en no empeñarse, ni verse obligado a sacarla. Tenía otra muy brillante contera de oro fino, y dijo: —Ésta fue la que echó a su victoriosa espada el Marqués de Leganés, derrotando al Invencible vencido.

Deseó Andrenio saber cuál había sido la mejor espada del mundo. —No es fácil de averiguar, dijo el Valeroso, pero yo diría que la del Rey Católico Don Fernando. —¿Y por qué no la de un Héctor, de un Aquiles?, replicó Critilo, más célebres y aplausibles, tan decantadas de los Poetas. —Yo lo confieso, respondió, pero ésta no tan ruidosa fue más provechosa, y la que conquistó la mayor Monarquía que reconocieron los siglos. Esta hoja del Rey Católico, y aquel arnés del Rey Filipo el tercero pueden salir dondequiera que haya armas; aquélla para adquirir y éste para conservar. —¿Cuál es ese arnés tan heroico de Filipo? Mostróle uno, todo escamado de doblones y reales de a ocho, alternados y ajustados unos sobre otros como escamas, haciendo una ricamente hermosa vista. —Éste, dijo el Valeroso, fue el más efi-

caz, el más defensivo de cuantos hubo en el mundo. —¿En qué
guerra lo vistió su gran dueño, que nunca tuvo ocasión de desar-
marse, ni se vio obligado, jamás obligado a pelear? —Antes fue
para no pelear, para no tener ocasión: en fe de éste, después de
la asistencia del Cielo, conservó su grande y dichosa Monarquía
sin perder una almena, que es mucho más el conservar que el
conquistar; y así decía uno de sus mayores Ministros: Quien
posee no pleitee, y quien está de ganancia no baraje. Entre tantos
y tan lucidos aceros campeaba un bastón muy basto, pero muy
fuerte. Hízole novedad a Andrenio, y dijo: —¿Quién metió aquí
este ñudoso palo? —Su fama, respondió el Valeroso; no fue de
algún gañán, como tú piensas, sino de un Rey de Aragón, llamado el Grande, aquel que fue bastón de Franceses, porque los
abrumó a palos. Extrañaron mucho ver dos espadas negras y cru-
zadas, entre tantas blancas, tan matantes. —¿De qué sirven aquí
éstas?, dijo Critilo; donde todo va de veras, y aunque fuesen del
bravo Carranza y del diestro Narváez, no merecen este puesto.
—No son, dijo, sino de dos grandes Príncipes, y muy poderosos,
y que después de muchos años de guerra y haberse quebrado las
cabezas, con harta pérdida de dinero y de gente, se quedan como
antes, sin haberse ganado el uno al otro un palmo de tierra, de
modo que al cabo más fue juego de esgrima que guerra verdadera.

    —Aquí echo menos, dijo Andrenio, las de muchos Capitanes
muy celebrados, por haber subido de Soldados ordinarios a gran
fortuna. —¡Oh, dijo el Valeroso, aquí se hallan y se estiman algunas de ésas! Aquélla es del Conde Pedro Navarro, la otra de
García de Paredes; allí está la del Capitán de las Nueces, que
fueron más que el ruido de la fama; y si faltan algunas, porque
fueron más ganchos que estoques, que algunos más han triunfado
con los oros que con las espadas. —¿Qué hizo la de Marco Antonio, aquel famoso Romano, competidor de Augusto? —Ésa y
otras sus iguales andan por esos suelos hechas pedazos, a manos
tan flacas como femeniles. Las de Aníbal la hallaréis en Capua,
que habiendo sido de acero, las delicias la ablandaron como de
cera. —¿Qué espada es aquella tan derecha y tan valiente, sin
torcer a un lado ni a otro, que parece el fiel a las balanzas de
la equidad? —Ésa, dijo, siempre hirió por línea recta; fue del
Non plus ultra de los Césares, CARLOS QUINTO, que siempre
la desenvainó por la razón y justicia. Al contrario, aquellos tor-
vos alfanjes del bravo Mahomet, de Solimán y Selim, como siempre pelearon contra la Fe, justicia, derecho y verdad, ocupando
tiránicamente los ajenos Estados, por esto están tan torcidos.
—Aguarda, ¿qué espada tan dorada es aquella que tiene por pomo
una esmeralda, y toda ella está esmaltada de perlas? ¡Qué cosa
tan rica! ¿No sabríamos cúya fue? —Ésta, respondió alzando la
voz el Valeroso, fue del tan celebrado después, como emulado
antes, pero nunca bastamente ni estimado ni prendado Don Fernando Cortés, Marqués del Valle. —¿Qué, ésta es?, dijo Andre-

nio; ¡cómo me alegro de verla! ¿Y es de acero? —Pues ¿de
qué había de ser? —Es que yo había oído decir que era de caña,
por haber peleado contra Indios que esgrimían espadas de palo
y vibraban lanzas de caña. —He que la entereza de la fama siempre venció la emulación, digan lo que quisieren éstos y aquéllos,
que ésta con su oro dio aceros a todas las de España, y en virtud
de ella han cortado las demás en Flandes y en Lombardía. Vieron
ya una tan nueva como lucida, atravesando tres coronas y ama-
gando a otras. —¡Qué espada tan heroicamente coronada!, ponderó Critilo, y ¿quién es el valeroso y dichoso dueño de ella?
—¿Quién ha de ser sino el moderno Hércules, hijo de Júpiter
de España, que va restaurando la Monarquía a Corona por año?
—¿Qué tridente es aquél que en medio de las aguas está fulminando fuego? —Es del valeroso Duque de Alburquerque, que
quiere igualar por la valentía la fama de su gran padre, conseguida en Cataluña por gobierno.

—¿Qué arco sería aquel que está hecho pedazos en el suelo y
todos sus arpones rotos y despuntados? En lo pequeño parece
juguete de algún rapaz, mas en lo fuerte de algún gigante. —Ése,
respondió, es uno de los más heroicos trofeos del valor. —Pues
¿qué gran cosa, replicó Andrenio, rendir un niño y desarmarle?
Ésta no la llames hazaña, sino melindre. —Miren qué clava de
Hércules rompida, qué rayo de Júpiter desmenuzado, a qué espada de Paolo de Parada hecha trozos. —¡Oh, sí, que es muy
orgulloso el rapaz y cuanto más desnudo, más armado; más fuerte
cuanto más flaco; más cruel cuando llorando; más certero cuando
ciego; creedme que es gran triunfo vencer al que a todos vence:
y dinos, quién le rindió. —¿Quién? De mil uno, aquel Fénix de
la cantidad, un Alfonso, un Filipo, un Luis de Francia. ¿Qué
diréis de aquella copa, hecha también pedazos sembrados todos
por tierra? —¿Qué otro blasón ése, dijo Andrenio, y más siendo
de vidrio?, ¿qué gran cosa? Ésas son hazañas de pajes, de que
hacen ciento al día. —Pues de verdad, ponderó el Valeroso,
que era bien fuerte el que hacía guerra con ella, y que derribó
a muchos; del más bravo no hacía él más caso que de un mosquito. —¿Que estarían hechizadas? —No, sino que hechizaba, y
les trastornaba a muchos el juicio; no dio Circe más bebedizos
que brindó con ésta un viejo. —¿Y en qué transformaba las gentes? —Los hombres en gamos, y las mujeres en lobas; él era un
raro veneno, que apuntaba al cuerpo y hería el alma; al vientre
y pegaba en la mente, ¡oh, cuántos sabios hizo prevaricar!; y es
lo bueno que todos los vencidos quedaban muy alegres. —Pues
bien está por tierra la que a tantos derribó, y éste sea el blasón
de los españoles.

—¿Qué otras armas son aquéllas, preguntó Critilo, que se conoce bien su valor en su estimación, pues están conservadas en
armarios de oro? —Éstas, respondió el Valeroso, son las mejores,

porque son defensivas. —¡Qué escudos tan bizarros! —Y aun los
más son escudos. —Este primero parece de cristal. —Sí, y al
punto que se carea con el enemigo le deslumbra y le rinde, es
de la razón y verdad, con que el buen Emperador Ferdinando
Segundo triunfó del orgullo de Gustavo Adolfo, y de otros muchos. Estos otros tan cortos, y tan lunados, ¿de quién son, que
parecen de algún alunado capricho? —Éstos fueron de mujeres.
—¿De mujeres, replicó Andrenio, y aquí entra tanta valentía?
—Sí, que las Amazonas sin hombres fueron más que hombres, y
los hombres entre mujeres son menos que mujeres. Éste que aquí
veis, dice, está encantado, que por más golpes que le den, por
más tiros que le hagan, no le hacen mella, ni los mismos reveses
de la Fortuna; y esto a prueba de la paciencia del mismo Don
Gonzalo de Córdoba. Repara en aquel tan brillante, parece moderno y es impenetrable, del sagaz y valeroso Marqués de Mortara, que con su mucha espera y valor ha restaurado a Cataluña.
Esta rodela acerada, grabada de tantas hazañas y trofeos, fue del
primer Conde de Ribagorza, cuyo valor prudente pudo hacerse
lugar y aun campear al lado de tal padre y de un tal hermano.
Dioles curiosidad de entender una letra que un escudo decía:
«O con éste o en éste.» Ésa fue la noble empresa de aquel gran
vencedor de Reyes en que quiso decir que, o con el escudo victorioso, o en él muerto. Dioles mucho gusto ver en uno pintado un
grano de pimienta por empresa. —¿Cómo la podrá divisar el enemigo?, dijo Andrenio. —¡Oh, sí, dijo, que el famoso general
Francisco González Pimienta se avanza tanto al enemigo que le
hace ver y aun probar su picante braveza. Vieron ya uno en forma de corazón, hasta el mismo escudo, digo, aquel gran descen-
diente del Cid, heredero de su ínclito valor, el Duque del Infantado. Había una rodela hecha de una materia bien extraordinaria,
ni usada ni conocida: —Es, dijo, de la oreja de un elefante, con
ésta se arma de igual valor a su mucha prudencia el Marqués de
Caracena.

    —¡Qué brillante celada aquélla!, celebró Critilo. —Sí lo es, dijo
el Valeroso, y que celaba bien con ella sus intentos el Rey Don
Pedro de Aragón, de tal arte, que si su misma camisa llegara a
rastrearlos, al punto la abrasara. —¿Qué casco es aquel tan capaz
y tan fuerte? —Éste fue para una gran testa, no menos que del
Duque de Alba, hombre de superlativo juicio y que no se dejaba
vencer, no sólo de los enemigos, pero ni de los suyos, como Pompeyo en dar la batalla al César contra su propio dictamen. —¿Es
por dicha aquel relumbrante yelmo el de Mambrino? —Por lo
impenetrable ya pudiera; fue de don Felipe de Silva, de cuya
gran cabeza dijo el bravo Mariscal de la Mota, le daba más cuidado que seguridad sus pies impedidos de la gota. Mira aquel
morrión del Marqués Espinosa, qué defendido está con el guar-
danaso de su gran sagacidad que con la misma verdad deslumbró

la atención del vivaz Enrico Cuarto. Todas estas armas son para
la cabeza, y más de hombres sagaces que de mancebos audaces,
tan importantes que por eso este archivo es llamado con especialidad el retrete del valor. Aquí vieron muchas cartas hechas pedazos, esparcidas por el suelo, y pisados sus caballos y sus reyes. —Ya me parece, dijo Andrenio, que te oiga exagerar una
gran batalla que aquí se dio, y la gran victoria conseguida. —Por
lo menos no me negarás, replicó el Valeroso, que hubo barajas,
que siempre se componen de espadas y oros, y luego andan los
palos. ¿No te parece que fue gran valor el de aquél que, cogiendo
entre sus dos manos una baraja, toda junta la tronchó de una
vez? —Ése, respondió Andrenio, más parece efecto de las grandes
fuerzas de Don Gerónimo de Ayanzón que de un heroico valor.
Por lo menos sería el día de su mayor ganancia; y ten por cierto
que no hay valor igual como excusar barajas, ni hay mejor salida
de los empeños que no empeñarse. ¿Quieres ver la mayor valentía del mundo? Llega y mira esas joyas, esas galas, esa bizarría
pisada y hollada en este duro suelo. —Éste, replicó Andrenio,
parece aderezo mujeril; pues ¿qué gran victoria fue despojar una
femenil flaqueza, triunfar de una bellísima ternura? ¿Qué arneses
vemos aquí deshechos? ¿Qué yelmos abollados? —¡Oh, sí, dijo,
que esto fue triunfar de un mundo entero y retirarse al Cielo la
más aplaudida belleza de una Serenísima Señora Infanta Sor Margarita de la Cruz, seguida después de Sor Dorotea, gloria mayor
de Austria, que dejando de ser Ángeles, pasaron a ser Serafines
en la Religión de ellos. También son trofeo de un gran valor esas
plumas de pavón esparcidas y esos airones de una altanera garza,
penachos de su soberbia, ya despojos de una loca vanidad ren-
dida. Pero lo que más le satisfizo fue ver hecha pedazos una
afilada guadaña: —Éste sí que es triunfo, exclamaron, que haya
valor en un Moro Cristiano y en una Reina María Estuarda, para
despreciar la misma muerte.

Trataron ya de armarse los dos Conquistadores del Monte de
Virtelia: iban escogiendo armas valientes, espadas de luz y de
verdad, que a fuer de eslabones fulminasen rayos; escudos impenetrables de sufrimiento, yelmos de prudencia, arneses de fortaleza invencible; y sobre todo, el cuerdamente Valeroso les revistió muchos y generosos corazones, que no hay mejor compañía
en los aprietos. Viéndose Andrenio tan bien armado, dijo: —Ya
no hay que temer. —Sólo lo malo, respondió, y lo injusto. Daba
demostraciones de su gran gozo Critilo: —Con razón, le dijo, te
alegras, pues aunque concurran en un varón todas las demás ventajas de sabiduría, nobleza, gracia de las gentes, riqueza, amistad,
inteligencia, si el valor no las acompaña, todas quedan estériles y
frustradas: sin valor nada vale, todo es sin fruto; poco importa
que el consejo dicte, la providencia prevenga, si el valor no ejecuta. Por eso la sabia naturaleza dispuso que el corazón y el cerebro en la formación del hombre comenzasen a la par, para que

fuesen junto el pensar y el obrar. Esto les estaba ponderando,
cuando de repente interrumpió su discurso una viva alarma, que
se comenzó a tocar; por todas partes acudieron prontos a tomar
las armas y a ocupar sus puestos. Lo que fue, y lo que les sucedió, nos dirá la Crisi siguiente.

CRISI IX

ANFITEATRO DE MONSTRUOSIDADES

Pasaba un Río, y río de lo que pasa entre márgenes opuestas,
coronada de flores la una y de frutos la otra; prado aquélla de
deleites, asilo ésta de seguridades. Escondíanse allí entre las rosas las serpientes, entre los claveles los áspides y bramaban las
hambrientas fieras, rodeando a quien tragarse En medio de tan
evidentes riesgos estaba descansando un hombre, si lo es un necio,
pues pudiendo pasar el río y meterse en salvo de la otra parte,
se estaba muy descuidado, cogiendo flores, coronándose de rosas,
y de cuando en cuando volviendo la mira a contemplar el río y
ver correr sus cristales. Dábale voces un cuervo, acordándole su
peligro y convidándole a pasarse de la otra banda con menos dificultad hoy que mañana. Mas él, muy a lo necio, respondía
que estaba esperando acabase de correr el río para poderle pasar
sin mojarse. ¡Oh, tú, que haces mofa del fabulosamente necio,
advierte que eres el verdadero; tú eres el mismo de quien te
ríes, tanta y tan solemne es tu demencia, pues instándote que dejes los riesgos del vicio y te acojas a la banda de la virtud, respondes que aguardas acabe de pasar la corriente de los males. Si
le preguntáis al otro por qué no acaba de ajustarse con la razón,
responde que está aguardando pase el arrebatado torrente de sus
pasiones, que no quiere comenzar el camino de la virtud hoy, si
ha de volver al de el vicio mañana. Si le acordáis a la otra sus
obligaciones, la afrenta que causa a los propios, la murmuración
a los extraños, dice que corre con todas, que así se usa, que con
más edad tendrá más cordura. Consuélase aquél de no estudiar,
y dice que no piensa cansarse, pues no se premian letras, ni se
estiman méritos. Excúsase éste de no ser hombre de sustancia,
diciendo que no hay quién lo sean, todo está perdido, que no se
usa la virtud, todos engañan, adulan, mienten, roban y viven de
artificio, y déjase arrebatar de la corriente de la maldad. El Juez
se lava las manos de lo que hace justicia; conque todo está rematado y no sabe por dónde comenzar. Así que todos aguardan a
que amaine el ímpetu de los vicios, para pasarse a la banda de
la virtud. Mas es tan imposible el cesar los males, el acabarse los
escándalos en el mundo, mientras haya hombres, como el parar
los ríos; lo acertado es poner el pecho al agua, y con denodado
valor pasar de la otra banda al puerto de una seguridad dichosa.

Peleando estaban ya los dos valerosos guerreros, que no es otra la vida humana que una milicia a la malicia, y en esto les habían tocado al arma trescientos monstruos, causa de este rebato, que con los rayos de la razón descubrieron sus ardides; las atalayas en atenciones avisaron a los fuegos de su celo, y éste al valor de ambos, que denodadamente los fueron persiguiendo y retirando, tanto, que llevados de su ardor en el alcance, se hallaron a las puertas de un hermosísimo Palacio, primera fábrica del mundo, el más artificioso y bien labrado que jamás vieron, aunque habían admirado tantos. Ocupaba el centro de un ameno Prado, con ambiciones de Paraíso, de aquellos que no perdona el gusto, su materia (aunque tierra), desmentida de los primores del arte, dejaba muy atrás la misma solar esfera, obra al fin de grande alcance y fabricada para un Príncipe grande. —¿Si sería éste, dijo Andrenio, el tan alabado Alcázar de Virtelia?, que una cosa tan perfecta no puede ser estancia sino de su grande perfección, que tal suele ser el epiciclo cual la estrella. —¡Oh, no!, dijo Critilo, que éste está a los pies del monte y aquél sobre su cabeza, aquél se empina hasta el Cielo, y éste se roza con el abismo, aquél entre austeridades y éste entre delicias. Esto ponderaban cuando vieron asomar por su majestuosa puerta, al cabo de muchas varas de nariz, un hombrecillo de media, que viéndolos admirados les dijo: —Yo no sé de qué; pues así como hay hombres de gran corazón y de gran pecho, yo lo soy de grandes narices. —Toda gran trompa, dijo Critilo, siempre fue para mí señal de grande trampa. —¿Y por qué no de sagacidad?, replicó él. Pues advertid que con ésta os he de abrir camino, seguidme. Lo primero que encontraron en el mismo atrio fue un establo, nada estable, aunque lleno de gente lucida, hombres de mucho porte, y de más cuenta, muy hallados todos con los brutos, sin asquear el mal olor de tan inmunda estancia. —¿Qué es esto?, dijo Critilo. ¿Cómo éstos, que parecen personas, están en tan vil lugar? —Por su gusto, respondió el Sátiro. —Pues ¿de esto gustan? —Sí, que los más de los hombres eligen antes vivir en la hedionda pocilga de sus bestiales apetitos, que arriba en el salón dorado de la razón. No se sentía otro dentro, que malas voces y bramidos de fieras, ni se oían sino monstruosidades; era intolerable la hediondez que despedía. —¡Oh, casa engañosa!, exclamó Andrenio, por fuera toda maravillas y por dentro monstruosidades. —Sabed, dijo el Sátiro, que este hermoso Palacio se fabricó para la virtud; mas el vicio se ha levantado con él, hale tiranizado; y así de ordinario veréis que hace su morada en la mayor hermosura y gentileza, el cuerpo más lindo y agraciado, criado para estancia hermosa de la virtud, le hallaréis lleno de torpezas, la mayor nobleza de sus infamias, la riqueza de ruindades. Comenzaron con esto a rehusar el empeñarse, temiendo el despeño, cuando uno de aquellos monstruos les dijo: —En esto no reparéis, que aquí siempre hay salida para todo, y yo soy el que a cuantos se empeñan, la hallo. A la doncellita la persuado su deshonra, diciéndola que no la faltará una amiga o una piadosa tía de quien fiarse. Al asesino que mate, que ya habrá quien le haga espaldas. Al ladrón que robe, al salteador que desuelle, que ya se hallará un simple compasivo que interceda por él a la Justicia. Al tahúr que juegue, que no faltará un amigo enemigo que le preste: de suerte que por grande que sea el despeño, le pinto fácil el salto; por intrincado que sea el laberinto, le hallo el ovillo de oro; y a toda la dificultad la solución: así que bien podéis entrar, fiaos de mí, que yo os desempeñaré. Fue a meter el pie Critilo, y al punto encontró con un monstruo horrible; porque tenía las orejas de Abogado, la lengua de Procurador, las manos de Escribano, los pies de Alguacil. —Escápate, gritó el Sátiro, de todo pleito, aunque sea dejándoles la capa. Íbanse retirando con recelo, cuando con mucho agrado se llegó a ellos otro monstruo muy cortés, suplicándoles fuesen servidos de entrar por cortesía, que no serían los primeros que se habían perdido de puro corteses; y si no preguntadle a aquél, que parece hombre circunspecto y de juicio, cómo jugó la hacienda, y tras ella la honra, y el descanso de su casa; y respondióles: —Señores, rogáronme que hiciese un cuarto que les faltaba, y deshice todos los de mi casa, porque no me tuviesen por grosero; púseme a jugar, piquéme y lastiméme a mí mismo; pensé desquitarme y acabé con todo por cortesía. Preguntadle a aquel otro, que se pica de entendido, cómo perdió la salud, la honra y la hacienda con la otra loquilla; y respondióles: Que por no parecer descortés mantuvo la conservación, de allí pasó a la correspondencia, hasta hallarse perdido por cortesía. La otra, porque no la tuviesen por necia, respondió al dicho, y luego al billete; el marido, por no parecer grosero, disimuló con los muchos yentes y vinientes a su casa; el Juez, obligado de la atención del poderoso, hizo la injusticia; de suerte que son infinitos los que se han perdido en el mundo por cortesía; y con esto y mil zalemas que les hizo, les obligó a entrar: Érase un tan espacioso atrio, que tomaba todo un mundo, célebre anfiteatro de monstruosidades, tan grandes como muchas, donde tuvieron más que abominar que admirar, y vieron cosas, aunque muchas veces vistas, que no se podían ver.

Estaba en el primero y último lugar una horrible serpiente, coco de la misma hidra, tan envejecida en el veneno, que la habían nacido alas y se iba convirtiendo en un dragón, inficionando con su aliento el mundo. —Terrible cosa, dijo Critilo, que de la cola de la culebra nazca el basilisco, y de los dejos de la víbora el dragón, ¿qué monstruosidad es ésta? —Como de éstas se ven el mundo cada día, respondió el Sátiro, veréis que acaba la otra con su deshonestidad propia y comienza la ajena; no hace cara ya al vicio, por no tenerlas; da alas a la otra que comienza a volar y hace sombra a los soles que amanecen. Pierde el tahúr su grande herencia, y pone casa de juego, da naipes, despabila las velas abrasadoras, corta tantos para tontos. El farsante para en charlatán y saltimbanco; el acuchillador en Maestro de esgrima; el murmurador cuando viejo en testigo falso; el holgazán en escudero; el malsín en Catedrático del duelo; el infame en libro verde, y el bebedor en tabernero, aguándoles el vino a los otros. Iban dando vuelta y viendo portentosas fealdades: fuelo harto ver una mujer, que de dos Ángeles hacía dos demonios, digo dos rapazas endiabladas; y teniéndolas desolladas, las metió a asar a un gran fuego y comenzó a comer de ellas sin ningún horror, tragando muy buenos bocados. —¡Qué fiereza es ésta tan inhumana!, ponderó Andrenio. ¿No me dirás quién es ésta que deja atrás los mismos Trogloditas? —Pues advierte que es su madre, la misma que las echó a luz y hoy las oscurece. Ésta es la que teniendo dos hijas tan hermosas como viste, las mete en el fuego de su lascivia, de ellas come y traga los buenos bocados. Salióles de través un otro monstruo no menos raro; era de tan exótica condición, de un humor tan desproporcionado, que si le pegaban con un garrote de encina y le quebraban las costillas o un brazo, no hacía sentimiento; pero si le daban con una caña, aunque levemente, sin hacerle ningún daño, era tal su sentimiento que alborotaba el mundo. Llegó uno y diole una penetrante puñalada, y la tuvo por mucha honra; porque llegó otro y le pegó un ligero espaldarazo con la espada envainada, sin sacarle una gota de sangre, lo sintió de manera que revolvió toda su parentela para la venganza; pególe uno a puño cerrado tan fiero mojicón que le ensangrentó la boca y le derribó los dientes, y no se alteró; y porque otro le asentó la mano extendida, coloreándole el rostro, fue tal su rabia, que hundió el mundo haciendo extremos; pues que si le arrojaban un sombrero, no sentía tanto que le tirasen un ladrillo y le polvoreasen los sesos; no tenía por afrenta el mentir, el no cumplir su palabra, el engañar, el decir mil falsedades; y porque uno le dijo mentís, pensó reventar de cólera y no quiso comer hasta tomar venganza. —¡Qué raro humor de monstruo éste, celebró Critilo, entreverado de necedad y locura! —Así es, dijo el Sagaz; y ¿quién creerá que está hoy muy valido en el mundo? —¿Será entre bárbaros? —No, sino entre Cortesanos, entre la gente más ladina. —¿Y no sabríamos quién es? —Éste es el tan sonado duelo: dígole el descabezado, tan civil como criminal.

Pasaron a la otra banda y registraron las monstruosidades de la necedad, que eran otras tantas; vieron que no osaba comer un camaleón por ahorrar, para que tragase después el puerco de su heredero; un melancólico pudriéndose del buen humor de los otros; muchos que porfiaban sin estrella; él de todos, sino de sí mismo. Admirándose de uno, que pretendía por mujer la que había muerto a su marido, y él quería ser marivenido; un Soldado muriendo en un barranco, muy consolado de no gastar con Médicos ni Sacristanes; un **señor** que **encomendaba** a otros el mandar; estaba uno encendiendo fuego de canela para asar un rábano; un rico pretendiendo y un caduco enamorado; aquí hallaron con el de cien pleitos, y un Prelado huyendo de él, porque no le metiese pleito en la Mitra. Vieron uno que habiéndole dicho fuese a descansar a su casa, se equivocó y se iba a la sepultura. Aquí estaba también el que hacía almohada del chapín de la Fortuna, y a su lado el que del cogote de la ocasión pretendía hacerse la barba; el que llevaba descubiertas las perdices y no las vendía; íbase uno a la cárcel por otro; pero el más aborrecido era un hombre bajo, descortés; estaba uno parando lazos a los raposos viejos, y otros pasando del dar al pedir; el que compraba caro lo que era suyo; y estaba otro papando lisonjas de sus combinados; el juglar de las casas ajenas, y en la suya cantimplora; el que decía que no es de Príncipes el saber; el que todas las cosas hacía con eminencia, si no su empleo. Entraba en el lugar del que vivía de necio, el que moría de sabio; el que pudiendo ser Sol en su esfera, era constelación en la ajena; el que fundía en balas sus doblones. Estaban dos, el uno jugando bien y siempre perdiendo, y el otro sin saberse dejar, ganando; un presumido con cuatro letras garrafales; y el que conociendo un temerario, le fiaba todo su ser; y sobre todo, uno que viviendo de burlas se iba al infierno de veras.

Todas estas monstruosidades y otras más estaban admirando, cuando arrebató de nuevo su atención un monstruo, que huyendo de un Ángel se bia tras un Demonio, ciego y perdido por él. Ésta sí que es portentosa necedad, dijeron, nada son las pasadas. —Éste es, dijo el Sagaz, un hombre que teniendo una consorte que le dio Dios, discreta, noble, rica, hermosa y virtuosa, anda perdido por otra, que le atrazó el Diablo, por una moza de cántaro, por una vil y asquerosa ramera, por una fea, por una loca insufrible, con quien gasta lo que no tiene; para su mujer no saca el honesto vestido, y para la amiga la costosa gala; no halla un real para dar limosna y gasta con la ramera a millares; la hija la trae desnuda, y la amiga rozando lamas. ¡Oh fiero monstruo, casado con hermoa y amancebado con fea! Veréis, que unos vicios, aunque destruyen la honra, dejan la hacienda, consumen otros la hacienda y perdonan la salud; pero este de la torpeza con todo acaba, honra, hacienda, salud y vida. Lado por lado estaban otros dos monstruos tan confinantes cuan diferentes, para que campeasen más los extremos. El primero tenía más malos ojos que un bizco, siempre miraba de mal ojo: si uno callaba, decía que era un necio; si hablaba, que un bachiller; si se humillaba, apocado; si se mesuraba, altivo; si sufrido, cobarde, y si áspero, furioso; si grave, le tenía por soberbio; si afable, por liviano; si liberal, por pródigo; si detenido, por avaro; si ajustado, por hipócrita; si desahogado, por profano; si modesto, por tosco; si cortés, por ligero. ¡Oh, maligno mirar! Al contrario, el otro se gloriaba de tener buena vista, todo lo miraba con buenos ojos, con tal extremo de afición, que a la desvergüenza llamaba galantería; a la deshonestidad, buen gusto; la mentira decía que era ingenio; la temeridad, valentía; la venganza, pundonor; la lisonja, cortejo; la murmuración, donaire; la astucia, sagacidad, y el artificio, prudencia. —¡Qué dos monstruosidades, dijo Andrenio, tan necias, siempre van los mortales por extremos, nunca hallan el medio de la razón y se llaman racionales. ¿No sabríamos qué dos monstruos son éstos? —Sí, dijo el Sagaz, aquella primera es la mala intención, que toma de ojo todo lo bueno. Esta otra, al contrario, es la afición, que siempre va diciendo: todo mi amigo es buen hombre. Éstos son los antojos del mundo, ya no se mira de otro modo, y así tanto se ha de atender a quien alaba o a quien vitupera, como al alabado o vituperado.

Ruaba un otro bien monstruoso, muy tapado: —Éste, dijo Andrenio, parece monstruo vergonzante. —Antes, respondió el Sátiro, es de la desvergüenza; pues una mujer sin ella, ¿cómo va atapada contra su natural inclinación de ser vista? Ahí verás, que cuando más descaradas esconden la cara, he, que será recato, no es sino correr el velo a sus obligaciones; ayer iba al contrario tan escotada, que parece que descubriera más, si más pudiera; siempre van por extremos. Venía ya un monstruo muy humano, haciendo reverencias a los mismos lacayos, besando los pies aun a los mozos de cocina. Llamaba Señoría a quien no merecía merced, a todo el mundo con la gorra en la mano, previniendo de una legua la cortesía; a unos se ofrecía por su mayor afecto, a otros por su menor criado. —¡Qué monstruo tan comedido éste!, ponderaba Andrenio. ¡Qué humano! No he visto monstruo humilde hasta hoy. —¡Qué bien lo entiendes!, dijo el Sátiro, no hay otro más soberbio: ¿no ves tú que cuanto más se abate, quiere subir más alto?; para poder mandar a los amos, se humilla a los criados. Estas reverencias hasta el suelo son botes y rebotes de pelota, que da en tierra, para subir al aire de su vanidad.

Al fin, si es que las necedades le tienen, apareció ya la más rara figura, un monstruo por lo viejo de cano; descubría la cabeza toda pelada, sin cabellos de altos pensamientos, ni negros por lo profundo, ni blancos por lo cuerdo, sin un pelo de sustancia; movíasele a un lado y a otro, sin consistencia alguna; los ojos, en otro tiempo tan claros y perspicaces, ahora tan flacos y legañosos que no veían lo que más importaba, y de lejos poco o nada, para prevenir los males. Los oídos algún día muy oidores, tan sordos y tan atapados que no percibían la voz flaca del pobre, sino la del ricazo, la del poderoso, que hablan alto; la boca, desierta, que no sólo no gritaba con la eficacia que debía, pero ni osaba hablar, y si algo, entre los dientes, que no tenía; las manos antes grandes ministras y obradoras de grandes cosas, se veían gafas, un gancho en cada dedo, conque de todo se asían y nada soltaban; los humildes y plebeyos pies tan gotosos y torcidos que no acertaban a dar un paso; de suerte que en todo él no había cosa buena ni parte sana; él se dolía y todos se quejaban, pero nadie se lastimaba, ninguno trataba de poner remedio. Seguíanle otros tres, altercando entre sí la tiranía universal de los mortales: traía el primero cara de veneno dulce, y era escollo de marfil, hermosa muerte, despeño deseado, engaño agradable, mujer fingida y sirena verdadera, loca, necia, atrevida, cruel, altiva y engañosa; pedía, mandaba, presumía, violentaba, tiranizaba y antojábansele bravos desvaríos. ¿Qué cosa puede haber en el mundo, decía, que para mí no sea? Todo cuanto hay al cabo se viene a reducir a mi gusto: si se hurta, es para mí; si se mata, es por mí; si se habla, es de mí; si se desea, es a mí; si se vive, conmigo; de suerte que cuantas monstruosidades hay en el mundo... —Eso no concederé yo, dijo él mismo, tan bizarro como vano, rico, pero necio, altivo, pero ruin. Todo cuanto hay y luce, todo es para mí, todo sirve a mi pompa y ostentación; si el Mercader roba, es para vivir en el mundo; si el Caballero se empeña, es para cumplir con el mundo; si la mujer se engalana, es para parecer en el mundo. Todos los vicios dan treguas: el glotón se agita, el deshonesto se enfada, el bebedor duerme, el cruel se cansa; pero la vanidad del mundo nunca dice basta, siempre locura y más locura; y no me enojéis, que lo daré todo al Diablo. —Aquí estoy yo, dijo éste, tomándolo, que no hay cosa que no sea mía por habérmela dado muchas veces: en enojándose el marido dice luego: mujer de Belcebú; y ella responde: hombre del Diablo. Llévete Satanás, dice la madre al hijo, y el amo: válgante mil Diablos; válganle a él, responde el criado; y hombre hay tan monstruo que dice: válgame una Legión de Demonios. De suerte que no se hallará cosa en el mundo que no se haya dado ella a mí, o me la hayan dado muchas veces. Y tú mismo, oh Mundo, ¿puedes negar que seas todo mío? —¿Yo, de qué modo? —Maldito seas tú, y qué poca vergüenza que tienen. —Y aun por eso, replicó él, que quien no tiene vergüenza, todo el mundo es suyo. Apelaron de su porfía para el monstruo coronado, Príncipe de la Babilonia común. Éste, oía su altercación, les dijo: —Ea, acabad, dejaos de pasares, venid, holguémonos, logremos la vida, gocemos de sus gustos, de los olores y ungüentos preciosos, de los banquetes y comidas, de los lascivos deleites; mira, que se nos pasa la flor de la edad, pasemos la edad en flor; comamos y bebamos que mañana moriremos. Andémonos de prado en prado, dando verdes a nuestros apetitos. Yo os quiero repartir las jurisdicciones y vasallos, para que no estéis pleiteando cada día. Tú, oh Carne, llevarás tras ti todos los flacos, ociosos, regalones y destemplados; reinarás sobre la hermosura, el ocio y el vicio, serás señora de la voluntad. Y tú, ¡oh Mundo!, arrastrarás todos los soberbios, ambiciosos, ricos y potentados, reinarás en la fantasía. Mas tú, Demonio, serás el Rey de los mentirosos, de los que se pican de entendidos, todo el distrito del ingenio será tuyo. Veamos ahora en qué pecan estos dos Peregrinos de la vida, dijo señalando a Critilo y Andrenio, para que rindan vasallaje de monstruosidad, que ni hay bestia sin tacha, ni hombre sin crimen: lo que averiguaron de ellos se quedará para la siguiente Crisi.

CRISI X

VIRTELIA ENCANTADA

Aquel antípoda del Cielo redondo, siempre rodando, jaula de fieras, Palacio en el aire, albergue de la iniquidad, casa de toda malicia, niño caducando, llegó ya el mundo a tal extremo de inmundo, y sus mundanos a tal remate de desvergonzada locura, que se atrevieron con públicos edictos a prohibir toda virtud, y esto so graves penas, que ninguno dijese verdades, menos de ser tenido por loco; que ninguno hiciese cortesía, so pena de hombre bajo; que ninguno estudiase ni supiese, porque sería llamado el Estoico o el Filósofo; que ninguno fuese recatado, so pena de ser tenido por simple, y así de todas las demás virtudes. Al contrario, dieron a los vicios campo franco y pasaporte general para toda la vida. Pregonóse un tan bárbaro desafuero por las anchuras de la Tierra, siendo tan bien recibido hoy como ejecutado ayer, dando una gran campanada. Mas, ¡oh caso raro e increíble! Cuando se tuvo por cierto que todas las virtudes habían de dar una extraordinaria demostración de su sentimiento, fue tan al contrario, que recibieron la nueva con extraordinario aplauso, dándose unas a otras la norabuena y ostentando indecible gozo. Al revés, los vicios andaban cabizbajos y corridos, sin poder disimular su tristeza. Admirado un discreto de tan impensados afectos, comunicó su reparo con la Sabiduría su Señora, y ella: —No te admires, le dijo, de nuestro especial contento; porque este desafuero vulgar está tan lejos de causarnos algún prejuicio, que antes bien le tenemos por conveniencia; no ha sido agravio sino favor, ni se nos podía haber hecho mayor bien: los vicios sí, quedan destruidos de esta vez, bien pueden esconderse, y así con justa causa se entristecen; éste es el día en que nosotras nos introducimos en todas partes y nos levantamos con el mundo. —Pues ¿en qué lo fundas?, replicó el Curioso. —Yo te lo diré: porque son de tal condición los mortales, tienen tan extraña inclinación a lo vedado, que en prohibiéndoles alguna cosa, por el mismo caso la apetecen y mueren por conseguirla; no es menester más para que una cosa sea buscada, sino que sea prohibida; y es esto tan probado, que la mayor fealdad vedada es más codiciada que la mayor belleza concedida. Verás que en vedando el ayuno, se dejarán morir de hambre el mismo Epicuro y Heliogábalo; en prohibiendo el recato, dejará **Venus** a **Chipre** y se meterá entre las Vestales; buen ánimo, que ya no habrá embustes ni ruines correspondencias, ni malos procederes, ni traiciones, cerrarse han los públicos teatros; todo será virtud, volverá el buen tiempo y los hombres hechos a él; las mujeres estarán muy casadas con sus maridos, y las doncellas lo serán de honor; obedecerán los vasallos a sus Reyes, y ellos mandarán; no se mentirá en la Corte, ni se murmurará en la Aldea; verse ha desagraviado el sexo de todo sexo; gran felicidad se nos promete; éste sí que será el siglo dorado.

Cuánta verdad fuese ésta presto lo experimentaron Critilo y Andrenio, que habiéndose hurtado a los tres competidores de su libertad, mientras aquéllos estaban entre sí compitiendo, marchaban éstos cuesta arriba al encantado Palacio de Virtelia. Hallaron aquel áspero camino, que tan solitario se lo habían pintado, lleno de personas, corriendo a porfía en busca de ella; acudían de todos estados, sexos, edades, Naciones y condiciones, hombres y mujeres; no digo ya los pobres, sino los ricos, hasta magnates, que les causó extraña admiración. El primero con quien encontraron a gran dicha fue un Varón prodigioso, pues tenía tal propiedad que arrojaba luz de sí siempre que quería y cuanta era menester, especialmente en medio de las mayores tinieblas; de la suerte que aquellos maravillosos peces del mar, y gusanos de la tierra, a quienes la varia naturaleza concedió el don de luz, la tienen reconcentrada en sus entrañas, cuando no necesitan de ella; y llegada la ocasión, la avivan y sacan fuera; así este portentoso personaje tenía cierta luz interior, gran don del Cielo, allá en los más íntimos senos del celebro, que siempre que necesitaba de ella, la sacaba por los ojos y por la boca, fuente perenne de luz clarificante. —Éste, pues, Varón lucido, esparciendo rayos de inteligencia, los comenzó a guiar a toda felicidad por el camino verdadero. Era muy agria la subida; sobre la dificultad del principio dio muestras de cansarse Andrenio y comenzó a desmayar, y tuvo luego muchos compañeros; pidió que dejasen aquella empresa para otra ocasión. —Eso no, dijo el Varón de luces, por ningún caso, que si ahora no te atreves en lo mejor de la edad, menos podrás después. —Eh, replicaba un joven, que nosotros ahora venimos al mundo y comenzamos a gustar de él, demos a la edad lo que es suyo; tiempo queda para la virtud. —Al contrario, ponderaba un viejo: ¡oh, si a mí me cogiera esta áspera subida con los bríos de mozo! ¡Con qué valor la pasara! ¡Con qué ánimo la subiera! Ya no me puedo mover, fáltanme las fuerzas para todo lo bueno; no hay ya que tratar de ayunar, ni hacer penitencia, harto haré de vivir con tanto achaque, no son ya para mí las vigilias. Decía el noble: —Yo soy delicado, hanme criado con regalos; yo ayunar, bien podrían enterrarme al otro día; no puedo sufrir las costuras del cambray, ¿qué sería el saco de cuerdas? El pobre, por lo contrario, decía: —Bien ayuna quien mal come, harto haré en buscar la vida para mí y mi familia. El ricazo sí, que las come holgadas, ése que ayune, dé limosna, trate de hacer buenas obras. De suerte que todos echaban la carga de la virtud a otros, pareciéndoles muy fácil en tercera persona y aun obligación. Pero el guión luciente: —Nadie se me exima, decía, que no hay más de un camino, ea, que buen día se nos aguarda, y echaba un rayo de luz con que los animaba eficazmente.

Comenzaron a tocarles alarma las horribles fieras pobladoras del monte, sentíanlas bramar rabiando y murmurando, y tras cada mata les salteaba una, que tiene muchos enemigos lo bueno; los mismos padres, los hermanos, los amigos, los parientes, todos son contrarios de la virtud, y los domésticos los mayores. —Anda, que estáis locos, decían los amigos; dejaos de tanto rezar, de tanta Misa y Rosario, vamos al paseo, a la comedia. —Si no vengáis este agravio, decía un pariente, no os hemos de tener por tal, vos afrentáis a vuestro linaje. —Eh, que no cumplís con vuestras obligaciones. —No ayunes, decía la madre a la hija, que estás de mal color, mira que te caes muerta; de modo que todos cuantos hay son enemigos declarados de la virtud. Salióles ya al opósito aquel León tan formidable a los cobardes. Arredrábase Andrenio y gritóle Lucindo echase mano a la espada de fuego; y al mismo punto que la coronada fiera vio brillar la luz entre los aceros, echó a huir, que tal vez piensa hallar uno un León y halla un panal de miel. —¡Qué presto se retiró!, ponderaba Critilo. —Son éstas un género de fieras, respondió Lucindo, que en siendo descubiertas se acobardan y en siendo conocidas huyen. —Eso es ser persona, dice uno, y no es sino ser un bruto; aquí está el valer y el medrar y no es sino perderse, que las más veces entra el viento de la vanidad por los resquicios por donde debiera salir. Llegaron a un paso de los más dificultosos, donde todos sentían gran repugnancia, causóle grima a Andrenio y propúsole a Lucindo: —¿No pudiera pasar otro por mí esta dificultad? —No eres tú el primero que ha dicho otro tanto. ¡Oh, cuántos malos llegan a los buenos, y les dicen que les encomienden a Dios y ellos se encomiendan al Diablo; piden que ayunen por ellos y ellos se hartan y embriagan; que se disciplinen y duerman en una tabla, y estanse ellos revolcando en el cieno de sus deleites! ¡Qué bien le respondió a uno de éstos aquel moderno Apóstol de la Andalucía: Señor mío, si yo rezo por vos y ayuno por vos, también me iré al Cielo por vos! Estando emperezando Andrenio, adelantóse Critilo y tomando de atrás la corrida, saltó felizmente, volviósele a mirar y dijo: —Ea, resuélvete, que harto mayores dificultades se hallan en el camino ancho y cuesta abajo del vicio. —¿Qué duda tiene eso?, respondió Lucindo; y si no decidme, si la virtud mandara los intolerables rigores del vicio, ¿qué dijeran los mundanos, cómo lo exageraran? ¿Qué cosa más dura que prohibirle al avaro sus mismos bienes, mandándole que no coma, ni beba, ni se vista, ni se goce de una hacienda adquirida con tanto sudor? ¿Qué dijera el mundo, si esto mandara la Ley de

Dios? Pues ¿qué, si al deshonesto, que estuviese toda una noche de invierno al hielo y al sereno, rodeado de peligros, por oír cuatro necedades que él llama favores, pudiéndose estar en su cama seguro y descansado? ¿Si al ambicioso, que no pare un punto, ni descanse, ni sea suyo una hora? ¿Si al vengativo, que anduviese siempre cargado de hierro y de miedo? ¿Qué dijeran de esto los mundanos? ¿Cómo lo ponderaran? Y ahora, porque se lo manda su antojo, sin réplica obedecen. —Ea, Andrenio, anímate, decía Critilo, y advierte que el más mal día de este camino de la virtud es de Primavera en cotejo de los Caniculares del vicio. Diéronle la mano, con que pudo vencer la dificultad.

Dos veces fiero les acometió un Tigre en condición y en su mal modo; mas el único remedio fue no alborotarse ni inquietarse, sino esperarle fríamente: a gran cólera, gran sosiego, y a una furia, una espera. Trató Critilo de desenvolver su escudo de cristal, espejo fiel del semblante; y así como la fiera se vio en él tan feamente descompuesta, espantada de sí misma, echó a huir, con harto corrimiento de su necio exceso; de las serpientes, que eran muchas, dragones, víboras y basiliscos, fue singular defensivo el retirarse y huir las ocasiones. A los voraces lobos, con látigo de cotidiana disciplina los pudieron rechazar; contra los tiros y golpes de toda arma ofensiva, se valieron del célebre escudo encantado, hecho de una pasta real, cuanto más blanda más fuerte, forjado con influjo celeste, de todas maneras impenetrable, y era sin duda el de la paciencia.

Llegaron ya a la superioridad de aquella dificultosa montaña, tan eminente que les pareció estaban en los mismos zaguanes del Cielo, convecinos de las Estrellas. Dejóse ver bien el deseado Palacio de Virtelia, campeando en medio de aquella sublime corona, teatro de la insigne de prodigiosas felicidades. Mas cuando se esperó que nuestros agradecidos peregrinos le saludaran con incesables aplausos y le veneraran con afectos de admiración, fue tan al contrario, que antes bien se vieron enmudecer, llevados de una impensada tristeza, nacida de extraña novedad; y fue sin duda que cuando le imaginaron fabricado de preciosos jaspes, embutidos de rubíes y esmeraldas, cambiando visos y centelleando a rayos sus puertas de zafiros con clavazón de Estrellas, vieron se componía de unas piedras pardas y cenicientas, nada vistosas, antes muy melancólicas. ¿Qué cosa y qué casa es ésta?, ponderaba Andrenio. ¿Por ella habemos sudado y reventado? ¡Qué triste apariencia tiene! ¿Qué será allá dentro? ¡Cuánto mejor exterior ostentaba la de los monstruos! Engañados venimos. Aquí Lucindo, suspirando:

—Sabed, les dijo, que los mortales todo lo peor de la Tierra quieren para el Cielo; el más trabajado tercio de la vida allá, la achacosa vejez, dedican para la virtud; la hija fea para el Convento, el hijo contrahecho sea de la Iglesia; el real malo a la limosna, el redrojo para el diezmo, y después querrían lo mejor de la Gloria. Demás, que juzgáis vosotros el fruto por la corteza; aquí todo va

al revés del mundo: si por fuera está la fealdad, por dentro la belleza; la pobreza en lo exterior; la riqueza en lo interior; lejos la
tristeza; la alegría en el centro, que eso es entrar en el gozo del
Señor. Estas piedras tan tristes a la vista son preciosas a la experiencia, porque todas ellas son bezares ahuyentando ponzoñas, y
todo el Palacio está compuesto de pítimas contra venenos, con lo
cual no pueden empecerle ni las serpientes, ni los dragones de que
está por todas partes sitiado. Estaban sus puertas patentes noche
y día, aunque allí siempre lo es, franqueando la entrada en el Cielo a todo el mundo; pero asistían en ellas dos disformes gigantes,
jayanes de la soberbia, enarbolando a los dos hombros sendas cla-
vas muy herradas, sembradas de puntas para hacerla; estaban
amenazando a cuantos intentaban entrar, fulminando en cada golpe
una muerte. En viéndolos, dijo Andrenio: —Todas las dificultades
pasadas han sido enanas en parangón de esta basta, que hasta
ahora vemos peleando con bestias de brutos apetitos, mas éstos
son muy hombres. —Así es, dijo Lucindo, que ésta ya es pelea de
personas, sabed que cuando todo va de vencida, salen de refresco
estos monstruos de la altivez, tan llenos de presunciones, que hacen
desvanecer todos los triunfos de la vida; pero no hay que descon-
fiar de la victoria, que no han de faltar estratagemas para vencer-
los. Advertid que de los mayores gigantes triunfan los enanos, y
de los mayores los pequeños, los menores y aun los mínimos; el
modo de hacer la guerra ha de ser muy al revés de lo que se piensa; aquí no vale el hacer piernas, ni querer hombrear; no se trata
de hacer del hombrear, sino humillarse y encogerse; y cuando ellos
estuvieren arrogantes y amenazando al Cielo, entonces nosotros,
transformados en gusanos, cosidos en la tierra, hemos de entrar
por entre pies, que así han entrado los mayores adalides. Ejecutá-
ronlo tan felizmente, que sin saber cómo ni por dónde, sin ser
vistos ni oídos, se hallaron dentro del encantado Palacio con realidades de un Cielo.

Apenas (digo a glorias) estuvieron dentro, cuando se sintieron
embargar todos sus sentidos de bellísimos empleos en folla de fruición confortando el corazón y elevando los espíritus, embistióles
lo primero una tan suave marea, exhalando inundaciones de fragancia, que pareció haberse rasgado de par en par los camarines
de la Primavera, las estancias de Flora, o que se había abierto
brecha en el Paraíso; oyóse una dulcísima armonía, alternada de
voces e instrumentos, que pudiera ssupender la celestial por media
hora; pero, ¡oh cosa extraña!, que no se veía quién gorjeaba ni
quién tañía, con ninguno hallaban, nadie descubrían. —Bien parece encantado este Palacio, dijo Critilo, sin duda que aquí todos
son espíritus: no se padecen cuerpos. ¿Dónde estará esta Celestial Reina? —Siquiera, decía Andrenio, permitiérasenos alguna de
sus muchas bellísimas doncellas. ¿Dónde estás?, ¡oh Justicia!, dijo
en grito. Y respondióle al punto Eco vaticinante desde un escollo

de flores: —En la casa ajena. —¿Y la verdad? —Con los niños.
—¿La castidad? —Huyendo. —¿La sabiduría? —En la mitad y
aún. —¿La providencia? —Antes. —¿El arrepentimiento? —Después. —¿La cortesía? —En la honra. —¿Y la honra? —En quien
la da. —¿La fidelidad? —En el pecho de un Rey. —¿La amistad?
—No entre idos. —¿El consejo? —En los viejos. —¿El valor?
—En los varones. —¿La ventura? —En las feas. —¿El callar?
—Con callemos. —¿Y el dar? —Con el recibir. —¿La bondad?
—En el buen tiempo. —¿El escarmiento? —En cabeza ajena. —¿La
pobreza? —Por puertas. —¿La buena fama? —Durmiendo. —¿La
osadía? —En la dicha. —¿La salud? —En la templanza. —¿La esperanza? —Siempre. —¿El ayuno? —En quien mal come. —¿La
cordura? —Adivinando. —¿El desengaño? —Tarde. —¿La vergüenza —Si perdida, nunca más hallada. —¿Y toda virtud? —En
el medio. —Es decir, declaró Lucindo, que nos encaminemos al
centro, y no andemos como los impíos rodando. Fue acertado, porque en medio de aquel Palacio de perfecciones, en una majestuosa
cuadra, ocupando augusto trono, descubrieron por gran dicha única divina Reina, muy más linda y agradable de lo que supieron
pensar, dejaron muy atrás su adelantada imaginación; que si dondequiera y siempre pareció bien, ¿qué sería en su sazón y su
centro? Hacía a todos buena cara, aun a sus mayores enemigos, y
miraba con buenos ojos y aun divinos, oía bien y hablaba mejor,
y aunque siempre con boca de risa, jamás mostraba dientes, hablaba por labios de grana palabras de seda; nunca se le oyó echar
mala voz; tenía lindas manos, y aun de Reina en lo liberal, y en
cuanto las ponía salía todo perfecto; dispuesto talle y muy derecho, y todo su aspecto divinamente humano y humanamente divino; era su gala conforme a su belleza, y ella era la gala de todo;
vestía armiños, que es su color la candidez; enlazaba en sus cabellos otros tantos rayos de la Aurora con cinta de Estrellas; al
fin ella todo un Cielo de beldades, retrato al vivo de la hermosura
de su celestial Padre, copiándole sus muchas perfecciones.

Estaba actualmente dando audiencia a los muchos que frecuentaban sus sitiales, después de prohibida. Llegó entre otros un padre
a pretenderla para su hijo, siendo él muy vicioso, y respondióle
que comenzase por sí mismo y le fuese ejemplar idea. Venía otra
madre en busca de la honestidad para una hija, y contóla lo que
la sucedió a la culebra madre con la culebrilla su hija, que viéndola andar torcida, la riñó mucho y mandó que caminase derecha:
—Madre mía, respondió ella, enseñadme vos a proceder, veamos
cómo camináis. Probóse, y viendo que andaba muy más torcida:
—En verdad, madre, la dijo, que si las mías son vueltas, que las
vuestras son revueltas. Pidió un Eclesiástico la virtud del valor y
a la par un Virrey la devoción, con muchas ganas de rezar. Respondióles a entrambos que procurase cada uno la virtud competente
a su estado. Préciese el Juez de justiciero y el Eclesiástico de re-

zador, el Príncipe del gobierno, el Labrador del trabajo, el padre de familias del cuidado de su casa, el Prelado de la limosna y desvelo: cada uno se adelante en la virtud que le compete. —Según eso, dijo una casada, a mí bástame lo honestidad conyugal, no tengo que cuidar de otras virtudes. —Eso no, dijo Virtelia, no basta esa sola, que os haréis insufrible de soberbia, y así ahora, poco importa que el otro sea limosnero si no es casto; que éste sea sabio si a todos desprecia; que aquél sea gran Letrado si da lugar a los cohechos; que el otro sea gran Soldado si es un impío; son muy hermanas las virtudes y es menester que vayan encadenadas. Llegó una gentil Dama galanteando melindres y dijo que ella también quería ir al Cielo, pero que había de ser por el camino de las Damas. Hízoseles muy de nuevo a los circunstantes y preguntóla Virtelia: —¿Qué camino es ése que hasta hoy no he tenido noticia de él? —Pues está claro, replicó ella, que una mujer delicada como yo ha de ir por el del regalo, entre felpas, no ayunando ni haciendo penitencia. —Bueno por cierto, exclamó la Reina de la entereza, así se os concederá, Reina mía, lo que pedís, como aquel Príncipe que allí entra. Era un poderoso, que muy a lo grave, tomando asiento, dijo que él quería las virtudes, pero no las ordinarias de la gente común y plebeya, sino muy a lo señor, una virtud allá exquisita; hasta los hombres de los Santos conocidos no los quería por comunes, como el de Juan y de Pedro, sino tan extravagantes que no se hallen en ningún Calendario. Gran cosa, decía el Gastón, que bien suena el Perasán, pues un Claquín, Nuño, Sancho y Suero pedía una Teología extravagante. Preguntóle Virtelia si quería ir al Cielo de los demás. Pensólo y respondió que si no había otro, que sí. —Pues, señor mío, no hay otra escalera para allá sino la de los diez Mandamientos, por ésos habéis de subir, que yo no he hallado hasta hoy un camino para los ricos y otro para los pobres; uno para las señoras y otro para las criadas; una es la ley y un mismo Dios de todos. Replicó un moderno Epicuro, gran hombre de su comodidad, diciendo: —De disciplina abajo, cualquier cosa; de oración yo no me entiendo; para ayunos no tengo salud; ved cómo ha de ser que yo he de entrar en el Cielo. —Paréceme, respondió Virtelia, que vos queréis entrar calzado y vestido, y no puede ser. Porfiaba que sí, y que ya se usa una virtud muy acomodada y llevadera, y aún le parecía la más ajustada a la Ley de Dios. Preguntóle Virtelia en qué lo fundaba, y él: —Porque de esta suerte se cumple a la letra aquello de así en la Tierra como en el Cielo; porque allá no se ayuna, no hay disciplina, ni cilicio, no se trata de penitencia, y así yo querría vivir como un bienaventurado. —¡Oh, casi hereje, o mal entendedor!, ¿dos Cielos querría? No es cosa que se usa, mirad por vos, que todos esos que pretenden dos Cielos suelen tener dos Infiernos.

—Yo vengo, dijo uno, en busca del silencio bueno; riéronlo todos, diciendo: —¿Qué callar hay malo? —¡Oh, sí!, respondió

Virtelia, y muy perjudicial; calla el Juez la justicia, calla el padre
y no corrige al hijo travieso; calla el Predicador y no reprende los
vicios; calla el Confesor y no pondera la gravedad de la culpa;
calla el malo y no se confiesa ni se enmienda; calla el deudor y
niega el crédito; calla el testigo y no se averigua el delito; callan
unos y otros y encúbrense los males; de suerte que si al buen
callar llaman Santo, al mal callar llámanle Diablo. —Estoy admirado, dijo Critilo, que ninguno viene en busca de la limosna, ¿qué
será de la liberalidad? —Es que todos se excusan de hacerla: el
Oficial porque no le pagan, el Labrador porque no coge, el Caballero que está empeñado, el Príncipe que no hay mayor pobre que
él, el Eclesiástico que buenos pobres son los parientes. —¡Oh, engañosa excusa!, ponderaba Virtelia, dad al pobre siquiera el
desecho, lo que ya no os puede servir tampoco, que la codicia ha
dado en arbitrista, y el sombrero raído que se había de dar al
pobre, persuade se guarde para brahones, la capa raída para contraforros, el manto deslucido para la criada; de modo que nada
dejan para el pobre. Llegaron unos rematadamente malos y pidieron un extremo de virtud; tuviéronles todos por necios, diciendo
que lo comenzasen por lo fácil, y fueron subiendo de virtud en
virtud. Mas ella: —Eh, dejadlos, que asesten ahora muchos puntos
más altos, que ellos bajarán harto después, y sabed que de mis
mayores enemigos suelo yo hacer mis mayores apasionados. Venía
una mujer con más años que cabellos, menos dientes y más arrugas, en busca de la virtud. —Tan tarde, exclamó Andrenio, ésta,
yo juraría que viene más porque la echa el mundo que por buscar
el Cielo. —Déjala, dijo Virtelia, y estímesele el no haber abierto
escuela de maldad, con cátedra de pestilencia; yo aseguro que por
viciosos que sean, que no vengan el tahúr, ni el ambicioso, ni el
avaro, ni el bebedor; son bestias alquiladas del vicio, que todas
caen muertas en el camino de la ruindad.

   Al contrario le sucedió a uno, que llegó en busca de la Castidad,
ahíto de la torpeza, gran gentilhombre de Venus, idólatra de su
hijuelo; pidió ser admitido en la cofradía de la continencia, pero
no fue escuchado, por más que él abominaba de la Lujuria, escupiendo y asqueando su inmundicia, y aunque muchos de los presentes rogaron por él: —No haré tal, decía la Honestidad, no hay
que fiar en éstos, bien se ayuna después de harto: creedme que
estos torpes son como gatos de algalia, que en volviéndoseles a
llenar el senillo se revuelcan. Venían unos, al parecer, muy puestos en el Cielo, pues miraban a él. —Éstos sí, dijo Andrenio, que
con el cuerpo están en la Tierra y con el espíritu en el Cielo.
—¡Oh, cómo te engañas!, dijo la Sagacidad, gran Ministra de Virtelia; advierte que hay algunos que, cuando más miran al Cielo,
entonces están más puestos en la Tierra. Aquel primero es un Mercader que tiene gran cantidad de trigo para vender, y anda conju-
rando las Nubes a los ojos de sus enemigos; al contrario, aquel

otro es un Labrador hidrópico de la lluvia, que jamás se vio harto
de agua y anda conciliando nublados. Este de aquí es un blasfemo,
que nunca se acuerda del Cielo sino para jurarle; aquél pide
venganza y el otro es un rondante, lechuzo de las tinieblas, que
desea la noche más oscura para capa de sus ruindades. Pidió uno si
le querían alquilar algunas virtudes, suspiros, torcimiento de cuello, arquear de cejas y otros modillos de modestia. Enojóse mucho
Virtelia, diciendo: —Pues ¿qué, es mi Palacio casa de negocia-
ción? Excusábase él, diciendo que ya muchos y muchas con la
virtud ganan la comida, y a título de eso, la señora las introduce
en el estrado, la otra las asienta a su mesa, el enfermo las llama,
el pretendiente se les encomienda, el Ministro las consulta; ándanse
de casa en casa, comiendo y bebiendo y regalándose de modo que
ya la virtud es arbitrio del regalo. —Quitáosme de ahí, dijo Virtelia, que estas tales tienen tan poca virtud como las que las llaman
mucha simplicidad.

—¿Quién es aquel gran Personaje, Héroe de la virtud, que en
toda ocasión de lucimiento le encontramos? Si en casa de la Sabiduría, allí está; si en la del Valor, allí asiste; en todas partes le
vemos y admiramos. —¿No conocéis, dijo Lucindo, al Santísimo
Padre de todos? Veneradle y deprecadle siglos de vida tan heroica.
Estaban aguardando los circunstantes que tratase de coronar algunos la gran Reina de la Equidad y que premiase sus hazañas; mas
fuéles respondido que no hay mayor premio que ella misma, que
sus brazos son la corona de los buenos, y así, a nuestros dos Peregrinos, que estaban encogidos, venerando tan majestuosa belleza,
los animó Lucindo a que se llegasen cerca y se abrazasen con ella,
logrando una ocasión de tanta dicha; y así fue que, coronándolos
con sus reales brazos, los transformó de hombres en Ángeles, candidatos de la eterna felicidad. Quisieran muchos hacer allí mansión, mas ella les dijo: —Siempre se ha de pasar adelante en la
virtud, que el parar es volver atrás. Suplicáronla, pues, los dos
coronados Peregrinas les mandase encaminar a su deseada Felisinda; ella entonces, llamando cuatro de sus mayores ministras, y teniéndolas delante, dijo, señalando la primera: —Ésta, que es la
Justicia, os dirá dónde y cómo la habéis de buscar; esta segunda,
que es la Prudencia, os la descubrirá; con la tercera, que es la
Fortaleza, la habéis de conseguir, y con la cuarta, que es la Templanza, la habéis de lograr. Resonaron en armoniosos clarines,
folla acorde de instrumentos, alborozando los ánimos y realzando
sus nobles espíritus. Despertóse un céfiro fragante y bañóse todo
aquel vistosísimo teatro de lucimientos. Sintiéronse tirar de las
Estrellas; con fuertes y suaves influjos fue reforzando el viento y
levantándolos a lo alto, tirándoles para sí el Cielo a ser coronados
de Estrellas; subieron muy altos, tanto, que se perdieron de vista.
Quien quisiere saber dónde pararon, adelante los ha de buscar.

CRISI XI

EL TEJADO DE VIDRIO, Y MOMO TIRANDO PIEDRAS

Llegó la Vanidad a tal extremo de quien ella es, que pretendió lugar, y no el postrero, entre las Virtudes. Dio para eso memorial, en que representaba ser ella alma de las acciones, vida de las hazañas, aliento de la virtud y alimento del espíritu. —No vive, decía, la vida material quien no respira, ni la formal quien no aspira; no hay aura más fragante, ni que más vivifique, que la fama, que tan bien alienta el alma como el cuerpo, y es su purísimo elemento el airecillo de honrilla; no sale obra perfecta sin algo de vanidad, ni se ejecuta acción bien sin esta atención del aplauso; parto suyo son las mayores hazañas, y nobles hijos los heroicos hechos; de suerte que sin un grano de vanidad, sin un punto de honrilla, nada está en su punto y sin estos humillos nada luce. No pareció del todo mal la paradoja, especialmente a algunos de primera impresión, y a otros de capricho. Pero la Razón, con todo su maduro parlamento, abominando una pretensión tan atrevida: —Sabed; dijo, que a todas las pasiones se les ha concedido algún ensanche, un desahogo en favor de la violentada naturaleza; a la Lujuria, el matrimonio; a la Ira, la corrección; a la Gula, el sustento; a la Envidia, la emulación; a la Codicia, la providencia; a la Pereza, la recreación, y así a todas las otras demasías; pero a la Soberbia, mirad qué tal es ella que jamás se le permitió el más mínimo ensanche. Toda ella es execrable; vaya fuera, fuera; lejos, lejos. Bien es verdad que el cuidado del buen nombre es una atención loable, porque la buena fama es esmalte de la virtud, premio, que no precio; hase de estimar la honra, pero no afectarla; más precioso es el buen nombre que todas las riquezas; en uno estando la virtud en su buen crédito, está fuera de su centro, y quien no está en la gloria de su buena fama, forzoso es que esté condenado al Infierno de su infamia, al tormento de la desestimación, más insufrible a más conocimiento. Es la honra sombra de la virtud, que la sigue y no se consigue; huye del que la busca, y busca a quien la huye; es efecto del bien obrar, pero no afecto; decorosa al fin, diadema de la hermosísima virtud.

Célebre Puente, como tan temida, daba paso a la gran Ciudad, ilustre Corte de la heroica Honoria, aquella plausible Reina de la estimación, y por eso tan venerada de todos. Era un paso muy peligroso, por estar todo él sembrado de perinquinosos Peros, en que muchos tropezaban y los más caían en el río del reír, quedando muy mojados, y aun poniéndose del lodo, con mucha risa de la innumerable vulgaridad, que estaba a la mira de sus desaires. Era de ponderar la intrepidez con que algunos confiados y otros presumidos se arrojaban, y los más se despeñaban anhelando a pasar de un extremo de la bajeza a otro ensalzamiento, y tal vez de la mayor deshonra a la mayor grandeza; de lo negro a lo blanco, y aun de lo amarillo a lo rojo; pero todos ellos caían con harta nota suya y risa de los sabidores. Así le sucedió a uno, que pretendió pasar de villano a noble, otro de manchado a limpio, diciendo que tras el Sábado se sigue el Domingo; pero él fue de guarda: no faltó quien del mandil a Mandarín, y de mozo de Ciego a Don Gonzalo; y aun otra muy desvanecida, de la verdura al verdugado; quería una pasar por doncella, mas riéronse de su caída, como otro que quiso ser tenido por un pozo de ciencia y fue un pozo de cieno. No había hombre que no tropezase en su Pero, y para cada uno había un Sinó, Gran Príncipe tal, pero buen hombre; ilustre Prelado aquél, si fuera tan limosnero como nuestro Arzobispo. Gran Letrado, si no fuera mal intencionado; qué valiente Soldado, pero gran ladrón; qué honrado Caballero éste, sino que es pobre; qué docto aquél, si no fuera soberbia; Fulano Santo, pero simple; qué buen sujeto aquel otro y qué prudente, pero es embarazado; muy bien entiende de las materias, mas no tiene resolución; diligente Ministro, pero no es inteligente; gran entendimiento, pero qué mal empleado; qué gran mujer aquélla, sino que se descuida; qué hermosa Dama, si no fuera necia; grandes prendas las de tal sujeto, pero qué desdichado; gran Médico, poco afortunado, todos se le mueren; lindo ingenio, pero sin juicio, no tiene sindéresis. Así que todos tropezaban con su Pero, raro era el que se escapaba, y único el que pasaba sin mojarse. Hallaba uno con un Pero de un antepasado, y aunque tan pasado, nunca maduro, jamás se pudo digerir; al contrario, otro daba de hocicos en el de su presente, y caían todos en el Río de la risa común. —Bien lo merece, decía un émulo, ¿quién lo metía al peón en caballerías? —Lástima es, decía otro, que los de tal cepa no sean puros, siendo tan hombres de bien. Las mujeres tropezaban en una chinita, en un diamante; terribles Peros las perlas para ella: el airecillo las hacía bambanear, y el donaire caer con mucha nota, y es lo bueno que para levantarse nadie les daba la mano, sí de mano. De verdad que un gran Personaje tropezó en una Mota, quedando muy desairado, y aseguraban fue notable desorden. Toda la Puente estaba sembrada de cabo a cabo de estos indigestos Peros, en que los más de los viandantes tropezaban, y si no es uno, daban de ojos en otro, aun en los pasados. Lamentábase un discreto, diciendo: —Señores, que tropiece uno en el propio y personal, merécelo; mas en el ajeno, ¿por qué? Que haya de tropezar un marido en un cabello de su mujer, en un pelillo de su hermana, ¿qué ley es ésta? Llegó uno jurando a Fe de Caballero, tan bueno, decía, como el Rey; no faltó quien le arrojó una erre, cosa que de Rey le hizo reír. A un cierto Rey, le echó un malicioso una tilde, y bastó para que rodase. Tropezó otro en un cuarto, y quedóse en blanco. Rodábales a algunos la cabeza, y quedaban hechos equis, por haber

deslizado en los brindis. Comenzó a pasar cierta Dama muy
airosa; hiciéronla unos y otros paso, con plausible cortesía; pero
al más liviano descuido dio en el lodo con toda su bizarría, que
fue barro. Tropezaban los más en piedras preciosas, y eran muy
despreciados. Llegó a pasar un gran Príncipe y muy adulado.
—Éste sí, dijeron todos, que pasará sin riesgo, no tiene qué temer; los mismos Peros le temerán a él. Mas, ¡oh, caso trágico!,
deslizó en una pluma y tumbó al Río, quedando muy mojado;
en una aguja de coser tropezó alguno y en una lezna otro, y era
título; en una pluma de gallina un bizarro General. Pues que si
alguno entraba cojeando y de mal pie, era cierto el rodar, y andaba de tropiezo, estaba la malicia por la deshonra. Creyó uno
no le valdría su riqueza, que en todos los demás pasos, por peligrosos que sean, suele sacar a su dueño de trabajo; mas al primer
paso se desengañó, que no vale aquí ni la espuela de oro ni la
vira de plata. —Cruel paso, decían todos, el de la honra, entre
tropiezos de la malicia; ¡oh, qué delicada es la fama, pues una
mota es ya nota!

Aquí llegaron nuestros dos Peregrinos a serlo, encaminados de
Virtelia a Honoria, su gran cara, aunque confinamente, tan querida, que la llamaba su gozo y su corona. Deseaban pasar a su gran
Corte, pero temían con razón el azar, paso de los Peros, y era
preciso, porque no había otro. Estaban pasmados, viendo rodar a
tantos, y temblábales la barba viendo las de sus vecinos tan remo-
jadas. Asomó en esta sazón a querer pasar un ciego, levantaron
todos el alarido, viéndole comenzar tratando, y tuvieron por cierto
había de tumbar al primer paso; mas fue tan al contrario que el
ciego pasó muy derecho: valióle el hacerse sordo, porque aunque
unos y otros le silbaban, y aun le señalaban con el dedo, él, como
no veía ni oía, no se cuidaba de dichos ajenos, sino de obras
propias y pasar adelante con gran quietud de ánimo, y así sin
tropezar, ni en átomo, llegó al cabo de lo que quería con dicha
harto envidiada. Al punto dijo Critilo: —Este ciego ha de ser
nuestra guía, que sólo los ciegos, sordos y mudos pueden ya vivir
en el mundo; tomemos esta lección: seamos ciegos para los desdoros ajenos, mudos para no zaherirnos ni jactarnos, conciliando
odio con la murmuración, en la recíproca venganza; seamos sordos, para no hacer caso de lo que dirán. Con esta lición pudieron pasar, por lo menos fueron pasaderos, con admiración de
muchos e imitación de pocos.

Entraron ya por aquel célebre emporio de la honra, poblado
de majestuosos edificios, magníficos Palacios, soberbias Torres,
arcos, pirámides y obeliscos, que cuestan mucho de erigir, pero
después eternamente duran. Repararon luego que todos los tejados de las casas, hasta de los mismos Palacios, eran de vidrio
tan delicado como sencillo, muy brillantes pero muy quebradizos,
y así pocos se veían sanos y casi ninguno entero. Descubrieron
la causa, y era un hombrecillo, tan nonada, que aun de ruin

jamás se veía harto, tenía cara de pocos amigos, y a todos les
torcía mal gesto y peor parecer; los ojos más asquerosos que
los de un Médico y sea de la Cámara; brazos de acribador, que
se queda con la basura; carrillos de Catalán y aun muy chupados,
que no sólo no come a dos, pero a ninguno; de puro flaco consumido, aunque todo lo mordía; robado de color y quitándola a
todo lo bueno; su habla era zumbar de moscón, que en las más
lindas manos despreciando el nácar y la nieve se asienta en el
veneno, nariz de Sátiro, y aun más fisgona, espalda doble, aliento
insufrible, señal de entrañas gastadas, tomaba de ojo todo lo bueno e hincaba el diente en todo lo malo, él mismo se jactaba de
tener mala vista, y decía: maldito lo que veo, y miraba a todos.
Éste, pues, que por no tener cosa buena en sí, todo lo hallaba
malo en los otros, había tomado por gusto el dar disgusto, andábase todo el día, y no Santo, tirando peros y piedras y escondiendo la mano sin perdonar tejado; persuadíase cada uno que su
vecino se las tiraba, y arrojábale otras tantas; éste creía que le
hacía el tiro aquél y aquél que el otro, sospechando unos de
otros y tirándose piedras y escondiendo todos la mano; en duda
arrojaban muchas por acertar con alguna, y todo era confusión y
popular pedrisco; de tal modo, o tan sin él, que no se podía vivir,
ni había quien pudiese parar; venían por el aire volando piedras
y tiros sin saberse de dónde ni por qué; así que no quedaba
tejado sano, ni honra segura, ni vida inculpable; todo era malas
voces, hablillas, famas echadizas y los duendes de los chismes no
paraban. —Yo no lo creo, decía uno, pero esto dicen de Fulano.
—Lástima es, decía otro, que de Fulana se diga esto, y con esta
capa de compasión hacía un tiro que quebraba todo un tejado;
pero no faltaba quien de retorno les rompía a ellos la cabeza, y
a todo esto andaba revolviendo el mundo aquel duendecillo universal.

Había tomado otro más perjudicial deporte, y era arrojar a
los rostros, en vez de piedras, carbones que tiznaban feamente,
y así andaban casi todos mascarados, haciendo ridículas visiones,
uno con un tizne en la frente, otro en la mejilla, y tal que le
cruzaba la cara, riéndose unos de otros, sin mirarse a sí mismo
ni advertir cada uno su fealdad, sino la ajena. Era de ver, y aun
de reír, cómo todos andaban tiznados, haciendo burla unos de
otros. ¿No veis, decía uno, qué mancha tan fea tiene Fulano en
su linaje?, ¡y que ose hablar de los otros! —Pues él, decía otro,
¿que no vea su infamia tan notoria, y se mete a hablar de las
ajenas, que no haya ninguno con honra en su lengua? —Mirad
quién habla, saltaba otro, teniendo la mujer que tiene; ¡cuánto
mejor fuera cuidara él de su casa y supiera de dónde sale la
gala! Estando diciendo esto, estaba actualmente otro santiguán-
dose. ¡Que éste no advierta que tiene él por qué callar, teniendo
una hermana cual sabemos!

—Pero de éste, añadía otro, harto mejor fuera que se acordara
él de su abuelo y quién fue: siempre lo veréis que hablan más los
que debrían menos. ¡Hay tal desvergüenza en el mundo! ¡Que ose
hablar aquél!, ¡hay tal descoco de mujer! ¡Que se adelante ella a
decir y quitarle a la otra la palabra de la lengua! De esta suerte
andaba el juego y la risa de todo el mundo, que siempre la mitad
de él se está riendo de la otra, burlándose unos de otros y todos
mascarados; éstos se fisgaban de aquéllos y aquéllos de éstos, y
todo era risa, ignorancia, murmuración, desprecio, presunción
y necedad, y triunfaba el ruincillo.

Reparaban algunos más divertidos, si no más felices, en que
se reían de ellos, y acudían a una fuente, espejo común en medio
de una plaza, a examinarse de rostros en sus cristales, y reconociendo sus tiznes, alargaban la mano al agua, que después de
haber avisado del defecto, da el remedio y limpia; pero cuanto
más porfiaban en lavarse y alabarse, peores se ponían, pues enfadados los otros de su afectado desvanecimiento, decían: —¿No
es éste aquel que vendía y compraba? Pues ¡qué nos viene aquí
vendiendo honras!: aguarda, ¿no es aquél hijo de aquel otro?
Pues ¿por cuatro reales que tiene anda tan deslavado? No siendo
su hidalgura tanto al uso cuanto al Aspa. Lo peor era que la
misma agua clara sacaba a luz muchas manchas que estaban ya
olvidadas, y así a uno, que trató de alabarse de ingenuo, le salió
una ese, que era decir: ése es ése. —Yo lo sé de buena tinta,
decía uno, que Fulano es un tal, y no era sino harto mala, pues
echaba tales borrones. Sentía mucho cierta señora, que blasonaba
de la más roja sangre del Reino, se le atreviese la murmuración,
y no advertía que la mancha de un descuido sale más en el brocado, como la roncha en la belleza. Estaba otra muy corrida de
que, siendo ya Matrona, le echaban en la cara no sé qué niñería
de allá cuando rapaza; estaba el otro para conseguir una Dignidad, y salíale al rostro un tizne de no sé qué travesura de su
mocedad. Pero el que se sintió mucho fue un Príncipe, en cuya
esclarecida frente echó un Historiador un borrón, sacudiendo la
pluma. Aquello de haber sido no podía uno tolerar; que el ser
ahora salga a la cara, pase, pero porque allá mi tatarabuelo lo
fue... —¿Qué razón hay que por lo que pasó en tiempo del Rey
que rabió, ponderaba otro, me hagan a mí rabiar? Lo más acertado era callar, y callemos; y no alabarse, porque de los blasones
de las armas hacían los otros baldones, y aun desde que dieron
en lavarse en la fuente de la presunción y desvanecimiento, les
salieron unas manchas a la cara, y unos y otros se daban en rostro con las fealdades de allá de mil años, y fue de suerte, digo
desdicha, que no quedó rostro sin lunar, ojo sin legaña, lengua
sin pelo, frente sin arruga, mano sin verruga, pie sin callo, espalda sin giba, cuello sin papera, pecho sin tos, nariz sin romadizo,
uña sin enemigo, niña sin nubes, cabeza sin remolino, ni pelo sin
repelo; en todos había algo que señalase con el dedo aquel mal-

sín, y de que se recelasen los otros; y aun todos iban huyendo de
él, diciendo a voces: —¡Guarda el ruincilla, guarda el maldiciente,
oh maldita lengua! Conocieron con esto que era Momo, y huye-
ran también, si no les emprendiera él mismo, preguntándoles qué
buscaban, que parecían extraños en lo perdido. Respondiéronle
venían en busca de la buena Reina Honoria; y él al punto:
—¿Mujer, y buena, y en esta Era? Yo lo dudo, en mi boca por
lo menos, no lo será; yo las conozco todas, y a todos; y no hallo
cosa buena; el buen tiempo ya pasó, y con él todo lo bueno; en
boca del viejo todo lo bueno fue, y todo lo malo es. Con todo
eso yo os quiero hoy servir de brújula; vamos discurriendo por
la ciudad, probemos ventura, que no será poco hallarla, siendo
una de aquellas cosas de que piensa estar lleno el mundo cuando
más vacío.

Oyeron que estaba uno persuadiendo a otro perdonase a su
enemigo y se quietase; y respondía él: —¿Y la honra? Decíanle
a otro que dejase la manceba y el escándalo de tantos años; y
él: —No sería honra ahora. A un blasfemo que no jurase ni per-
jurase, y respondía en qué estaría la honra. A un pródigo que
mirase a mañana, que no tendría hacienda para cuatro días:
—No es mi honra. A un poderoso que no hiciese sombra al rufián y al asesino: —No es mi honra. —Pues, hombres de Barra-
bás, dijo Momo, ¿en qué está la honra? ¿No digo yo? A otro
lado oyeron decir a uno: —Mira, Fulano, en qué pone su honra;
y respondía éste: —¿Y él, en qué la pone? Mira éste, mira aquél
y míralos a todos en qué la ponen. Decía un linajudo, muy pre-
ciado de honrado, que a él le venía muy de atrás, allá de sus
antepasados, de cuyas hazañas vivía. —Esa honra, señor mío, le
dijo Momo, ya no huele bien, rancia está; tratad de buscar otra
más práctica; poco importa la honra antigua si la infamia es moderna; y si no os vestís de las ropas de vuestros antepasados, porque no son al uso, ni salís un día con la martingala de vuestro
abuelo, porque se reirían de tal vejedad, no pretendáis tampoco
arrear el ánimo de sus honores; buscad en nuevas hazañas la
honra al uso. No faltó quien les dijo hallarían la honra en la
riqueza. —No puede ser, dijo Momo, que honra y provecho no
caben en ese caso. Encamináronse a casa de los hombres famosos
y plausibles, y hallaron se habían echado a dormir. Encontraron
un caballero nuevo, corriendo ilustre sangre, y al punto dijeron:
—Éste sí que sabrá de ella; halláronle que estaba sudando y reventando más que si llevara un mundo a cuestas, gemía y suspiraba sin cesar. —¿Qué tiene este hombre?, dijo Andrenio, ¿de
qué trasuda? —¿No ves, dijo Momo, aquel punto indivisible que
carga sobre sus hombros? Pues ése es el que le abruma. —Mirad
ahora, replicó Andrenio, ¡qué Atlante, parando espaldas a un
Cielo, qué Hércules, apuntalando la Monarquía de todo el mundo! —Pues ese puntillo, ponderó Momo, les hace a muchos sudar

y tal vez reventar, por conservar aquel punto en que se metió, o
le metieron, anda toda la vida gimiendo; fáltanle las fuerzas, aña-
dense las cargas, crecen los gastos, menguan las haciendas, y el
punto no ha de faltar. —Si la habéis de hallar, les dijo uno, ha
de ser en lo que arrastra. —Honra que va por tierra, ponerse ha
de lodo, dijo Critilo. Digo que sí, que lo que arrastra honra.
—Eso no, saltó Momo, yo digo al revés, que lo que honra arrastra, y esta negra honrilla trae arrastrados a muchos. ¡Oh, a cuántos traen arrastrados las galas y cadenas de las mujeres, las libreas
de los pajes, y andan corridos cuanto más honrados; dicen que
hacen lo que deben; yo digo al revés, que deben lo que hacen, y
dígalo el Mercader y el oficial y los criados. Hallaron otro, y
otros muchos, que estaban echando los bofes y la misma hiel por
la boca. —Peor es esto, dijo Andrenio. —Pues si en algunos se
ha de hallar la honra, dijo Momo, ha de ser en éstos. —¿Y por
qué? —Porque revientan de honrados; cara les cuesta la negra
de la honrilla, y lo peor es que cuando más la piensan conseguir,
entonces le alcanzan menos, perdiendo tal vez la vida y cuanto
hay. —No os canséis, dijo uno, que no la hallaréis en toda la
vida, sino en la muerte. —¿Cómo en la muerte? —Sí, que aquel
día es el de las alabanzas, y tras la muerte le hacen las honras.
—¡Oh, qué donosa cosa!, dijo Andrenio; en un saco de tierra poca
honra cabrá; cara es la honra, que cuesta el morir; y sin un muerto
es tierra y nada, toda su honra será nada.

—Mucho es, ponderaba Critilo, que ni hallemos a Honoria en
su Corte, ni la honra en una tan populosa ciudad. —Honda y en
ciudad grande, dijo Momo, muy mal se encuadernan; en otro
tiempo aún se hallara la honra en las ciudades, pero ya está desterrada de todas. Asegúroos que todo lo bueno se perdió en ésta
el día que echaron de ella aquel gran personaje, tan digno de
eterna observación y conservación, a quien todos respetaban por
su gran caudal y gobierno; él salía por una puerta, ¡qué lástima!,
y todas las ruindades entraban por otra, ¡qué desdicha! —¿Qué
varón fue éste, preguntaron de tanta importancia y autoridad?
—Era el Gobernador de la ciudad, y aun dicen hijo de la misma
Reina Honoria; no había Licurgo como él, ni hubo jamás República de Platón tan concertada como ésta; todo el tiempo que
él la asistió no se conocían vicios, ni se sonaba un escándalo; no
paraba malhechor ni ruin, porque todos le temían más que al
mismo Gobernador de Aragón; más recababa su respeto que las
mismas leyes, y más le temían a él que a las dos columnas del
suplicio; pero luego que él faltó se acabó todo lo bueno. —¿No
nos dirías quién fue un personaje tan insigne y tan cabal? —De
verdad, que era bien nombrado y me espanto mucho no deis en
la cuenta. Ése era el prudente, el atento y el atendido sujeto bien
conocido, que los mismos Príncipes le respetaban y aun le temían, diciendo: ¿Qué dirán de un Príncipe como yo, que de-

biendo ser el espejo que compone todo el mundo, soy el escándalo que lo descompone? Qué dirán, decía el Título, que no cumplo con mis obligaciones, siendo tantas, que degenero de mis antepasados famosos Héroes, que me dejaron tan empeñado en hazañas y yo me empeño en bajezas? ¿Qué dirán de mí, decía el Juez, que atropello la justicia, debiéndola yo amparar, y de Juez me hago Reo? Eso no dirán de mí. Cuando más acosada la casada, acordábase de él y decía: —¿Qué dirán de mí, que una Matrona como yo, de Penélope me trueco en Elena, que pago mal el buen proceder de mi marido con mi mal proceder? Eso no, líbreme Dios de tan mal gusto. Hasta la recatada doncellita se conservaba en el jardín de su retiro, diciendo: —Yo, que soy una fragante flor, ¿había de dar tan mal fruto?; ¿yo siendo una rosa, ser risa del mundo?; ¿yo ver, ni ser vista?; ¿yo por hablar, dar que decir?; de eso me guardaré yo muy bien. —¿Qué dirán, decía la viuda, que muerto marido, amigo venido? ¿Que del riego de mi llanto nace el verde de mis gustos, que tan presto trueco el Réquiem en Aleluya? No dirán tal, decía el Soldado, que yo me calcé botas de ruina. —¿Qué dirán de un Español que entre Galos soy gallina? —¿Qué dirían de un hombre de mis prendas, decía el Sabio, que de alumno de Minerva me hago vil esclavo de Venus? —¿Qué dirán los mozos?, decía el viejo, y ¿Qué dirán los viejos?, decía el mozo. —¿Qué dirán los vecinos?, decía el hombre de bien, y con esto todos se recataban. —¿Qué dirán mis émulos, decía el cuerdo, que buen día para ellos y que mala noche para mí? —¿Qué dirían los súbditos?, decía el Superior; y —¿Qué diría el Superior?, decía los súbditos. De esta suerte todo el mundo le temía y le respetaba, y todo iba, no de concierto, pero muy concertado. Faltó él y faltó todo lo bueno ese mismo día, todo está ya perdido, todo rematado. Pues ¿qué se hizo un Catón tan severo, un Licurgo tan regular? —¿Qué se hizo? Que no pudiendo sufrir unos y otros, no pararon hasta echarle. Bárbaro vulgar Ostracismo se conjuró contra él, y por ser bueno, le desterraron al uso de hoy; sabed que con el tiempo, que todo lo trastorna, fue creciendo esta ciudad, aumentándose en gente y confusión; que toda gran Corte es Babilonia, no se conocían ya unos a otros, achaque de poblaciones grandes; comenzaron con esto poco a poco a desestimar su gran gobierno, de ahí a no hacer caso de él, luego atreverse; como todos eran malos, no se espantaban unos de otros, no decían éstos de aquéllos, cada uno se miraba a sí y enmudecía; metía la mano en el seno y sacábala tan sarnosa que no se picaba de la ajena; no decía ya ¿qué dirán?, sino ¿qué diré yo de él que no diga él de mí, y mucho más? De esta suerte mancomunados todos, echaron fuera el Qué Dirán, y al punto se perdió la vergüenza, faltó la honra, retiróse el recato, huyó el pundonor, ya no le atendía a obligaciones, conque todo se asaló; al otro día la Matrona dio en

Matrera, la doncella de Vestal en bestial, el Mercader a oscuras
para dejar a ciegas, el Juez se hizo parte con el que parte, los
Sabios con resabios, el Soldado quebrado, hasta el espejo universal se hizo común. Así que ya no hay honra ni parece; eh,
no nos cansemos en buscar tarde lo que otros no pudieron hallar
ni al mediodía. —Pues ¿en una ciudad tan famosa?, ponderaba
Critilo. —Trocóse en fumosa, dijo Momo, con tanto humo y
tanto orín y todo confusión.

—Tú te engañas, replicó en alta voz un otro personaje, que
allí se dejó ver, por ser bien visible en lo grueso y bien visto
en lo agradable, muy diferente de Momo, y aun su Antagonista,
en su aspecto, trato, genio, traje, hechos y dichos. —¿Qué sujeto
es éste?, preguntó Andrenio a uno de los del séquito, que era tan
mucho, como popular; y respondióle: —Bien dijiste, sujeto a todos y de todos. —¡Qué colorado que está! —Como el que de nada
se pudre. —¡Qué aprovechamiento trata de vivir; parece hombre
de lindos hígados, y mejor melsa. ¿Cómo ha engordado tanto en
estos tiempos? —Come el pan de todos. —Parece simple. —Es
conveniencia: porque en siendo uno entendido, es temido y luego
aborrecido. —No muestra saber de la Misa la media. —Harto
sabe, pues sabe decir Amén. —Y ¿cómo se llama? —Tiene muchos nombres y todos buenos, unos le llaman el buen hombre,
otros el buen Juan, Escolán de Amén, manja con tutti, el buen
pan, pasta real; pero su propio nombre en Español es sí sí, y en
Italiano, bono bono, y así como a Momo se le dio el nombre de
No No, que corrompida la ene, por ingnorancia o malicia, quedó
en Mo Mo, así a este bono bono le quedó en Bobo, porque todo
lo abona y todo lo alaba; pues aunque sea la más alta necedad,
dice bueno bueno; al más solemne disparate, ¡qué bien!; a la mayor mentira, sí, sí; al peor desacierto, está bien; a la más calificada bobería, lindamente; de esta suerte vive y bebe con todos
y de todo engorda, que tiene linda renta en la ajena bobería.
—Pues si eso es, llamáranle Eco de la necedad. Pero dime:
¿cómo no le tuvieron por Dios los antiguos, así como a Momo,
y con más razón, por ser más plausible y más agradable? —Hay
mucho que decir en eso: sienten unos que aunque siempre trata
de lisonjear, como cada uno piensa que se le debe lo que se le
dice, ninguno lo agradece. Sirve a muchos y ninguno le paga, y
morirá comido de lobos. Otros dicen, que realmente no es de
provecho en el mundo, antes de mucho daño. Lo cierto es que la
malicia humana no ha estimado tanto sus simplicidades, cuanto
temido las quemazones de Momo. Alborotóse mucho éste luego
que lo vio; trabóse entre los dos una reñida pendencia; acudieron
todos los apasionados de ambos, haciéndose a dos bandas: los
Sátrapas, los Críticos, entendidos, bachilleres, podridos, caprichosos, satíricos y maldicientes se empeñaron por Momo. Al contrario, los panarras, buenos hombres, amenistas, lisonjeros, sencillos

y buenas pastas, se hicieron a la banda de Bobo; Critilo y Andrenio se estaban a la mira, cuando se llegó a ellos un prodigioso
sujeto, y les dijo: —No hay mayor necedad que estárselas oyendo; si venís en busca de la Honra, seguidme, que yo os guiaré
a donde está la honra del mundo entero. Dónde los llevó y dónde
realmente la hallaron, se queda para otra Crisi.

CRISI XII

EL TRONO DEL MUNDO

Competían las Artes y las Ciencias el soberano Título de Reina,
Sol del entendimiento, Augusta Emperatriz de las letras. Después
de haber hecho la salva a la Sagrada Teología verdaderamente divina, pues toda se consagra a conocer a Dios y rastrear sus infinitos atributos; habiéndola sublimado sobre sus cabezas y aun
sobre las Estrellas, que fuera indecente adocenarla, prosiguióse la
competencia entre todas las demás, que se nombran de las tejas
abajo Luceros de la verdad y Nortes seguros del entendimiento.
Viéronse luego hacer de parte de ambas Filosofías todos los mayores sujetos, los ingeniosos a la banda de la Natural, y los juiciosos de la Moral, señalándose entre todos Platón, eternizando
divinidades, y Séneca sentencias. No fue menos numeroso ni lucido el séquito de la Humanidad; gente toda de buen genio, y
entre todos un discreto de capa y espada, habiendo arengado por
ella, concluyó diciendo: —¡Oh, plausible Enciclopedia, que a ti
se reduce todo el práctico saber, tu mismo nombre de Humanidad
dice cuán digna eres del hombre; con razón los entendidos te
dieron el apellido de las buenas letras, que entre todas las Artes
tú te nombrarás en pluralidad la buena. Pero ya Bártulo y Baldo
comenzaron a alegar por la Jurisprudencia, citando entre los dos
doscientos textos con memoriosa ostentación, probaron con evidencia que ella había hallado aquel maravilloso secreto de juntar
honra y provecho, levantando los hombres a las mayores dignidades hasta la suprema. Riéronse de esto Hipócrates y Galeno,
diciendo: —Señores míos, aquí no va menos que la vida, ¿qué
vale todo sin salud? Y el Complutense Pedro García, que des-
mintió lo vulgar de su renombre con su fama, ponderaba mucho
aquel haber encargado el divino Sabio el honrar los Médicos, no
los Letrados ni los Poetas. Aquí de la Honra y de la Fama, blasonaba un Historiador: —Esto sí que es dar vida y hacer inmortales las personas. —He que para el gusto no hay cosa como
la poesía, glosaba un Poeta. Bien concederé yo que la Jurisprudencia se ha alzado con la honra, la Medicina con el provecho;
pero lo gustoso, lo deleitable, quédese para los canoros Cisnes.
—Pues ¿qué, y la Astrología, decía un Matemático, no ha de tener Estrella, cuando se carea con todas y se roza con el mismo

Sol? —He que para vivir y para valer, decía un Ateísta, digo un Estadista, a la Política me atengo; ésta es la Ciencia de los Príncipes, y así ella es la Princesa de las Ciencias. De esta suerte corría la pretensión a todo discurrir. Cuando el gran Canceller de las letras, digno Presidente de la docta Academia, oídas las partes y bien ponderadas sus eficacísimas razones, dio muestras de pronunciar sentencia; calmó en un punto el confuso murmullo, y fue tanta la atención cuanto la expectación; allí se vio todo pedante sacar cuello de cigüeña, plantar de grulla, atisbar de mochuelo, parar oreja de liebre. En medio de tan atónita suspensión, que ni una mosca se oía, desabrochando el pecho el severo Presidente, sacó del seno un libro enano, no tomo, sino átomo, de pocas más que doce hojas, y levantándole en alto, a toda ostentación, dijo: —Ésta sí que es la corona del saber, ésta es la Ciencia de ciencias, ésta la brújula de los entendidos. Estaban todos suspensos, admirándose y mirándose unos a otros, deseosos de saber qué arte fuese aquélla, que según parecía no se parecía, y dudaban del desempeño. Volvió él segunda vez a exagerar: —Éste sí que es el práctico saber, ésta la Arte de todo discreto, la que da pies y manos y aun hace espaldas a un hombre; ésta la que del polvo de la tierra levanta un Pigmeo al Trono del mando. Cedan las Auténticas del César, retírense los Aforismos del Médico, llamados así ya porque echan fuera del mundo a todo viviente. ¡Oh, qué lección ésta del valer y del medrar! Ni la Política, ni la Filosofía, ni todas juntas alcanzan lo que ésta con sola una letra. Crecía a varas el deseo con tanta exageración, y más por extrañarse en la boca de un atento. —Finalmente, dijo, este librito de oro, fue parto noble de aquel célebre Gramático, prodigioso desvelo de Luis Vives, y se intitula: *De conscribendis epistolis*. Arte de escribir...; no pudo acabar de pronunciar «cartas», porque fue tal la risa de todo aquel erudito teatro, tanta la tempestad de carcajadas, que no pudo en mucho rato tomar la vez, ni la voz para desempeñarse; volvía ya a esconder el librillo en el seno, con tal severidad, que bastó a serenarlos, y muy compuesto les dijo: —Mucho he sentido el veros hoy tan vulgarizantes, sólo puede ser satisfacción el reconoceros desengañados. Advertid que no hay otro saber en el mundo todo como el saber escribir una carta, y quien quisiere mandar, practique aquel importante aforismo: *Qui vult regnare scribat,* quien quiere reinar escriba.

Este ponderativo suceso les refirió un ni persona ni aun hombre, sino sombra de hombre, rara visión y al cabo nada; porque ni tenía mano en cosa, ni voz, ni espaldas, ni piernas que hacer, ni podía hombrear, ni en toda su vida se vio hecha la barba, tanto, que admirado Andrenio le preguntó: —¿Eres o no eres? Y si eres, ¿de qué vives? —Yo, dijo, soy sombra, y así siempre ando a sombra de tejado; y no te espantes, que los más en el mundo no nacieron más que para ser sombras de la pintura, no luces ni realces; porque un hermano segundo, ¿qué otra cosa es, sino sombra del mayorazgo?; ei que nació para servir, el que imita, el que se deja llevar, el que no tiene sí ni no, el que no tiene voto propio, cualquiera que depende, ¿qué son todos sino sombras de otros? Creedme, que los más son sombras, que aquéllos las hacen y éstos les siguen: la ventura consiste en arrimarse a buen árbol, para no ser sombra de un espino, de un alcornoque, de un quejigo; por eso voy en busca de algún gran hombre, para ser sombra suya y poder mandar el mundo. —¿Tú, replicó Andrenio, mandar? —Sí, pues muchos que fueron menos y aun nada, han llegado a mandarlo todo; yo sé que me veréis bien presto entronizado; deja que lleguemos a la Corte, que si ahora soy sombra, algún día seré asombro; vamos allá, y allí veréis la honra del mundo en el ínclito, justo, valeroso Ferdinando Augusto; él es la honra de nuestro siglo, la otra columna de non plus ultra de la Fe, Trono de la Justicia, Basa de la Fortaleza y Centro de toda Virtud; y creedme que no hay otra honra, sino la que se apoya en la virtud, que en el vicio no puede haber cosa grande. Alegráronse mucho ambos Peregrinos, viendo se acercaban a aquella ciudad, estancia de su buscada prenda y término de su felicidad deseada.

Vieron ya campear en la superioridad de la más alta eminencia una Imperial Ciudad, la primera que los solares rayos coronan; fuéronse acercando, y admirando un número sin cuenta de gentes, anhelando todos en su falda por subir a su corona. Para más satisfacerse ambos Peregrinos, preguntaron si era aquélla la Corte. —Pues ¿no se da bien a conocer, le respondieron, en la muchedumbre de impertinentes? Ésta es la Corte, y aun todas las Cortes en ella; ésta es el Trono del mundo, donde todos revientan por subir, y así llegan reventando, unos a ser primeros, otros a ser segundos, y ninguno a ser postrero. Vieron que echaban algunos, bien pocos, por el rodeo de los méritos, mas era un acabar de nunca acabar. El más manual, más que el de las letras, del valor y virtud, era el del oro; pero la dificultad consistía en fabricarse escala, que de ordinario los más beneméritos suelen ser los más imposibilitados. Echáronle a uno por favor, más que por elección, una escala de lo alto, y él, en estando arriba, la retiró, porque ningún otro subiese. Al contrario, otro arrojó desde abajo un gancho de oro y enganchóse en las manos de dos o tres que estaban arriba, conque pudo trepar ligero; y de éstos había raros volatines de la ambición, que por mano más de oro volaban ligerísimos. Estaba votando uno y blasfemando: —¿Qué tiene éste?, preguntó Andrenio. Y respondiéronle: —Echa votos por los que le han faltado. Lo que más admiraron fue que siendo la subida muy resbaladiza y llena de deslizaderos, llegó uno y comenzó a untarlos con un unto que en lo blanco parecía jabón, en lo brillante plata. —¿Hay más calificada necedad?, decían. Pero el Asombrado: —Aguardad, dijo, y veréis

el maravilloso efecto; fuelo harto, pues en virtud de esta diligencia pudo subir con ligereza y seguridad, sin amagar el menor
vaivén. —¡Oh, gran secreto, exclamó Critilo, untar las manos a
otros para que no se le deslicen a él los pies! Ostentaban algunos
prolijas barbas, torrentes de la autoridad, que cuando más afectan ciencia, descubren mayor legalidad. —¿Por qué éstos, preguntó Andrenio, no se hacen la barba? —¡Oh, respondió el Asombrado, porque se la hagan! Reconocieron uno que parecía necio
y realmente lo era, según aquel constante aforismo que son tontos
todos los que lo parecen y la mitad de los que no lo parecen; y
con ser incapaz, había muchos entendidos que le ayudaban a subir y lo diligenciaban por todas las vías posibles, no cesando de
acreditarle de hombre de gran testa (contra todo su dictamen),
de gran valor y muy cabal para cualquier empleo. —¿Qué pretenden estos Sabios, replicó Critilo, con favorecer a este tonto,
procurando con tantas veras entronizarle? —¡Oh, dijo el Asombrado, ya espanto: ¿no veis que si éste sube una vez al mando,
que ellos le han de mandar a él? Es testa de ferro, en quien
afianzan ellos el tenerlo todo a su mano. ¡Oh, lo que valía aquí
una onza de pía afición, y un amigo un Perú, sobre todo un pariente, aunque sea cuñado, porque decían de los tuyos hayas!

Mas Critilo, anteviendo tantas y tan inaccesibles dificultades,
trataba de retirarse, consolándose a lo zorro de los racimos, y
diciendo: —He que el mandar, aunque es empleo de hombre,
pero no es felicidad, y cierto, ponderaba, que para gobernar locos es menester gran seso, y para regir necios gran saber. Yo
renuncio a los cargos por sus cargas; y encogiendo los hombros,
volvía las espaldas. Detúvole el Asombrado con aquella paradoja
sentencia, para unos de vida y de muerte para otros. Que un
hombre había de nacer o Rey o loco; no hay medio, o César o
nada. —¿Qué Sabio, decía, puede vivir sujeto a otro, y más a
un necio? Más le vale sea loco, no tanto para no sentir los desprecios cuanto para dar luego en Rey de imaginación y mandar
de fantasía. Yo, con ser sombra, no me tengo por desahuciado
de llegar al mando. —Pues ¿en qué confías?, dijo Andrenio. Cuando se oyó una voz que desde lo más alto decía: —Allá va, allá
va. Estamos todos suspensos en expectación de qué vendría, cuando vieron caer a los pies de la sombra unas espaldas de hombre,
y muy hombre, fuertes hombros y trabadas costillas; segundo
grito: Allá van, y cayeron dos manos con sus brazos tan rollizos
que parecía cada una un brazo de hierro. De esta suerte fueron
cayendo todas las prendas de un varón tan grande. Estaban los
circunstantes atónitos de ver el suelo poblado de humanos miembros; mas la sombra los fue recogiendo todos, y revistiéndoselos
de uno en uno, con que quedó muy persona, hombre de poder
y valer; y el que antes parecía nada y podía nada, y tenido en
nada, se mostró ahora un tan estirado gigante que todo lo podía;
de modo que uno le hizo espaldas, otro la barba, no faltó quien

le dio la mano ni quien le fuese pies; conque pudo hacer piernas
y hombrear, hasta entendimiento tuvo quien le diese. En viéndose hombre, trató de subirse a mayores, y pudo y aun prestar
favor a sus camaradas, a quienes hizo espaldas para su mayor
ascenso.

Hallaron en la Primera grada del medro una fuente rara, donde
todos se prevenían para la gran sed de la ambición, y causaba
contrarios efectos; uno de los más notables era un olvido tan
extraño de todo lo pasado, que no sólo se olvidaban de los amigos
y conocidos de antes, causándoles increíble pesadumbre ver testigos de su antigua bajeza, pero de sus mismos hermanos; y aun
hubo hombre tan bárbaramente soberbio, que desconoció al padre
que le engendró, borrando de su memoria todas las obligaciones
pasadas y los beneficios recibidos; favoreciendo hechuras nuevas,
queriendo antes ser acreedores que obligados; más estimaban fiar
que pagar, pero ¿qué mucho, si llegaron los más a olvidarse de
sí mismos y de lo que habían sido, de aquellos principios de
charcos en viéndose en alta mar, y de todo cuanto les pudiera
acordar su basura, obligándoles a deshacer la rueda? Infundían
una ingratitud increíble, una tesura enfadosísima, una extrañez
notable; y al fin mudaba un entronizado totalmente, dejándole
como elevado, que ni él se conoció, ni los otros le acababan de
conocer, tanto mudan las honras a las costumbres.

Llegaron a lo alto en ocasión que todos andaban turbados y
la Corte alborotada, por haber desaparecido uno de los mayores
Monarcas de la Europa, y habiéndole buscado por cien partes,
no le podían descubrir; sospechaban algunos se habría perdido
en la caza, que no sería el primero que en casa de algún villano
habría hecho noche despertando de su gran sueño y cenando
desengaños, el que tan ayuno vivía en verdades, mas llegó el día
y no pareció. Era grande y general el sentimiento, porque era
amado de todos por sus grandes prendas, Príncipe de Estrella,
que no es poco. No quedó Yuste, San Dionis, Casa de Campo,
bosque ni jardín donde no le buscasen, hasta que finalmente le
hallaron donde menos pensaban, ni pudiera imaginarse; pues en
un mercado, entre los ganapanes y esportilleros, vestido como
uno de ellos, porteando tercios y alquilando sus hombros por un
real. Quedaron atónitos de verle tan trocado, comiendo un pedazo de pan con más gusto que en su Palacio los faisanes. Estuvieron por un gran rato suspensos, sin acertar a decir palabra,
no acabando de creer lo que veían. Quejáronsele con el debido
sentimiento de que hubiese dejado su Real Trono y se hubiese
abatido a un empleo tan soez, mas él les respondió: —En mi
palabra, que es menos pesada la mayor carga de éstas, aunque
sea de muchas arrobas de plomo, que la que he dejado. El tercio
más cuantioso me parece una paja respecto de un mundo a cuestas, y que me lo han agradecido mis hombros. ¡Qué cama de
brocado, con este suelo sin cuidados, donde he dormido más

estas cuatro noches que en toda mi vida! Suplicábanle volviese
a su grandeza, mas él: —Dejadme estar, respondió, que ahora
comienzo a vivir, ya me gozo y soy Rey de mí mismo. —Pues,
Señor, volviéronle a hacer instancia, ¿cómo un Príncipe de tan
alto genio ha podido humanarse a conversar con tan vil canalla,
horrura mayor del vulgo? —He que no se me ha hecho de nuevo;
¿no andaba yo en el Palacio rodeado de truhanes, simples, enanos y lisonjeros, peores sabandijas, a dicho de un Rey Magnánimo? Rogáronle unos y otros volviese al mando; y él por última.
resolución les dijo: —Andad, que habiendo probado ya esta vida,
gran locura sería volver a la pasada.

Trataban de elegir otro (que debía ser en Polonia) y pusieron
la mira en uno, nada niño y mucho hombre, de gran capacidad
y valor, de gran inteligencia y ejecución, con otras mil prendas
majestuosas, así de hombre como de Rey; presentáronle la corona,
mas él, tomándola en sus manos y sopesándola, decía: —A gran
peso, gran pesar, ¿quién podrá sufrir un dolor de cabeza de por
vida? Tú pesando y yo pensando. Pidió que por lo menos se la
sustentase con dos manos un hombre de valor, porque no car-
gase todo el peso sobre su cabeza. Mas díjole el Venerable Presidente del Parlamento: —Eso, Sire, más sería tener el otro la
Corona en su mano que vos en la cabeza. Llegó a vestirse la
rica y vistosa púrpura, y hallándola forrada no en martas de piedad, sino en erizos de pena, vistiósela algo holgada; mas diciéndole el Maestro de ceremonias se la había de ceñir de modo que
quedase bien ajustada, comenzó a suspirar por un pellico. Pu-
siéronle el Cetro en la mano, y fue tal el peso que preguntó si
era remo, temiendo más tempestades que en el Golfo de León;
era, cuanto más precioso, más pesado, y tenía por remate, no
las hojas de una flor, sino los ojos en frutos: un ojo muy vigilante, que valía por muchos. Preguntó qué significaba, y el gran
canciller le dijo: —Está haciéndoos del ojo, y diciendo: —Sire,
ojo a Dios y a los hombres; ojo a la adulación y a la entereza;
ojo a conservar la paz y acabar la guerra; ojo al premio de los
unos y al apremio de los otros; ojo a los que están lejos y más
a los que están cerca; ojo al rico y oreja al pobre; ojo a todo y
a todas partes: mirad al Cielo y a la Tierra; mirad por vos y por
vuestros vasallos. Todo esto y mucho más está avisando este ojo
tan despierto, y advertid que si tiene ojos el Cetro, también tiene
alma, como lo experimentaréis tirando de la parte inferior. Ejecutólo, y desenvainó un acicalado estoque, que es la justicia el alma
del reinar. Leyéronle las leyes y pensiones de su cargo, que decían: —La primera, no ser suyo sino de todos; no tener hora
propia, todas ajenas; ser esclavo común; no tener amigo personal;
no oír verdades, lo que sintió mucho; haber de dar gusto a todos;
contentar a Dios y a los hombres; morir en pie y despachando.
—Basta, dijo, que yo también me acojo al sagrado de la libertad,

y desde ahora renunció una corona, que se llamó así del corazón
y sus cuidados, una púrpura felpada de cambrones, un cetro
remo, y un trono potro de dar tormento. Acercósele un monstruo,
o ministro, díjole al oído que tratase de tomar los cargos y no
las cargas. —Reine; decía su madre, aunque me cueste la vida.
Tocaron a aplauso los Coribantes, embelesándole con ruidosa
pompa, en que salió cortejado de la noble bizarría y aclamado
de la populosa vulgaridad. En medio de ella estaba Andrenio,
ponderando la majestuosa felicidad del nuevo Príncipe, cuando
un extremado varón, llegándose a él, le dijo: —¿Crees tú que
éste que ves es el Príncipe que manda? —¿Cuál, pues, si éste no?,
respondió Andrenio. Y él: —¡Oh, cómo te engañas de barra a
barra; y mostrándole un esclavo vil, con su argolla al cuello, cadena al pie, arrastrando un grande globo: —Éste es, le dijo, el
que manda el mundo. Túvolo o por necedad o por chiste, y co-
menzóle a solemnizar; mas él se fue desempeñado a toda serenidad, porque: —Mira, le dijo, aquella gran bola de hierro, ¿qué
puede ser sino el mundo, que él le trae al retortero? ¿Ves aquellos eslabones? Pues aquélla es la dependencia, aquel primero es
el Príncipe, aunque tal vez, sacando bien la cuenta, es el tercero, el quinto y tal vez el décimo tercio. El segundo es un favorecido, a éste le manda su mujer, ella tiene un hijuelo en quien
idolatra; el niño está aficionado a un esclavo, que pide al rapaz
lo que se le antoja; éste llora a su madre, ella importuna a su
esposo, él aconseja al Príncipe que decreta; de suerte que de
eslabón en eslabón viene el mundo a andar rodando entre los
pies de un esclavo herrado de sus pasiones. Pasó el triunfo, que
de todo triunfa el tiempo, y guiándoles el Varón de extremos,
haciéndolos, llegaron a una gran Plaza, donde cuatro o seis personajes muy ahorrados, sin ahorrarse con ninguno y azorrándose
de todos, estaban jugando a la pelota. Éste la arrojaba a aquél
y aquél al otro, hasta que volvía al primero, pasando círculo
político, que es el más vicioso, rodando siempre entre unos mismos, sin salir jamás de sus manos: todos los demás estaban mirando que no hacían otro que ver jugar. Reparó Critilo y dijo:
—Éste parece la pelota del mundo entre cuero y viento, o borra.
—Y éste es, respondió el Extremado, el juego del mando; éste
el gobierno de todas las Comunidades y Repúblicas: unos mismos
son los que mandan siempre, sin dejar tocar pelota a los demás,
que no hay política que no tenga sus faltas y sus azares. Pero
si me creéis, dejaos de todo mentido mando, y seguidme, que
hoy os prometo mostrar el señorío real, que es el verdadero.
—Aquí hacemos alto, respondió Critilo; el mayor favor sería
guiarnos a casa de aquel ínclito Marqués, Embajador de España,
cuya casa es nuestro centro, donde pensamos poner término a
nuestra prolija peregrinación, hallando nuestra felicidad deseada.
Lo que respondió y sucedió aquí, relatará la Crisi siguiente.

CRISI XIII

LA JAULA DE TODOS

Crece el cuerpo hasta los veinticinco años y el corazón hasta los cincuenta, mas el ánimo siempre, gran argumento de su inmortalidad. Es la edad varonil el mejor tercio de la vida, como la que está en el medio, llega ya el hombre a su punto, el espíritu a su corazón, el discurso es sustancial, el calor cumplido y el dictamen de la razón muy ajustado a ella; al fin todo es madurez y cordura: desde este punto se había de comenzar a vivir, mas algunos nunca comenzaron y otros cada día comienzan. Ésta es la Reina de las edades, y si no perfecta absolutamente, con menos imperfecciones, pues no ignorante como la niñez, ni loca como la mocedad, ni pesada, ni pasada como la vejez, que el mismo Sol campa de luces al mediodía. Tres libreas de tres diferentes colores da en diversas edades la naturaleza a sus criados, al salir del sol de la juventud, gala de color y de colores; pero viste de negro, y de decencia la barba, y el cabello en la edad varonil, señal de profundos pensamientos y de cuidados cuerdos; fenece con el blanco, quedándose en él la vida, que es el buen porte de la virtud, librea de la vejez lo cándido.

Había Andrenio llegado a la cumbre de la varonil edad, cuando ya Critilo iba descaeciendo cuesta abajo de la vida, y aun rodando de achaque en achaque, íbales convoyando aquel Varón raro, muy de la Ocasión, porque aunque había hallado otros bien prodigiosos en el discurso de tan varia vida, que quien mucho vive mucho experimenta; mas éste les causó harta novedad, porque crecía y menguaba como él quería; estirábase cuando era menester, e iba sacando el cuerpo, alzaba la cabeza, levantaba la voz y hombreaba de modo que parecía un gigante tan descomunal, que hiciera cara al mismo Capitán Plaza y aun a Pepo. Por otro extremo, cuando a él le parecía, se volvía a encoger, y se empequeñecía de modo que parecía un Pigmeo en lo poco y un niño en lo tratable. Estaba atónito Andrenio de ver una virtud tan variable: —No te admires, le dijo él mismo, que yo con los que tratan de empinarse y levantarse a mayores, con los que quieren llevar las cosas de mal a mal, también sé hacer piernas; pero con los que se humillan y llevan las cosas de bien a bien, me allano de modo que de mi condición harán cera, cuando más sincera, que tengo por blasón perdonar a los humildes y contrastar los soberbios. Éste, pues, hombre por extremos, habiéndoles desengañado de que el Marqués Embajador que ellos buscaban no asistía ya en la Corte Imperial, sino en la Romana con negocios de extraordinaria grandeza; y habiendo ellos resuelto, después de mucha desazón y sentimientos, proseguir el viaje de su vida hasta conseguir su alejada felicidad y marchar a la astuta Italia, ofrecióles el voluntario Gigante su compañía hasta los Alpes canos, distrito ya de la sonada vejecía. —Y porque me empeñé, decía, en mostraron el señorío verdadero, sabed que no consiste en mandar a otros, sino a sí mismo; ¿qué importa sujete uno todo el mundo, si él no se sujeta a la razón?, y por la mayor parte, los que son señores de más, suelen serlo menos de sí mismos, y tal vez el que más manda, más se desmanda. El Imperio no es felicidad, sino pensión; pero el ser señor de sus apetitos es una inestimable superioridad. Asegúroos que no hay tiranía como la de una pasión; y sea cualquiera, ni hay esclavo sujeto al más Bárbaro Africano como el que se cautiva de un apetito. ¡Cuántas veces querría dormir a sueño suelto el necio amante, y dícele su pasión: Quita, perro, que no se hizo para ti ese Cielo, sino un Infierno de estar suspirando toda la noche a los umbrales de la desvanecida belleza! Quisiera el mísero engañar, si no satisfacer su hambre canina; y dícele su codicia: Anda perro, ni una sed de agua y siempre de dinero. Suspira el ambicioso por la quietud dichosa, y grítale el deseo de valer: Hola, perro, anda aperreado toda la vida. ¿Hay Berbería tan bárbara cual ésta? He que no hay en el mundo señorío como la libertad del corazón; eso sí que es ser Señor, Príncipe, Rey y Monarca de sí mismo. Esta sola ventaja os faltaba para llegar al colmo de una inmortal perfección; todo lo demás habíais conseguido: el honroso saber, el acomodado tener, la dulce amistad, el importante valor, la ventura deseada, la virtud hermosa, la honra autorizada, y de esta vez el mando verdadero.

—¿Qué os ha parecido, preguntó el agigantado camarada, de los bravos alemanes? —Grandes hombres, iba a decir Critilo, cuando perturbó su definición uno, que parecía venir huyendo, en lo desalentado, y a gritos mal distintos repetía: —Guarda la fiera, guarda la mala bestia. No dejaron de asustarse, y más cuando oyeron repetir lo mismo a otro, y a otros, que todos volvían atrás de espanto. —¿Es posible, dijo Andrenio, que jamás nos hemos de ver libres de monstruos ni de fieras; que toda la vida ha de ser alarma? Trataban de huir y ponerse en cobro, cuando volviéndose hacia su camarada el Gigante no le vieron; pero le sintieron metido en uno de sus zapatos, tamañitos; creció su espanto creyendo fuese efecto del miedo; mas él, con voz intrépida, les animó, diciendo: —No temáis, no, que ésta no es desdicha, sino suerte. —¿Cómo suerte, gritó uno de los fugitivos, si está ahí una fiera tan cruel que no perdona al hombre más persona? —¿Cómo nos guiáis por aquí?, instó Critilo. Y él: —Porque es el camino de más ventajas, el de los grandes hombres, y esa fiera tan temida no es para mí asombro, sino trofeo. Dábase a las furias, oyendo esto Andrenio, y preguntóle a uno de los menos asustados: —¿No me dirías qué fiera es ésta? —¿Vístela tú? —Y aun he experimentado, respondió, por desgraciada dicha su fiereza. Éste es un monstruo tan ruin como despiadado, que sólo se sustenta de hombres muy personas; cada día le han de echar para su pasto el mejor hombre que se conoce, un Héroe; y por el mismo caso que es conocido, y nombrado el sujeto más eminente, ya en armas, ya en letras, ya en gobierno; y si mujer, la más linda, la más bella, y luego la despedaza rosa a rosa, Estrella a Estrella, y se la traga, que de las feas y fieras como él no hace caso. Todos los famosos hombres peligran: en habiendo un Sabio, un entendido, al punto le huele de mil leguas, y hace tales estragos, que sus mismos conocidos se le traen, y tal vez sus propios hermanos, que el primer hombre que despedazó, un hermano suyo le condujo. Es cosa lastimosa ver un gran Soldado, cuanto más valiente y hazañoso, cómo padece hecho víctima de su vilísima rabia. —Pues ¿qué, a los valientes se atreve? —¿Cómo si se atreve? Al mismo Torrecuso, al animoso Cantelmo, al mismo Duque de Feria, y otras tan excelentes; fiero monstruo de deshacer todo lo bueno. Pues ver cómo lo muele con dientes, con la lengua, hasta con el gestillo, con el modillo, y de todas maneras. —¡Qué buen gusto debe tener!, dijo Critilo. —Antes no, pues todo lo bueno le sabe mal, y no lo puede tragar, aunque muerde de lo mejor; y si tal vez se lo traga porque lo cree, no lo puede digerir, porque no se le cuece; tiene malísimo gusto y peor olfato, oliendo de cien leguas una eminencia y rabia por deshacerla; y así yo doy voces; afuera, lindas; a huir, sabios; guardaos, valientes; alerta, Príncipes; que viene, que llega rabiando la apocada bestia; guarda, guarda. —Eh, aguarda, dijo el ya Enano Gigante, por lo menos no puedes negar que es grande quien así se ceba en todas las cosas grandes. —Antes es muy poca cosa, y aunque no hinca el diente venenoso sino en lo que sobresale, es de todas maneras ruin y revienta cada día. No hay cosa más pestilente que su aliento, como salido de tan fatal boca, mala lengua y peores entrañas; yo la he visto eclipsar el Sol y deslucir las mismas Estrellas; los cristales empaña; la plata más brillante desdora; de suerte que en viendo alguna cosa excelente y rara, la toma de ojo y de tema. —¿No hay un Paladín que degüelle esa horca tan perjudicial?, preguntó Andrenio. —¿Quién la ha de matar? No los pequeños, que no les hace daño, antes los venga y consuela; no los grandes hombres, porque ella acaba con todos; pues ¿quién le ha de emprender? —¿Es bruto o persona? —Algo (aunque poco) tiene de hombre, de mujer mucho y de fiera todo.

Ya en esto venía para ellos un rayo en monstruo, dando crueles dentelladas, espumando veneno. —Aquí el remedio es, gritó el ya Enano, y mucho menos, no sobresalir en cosa, no lucir ni campear, no ostentar prenda alguna. Así lo platicaron, y la que venía rechinando colmillos y relamiéndose en espumarajos de veneno, viéndoles que tan poco sobresalían y que el imaginado Gigante era un Pigmeo, no dignándose ni aun de mirarles, los despreció, dando la vuelta a su poquedad y vileza. —¿Qué os ha parecido de la monstruosa vieja?, preguntó el ya otra vez Gigante. Y Critilo: —Yo dudé si era el Ostracismo moderno, que a todos los

insignes varones destierra, y quería echar del mundo, no más de
porque lo son; en oliendo un docto, le hace proceso de excelente
hombre, y le condena a no ser oído; al esclarecido a deslucido; al
valiente le hace cargos, transformándole las proezas en demasías;
al mayor ministro, y de mejor gobierno, le publica por insufrible;
la hermosura mayor, a no ser vista; y al fin toda eminencia, que
vaya fuera y se le quite delante. —¿Y eso ejecutaban hombres de
juicio en Atenas?, replicó Andrenio. —Y hoy pasa en hechos de
verdad, le respondió. —¿Y dónde van a parar tantos buenos?
—¿Dónde? Los valientes a Extremadura y la Mancha; los buenos
ingenios a Portugal; los cuerdos a Aragón; los hombres de bien a
Castilla; las discretas a Toledo; las hermosas a Granada; los bellos
decidores a Sevilla; los varones eminentes a Córdoba; los generosos a Castilla la Nueva; las mujeres honestas y recatadas a Cataluña, y todo lo lucido a parar en la Corte. —A mí me pareció,
dijo Andrenio, en aquel mirar de mal ojo, en el torcer de boca, en
el hacer gestillos, en el modillo de hablar y en el enfadillo, que era
la Envidia. —La misma, respondió el Gigante, aunque ella lo niega.
Libres ya de envidiados y envidiosos, llegaron a un paso inevi-
table, donde asistía muy de asiento un varón muy de propósito.
Éste era el que tenía en su mano la justa medida de los entendimientos, de cómo han de ser; y era cosa rara, que llegando cada
instante unos y otros a medirse, ninguno se ajustaba de todo punto; unos se quedaban muy cortos, a tres o cuatro dedos de necios,
ya por esto ya por lo otro; uno, porque aunque en unas materias
discurría, en otras no acertaba; éste era ingenioso, pero cándido;
aquél docto, pero rústico, de modo que ninguno venía cabal del
todo. Al contrario, otros pasaban del coto y eran bachilleres, resabios, sabihondos y aun casi locos; hablaban unos bien, pero se
escuchaban; sabían otros, pero se lo presumían, y todos éstos en-
fadaban. Así que unos por cortos, otros por largos; unos por carta
de más, otros de menos, todos perdían; a unos les faltaba un peda-
dazo de entendimiento y a otros les sobraba. Cuál y cuál, uno
entre mil venía a ser de la medida, y aún quedaba en opiniones.
En viendo el juicioso varón que uno no llegaba, o uno a otro se
pasaba, los mandaba meter en la gran jaula de todos, llamada así
por los infinitos de que siempre estaba llena, que de loco o simple
raro es el que se escapa: los unos porque no llegan, los otros
porque se pasan; condenándose todos, unos por tontos, otros, por
locos. Comenzó a vocearles uno de los que estaban ya dentro, y
decía: —Entrad acá, no tenéis que mediros, que todos somos locos, los muchos y los pocos. Tomáronse la honra, que en la tierra
de los necios, el loco es Rey, y guiados de su gran nombre, entraron allá. Vieron cómo los más andaban, pero no discurrían;
cada uno con su tema, y algunos con dos, y tal con cuatro, había
caprichosas sectas, y cada uno celebraba la suya: el uno de entendido, el otro de decidor; éste de galán, aquél de bravo, tal de
linajudo, y cuál de afectado; de enamorados muchos, de descon-

tentos de todo algunos, los graciosos muy desgraciados, los dejados muy fríos, los porfiados insufribles, los singulares señalados,
los valientes furiosos, los muy voluntarios fáciles, los encarecedores desacreditados, los tiesos enfadosos, los vulgares desestimados, los juradores aborrecidos, los descorteses abominados, los
rencillosos malquistos, los artificiosos temidos. Admirado Andrenio de ver tan trascendente locura, quiso saber la causa, y dijéronle: —Advertid que ésta es la semilla que más fecunda hay en
la tierra, pues dar a ciento por uno, y en parte a mil; cada loco
hace ciento, y cada uno de éstos otros tantos; y así en cuatro
días se llena una ciudad. Yo he visto llegar hoy una loca a un
pueblo, y mañana haber ciento imitadoras de sus profanos trajes;
y es cosa rara, que cien cuerdos no bastan hacer cuerdo un loco,
y un loco vuelve orates a cien cuerdos. De nada sirven los cuerdos
a los locos, éstos sí hacen gran daño a aquéllos; es en tanto grado
que ha acontecido poner un loco entre muchos y muy cuerdos,
por ver si se remediaría; y como en todo cuanto hablaba y hacía
le repugnaban, comenzó a dar gritos, diciendo: Que le sacasen
de entre aquellos locos, si no querían que perdiese el juicio en
cuatro días.

Era de ponderar cuáles procedían, sin parar un punto ni reparar en cosa, y todos fuera de sí y metidos en otro de lo que
eran, y tal vez todo lo contrario, porque el ignorante se imaginaba
sabio, conque no estaba en sí: el nonadilla se creía gran hombre;
el vil, gran Caballero; la fea se soñaba hermosa; la vieja, niña;
el necio, muy discreto; de suerte que ninguno está en sí, ni se
conoce ninguno en el caso ni en casa; y era lo bueno que cada
uno preguntaba al otro si estaba en su juicio. —Hombre del
Diablo, ¿estáis loco? —¿Estamos en casa?, decía uno. —¿Estáis
conmigo?, decía otro; y a ése estuviera bien apañado si con él.
A todos los otros imaginaba sus antípodas, y que andaban al
revés, persuadiéndose cada uno que él iba derecho y el otro
cabeza abajo, dando de colodrillo por esos Cielos, él muy tieso y
los otros rodando. —Qué errado anda Fulano, decía éste. Y respondía el otro: —¡Qué calzado por agua va él! Todos se burlaban
unos de otros. El avaro del deshonesto, y éste de aquél; el Español del Francés, y el Francés del Español. —Hay locura de
todo el mundo, filosofaba Critilo, y con cuánta razón se llamó
jaula de todos. Iban discurriendo, y hallaron los Ingleses metidos
en una muy alegre jaula. —¡Qué alegremente se condenan éstos!,
dijo Andrenio. Y respondiéronle estaban allí por vanos, es achaque de la belleza; vieron los Españoles en otro por maliciosos,
los Italianos por invencioneros, los Alemanes por furiosos, los
Franceses por cien cosas y los Polacos a la otra banda; había
sabandijas de todo elemento; locos del aire los soberbios, del
fuego los coléricos, de la tierra los avaros y del agua los narcisos,
y éste era simplísimo elemento: en el quinto los lisonjeros, diciendo que sin él no se puede vivir en la Corte ni en el mundo.

Hallaban extremadas locuras, bravos caprichos. Había dado uno en no hacer bien a nadie, y podía. Preguntóle Andrenio la causa, y respondióle: —Señor mío, por no morirme luego. —Antes no, le replicaron, que haciendo bien a todos, todos os desearán la vida. —Os engañáis, respondió él, que ya el hacer bien sale mal; y si no prestad vuestro dinero y veréis lo que pasa. Los más ingratos son los más beneficiados. He, que ésos son cuatro ruines, y por ellos no han de perder tantos buenos, que lo reconocen y agradecen. —¿Quién son éstos?, dijo él, y harémosles un elogio. Al fin, señor, no os canséis, que yo no me quiero morir tan presto, que ya sabéis que quien bien te hará, o se te irá o se te morirá. A par de éste estaba otro, gran agorero, y era hombre de porte, en encontrando un bizco se volvía a casa, y no salía en quince días, que si tuerto, en todo un año. No había remedio que comiese, melancólico perdido. —¿Qué tenéis, le preguntó un amigo, qué os ha sucedido? Y él: —Un grande azar. —¿Qué? Que se volcó el salero en la mesa. Rióló mucho el otro, y díjole: —Dios os libre no se vuelque la olla, que para mí no hay otro peor agüero que salir ella güera. Hízoles gran novedad ver una jaula llena de hombres tenidos por sabios y muy ingeniosos, y decía Critilo: —Señor, que estén aquí los amantes, vaya, que no va sino una letra para amentes; que estén los músicos en su traste, bien; ¡pero hombres de entendimiento! —¡Oh, sí!, respondía Séneca, que no hay entendimiento grande sin vena.

Trabáronse de palabras, que no de razones, un Alemán y un Francés; llegaron a términos de perdérselos, y el Francés trató al Alemán de borracho, éste le llamó loco. Diose por muy agraviado el Francés, y arremetiendo para él, que siempre procuran ser los agresores, y con eso ganan, juraba le había de sacar la sangre pura, que no fuera poco, y el Alemán que le había de hacer saltar los sesos, que no tenía. Púsose de por medio un Español, mas aunque echó algunos votos, no podía aplacar al Francés. —No tenéis razón, le dijo, que si él os ha tratado de loco, vos a él de borracho, conque sois iguales. —No, monsiur, decía el Francés, más cargado quedo yo, peor es loco que borracho. —Malo es lo uno y lo otro, replicó el Español; pero la locura es falta y la embriaguez es sobra. —Así es, dijo el Francés; pero aquello de ser mentecato de alegría es una gran ventaja, es tacha de gusto. —He, que también un loco si da en Rey o Papa pasa una linda vida; así que no sé yo de qué os dais por tan sentido. —Siempre estoy en mis trece, dijo el Francés, que yo hallo gran diferencia de loco a borracho; porque el uno es mentecato de secano, y el otro de regadío. Estaba una mujer loca rematada de su hermosura, que las más de éstas no tienen un adarme de juicio. —Ésta sí, dijo Critilo, que volverá locos a ciento. —Y aun más, dijo Andrenio, y fue así, que ella estaba loca y loca su madre con ella, y loco el marido de celos, y locos cuantos la miraban.

Daba voces un gran personaje, y decía: —A mí, a un hombre
como yo, de mi calidad, a un Magnate, intentar meterlo aquí, eso
no; si es por esto, yo tuve mi razón, no se ha de dar cuenta de
las acciones a todos; si es por aquéllos, engáñanse, ¡qué saben
ellos de las ejecuciones de los grandes personajes, que no las
alcanzan, por qué se meten a censurarlas, que hay historiador y
aun los más, que no tan en Cielo ni en Tierra! Defendíase todo
lo posible, mas los superintendentes de la jaula, tratándole muy
mal, hasta ajarle, le llevaban muy contra su voluntad, diciendo:
—Aquí no se juzga de la cordura interna, sino de la locura exter-
na; vaya a la jaula derecho quien hizo tantos tuertos. Llegó Critilo, y viendo era un gran personaje bien conocido, díjoles no
tenían razón de meter allí a un hombre semejante: —Sí, señor,
dijeron ellos, que estos hombres grandes hacen siempre locuras
de su tamaño, y mayores cuanto mayores. —Por lo menos, replicó
Critilo, no le pongáis en el común, sino aparte, haya una jaula
retirada para los tales; riéronlo mucho ellos, y dijeron: —Señor
mío, a quien perdió el mundo entero, todo él sea su jaula. Al
contrario, otro suplicaba con grande instancia le honrasen con
una jaula de loco, mas los del gobierno no quisieron, antes le
llevaron a las de los simples, que estaban de la otra banda; y fue
porque pretendía mandar, que a todos los pretendientes del mando los metían a un dedo del Limbo.

Había locos de memoria, que era cosa nueva, y nunca vista
(que de voluntad y entendimiento, ya es ordinario), y éstos eran
los prósperos, los hartos, no acordándose de los hambrientos, los
presentes de los ausentes, los de hoy de los de ayer, los que dos
veces tropezaron un mismo paso, los que se engolfaron segunda
vez y los que se casaron dos, los engañados entre los bobos, y
el que dos veces, jaula doble, señalaron pienso a los de penseque.
Estaban altercando dos cuál había sido el mayor loco del mundo,
que el primero ya se sabe; nombraron muchos, y bien solemnes,
antiguos y modernos, en Francia a Pares, y en España a Nones:
concluyeron la disputa, concluyendo el Poema del galán Medoro.
Preguntó Andrenio por qué ponían los alegres junto a los tristes,
los consolados a par de los podridos, los satisfechos de los confiados. Respondió uno que para igualar el peso y el pesar; pero
otro mejor, para que los unos curen con los otros. —Pues ¿qué,
sanan algunos? —Sí, alguno, y aun ése por fuerza, como se vio
en aquel que habiéndole sanado un gran Médico no le quería
después pagar: citóle ante el Juez, que admirado de tal ingratitud dudó si había vuelto a su juicio, diciendo que no había tenido mejor vida que cuando estaba loco, pues no sentía los agravios ni advertía los desprecios, de nada se pudría, un día se
imaginaba Rey, otro Papa, ya rico, ya valiente y victorioso, ya en
el mundo, ya en el Paraíso, y siempre en gloria; pero ahora sano
de todo se consumía, de todo se pudría, viendo cual anda todo;

intimóle que pagase a volviese a ser loco, y él escogió esto
último.

Llamóles uno con grande instancia, que estaba en la jaula de
los descontentos; comenzóles a hablar con grande consecuencia,
quejándose de que le tenían allí sin causa; daba tan buenas razones, que les hizo dudar si la tendría, porque decía: —Señores
míos, ¿quién puede vivir contento con su suerte? Si es pobre,
padece mil miserias: si rico, cuidados; si casado, enfados; si soltero, soledad; si sabio, impaciencias; si ignorante, engaños; si
honrado, penas; si vil, injurias; si mozo, pasiones; si viejo, achaques; si solo, desamparos; si emparentado, pesares; si superior,
murmuraciones; si vasallo, cargas; si retirado, melancolías; si
tratable, menosprecios. Pues ¿qué ha de hacer un hombre, y más
si es persona? ¿Quién puede vivir contento, sino algún tonto? ¿No
os parece que tengo razón? ¡Ah, si tuviese yo ventura!, que entendimiento no me falta. Aquí se la conocieron, y grande, mal
de muchos, vivir tan satisfechos de su entendimiento, cual descontentos de su poca dicha. —¡Oh, cuántos, dijo Critilo, echan la
culpa de la sobra de su locura a la falta de su ventura! Muy
confiado uno, llegó a entretenerse y ver las gavias; mas al punto
agarraron de él para revestirle la librea: defendíase preguntando
que por qué. Pues él ni era músico, ni enamorado, ni desavenido,
ni salía fianza por el mismo Creso, ni había confiado en hombres
ni fiado de mujeres, mucho menos de Franceses, ni se había casado por los ojos a lo antiguo, ni por los dedos a lo moderno,
contando el dinero, ni había llevado plumaje, ni ramo, ni se
mataba de lo que otros vivían, ni suspiraba de lo que otros daban
carcajadas, ni por decir un dicho había perdido un amigo, ni
era de alguna de las cuatro Naciones; y así, que a ningún trasto
pertenecía. Nada le valió. —Engávienle, le gritaba el Regidor
mayor. Y él: —¿Por qué? —Porque él solo se tiene por cuerdo,
y aunque no sea loco puede ser tenido por tal, como acontece
cada día. Y entiendan todos que por cuerdos que sean, si dan
los otros en decirles: al loco, o le han de sacar de tino, o de
crédito.

Ponderaba Andrenio que casi todos eran hombres, no había
niños ni muchachos. Es que aún no se han enamorado, le respondió uno; mas otro: ¿cómo han de perder lo que aún no tienen? Defendía un Físico, que por ser húmedos de cerebro; pero
mejor un Filósofo, que por vivir sin penas; trajeron los Esbirros
un Tudesco, y él decía que por yerro de cuenta, que su mal no
procedía de sequedad de celebro, sino de sobrada humedad; y
aseguraba que nunca más en su juicio que cuando estaba borracho. Dijéronle que en qué se fundaba. Y él con toda puridad
decía que cuando estaba de aquel modo, todo cuanto miraba le
parecía andar al revés, todo al trocado, lo de arriba abajo, y como
en realidad de verdad, así veía el mundo y todas sus cosas al
revés; nunca más acertado iba él, ni mejor le conocía, que cuan-

do le miraba al revés; pues entonces le veía al derecho y como se había de mirar. Con todo, cayó de su casa, y le dijeron que aunque le veía al revés, no era por andar él derecho, y así le metieron entre los alegres.

Dondequiera que se volvían hallaban o locos o mentecatos, todo el mundo lleno de vacío: —Yo creí, dijo Andrenio, que todos los locos cabían en un rincón del mundo, y que estaban recogidos allá en su Nuncio, y ahora veo que ocupan toda la redondez de la Tierra. —Podíamos responder a eso, dijo uno, lo que el otro en cierta Ciudad bien noble y bien florida, que habiéndola paseado con un Extranjero, y habiéndole mostrado todas las cosas más célebres y más de ver, que eran tan muchas como grandes, soberbios edificios, plazas abundantes, jardines amenísimos y magníficos templos, reparó el huésped que no le había llevado a una casa de que él gustaba mucho. —¿Cuál es, que al punto os llevaré allá? —La casa de los que no están en ella. —¡Oh, señor, respondió, aquí no hay casa especial, toda la Ciudad lo es! De lo que mucho se maravillaba Andrenio, era de ver los de buen entendimiento. —Éstos, le dijo uno, son los peores, porque no tienen cura; he allí uno, que tiene el mayor entendimiento que se conoce, pero entendimiento que menos sirva a su dueño, yo dudo que le haya.

—¡Oh, casa de Dios, exclamó Critilo, poblada de orates! Mas al decir esto se enfurecieron todos, y arremetieron contra ellos de todas partes y Naciones. Viéronse rodeados en un instante de mentecatos, sin poderse defender de ellos ni ponerles en razón. Aquí el Gigante, echando mano a la cinta, descolgó una bocina de marfil terso y puro, y aplicándola a la boca comenzó a hacer un son tan desapacible para ellos, que todos al punto, volviendo las espaldas, se echaron a huir y se retiraron, aunque no con buen orden: con esto se vieron libres de su furia, quedándoles el paso desembarazado. Admirado Andrenio, le preguntó si era acaso aquél el cuerno de Adolfo tan celebrado. —Primo hermano de él, respondió, aunque más moral es éste; lo que yo puedo decir es que me lo dio la misma Verdad; con él me he librado muchas veces y de terribles trances; porque, como habéis visto, en oyendo cada uno la verdad, luego vuelve las espaldas, unos tras otros se van, y me dejan estar; todos veréis que enmudecen en oyendo que les dicen las verdades, y se van más que de paso. En diciéndole al otro desvanecido, que advierta, que no tiene de qué, que se acuerde de su abuelo, al punto se hiela. Si le decís al Magnate que no adjetive lo grande con lo vicioso, luego os tuerce el rostro; si le decís a la otra que no parece tan bien como se pinta, aunque sea un Ángel, os paga un gesto de un Demonio; si le acordáis al rico la limosna, y que todos los pobres le echan maldiciones, luego se sacude la capa y os sacude de sí; si al Soldado, que lo sea en la conciencia, y no la tendrá tan rota; si a Baldo, que no sea venal, ni admita todas las causas; si al marido, que no sea

siempre novio; si al Médico, que no se mate por matar; si al
Juez, que no se equivoque con Judas; si a la doncella, que no
comienza ya bien con el don, ni la dama con el dar; si a la bella
casada, que excuse el vella, todos vuelven las espaldas. De modo
que en resonando el odioso cuerno de la verdad, veréis que el
pariente os niega, el amigo se retira, el señor desfavorece, todo
el mundo os deja, y todos van gritando: a huir, por no oír.
Despejado el paso de la vida, fuéronse encaminando a los canos
Alpes, distrito de la temida Vejecía. Lo que por allá les sucedió,
ofrece referir la tercera parte en el erizado Invierno de la Vejez.

TERCERA PARTE

EN EL INVIERNO DE LA VEJEZ

CRISI I

No hay error sin autor, ni necedad sin padrino; y de la mayor, el más apasionado. Cuantas son las cabezas, tantos son los caprichos, que no las llamo ya sentencias. Murmuraban de la atenta naturaleza los reagudos, entremetiéndose a procuradores del género humano. El haber dado principio a la vida por la niñez, la más inútil, decían, y la menos a propósito de sus cuatro edades, que aunque se comienza a vivir a lo gustoso y fácil, pero muy a lo necio, y si toda ignorancia es peligrosa, ¿cuánto más en los principios? Gentil modo de meter el pie en un mundo, laberinto común, forjado de malicias y mentiras donde cien atenciones no bastan. Eh, que no estuvo eso bien dispuesto, llamémonos a engaño, y procúrese el remedio. Llegó presto el descontento humano al Consistorio supremo, que oyen mucho las orejas de los Reyes. Mandólos comparecer ante su soberano acatamiento, y dicen oyó benignamente su querella, concediéndoles que ellos mismos eligiesen la edad que mejor les estuviese, para comenzar a vivir, con que se hubiese de acabar por la contraria; de modo que si se daba principio por la alegre primavera de la niñez, el dejo había de ser por el triste invierno de la senectud o el otoño de la varonil edad, había de salir por el contrario; y si por el sazonado destemplado estío de la juventud. Dioles tiempo para que lo pensasen y confiriesen entre sí, y que en estando ajustados volviesen con la resolución, que al punto se ejecutaría. Mas aquí fue la confusión de pareceres, aquí el Babel de opiniones, ofreciéndose cien mil inconvenientes por todas partes. Proponían unos se comenzase a vivir por la mocedad, que de dos extremos más valdría loco que tonto. Calificada necedad, replicaban otros; no sería eso entrar a vivir, sino a despeñarse, ni comenzar la vida, sino su ruina, cuando no por la puerta de la virtud, sino del vicio. Y apoderados éstos una vez de los homenajes del alma, ¿quién bastará a desencastillarlos después? Advertid que es un niño planta tierna

que en declinando a la siniestra mano con facilidad se endereza
a la diestra; mas un mozo absoluto y disoluto no admite consejos,
no sufre preceptos, todo lo atropella y todo lo hierra. Creed que
entre dos extremos más arriesgada corre la locura que la ignorancia. Sobre la achacosa vejez no tuvieron mucho que altercar,
aunque no faltó quién la propusiese porque no quedase piedra
por mover y todo se alterase. Eh, dijeron los menos necios, que
esa no es edad sino tempestad, más a propósito para dejar la vida
que para comenzarla, cuyos multiplicados achaques facilitan la
muerte y la hacen tolerable. Yacen dormidas las pasiones, cuando
más despierto el desengaño; cáese el fruto de maduro, y aun de
pasado. El que llegó a estar más adelantado fue el partido de la
edad varonil. Eso sí, ponderaban los resabios, que es gran cosa
comenzar el mediodía de la razón y a toda luz del juicio, ¡ventaja
única!, entrará entero el Sol en el confuso laberinto de la vida.
Ésa es la reina de las edades y lo mejor del vivir. Por ahí comenzó el primero de los hombres; así le introdujo en el mundo el
Soberano Hacedor, y perfecto, ya consumado; hecho y derecho.
¡Alto! Pídasele al Divino Autor, sin más alteración esta excelencia. Aguardad, les dijo un cuerdo. Y ¿quién vio jamás comenzar
por lo más dificultoso? Eso no lo enseña el arte, ni lo practica
la naturaleza, antes bien ambas a dos proceden en todas sus obras
haciendo ascenso de lo fácil a lo dificultoso, de lo poco a lo
mucho, hasta llegar a lo muy perfecto. ¿Quién jamás comenzó a
subir por el reventón de una cuesta? Apenas comenzaría a vivir
el hombre, y bien a penas, cuando se hallaría abrumado de cuidados, ahogado de obligaciones, consumido antes que consumado,
empeñado en ser persona que es lo más difícil de la vida; y si
no son a propósito para comenzar los achaques de viejo, menos
lo serán los afanes de hombre. ¿Quién querrá la vida, si sabe lo
que es? Y ¿quién meterá el pie en el mundo, si lo conoce? Eh,
dejadle vivir al hombre para sí algún tiempo, que toda es suya
la niñez y la mitad de la juventud, ni tiene mejores días en toda
la carrera de sus años. De ese modo ha sido tan ventilada la
disputa, que aún dura y durará, sin haberse podido convenir jamás, ni vuelto con la respuesta al Hacedor Soberano, el cual
prosigue en que comience el hombre a vivir por la niñez ignorante, y acabe por la vejez sabia.

Estaban ya nuestros dos peregrinos del mundo, los andantes
de la vida, al pie de los Alpes canos, comenzando Andrenio a
dar en el blanco, quedando Critilo en los dejos de cisne. Era la
región tan destemplada y tan triste, que entrados en ella a todos
se les heló la sangre. —Éstas, decía Andrenio, más parecen puertas de la muerte que puertas de la vida; y era muy de observar
que los que antes pasaron los Pirineos sudando, ahora los Alpes
tosiendo; que en la juventud se suda, en la vejez se tose. Veían
blanquear algunos de aquellos cabezos, cuando otros muy pesados, cayéndoseles los dientes de los riscos, no discurrían bullicio-

sas las venas de los arroyuelos, porque la mucha frialdad les
había embargado la risa y el bullicio, de modo que todo estaba
helado y casi muerto. Aparecían desnudas las plantas de sus primeras locuras y verdores, y desabrigadas de su vistoso follaje, y
si algunas hojas les habían quedado, eran tan nocivas que mataban no poco al caer, aunque decía la amenazada vieja: A la
de mi naranjo me apelo. No se veían ya reír las aguas como
solían; llorar sí, y aun crujir los carámbanos. No cantaba el ruiseñor enamorado; gemía sí, desengañado. —¿Qué región tan mal-
humorada es ésta? Se lamentaba Andrenio. —Y qué malsana, añadió Critilo. Trocáronse los fervores de la sangre en horrores de
la melancolía, las carcajadas en ayes, todo es frialdad y tristeza.
Esto iban melancólicamente discurriendo cuando entre los pocos
que llegaban a estampar el pie en aquel polvo de nieve, descubrieron uno de tan extraño proceder, que dudaron ambos a la par,
si iba o si venía, equivocándose con harto fundamento, porque
su aspecto no decía con su paso. Traía el rostro hacia ellos, y
caminaba al contrario. Porfiaba Andrenio que venía y Critilo
que iba, que aun de lo que dos están viendo a una misma luz,
hay diversidad de pareceres. Apretó la curiosidad los acicates a
su diligencia, con que le dieron alcance muy en breve y hallaron
que realmente tenía dos rostros, con tan dudoso proceder, que
cuando parecía venir hacia ellos se huía de ellos, y cuando le
imaginaban más cerca estaba más lejos. —No os espantéis, dijo
él mismo advirtiendo su reparo, que en este remate de la vida
todos discurrimos a dos luces y andamos a dos haces: ni se puede
vivir de otro modo que a dos caras, con la una nos reímos cuando con la otra regañamos; con la una boca decimos que sí y
con la otra que no. Y hacemos nuestro negocio; y si alguno nos
pide la palabra de que no está bien la obra, apelamos del decir
al hacer, de la facilidad del prometer a la imposibilidad del cumplir, de la lengua a las manos, que hay dos leguas de distancia, y
catalanas. Estaremos asegurando una cosa a la española y defi-
niéndola a la francesa, a ser de Enrico, que de un rasgo firmó
las dos paces contrarias, sin refrescar la pluma ni tomar tinta
de nuevo. Hablamos en dos lenguas a la par, y al que dice que
no nos entiende, decimos que nosotros nos entendemos. Hay primero y segundo semblante, el uno de cumplo y el otro de miento;
con el primero contestamos a todos y con el segundo a ninguno.
Cuántas veces lloramos con el que llora y a un mismo tiempo
nos estamos riendo de su necedad, que con el un brazo estaba
agasajando aquel gran personaje que todos conocimos, al que
llegaba a hablarle, y con la otra mano se la estaba jurando al
paje que le había dado entrada. Así que no os fiéis de caricias
ni os paguéis de gustillos. Pasad adelante a ver la otra cara, la
verdadera, la de hablas, la de después, la de sobras, que si bien
reparáis, hallaréis la una frente muy serena y la otra borrascosa.
Blasfema esta boca de lo que aquélla aplaude; si los ojos de la

una son azules y de Cielo, los de la otra muy negros y de Infierno; si aquéllos quietos, éstos otros guiñando; veréis la una faz muy humana, cuando la otra muy grave; tan jovial ésta cuan saturnina aquélla; y en una palabra, todos en la vejez somos Janos, si en la mocedad fuimos Juanes. Sea ésta la primera lección y la que más encargada nos tiene la célebre tirana de este distrito y la que ella más practica.

—¿Qué tirana es ésa?, preguntó asustado Andrenio. Y el Jano: —¿Nueva se te hace? Pues de verdad que es bien vieja y bien sonada, conocida de todos y ella desconocida de todos; témenla los nacidos por su crueldad huyendo de este su caduco imperio, procurando cejar en la vida y echando borrones de mala tinta sobre el papel blanco de las canas; y si alguno llega por acá, es a empellones del tiempo, y muy contra su buen gusto. Mirad aquella hembra qué mala cara hace cuanto más va viéndose prendida de más años que alfileres. Aquí cautivan los fieros Ministros de la vea Vejez a todo pasajero, sin que se les escape ni el rico, ni el poderoso, ni el galán, ni el valiente, cuando mucho alguno de los que saben vivir. Tráenlos a todos como por los cabellos, dejándolos tal vez más rotos que una ocasión venturosa. Unos veréis que vienen llorando, otros tosiendo, y todos en un continuo ay; ni hay que admirar que es indecible el mal tratamiento que les hace, increíbles las atrocidades que en ellos ejecuta, tratándolos al fin como a cautivos y ella tirana; y aún quieren decir que tiene de bruja ella y todas las de su séquito, lo que les falta de hechicerías; chúpales la sangre y las mejillas, hártalos de palos, dándoles más que del pan, y dice que es su sustento. Aseguran ser parienta tan allegada a la muerte, que están en segundo grado, y con todo son sanguíneas, ni cercanas en sangre sino en huesos, más amigas aunque parientas, viven pared en medio, teniendo puerta abierta a todas horas, y así dicen que el viejo ya come las sopas en la sepultura, que de los mozos mueren muchos, y de los viejos no escapa ninguno. No os la pinto, porque la veréis presto por gran dicha. Y decía una linda: Primero me caiga muerta.

Esto le estaba ponderando Andrenio, cuando advirtió que con la otra boca se estaba haciendo lenguas en alabanzas de la Vejecia, informando de todo lo contrario a Critilo, celebrábala de sabia, apacible y discreta, estimadora de sus vasallos, asegurando que los premiaba con las primeras dignidades del mundo, procurándoles las mayores honras y concediéndoles grandes privilegios. No acababa de exagerar por superlativos el magnífico agasajo y el buen pasaje que les hacía. ¡Oh!, con cuánta razón el otro Sátiro de Esopo abominaba de semejantes sujetos, que con la misma boca ya calientan, ya resfrían, alaban y vituperan una misma cosa. —Líbreme Dios de semejante gente, dijo Andrenio. Y el Jano: —Esto es tener dos bocas, y advierte que ambas dicen verdad: remítome a la experiencia. Ya en esto vieron discurrir

por todas partes honras y coyunturas los despiadados verdugos de Vejecia; y aunque procedían a traición y a lo de mátalas callando, se hacían después bien de sentir dondequiera que una vez entraban. Espiones de la muerte, con unas muletillas dejaban de correr y volaban hacia la sepultura. Iban de camarada de sesenta en sesenta; tropa había de ochenta, y éstos eran los peores, que de allí adelante todo era trabajo y dolor: en agarrando alguno, con bien poco asidero le llevaban a la posta de una muletilla a padecer; a los que huían, que eran los más, les perseguían fieramente tirándoles piedras, tan certeros, que se las clavaban en las ijadas y riñones, y a muchos les derribaban los dientes y las muelas. Resonaban por todas aquellas soledades los ecos de un ay tras otro; y ponderaba el Jano para buen consuelo:
—Aquí tantos son los ayes como los ajes; que el viejo cada día amanece con un achaque nuevo. Estaban actualmente setenta de aquellos verdugos peores que los mismos diablos, a dicho de Zapata; pues no basta conjuros para sacarlos batallando con una abuela que habían cautivado, sin más averiguación que serlo, aunque pasaba muy de rebozo en un manto de humo, que en humo del diablo vienen a parar de ordinario los dejos del mundo y carne; venía muy desenvuelta cuando más envuelta; porfiaba que aún no había salido del cascarón, y ellos con mucha risa decían: ¿Pues cómo entraste tan presto en el mascarón? Ceceaba con enfadoso melindre, y desmentíalo su porfiado toser; tiráronla del manto, conque la que negaba un achaque manifestó tres o cuatro, cayósele la cabellera y quedó monstruo la que fue prodigio y la que había atraído tantos Sirena, ahora los ahuyentaba coco.

Pasaba un cierto personaje muy a lo estirado echando piernas, que no tenía; púsoselo a mirar uno de aquellos legañosos linces y reparó en que no llevaba criado, y con linda chanza dijo:
—Éste es el del criado. —¿Cómo, si no le lleva?, replicó otro.
—Y aun por eso, habéis de saber que la primera noche que entró a servirle, llegando a desnudarle, comenzó el tal amo a despojarse de vestidos y de miembros. Toma allá, le dijo, esta cabellera, y quedóse en calavera; desatóse luego dos ristras de dientes, dejando un páramo la boca, ni pararon aquí los remiendos de su talle, antes removiendo con dos dedos uno de los ojos, se lo arrancó y entregósele para que lo pusiese sobre la mesa, donde estaba ya la mitad de tal amo, y el criado, fuera de sí diciendo: ¿Eres amo o eres fantasma, qué diablo eres? Sentóse en esto para que le descalzase, y habiendo desatado unos correones: Estira, le dijo, de esa bota, y fue de modo que le salió con bota y pierna, quedando de todo punto perdido viendo su amo tan acabado; mas éste, que debía tener mejor humor que humores, viéndole así turbado: —De poco te espantas, le dijo, deja esa pierna y ase de esa cabeza, y al mismo punto como si fuera de tornillo, amagó con ambas manos a retorcer y a tirársela. Al mozo, no bastándole ya el ánimo, echó a huir con espanto, creyendo que venía rodando

la cabeza de su amo tras él, que no paró en toda la casa, ni en cuatro calles alrededor, y con todo esto todo se agravia de que le tengan por viejo, a que todos desean llegar, y en siéndolo, no lo quieren parecer; todos lo niegan y con semejantes engaños lo desmienten.

Ya a los ecos del toser, al asqueroso estruendo del gargajear, alargaron la vista y descubrieron un edificio caduco, cuya mitad estaba caída y la otra para caer, amenazando por momentos su total ruina, palpitándoles los corazones a las arrimadas yedreas de los Nepotes, validos y dependientes. Era de mármol en lo blanco y frío, y aunque muy apuntalado de Cipiones en vez de Atlantes, nada seguro, y con tener fosos abiertos y cerradas barbacanas, lo que menos tenía era de fortaleza; pero ¿qué mucho se estuviese derruyendo si se veía lleno de hendijas y goteras? —He allí, dijo el Jano, el antiguo palacio de Vejecia. —Bien se da a entender (le respondieron) en lo melancólico y desapacible. —¡Qué desterrada estará de aquí la risa!, dijo Andrenio. —Sí, que ha días andan reñidas, y tanto, que ni se ven ni se hablan. Pues de verdad, que si una vejez es triste, que es mal doblado. No deben faltar la murmuración y la malicia, sus grandes camaradas. Así es que allí están y muy de asiento entre aquellos Matusalenes, sin faltarles jamás qué contar y qué morder ya al Sol, ya al fuego, y es cosa donosa que no acertando a pronunciar las palabras, clavan con ellas; los callos se les han bajado de las lenguas a los pies. Ostentábase lo que había quedado del derruido frontispicio muy autorizado y grave, con dos puertas antiguas guardadas de perros viejos, siempre gruñiendo al humor de su dueño. Estaban ambas cercanamente distantes: en la una había un portero, para no dejar entrar, y en la otra, para que entrasen.

En llegando cualquiera le desarmaban, aunque fuese el mismo Cid, y esto con tanto rigor, que al Duque de Alba, el célebre, le trocaron la dura espada en una banda de seda. A unos les hacían perder los aceros y a otros los estribos, que los hubo de suplir tal vez con una banda de tafetán el César; y al inventor de los mosquetes, Antonio de Leyva, le obligaron a desmontar y meterse en una silla de mano, que solían llevar dos negros, y él, con gran cólera, en medio del calor de una batalla, gritaba: Llevadme diablos a tal y tal parte; demonios, acabad de llevarme allá. Estaban en aquel punto despojando a cierto general del bastón con que había hecho temblar el mundo, dándole en su lugar un báculo, que temblaba con mucha repugnancia suya; porque decía que aún estaba de provecho. Para sí, decían los soldados. Al fin le persuadieron, con buenas palabras, tratase de hacer buenas obras, no ya de matar, sino de prevenirse para morir. Sólo les dejaban los cetros y los cayados a los que llegaban con ellos; asegurando eran cuanto más carcomidos, los más firmes puntales del bien común. A los otros les iban repartiendo báculos, que ellos decían darles palos; y muchos se vieron llevarlos en el aire sin afirmarse ni tocar en tierra, y discurrió un malicioso que era para no hacer ruido ni llamar a la puerta de la otra vida.

Pero para que se vea cuán diferentes son los modos de concebir en el mundo y la variedad de caprichos, vieron no pocos que ellos mismos se venían a dejarse cautivar de Vejecia, sin aguardar a que los trajesen sus achacosos ministros. Buscábanse ellos de buena gana la mala y pedían con instancia les diesen báculos; pero por ningún caso se les permitían, menos los admitían dentro de la horrible posada, tan deseada de ellos como temida de los otros. Admirados los circunstantes de tan recíproca impertinencia, les decían: —¿Qué pretendéis con eso? Y ellos: —Dejadnos, que nosotros nos entendemos, y rogaban a los guardas les dejasen entrar, diciendo, siquiera en lugar nuestro. ¡Mirad ahora qué prebenda! ¡Oh!, sí lo es, respondieron los porteros, que para éstos lo es, y acomodada, y aun beneficio, ni a otro, sino zonzo. No los entendéis vosotros; no buscan el báculo por necesidad, sino por comodidad; no para llamar a las puertas de la muerte, sino de más vida, de la autoridad, de la dignidad, de la estimación y del regalo. En consecuencia de esto, llegó un bien lucido de tozuelo, pretendiendo ser admitido en el ancianismo y pasar plaza de achacoso; y para esto se ayudaba del toser y del quejarse. A éste le retiraron diez leguas lejos, digo, diez años atrás, diciendo: Éstos por no trabajar se hacen viejos antes con antes. Añádense años y achaques y realmente era así, porque le dejó caer uno: si quieres vivir mucho y sano, hazte viejo temprano, esto es, vire, a la italiana. Así fue, que tenía ya uno los ochenta, o no los podía tener, porfiaba que ni era viejo ni se tenía por tal. Atendiéronle y notaron que ocupaba uno de los más superiores puestos, y así dijo otro: A éstos siempre les parece que han vivido poco; y a los que esperan, que mucho. Acusaron a otro que cuando mozo había aceptado el parecer viejo y cuando viejo mozo. Averiguóse que antes pretendía conseguir cierta dignidad y después conservase en ella. Porfiaba otro decrépito que él probaría con evidencia no ser viejo. Decía: Las pensiones del viejo son ver poco, andar menos, mandar nada. Yo al contrario, veo más, pues si antes no veía sino una en cada cosa, ahora se me hacen dos; un hombre me parece cuatro y un mosquito un elefante. Camino doblado, pues he de dar cien pasos para conseguir cualquier cosa, que antes con uno alcanzaba cuanto quería; mando tres y cuatro veces la cosa y no se hace, que en otro tiempo, a la primera palabra me obedecían; experimento dobladas fuerzas, que si antes desmontaba de un caballo mi persona sola, ahora me traigo la silla tras mí, hágome más de sentir, arrastrando el mundo con los pies y haciendo ruido con la tos y con el báculo. Todo eso tenéis más de viejo, le dijeron, pero sírvaos de consuelo.

Fuéronse ya acercando a la palaciega antigualla, y descubrieron dos grandes letreros sobre ambas puertas; el de la primera decía: Ésta es la puerta de los honores; y el de la segunda: Ésta

es la de los horrores; y de verdad lo mostraban, ésta en lo deslucido y aquélla en lo majestuoso. Examinaban los porteros, con
grande rigor, a cuantos llegaban, y en hallando alguno que venía
de los verdes prados de sus gustos, regoldando obscenidades,
al punto le encaminaban a la puerta de los horrores y le introducían
en dolores, asegurando que la mocedad liviana entrega cansado
el cuerpo a la vejez. Entren los livianos, decían, por la puerta
de la pesadumbre, que no de la gravedad, y ellos, sin réplica,
obedecían, que se tiene observado que todos estos livianos son
gente de pocos hígados. Al contrario, a todos cuantos hallaban
venir de las sublimes asperezas de la virtud, del saber y del valor,
les abrían de par en par las puertas de los favores, que una misma vejez para unos es premio y para otros apremio, a unos auto-
riza, a otros atormenta. En reconociendo a Critilo los vigilantes
porteros, le franquearon la entrada de las honras, mas a Andrenio
le obligaron a entrar por la de las penas. Tropezó en el mismo
umbral. Iban caminando ambos por muy diferentes rumbos, pues
apenas entró Andrenio, cuando vio y oyó lo que él nunca quisiera, representaciones trágicas, visiones espantosas; pero entre
todas la mayor fue una furia o una fiera, prototipo de monstruos,
tan dentro de fantasmas, idea de trasgos y lo que es más que
todo, una vieja. Ocupaba una fila de costillas pálidas, un tiempo
ya marfiles, embarazando un trono de ecúleos, potros y catastas,
como presidenta de tormentos, donde todos los días son aciagos
martes. Rodeábanla innumerables verdugos, enemigos declarados
de la vida y muñidores de la muerte, y ninguno desocupado;
todos se empleaban en hacer confesar a los envejecidos delin-
cuentes a cuestión de tormentos, que eran vasallos de aquella
tirana reina, y en declarándolo les cargaban de villanos pechos
que les hacían toser y tragar saliva; aunque el paraje era tan
modesto y las canas tan duras, empezaban en ellas con mucha
flema y aun flemas.

Tenían a uno entre sus garras dándole muy malos ratos en el
potro de sus pasadas mocedades, y ya muy pasadas, cruel tortura
de una prolongada muerte, y él estaba siempre negativo menean-
do a un lado y a otro la cabeza y diciendo a todos que no, que
es de viejos el negar, así como de niños el conceder. En la boca
del viejo siempre hallaréis el no, y en la del niño el sí. Preguntá-
banle de dónde venía. Y él dos veces sordo, porque lo afectaba,
y lo era, todo lo entendía al revés, y respondía: ¿Que estoy muy
viejo? Eso niego, y meneaba la cabeza. Daban otro apretón a los
cordeles, y volvíanse a preguntar: ¿Adónde irá? Y decía: ¿Que
me muero? No hay tal, y sacudía ambas orejas. A sus mismos
hijos, si le interrogaban, respondía: ¿Que os entregue la hacienda? Aún es presto, y movía a toda prisa la cabeza. Yo dejaré el
mando con el mundo. Defendíase otro, diciendo que él se sentía
aún mozo, pues tenía estómago de francés, cabeza de español y
pies de italiano. Trataron de convencerle de todo lo contrario.

con hartos testigos. Replicaba él no ser de buena vista, y respondíanle: Aquí, abuelo, los ausentes son los concluyentes, la vista que os falta, los dientes que se os cayeron, los cabellos que volaron, las fuerzas que descaecieron y el brío que se acabó dando Vejecia sentencias contra él, casi de muerte. Escuchábase un podrido rancio que no estaba en él la falta, sino en los otros, porque decía: Señores, han dado ahora los hombres en hablar bajo como a traición, que ni se oyen ni se dan a entender: en mi tiempo, todos hablaban alto, porque decían verdad. Hasta los espejos se han falsificado, pues hacían antes unas caras frescas, alegres y coloradas que era un contento el mirarse. Los usos se van cada día empeorando; cálzase apretado y corto, vístese estrecho y tan justo, que no se puede valer un hombre. Las tierras se han deteriorado, que no dan los frutos tan sustanciales y sabrosos como solían, ni las viandas tan gustosas; hasta los climas se han mudado en peor, pues siendo éste nuestro antes muy sano, de lindos aires, cielo claro y despejado, ahora es todo lo contrario, enfermizo y tan achacoso que no corren otro que catarros, romadizos, destilaciones, mal de ojos, dolores de cabeza y otros cien males; y lo que yo más siento es que el servicio está tan maleado, que no hacen cosa bien los criados malmandados, mentirosos, gasta recados; las criadas perezosas, desaliñadas, bachilleras, que no hacen cosa a derechas, pues la olla desazonada, la cama dura y malpareja, la mesa mal compuesta, la casa mal barrida, todo sucio y todo mal, de modo que ya un hombre oye mal, come peor, ni viste, ni duerme ni puede vivir, y si se queja, dicen que está viejo, lleno de manía y caduquez.

Causaba entre risa y lástima ver cuáles llegaban a este pasaje los que ya se preciaron de galanes y pulidos, los Narcisos y los Adonis, que no se podían mirar sin grande horror. Las que ya fueron flores, aun Elenas, y la misma Venus, verlas ahora descabelladas y sin dientes. Que, cual suele rústica grosera mano exprimir el villano acero contra el más copado y frondoso árbol, pompa vistosa de la campaña, alegría del año, bizarro aliño de la Primavera, cortándole sus más lozanas ramas, tronchándole sus verdes pimpollos, malográndole sus frescos renuevos, dando con todo en tierra hasta dejarle tronco inútil, fantasma de las flores y esqueleto del prado. Tal es el tiempo, con propiedad tirano, pues que de todo tira, aja y deshoja la mayor belleza, marchita el rosicler de las mejillas, los claveles de los labios, los jazmines de la frente, sacude el menudo aljófar de los dientes, que lloró risueña Aurora de la mocedad; vuela la frondosa hojarasca del cabello, corta el brío, troncha el garbo, descompone la bizarría, derriba la gentileza, da con todo en tierra. De un cierto personaje se dudaba si realmente era anciano, porque le sobraba tiempo y le faltaba seso, y todos convinieron en que estaba muy verde; mas Vejecia, éstos, dijo, son de casta de higueras locas que nunca llega a madurar el fruto. Apelábase un calvo y otro cano a sus

pocos años. Eso tiene el vivir aprisa, les respondieron, que las
tempranas mocedades ocasionan anticipadas vejeces. No hubiérades sido tan mozos y no estuviérades tan viejos. —Qué pocas
canas llegan de la Corte, reparó Andrenio; y respondióle Marcial
en dos palabras y un verso: miradlos de noche y hallaréislos cisnes, los que todo el día cuervos. Llegó uno cojeando y juraba
que no era ni una gota de mal humor, sino haber tropezado; y
díjole otro riendo: guardaos mucho de tales tropiezos, porque
cada vez que lo dais, si no caéis, avanzáis mucho a la sepultura.

No fue mal visto ni mal tratado otro, que realmente tenía
años y no canas, averiguado en secreto que era sabérselas quitar,
con las ocasiones que quitaba. Concediósele gozase de los privilegios de viejo y de las excepciones de mozo, diciendo Vejecia:
viva quien sabe vivir.

Al contrario, llegó otro con pocos años y muchas canas, y bien
miradas, hallaron que eran verdes o amarillas. No le han salido
ellas, sino que se las han sacado. Vos, sin duda, venís de alguna
comunidad, no digo comodidad, donde hijos de muchas madres
bastan a sacar canas a un embrión. Llamaron a una abuela y
ella, enfurecida, dijo: nieta, y muy nieta; y Marcial, que acertó
a estar allí, o su malicia, dijo: Si ella no tiene más años que
cabellos, yo jurara que no llegan a cuatro. Porfiaba otra era suyo
el oro de la madeja y la nieve de sus dientes, y ninguno le creía.
Volvió por ella el mismo poeta, como tan cortesano, diciendo:
sí, sí, suyos son, pues le cuestan su dinero. Correspondían lasti-
meros gritos a los insufribles tormentos. Los glotones y bebedores
no podían ahora pasar una gota, y hacíanles beber la toca y aun
morder la sábana, aunque se notó que raro de los regalones lle-
garan tan adelante. Era tan general el sentimiento, que los más
tenían hechos lágrimas los ojos del continuo llanto, y del mal
tratamiento de Vejecia andaban contrahechos y agobiados, cojos
y desdentados y semiciegos, tratándolos como a villanos, cargando
los nuevos pechos sobre los viejos.

Encontraron ya los crudos criados con el no bien maduro Andrenio, agarraron de él; pero antes de decir lo que con ellos le
pasó o le hicieron pasar, demos una vista a Critilo, que habiendo
entrado por la puerta de los honores, había llegado a la mayor
estimación. Introdujéronle la cordura y la autoridad en un teatro
muy capaz y muy señor, pues era lleno de señores y de varones
muy capaces; presidía el majestuoso trono una venerable matrona
con todas las circunstancias de grande; no mostraba semblante
fiero, sino muy sereno; no desapacible, sino autorizado, coronada
del metal cano, por reina de las edades, y como tal estaba haciendo grandes mercedes a sus cortesanos y concediéndoles singulares privilegios. Estaba en aquella sazón honrando a un grande
personaje, tan cargado de espaldas como de prudencia, haciéndole
todos acatamiento; y preguntó Critilo a su Jano colateral, que
nunca le desamparó: —¿Quién era aquel varón de estimaciones?

—Éste es, le respondió, un Atlante político. —¿De qué piensas
tú que está así tan agobiado? —De sostener un mundo entero.
—¿Cómo puede ser, le replicó, si no se puede tener él a sí mismo? —Pues advierte que éstos, cuanto más viejos, son más firmes,
y cuantos más años, más fuerzas sustentan, más y mejor que los
mozos, que luego dan con el cargo y con su carga en tierra.
Vieron otro que llegaba, y arrimando su báculo a una montaña
de dificultades, la alzaba, no habiendo podido muchos, y muy
robustos mancebos, ni aun moverla. —Nota, le dijo Jano, lo que
puede la maña de un sagaz viejo. ¿No reparas en aquel otro,
que estando para caer aquella gran máquina de corona, llega él
y arrima su carcomido báculo y con segura firmeza la sustenta?
Las manos le tiemblan al que allí miras y están temblando de él
los ejércitos armados, que eso le dijo el trompeta francés a Don
Felipe de Silva: No teme mi señor el mariscal de la Mota esos
vuestros pies gotosos, sino esa vuestra testa desembarazada. —¡Qué
gafos tiene los dedos aquel que llaman el rey viejo! —Pues te
aseguro que están colgados de ellos dos mundos. —Qué palos
sacude aquel coronado ciego aragonés y cómo hace pedazos tanta
espada y tanta lanza rebelde. Salían al mismo punto seis varones
de canas, que cuanto más alto un monte, más se cubre de nieve,
y le dijo iban despachados de Vejecia el areópago real y otros
cuatro más a ladear a un gran príncipe, que entraba mozo a reinar
y viéndolo sin barbas le rodeaban de canas. Allí hallaron y conocieron los clarísimos de noche, y oscurísimo de secreto, gran profundidad con tanta claridad. —Repara, dijo el Jano, en aquel
semiciego; pues más descubre él en una ojeada que echa, que
muchos garzones que se precian de tener buena vista, que al paso
que van perdiendo éstos los sentidos, van ganando en el entendimiento, tienen el corazón sin pasiones y la cabeza sin ignorancias.
Aquel que está sentado, porque no puede estar de otro modo,
camina medio mundo en un instante y aun dicen que le trae en
pie, y con aquel báculo le lleva al retortero, que se hacen mucho
de sentir en él, cuando los viejos le mandan. Aquel otro asmático
y balbuciente, dice más en una palabra que otros con cientos. No
pases por alto aquel lleno de achaques que no se le ve parte
sana en todo su cuerpo; pues de verdad, que tiene el seso muy
entero y el juicio muy sano. Aquellos de los malos pies pisan
muy firme y cojeando ellos hacen asentar el pie a muchos. No
son flemas las que arrancan aquellos senadores de sus cerrados
pechos, no son sino secretos podridos, decallados. —Una cosa
admiro yo mucho, dijo Critilo, que no se oye aquí vulgo, ni se
parece. —Oh, ¡no ves tú, le dijo el Jano, que entre viejos no le
hallas porque entre ellos no reina la ignorancia? Saben mucho,
porque han visto y leído mucho. —¡Qué pausado se mueve aquél!
—Pero ¡con qué priesa va restaurando viejo lo que desperdició
mozo! —¡Qué magistral conversación la de aquellos rancios, que
ocupan el banco del Cid; cada uno parece un oráculo! —Es el

escucharlos de gran gusto y enseñanza para la juventud. —¡Qué
quietud tan feliz, ponderaba Critilo! —Es que asisten aquí, decía
el Jano, el reposo, el asiento, la madurez, con la prudencia, con
la gravedad y la entereza. No se oyen aquí jamás desatenciones,
mucho menos arrojos ni empeños; no resuena instrumento músico ni bélico, que están prohibidos por la cordura y el sosiego.

Trató ya de conducir el sagaz Jano a su maduro Critilo ante
la venerable Vejecia; llegó él, muy de su grado, y así le recibió
ella con mucho agrado; mas fue mucho de ver que al mismo
punto que se postró a sus pies corrieron de improviso ambas cortinas que estaban a los dos lados del majestuoso trono, con que
a un mismo tiempo se vieron y se conocieron, de la otra parte
Andrenio entre horrores, y de esta otra Critilo entre honores,
asistiendo entrambos ante la duplicada presencia de Vejecia, que
como tenía dos caras Janales, podía muy bien presidir a entrambos puestos, premiando en uno y apremiando en otro.

Ordenó luego se leyesen en voz alta y clara los nuevos privilegios que en atención de méritos de sus concertadas vidas se les
concedían a éstos; y al contrario, los agravados pechos que se
les imponían a aquéllos, a unos cargos, a otros cargas, muy digno
de ser sabidos y escuchados. Quien los quisiere lograr, extienda
el gusto a la Crisi siguiente.

CRISI II

EL ESTANCO DE LOS VICIOS

Llamó acertadamente el Filósofo Divino al compuesto humano
sonoro, animado instrumento que cuando está bien templado hace
maravillosa armonía; mas cuando no, todo es confusión y disonancia. Compónese de muchos y muy diferentes trastes, que con
dificultad grande se ajustan y con grande facilidad se desconcier-
tan. La lengua, dijeron algunos, ser la más dificultosa de templar;
otros, que la codiciosa mano. Éste dice que los ojos, que nunca
se sacian de ver la vanidad; aquél, que las orejas, que jamás se
ven hartas de oír lisonjas propias y murmuraciones ajenas. Tal
dice, que la loca fantasía, y cuál, que el apetito insaciable. No
falta quien diga que el profundo corazón, ni quien sienta que las
maleadas entrañas; mas yo, con licencia de todos éstos, diría que
el vientre y esto en todas las edades. En la niñez por golosina,
en la mocedad por la lascivia, en la varonil edad por la voracidad
y en la vejez por la violencia. Es el vientre el bajo y aun el vil
de esta humana consonancia. Y esto no obstante, no hay otro
Dios para algunos. Hizo siempre apóstatas los sabios, no dijo
cuántos, porque los más, y con menos razón hacen mayor guerra
a la razón. Es la embriaguez fuente de todos los males, reclamo
de todo vicio, origen de toda monstruosidad, manantial de toda

abominación, procediendo tan anómala, que cuando todos los
otros vicios caducan y se despiden en la vejez, ella entonces comienza y sepultados ya, los aviva, con que no hay un vicio solo,
sino todos de mancomún. Gran comadre de la herejía y dígalo
el Septentrión, llamado así no tanto por las siete estrellas que le
ilustran, cuanto por los siete capitales vicios que le deslucen.
Amiga de la discordia, vocéenlo ambas Alemanias, siempre tur-
bulentas; camarada de la crueldad, llórelo Inglaterra en sus degollados reyes y reinas; paisana de la ferocidad, publíquelo Suecia,
inquietando muy de atrás toda la Europa; compañera inseparable
de la lujuria, confiéselo todo el mundo y, finalmente, tercera de
toda maldad, moñidora de todo vicio, escollo fatal de la vejez,
donde zozobra el carcomido bajel humano, yéndose a pique cuando había de tomar puerto. El desempeño de esta verdad será
después de haber referido las severas leyes, que mandó promulgar
Vejecia por todo el ancianismo, que para unos fueron favores, si
rigores para otros.

Subido en lugar eminente el secretario, intimó de esta suerte:
A nuestros muy amados señores y hombres buenos, a los beneméritos de la vida y despreciadores de la muerte, ordenamos,
mandamos y encargamos: Primeramente que no sólo puedan,
sino que deban decir las verdades, sin escrúpulo de necedades,
que si la verdad tiene muchos enemigos, también ellos muchos
años y poca vida que perder. Al contrario, se les prohiben seve-
ramente las lisonjas activas y pasivas; esto es, que ni las digan
ni las escuchen, porque desdice mucho de su entereza un tan
civil artificio de engañar y una tan vulgar simplicidad de ser engañados. Ítem, que den consejos por oficio, como maestros de
prudencia, catedráticos de experiencia. Y esto sin aguardar a que
se les pidan, que ya no lo practica la necia presunción. Pero atento a que suelen ser estériles las palabras sin las obras, se les
amonesta que procedan de modo que siempre precedan los ejemplos a los consejos. Darán su voto en todo, aunque no les sea
demandado, que monta más el de un solo viejo chapado que los
de cien mozos caprichosos. Dirán mal de lo que parece mal,
mucho más de lo que es malo, que esto no es murmurar sino
hacer justicia, y lo que en ellos sería recatado silencio, entre la
gente moza pasaría por declarada aprobación. Alabarán siempre
lo pasado, que de verdad lo bueno fue y lo malo es; el bien se
acaba y el mal dura. Podrán ser mal contentadizos, por cuanto
conocen lo bueno, se les debe lo mejor. Permíteseles el dormirse
en medio de la conversación y aun roncar cuando no les conten-
tare, que será las más veces. Corregirán a los mozos de continuo,
no por condición, sino por obligación, teniéndoles siempre tirante
la brida, ya que para que no se despeñen en el vicio, ya para que
no atollen en la ignorancia. Dáseles licencia para gritar y reñir,
porque se ha advertido que luego anda perdida una casa donde
no hay un viejo que riña y una suegra que gruña. Ítem más, se

les permite el olvidarse de las cosas, que las más del mundo son para olvidadas. Podrán entrarse libremente por las casas ajenas, acercarse al fuego, pedir de beber, alargar la mano al plato, que a canas honradas nunca ha de haber puertas cerradas. Permítaseles el encolerizarse, tal vez con moderación, no dañando la salud, por cuanto el nunca enojarse es de bestias. Ítem, que puedan hablar mucho, porque bien, aunque entre los muchos, porque mejor que todos. Súfreseles el repetir los dichos y los cuentos, que siete veces agradan y otras tantas enseñan haciendo de casera filosofía. Cuiden de no ser muy liberales atendiendo a que no les falte la hacienda y les sobre la vida. Excusarse han de no hacer cortesías, no tanto por conservarse cuanto porque no ven ya las personas como solían y que desconocen los hombres de ahora.

Harán repetir dos y tres veces lo que dicen para que todos miren cómo y lo que hablan. Háganse dificultosos de creer, como escarmentados de tanto engaño y mentira. No darán cuenta a nadie de lo que hacen, ni tendrán que pedir consejos, sino para aprobación. No sufran otro alguno mande más que ellos en su casa, que sería querer mandar los pies donde hay cabeza. No tendrán obligación de vestir al uso, sino a su comodidad, calzando holgado; por cuanto se ha advertido que todos cuantos calzan muy justo, no pisan muy firme. Ítem más, podrán comer y beber muchas veces al día, poco y bueno, y tratar de su regalo sin nota de gula, para conservar una vida que vale más que la de cien mozos juntos; y podrán decir lo que el otro: yo soy largo en la iglesia y en la mesa, y no me pesa. Ocuparán los primeros asientos en todo lugar y puesto, aunque lleguen tarde; pues llegaron al mundo primero, y podrán tomárselos cuando los otros se descuidaren en ofrecérselos; que si las canas honran las comunidades, justo es que sean honradas de todos. Mándaseles que en todas sus cosas procedan con espera, y así podrán ser flemáticos, que no procederá de cansado, sino de pausado y prudente. No tendrán que ceñir acero los que han de caminar con pie de plomo; pero llevarán báculo, no sólo para su descanso, sino para las correcciones prontas, aunque no gusten los mozos de tales desamanos. Podrán ir tosiendo, arrastrando los pies e hiriendo fuerte con los báculos, como gente que hace ruido en el mundo, atento a que todos en la casa se irán recatando de ellos ocultándoles las cosas. Podrán, por el mismo caso, ser amigos de saberlo todo y preguntarlo, y atendiendo también a que si se descuidan en saber los sucesos, hay unos de muchas cosas a la otra vida; podrán informarse qué hay de nuevo, qué se dice y qué se hace; demás que es muy de persona el querer saber lo que en el mundo pasa. Excúsese de su seca condición, en achaque de su seco temperamento, templando con su austeridad el demasiado bullicio y la necia risa de la gente joven. Que puedan quitarse años, ya por lo que les impondrán, ya por lo que ellos en su juventud se pusieron. Tendrán licencia para no sufrir y quejarse con razón, viéndose mal asistidos de criados perezosos, enemigos suyos dos veces, por amos y por viejos, que todos vuelven las espaldas al Sol que se pone y la cara hacia el que sale; sobre todo viéndose odiados de ingratos yernos y de nueras viejas, haránse estimar y escuchar, diciendo: Oíd, mozos, a un viejo que cuando era mozo los viejos le escuchaban. Finalmente, se les encarga que no sean chanceros, sino severos, estando siempre de veras atentos a su madurez y entereza. Estas leyes en lo público y otras de mayor arte en lo secreto, les fueron intimada, que ellos aceptaron por obligaciones, aunque otros la calificaron privilegios.

Aquí volviendo la hoja, y teniendo el rostro hacia la contraria banda, esforzando la voz, leyó de esta suerte: Intimamos a los viejos por fuerza, a los podridos y no maduros, a los caducos y no ancianos, a los que muchos años han vivido poco. Primeramente, que entiendan y se lo persuadan, que realmente están viejos sino en la madurez, en la caduquez, sino en ciencia, en impertinencia, sino en prenda, en achaques. Ítem más, que así como a los jóvenes se les prohíbe casar hasta cierta edad, así también a los viejos se les veda de tal edad en adelante, y esto en pena de la vida, si con mujer moza, y si hermosa en costa de la hacienda y de la honra. Que no pueden enamorarse, y mucho menos darlo a entender, ni asentar plaza de galanes, en pena de risa de todos. Podrán, empero, pasear los cementerios, donde envió a uno cierta gentil dama, como apalabrado con la muerte. Ítem, se les prohíbe el añadirse años, en llegando a perderles la vergüenza, echando a noventa y a cientos; porque además de engañar a algunos simples, dan ocasión a muchos ruines se confíen y sientan largo el enmendar su perversa vida. No vistan de gala los que huelen a mortaja y entiendan que el traje que para un joven sería decente, para ellos es gaitería. Ni por eso han de andar vestidos de figuras con monterillas o sombrerillos chiquitos y puntiagudos, ni con lechuguillas y calzas afolladas, haciendo los matachines. que no quieran ser ahora enfadosos los que algún tiempo muy desenfadados, ni como el lobo prediquen ayuno después de hartos. Sobre todo no sean avaros y miserables, viviendo pobres para morir ricos; y se persuadan que es una necia crueldad contra sí mismos, tratarse ellos mal para que se regalen después sus ingratos herederos; vestirse de ropas viejas para guardarles a ellos las nuevas en las arcas. Más: los condenamos cada día a nuevos achaques, con retención de los que ya tenían. Que sean sus ayes ecos de sus pasados gustos, que si aquellos dieron al quitar, éstos al durar; y así como los placeres fueron bienes muebles, los pesares serán males fijos. Que vayan de continuo cabeceando, no tanto para negar los años cuanto para ceñar a la muerte, temblando siempre de su horrible catadura y pagando censo de asquerosidades a sus pasadas liviandades. Y adviertan que viven afianzados, no para gozar del mundo, sino para poblar las sepulturas. Que anden llorando por fuerza los que vivieron muy de

grado y sean Heráclitos en la vejez los que Demócritos en la
mocedad. Ítem que hayan de llevar en paciencia el burlarse de
ellos y de sus cosas los jóvenes llamándolas caduqueces, manías,
vejeces, por cuanto de ellos mismos lo aprendieron y desquitan a
los pasados. No se espanten de ser tratados como niños los que
jamás acabaron de ser hombres, ni se quejen de que no hagan
caso sus propios hijos de los que no supieron hacer casa. Que los
que tienen ya el un pie en la sepultura, no tengan el otro en los
verdes prados de sus gustos; ni sean verdes en la condición, los
que tan secos de complexión; y en todo caso eviten de parecer
pisaverdes los amarillos y pisasecos. Finalmente, que procedan
como parecen agobiados, inclinándose a la tierra como a su paradero, cargados de espaldas, mas no de cabeza, pagando pecho
en toser a su envejecer. Impóneseles todas estas obligaciones y
otras muchas más, acompañadas de maldiciones de sus familiares
y dobladas de sus nueras.

Acabado un tan solemne acto, mandó la arrugada reina se fuesen acercando a su caduco trono Critilo y Andrenio, cada cual
por su puesto, bien opuesto; y así a Critilo le dio la mano, mas
a Andrenio se la asentó. Entregó un báculo a Critilo, que pareció
cetro, y a Andrenio otro, que fue palo; a aquél le coronó de canas
y a éste le amortajó en ellas; diole a aquél el renombre de señor
y a éste viejo y más adelante de decrépito. Con esto le despachó
para pasar a la última jornada de la tragicomedia de su vida.

Critilo guiando y Andrenio siguiendo, volvióse Vejecia hacia
el tiempo, su más confidente ministro, haciéndole señas de despejar, que con ser intolerables sus calabozos, los tuvieron muchos
por paraísos, a trueque de no pasar adelante y llegar al matadero.

A pocos pasos bien pausados, tropezaron con un sabandijón de
los de a cada esquina, en el vulgo, o aun personaje del enfado,
que bien atendido de Andrenio, y mejor entendido de Critilo,
hallaron ser de aquellos que tienen la lengua agujereada con flujo
de palabras y estitiquez de razones, que hay sujetos de aquellos
que por una oreja les entra, por otra les sale; pues a éstos lo que
ambas orejas les entra, por la lengua al mismo punto se les va
con tal facilidad de boca, que no les para cosa en el buche por
importante que sea, ni el secreto más recomendado, ni la interioridad más reservada, no sabiendo callar ni su mal ni el ajeno,
singularmente cuando llega a calentárseles la boca con alguna
pasión de cólera o alegría, sin ser necesario darles el lenitivo
político de la afectada ignorancia, ni el único torcedor de la ma-
ñosa contradicción, porque éste no tenía retentiva en cosa, confesando él mismo que no podía más con su estómago ni recabarlo
con su lengua. Jamás pudo llegar a retener un secreto medio día;
y por esto era llamado comúnmente Don Fulano el de la lengua
horadada. Todos cuantos querían se supiese algo y que se fuese
extendiendo a toda priesa, acudían a él como a trompeta sin
juicio; pues a sí que le encomendaban el secreto reventaba por

irlo al punto a hacer público. Desgraciado del que, o por desatención o por inadvertencia, se le confiaba, que luego se hallaba en medio de las plazas a la vergüenza y aun hecho cuartos; al contrario, los que ya le conocían, se valían de él para hacerle autor de lo que a ellos no les estaba bien serlo; en una palabra, él era faraute universal, lengua de ferro; sino testa, no el *bello dezitore*, sino el feo palabrista.

Éste, o andaluz por la locuaz, o valenciano por lo fácil, o chichiliani por lo chacharoni, los comenzó a conducir, sin pararle un punto la tarabilla de necedades. ¿Quién podrá contar las que ensartó por todo el discurso de su vida? Nunca escupía, porque no le tomasen la vez, ni preguntaba, por no dar lugar a que otro le respondiese, si bien a los tales se cree que se les convierte toda la saliva en palabras, porque todo cuanto hablan es broma. Seguidme, les decía, que hoy os he de introducir en el palacio del mundo, de muchos oído, de venturosos visto, de todos deseado y de raros hallado. —¿Qué palacio será éste, le preguntaba el mismo? Y después de muchos misterios, ponderaciones y hazañerías, les dijo muy en secreto: —Éste es el de la alegría. Hízoles notable armonía y dijeron: —¿No será el de la risa? ¿Quién jamás vio tal cosa ni tal casa de la alegría? Hasta hoy no hemos hallado quien nos diese noticia de semejante palacio; aunque de otros, encantados los más, y llenos de soñados tesoros. —No os espantéis de esto, les dijo, porque el que una vez entra allá, por maravilla sale; bobo sería en dejar el contento y volver a los pesares de por acá. —¿Y tú?, le replicaron. —Yo soy excepción, salgo por no reventar, a parlarlo y a conducir allá los venturosos pasajeros. Vamos, vamos, vamos, que allí habéis de ver la misma alegría en persona, que lo es mucho, con su cara redonda, a la del Sol, que aseguran durarles a las carirredondas diez años más la hermosura, que a las aguileñas y carilargas. De allí amanece la Aurora, cuando más arrebolada y risueña. Todos cuantos moran en aquel Serallo, que allí se vive porque se bebe, andan colorados, lucidos y risueños, gente de lindo humor y de buen gusto, gentiles hombres de la boca. —Y aun gentiles, añadía Critilo. Pero dinos, ¿para cada día hay su placer y buenas nuevas? —¡Oh!, sí, porque no se cuidan de las malas, ni las oyen, ni las escuchan, está vedado el darles; desdichado del paje que en esto se descuida, que al mismo punto le despiden. Todos son buenos ratos, comedias nuevas; para cada día hay su placer y aun dos, y todo al cabo viene a parar en *placheri y placheri y más placheri*. —Pues ¿no hace de las suyas la fortuna y sus mudanzas el tiempo? ¿Siempre está en el lleno la Luna? ¿No se barajan los contentos con las penas, las copas con los bastos, los oros con las espadas, como por acá? —De ningún modo, porque allí no hay podridos, ni porfiados, ni temáticos, desabridos, desazonados, malcontentos, desesperados, maliciosos, punchoneros, celosos, impertinentes, y lo que es más que todo esto, vecinos. No hay espíritus de tristeza, ni de contradicción, ni atribulados, ni fatiguillas, ni agonizados; nunca veréis malas comidas, por ningún caso, aunque se hunda el mundo, ni peores cenas; nunca ha de faltar el capón, el perdigón, que están muy validos; no se conocen sinsabores ni quemazones, y en una palabra, todos allí son buenos tragos, que de verdad no hay otra jauja ni más cierta Cucaña en el mundo, que no pillar fastido de *niente.* —Mucho es eso, ponderaba Critilo, que tenga raíces el placer y amarras el contento. Dígoos que sí, porque es manantial el gusto, ni le marchita el gozo, que nace en tierra de regadío: y habéis de saber, como lo veréis y aun lo probaréis, que en medio de aquel gran patio de su placentero Alcázar brota una tan dulce cuan perenne fuente, brindándose a todos sin distinción en bellísimos tazones, unos de oro los más altos, otros de plata los de medio, y los más bajos, aunque no los menos gustosos, de cristales transparentes, con donosa figurería. Por ellos baja despeñándose con agradable ruido. Malos años para la mejor música, aunque sean las melodías de Florián, un tan sabroso licor, y tan regalado, que aseguran unos vienen por secretos conductos de allá de los mismos campos Elisios; otros dicen se destilan de aquel divino néctar. Y lo creo, porque a cuantos le beben, los vuelve luego unos bienaventurados a lo humano; aunque no falta quien diga ser vena de Elicona, y con harto fundamento, pues Horacio, Marcial, Ariosto y Quevedo, en bebiéndole, hacían versos superiores. Mas porque todo se diga, y no me quede con escrúpulo de estómago, no pocos se persuaden y lo andan mascando entre dientes, que son verídicos, y un alegre eficaz veneno: sea lo que fuere, y lo que yo sé es que causa prodigiosos efectos y todos de consuelo. Porque yo vi un día traer no menos que una gran princesa, si dijera Lansgravia, o Palatina, perdida de melancolía, sin saber ella misma de qué ni por qué, que a no ser eso, no fuera necia. Habíanse aplicado dos mil remedios, como son galas, regalos, saraos, paseos y comedias, hasta llegar a los más eficaces, cuales son fuentes de oro potable, digo de doblones, tabiquillos de joyas y cestillos de perlas, y ella siempre triste, ¡qué necia!, enfadada de todo y enfadando a todos, que ni vivía ni dejaba vivir, de modo que llegó rematada de impertinente; pues os aseguro que luego que bebió del eficacísimo néctar, depuesta la ceremoniosa autoridad Regia, se puso a bailar, a reír y cantar, diciendo que se iba hacia las alturas. Reniego, dije yo, de todos sus sitiales y doseles y aténgome a un valiente cangilón: y eso es nada, que yo vi el más severo Catón, al Español más tétrico dar carcajadas en bebiéndole, que por eso le llamaron los Italianos *allegracore.*

Encontraron muchos peregrinos con sus esclavinas de cuero, que todos se encaminaban allá; los más eran el tercio viejo, que como el paraje era áspero y seco, y ellos venían fatigados y sedientos, encarrilaban en ristra y muertos de sed venían como vivos. Éste es, decía, su farsante guión, el Jordán de los viejos, aquí se remozan y se alegran, refrescan la sangre y cobran los perdidos colores. Mas ya a los ecos de una gran bulla placentera, licenciaron la vista y descubrieron una casa no sublime, pero bien empinada, propia estación del gusto y palacio del placer, coronado en vez de jazmines y laureles, de pámpanos frondosos y todas sus paredes afelpadas de yedras, que aunque suelen decir que echan a perder las casas donde se arriman, yo digo que hace harto más daño una cepa, pues de todo punto las arruina. Mirad, les decía, qué alegre vista de colgaduras naturales, ¿qué tiene que ver con ellas las más ricas y bordadas del célebre duque de Medina de las Torres? Las más finas tapicerías de Flandes, aunque sean dibujos de Rubens: creedme que todo lo artificial es sombra con lo natural y no más de un remedo. —Deliciosa amenidad, por cierto, decía Andrenio, ya no me pesa de haber venido. Y dime, ¿siempre dura, nunca se marchita? —Dígoos que es perpetua, porque jamás le falta el riego: bien puede sembrar Chipre y ahorcarse los Pensiles, con que no falta aquí su Babilonia.

Íbanse acercando a la gran puerta, siempre de par en par, así como la casa de bote en bote, y notaron que así como a la del furor suelen estar encadenados tigres, a la del valor leones, a la del saber águilas, a la de la prudencia elefantes, en ésta asistían lobos soñolientos y tahonas entretenidas; resonaban muchos juglares y todos hacían buen son, debían de ser forasteros. Bullían ninfas nada adamadas, pero muy coloradas y fresconas a la Flamenca; blandían vistosos cristales en sus mal seguras manos, llenas del generoso néctar, brindando a porfía a todo sediento pasajero, por estar esta casa de recreación en medio del pasaje de la vida. Llegaban ellos muy secos, cuando más ahogados de reumas, apurados de la sed, a apurar los cangilones que les bailaban delante; bebían sin tasa, como gente sin cuenta, y era bien de reír, como fundaban créditos en hacer la razón, cuando más la deshacían. Si alguno más templado se detenía, comenzaban a hacerle cocos, bautizando su atención por melindre y figurería, haciéndole muchos brindis con su templanza el licor brillante, que de verdad les saltaba a los ojos. Provocábanlos diciendo: Ea, que en vuestra edad no la hay, la sequedad de la complexión os excusa: ésta es la leche de los viejos; y mentían, que no era sino el veneno. Vaya otra vez, que el licor es apetecible, pues ningún sainete le falta, él tiene buen color para la hermosura, mejor sabor para el gusto y extremado olor para la fragancia, lisonjeando todos los sentidos. Arroja el agua, tan necia como desabrida, muy preciada de no tener nada de gusto, ni color, ni olor, ni sabor; éste sí que se desprende de todo lo contrario, y lo que más es que ayuda a la salud, y aun es su único remedio, pues aseguraba Mesue no haber hallado confección más eficaz y que más presto acudiese a remediar el corazón, ni las bebidas de jacintos y de perlas. Picábanle el gusto, cambiando licores y co-

lores, ya el rojo encendido combinándose con la sangre, ya dorado pasando plaza de oro potable, ya de color del Sol, hijo
ardiente de sus rayos, ya de finos granates y aun de preciosos
rubíes en fe de su preciosa simpatía. Contentábanse los cuerdos
con una taza sola para satisfacer a la necesidad que los demás
decían ser una gran necedad: con eso refrescaban la sangre, con-
fortaban el corazón y se alentaban para poder proseguir su camino a las derechas. Pero los más no acababan de consolarse con
una sola taza, ni aun con dos, sino que en tropa de brutos se
metían muy adentro, no parando hasta encontrar con el mayor
estanque, y allí se arrojaban de bruces. De éstos fue uno Andrenio, sin que bastase a detenerle ni el consejo ni el ejemplo de
Critilo. Tendíanse luego en son de bestias por aquellos suelos,
que todo vicio llega a parar en tierra, así como toda virtud al
Cielo.

En el entretanto que dormía Andrenio al ser de hombre privado de la principal de sus tres vidas, quiso Critilo registrar aquel
palacio tudesco, donde vio cosas de mucho escarnio, que él encomendó al escarmiento. Halló lo primero, que la bacanal estancia no se componía de doradas salas, sino de ahumadas zahúrdas,
no de cuadras de respeto, sí de ranchos de vileza. Halló uno
donde todos se metían a bailar luego que entraban, con tal propensión, que queriendo una dueña entrar con un palo a sacar
su criada, con gran priesa se había puesto a bailar en el mismo
punto, depuesto el enojo, con el palo se calzó las castañetas y
comenzó a repicarlas; hizo lo mismo el marido, cuando entraba
más colérico a llevar el compás con un garrote, y todos cuantos
metían el pie en aquel gustoso ranchón del Mesón del mundo, al
mismo punto olvidados de todos, se hacían piezas bailando. Decían algunos ser burlesco hechizo, que había dejado un entretenido pasajero que allí había hecho noche; mas Critilo túvolo por
borrachera y trató de pasar adelante. Encontró con otro, donde
todos cuantos allá entraban, al punto se enfurecían con tal fiereza, que echando unos mano a los puñales y arrancando otros de
las espadas, comenzaban a herirse como fieras y a matarse como
bestias, olvidados de la razón como gente sin juicio. Aquí vio un
gran personaje con una muy buena capa de púrpura, y díjole su
farsante guía: —No te admires, que por esto se dijo: debajo de
una buena capa hay un mal bebedor. —¿Quién es éste? —Quien
fue señor del mundo; mas este licor lo fue de él. —Retirémo-
nos, dijo Critilo, que tiene en la mano un sangriento puñal.
—Con ése mató a su mayor amigo de sobremesa. —¿Con todo
eso fue aclamado el Magno? —Sí; por soldado, que no por rey. De
otro más moderno, y aun corriendo vino, aseguraba que no se
había embriagado sino sólo una vez en la vida, pero que le duró
por toda ella, en quien hicieron gran maridaje el vino y la herejía. Aquí les mostraron el mismo tazón, que tomó en la mano
el octavo de los ingleses Enriques, en el trance de su infeliz muer-

te, en vez de Santo Crucifijo con que suelen morir los buenos
católicos, y echándosele a pechos, dijo: Todo lo perdimos junto,
el reino, el cielo y la vida. —¿Y todos esos fueron reyes?, preguntó Critilo. —Sí, todos, que aún en España nunca llegó la
borrachera a ser merced; en Francia sí, a ser señora; en Flandes
excelencia, en Alemania serenísima, en Suecia alteza, pero en
Inglaterra majestad. Decíanle a uno que dejase el beber, si no
quería despedirse de ver, mas el incorregible respondía, diciendo:
¿Estos ojos no se los han de comer los gusanos? Sí, pues más
vale que me los beba yo. Otro tal respondió: lo que hay que ver
ya lo tengo visto, lo que he de beber no está bebido, pues bebamos, aunque nunca veamos y catad la diferencia de los licores:
éstos, que están tristes y tan adormecidos, cargaron del tinto;
estos otros tan alegres y risueños, del blanco.

Mas ya en esto habían llegado, no al más reservado retrete,
que aquí no se conocen interioridades, sino a la estancia mayor
de la risa, a la cueva del placer, donde hallaron que presidía
sobre un eminente trono una amplísima reina, sin género de autoridad, muy grave, y con estar muy gruesa, decía no tener más
que los pellejos, tan pobre y tan desamparada cuan en cueros;
parecíase una cuba sobre otra, de fresco y alegre rostro, aunque
tenía más de viña que de jardín. Vestía de otoño en vez de primavera, coronada de rubíes arracimados; chispeábanla los ojos,
vertiendo centellas líquidas. Hidrópicos los labios del suavísimo
néctar; blandía en vez de palma en una mano un verde y frodoso
tirso, y brindaba con la otra un vernegal de buen tamaño a todos cuantos llegaban, observando con inviolable puntualidad la
alternativa de los brindis. Notaron que mudaba semblante a cada
trago, ya festivo, ya lascivo y ya furioso, verificando el común
sentir que la primera vez es necesidad, la segunda deleite, la tercera vicio y adelante brutalidad. En viendo a Critilo licenció la
risa en carcajadas y comenzó a propinarse con instancia el enojo-
so licor. Rehusaba Critilo el empeño. Eh, que no se puede pasar
por otro, le decía su farsante camarada; es ley de cortesano. Viose
obligado a probarlo, y en gustándole, exclamó: ¡Esto es veneno
de la razón, esto es tóxico del juicio, esto es el vino! ¡Oh tiempos!
¡Oh costumbres! El vino antes en aquel siglo de oro, pues de la
verdad, y aun de perlas, pues de las virtudes, cuentan que se
vendía en las boticas, como medicina, a par de drogas del Oriente; recetábanle los médicos entre los cordiales; récipe, decían, una
onza de vino y mézclese con una libra de agua, y así se hacían
maravillosos efectos. Otros refieren que no se permitía vender
sino en los más cultos rincones de las ciudades, allá lejos en los
arrabales, porque no inficionase las gentes, y se tenía por infamia ver entrar un hombre allá. Mas ya se profanó este buen
uso, ya se venden en las más públicas esquinas, y están llenas las
ciudades de tabernas. Ya no se pide licencia al médico para
beberle, habiéndose convertido en tóxico el que fue singular re-

medio. —Antes hoy, le replicó un apasionado, es medicina universal: díganlo tantos aforismos como corren en su favor. —Eh,
que son de viejas. —No por eso peores: él es el común remedio
contra el daño que hacen todas las frutas; y así dicen: Tras las
peras, vino bebas; el melón maduro, quiere el vino puro; al higo
vino y al agua higa. El arroz, el pez y el tocino nacen en el agua
y mueren en el vino. La leche ya se sabe lo que le dijo al vino,
bien seáis venido, amigo. El vino tras la miel sabe mal, pero
hace bien. Así, que donde no hay vino y sobra el agua, la salud
falta. En todos tiempos es medicina, como lo dice el texto: en
el verano por el calor y en el invierno por el frío, es saludable
el vino. Otro dice: pan de ayer y vino de antaño traen al hombre sano. No sólo remedia al cuerpo, pero es el mayor consuelo
del ánimo; alivio de las penas, que lo que no va en vino, va en
lágrimas y suspiros; es ahorro de los pobres, que al desnudo le
es abrigo; bebida real, cuando el agua es para los bueyes y el
vino para los reyes; leche de los viejos, pues cuando el viejo no
puede beber, la sepultura le pueden hacer; y en él consiste la
mitad de la vida, que media vida es la candela, y el vino la otra
media. De modo que es medicina de todos los males porque san-
graos vecina, y responde, el buen vino es medicina, y con mucha
razón, pues son siete los provechosos frutos de ella: purga el
vientre, limpia el diente, mata el hambre, apaga la sed, cría buenos colores, alegra el corazón y concilia el sueño. —A todos
esos, dijo Critilo, responderé yo con este solo: quien es amigo
del vino, es enemigo de sí mismo; y advertid, que otros tantos
como habéis referido en su favor, pudiera yo decir en contra;
pero baste esto por ahora con esotro: el vino con agua es salud
del cuerpo y alma. —¡Oh!, replicó el apasionado, ¿no veis que
el vino, si le echáis agua, le echáis a perder, especialmente si
fuere blanco? —También si no se la echáis, os echa él a perder
a vos. —Pues ¿qué remedio? —No beberle. Otras muchas verdades dijo Critilo contra la embriaguez, de que los circunstantes
hicieron cuento, y él escarmiento.

Reparó Critilo en que asistían pocos españoles al cortejo de la
dionisia reina, habiendo sin duda para cada uno cien franceses
y cuatrocientos tudescos. —¡Oh, dijo el hablador, no sabes tú lo
que pasó en los principios de esta bella invención del vino!
—Y ¿qué fue? —Que un recuero, atento a su ganancia, cargó de
la buena mercadería, y dio con ella en Alemania; y como fuese
el precioso licor en toda su generosidad, gustaron mucho de él
los tudescos, hízoles valiente impresión, rindiéndolos de todo punto. Pasó adelante a la Francia; mas porque no fuesen comenzados
los cueros, acábalos de llenar en la Esquelda, con que no iba ya
el vino tan fuerte, y así no hizo más que alegrar los franceses,
haciéndoles bailar, silbar y dar algunas cabriolas, y rascarse
atrás en un corrillo de mesurados españoles, como se vio ya en
Barcelona. Quedábale ya muy poco, cuando pasó a España, y

llenóle de agua, de tal suerte que no era ya vino, sino enjuaga-
duras de bota. Con esto no les hizo efecto a los españoles, antes
los dejó muy en sí y tan graves como siempre, con que ellos a
todos los demás llaman borrachos. De este modo han proseguido
todas estas naciones en beberle; los tudescos puro, imitándoles los
suecos y los ingleses; los franceses ya enjuagan la taza; mas los
españoles aguachirle, aunque los demás lo atribuyen a malicia y
que lo hacen por no descubrir con la fuerza del vino los secretos
de su corazón. —Ésa ha sido sin duda la causa (ponderaba Critilo) de no haber hecho pie la herejía en España, como en otros
provincias, por no haber entrado en ella la borrachera, que son
camaradas inseparables; nunca veréis la una sin la otra.

Pero ¡qué cosa, aunque no rara, sí espantosa! Aquella em-
briagada reina, anegada en abismo de horrores, comenzó a arrojar de aquella ferviente cuba de su vientre tal tempestad de regüeldos, que inundó toda la bacanal estancia de monstruosidades;
porque, bien notado, no eran otros sus bostezos que reclamos de
otros tantos monstruos de abominables vicios. Volvía el feroz aspecto a una y otra parte, y en arrojando el regüeldo, saltaba al
punto de aquel turbulento estanque de vino una horrible fiera,
un infame acroceraunio, que aterraba a todo varón cuerdo. Salió
de los primeros la herejía, monstruo primogénito de la borrachera, confundiendo los reinos, las ciudades, repúblicas y monarquías,
causando desobediencias a sus verdaderos señores; pero qué mucho, si primero negaron la fe debida a su Dios y Señor, mez-
clando lo sagrado con lo profano y trastornando de alto a bajo
cuanto hay. Sacaron luego las cabezas a otro regüeldo las harpías, digo la murmuración, manchando con su nefando aliento
las honras y las famas; la desapiadada avaricia, chupándoles la
sangre a los pobres, desollando los súbditos; la cruel envidia vomitando venenos, inficionando las ajenas prendas y disminuyendo
las heroicas hazañas. Allí apareció, llamado de un gran bostezo,
el minotauro embustero, la bachillera esfinge, presumiendo de
entendida e ignorando de necia. No faltaron las tres infernales
furias, convocadas de otro valiente regüeldo, que metió en los
infiernos mismos la guerra, la discordia y la crueldad, que bastan
a hacer infierno del mismo paraíso; las engañosas sirenas, brindando vidas y ejecutando muertes. La Scila y la Caribdis, aquellos dos vicios extremos, donde chocaron los necios, dando en
uno por huir del otro. Allí se vieron los sátiros y los faunos con
apariencias de hombres y realidades de bestias; así que en poco
rato hizo estanco de vicios, de un estanque de monstruos, hijos
todos de la violenta vinolencia; y lo que más es de reparar y
aun de sentir, que por ser éstos otras tantas fieras y harto feas, a
sus beodos amadores les parecieron otras tantas beldades, llamando a las sirenas lascivas, unos ángeles; al furioso y ciego de cólera,
Ciclope valiente; a las harpías, discretas; a las furias, gallardas;
al minotauro, ingenioso; a la esfinge, entendida; a los faunos,

galanes; a los sátiros, cortesanos, y a todo monstruo, un prodigio.
Veníasele acercando a Critilo uno de los más perniciosos; pero
él al mismo punto, despavorido, intentó la fuga; quísole detener
al farsante, diciéndole: aguarda, no temas, que no te haré mal,
sino mucho bien. —¿Quién es ése?, le preguntó. Y él: —Ésta es
aquella celebrada, cuan conocida en todo el mundo, y más en
las cortes, sin quien ya no se puede vivir, por lo menos sin su
poquita de ella; por cuanto es empleo de los desocupados, y
ocupación de los entendidos, aquella gran cortesana. —Y ¿cómo
la nombran? Qué le respondió y qué monstruo fuese éste, nos lo
dirá la otra siguiente Crisi.

CRISI III

LA VERDAD DE PARTO

Enfermó el hombre de achaque de sí mismo. Despertósele una
fiebre maligna de concupiscencias, adelantándosele cada día los
crecimientos de sus desordenadas pasiones. Sobrevínole un agudo
dolor de agravios y sentimientos: tenía postrado el apetito para
todo lo bueno y el pulso con intercadencias en la virtud. Abra-
sábase en lo interior de malos afectos, y tenía los extremos fríos
para toda obra buena; rabiaba la sed de sus desarreglados apetitos con grande amargura de murmuración; secábasele la lengua
para la verdad, síntomas todos mortales. Viéndole en tanto aprieto, dicen que le envió sus médicos el Cielo, y también el mundo
los suyos, a competencia. Y así muy diferentes los unos de los
otros, y muy encontrados en la curación. Porque los del Cielo
en nada condescendían con el gusto del enfermo, y los mundanos
en todo le complacían, con lo cual éstos se hicieron tan plausibles
cuan aborrecibles aquéllos. Ordenábanle los de arriba muchos y
muy buenos remedios, y los de abajo ninguno, diciendo: Eh, que
tanto es menester haber estudiado para no recetar como para
recetar. Citaban los eternos, magistrales textos, y los terrenos,
ninguno, y decían: más vale testa que texto. Guarde la boca,
decían unos; coma y beba cuanto apeteciera, los otros; tome un
vomitivo de deleites, que le será de mucho provecho: no haga
tal que le inquietará las entrañas y le postrará el gusto; denle
minorativos de concupiscencia: ni lo piense, sino valientes tiradas
de gustos que le vayan refrescando la sangre; dieta, dieta, repetían aquéllos; regalo y más regalo, replicaban éstos, y asentá-
bansele muy bien al enfermo. Púrguese, le recetaron los celestiales, porque vamos a la raíz del mal, y a derribar el humor
vicioso, que predomina. Esto no, salían los mundanos: tome, sí,
cosas suaves con que se entretenga y alegre. Oyendo tal variedad,
decía el enfermo, aténgome al aforismo, que dice: Si de cuatro
médicos, los tres dijesen que te purgues y uno que no, no te

purgues. Replicábanle los del Cielo: también dice otro: si de cuatro médicos, los tres te dijeren que no sangres y uno solo que sí sángrate, luego te debes sangrar, y de la vena del arca, restituyendo lo ajeno. Esto no, salían los otros, que sería quitarle las fuerzas y aun de todo punto desjarretarle: y él en confirmación añadía qué poco estiman ellos mi sangre, no saben otro que sangrar la costilla de los zurdos. No duerma con el mal, encargaban aquéllos; repose y descanse en él, decían éstos. Viendo, pues, los del Cielo que no se le aplicaba remedio alguno de cuanto ellos ordenaban, y que el enfermo iba por la posta caminando a la sepultura, entraron a él, y con toda claridad le dijeron que moría. Ni por ésas se dio por entendido, antes llamando un criado, le dijo: Hola, ¿hanles pagado a estos médicos? Señor, no; y aun por eso me dan ya por desahuciado, pagadles y despedidles; lo segundo cumplieron. Fuéronse entre tanto las virtudes; quedáronse los vicios, y él muy en ellos, que presto acabaron con él, aunque no él con ellos; murió el hombre de todos, y fue sepultado más abajo de la tierra.

Íbale ponderando a Critilo ese suceso de cada día un varón de ha mil siglos: —¡Oh, cómo es verdad, decía Critilo, que los vicios no sanan, sino que matan, y las virtudes, remedian! No se cura la codicia con amontonar riquezas, ni la gula con los manjares, la sensualidad con los bestiales deleites, la sed con la bebida, la ambición con los cargos y dignidades, antes se ceban más y cada día se aumentan. De ese achaque le vino a la torpe vinolencia hacer estanco de vicios. ¡Y qué feos! ¡Qué abominables! Pero entre todos, aquel que se me venía acercando y pegándoseme, que no hice poco en rebatirle, ¿cuál de ellos era? —Es más cortesano cuanto más civil; común cuanto más extraño. —¿Cómo se llamaba el tal monstruo? —Bien nombrado es y aun aplaudido, entremetido y bien admitido: todo lo anda, todo lo confunde, entre y sale en los palacios, teniendo en las cortes su guarida. —Menos te entiendo por eso, aún no doy en la cuenta, que hay muchos a esa traza, y bulle la corte de ellos. —Pues has de saber que era el capitán de todos, digo, la plausible quimera. ¡Oh monstruo al uso!, ¡oh vicio de todos!, ¡oh peste del siglo!, ¡necedad a la moda!, exclamó el nuevo camarada. —Por eso yo, añadió Critilo, luego que me la vi tan cerca la conjuré, diciendo: Oh monstruo cortesano, ¿qué me buscas a mí? Anda, vete a tu Babilonia común, donde tantos pasan de ti y viven contigo, todo embuste, mentira, engaño, enredo, invenciones y quimeras. Anda, vete a los que se sueñan grandes y son fantasmas, hombres vacíos de sustancia y rebutidos de impertinencias, huecos de sabiduría y atestados de fantasías, todo presunción, locura, fausto, hinchazón y quimera. Vete a unos aduladores falsos, desvergonzados, lisonjeros, que todo lo alaban y todo lo mienten y a los simples que se lo creen, pagando el humo y el viento; todo mentira, engaño, necedad y quimera. Vete a unos pretendientes engañados y a unos mandarines engañadores, aquéllos pretendiéndolo todo y éstos cumpliendo nada, dando largas excusas, esperanzas bobas, todo cumplimiento y quimera. Vete a unos desdichados arbitristas, inventores de felicidades ajenas, trazando de hacer Cresos a los otros, cuando ellos son unos Iros, discurriendo trazas para que los otros coman, cuando ellos más ayunan, todo embeleco, devaneo de cabeza, necedad y quimera. Vete a unos caprichosos políticos, amigos de peligrosas novedades, inventores de sutilezas mal fundadas, trastornándolo todo, no sólo no adquiriendo de nuevo ni conservando de viejo, pero perdiendo cuanto hay, dando al traste con un mundo y aun con dos, todo perdición y quimera. Vete al Babel moderno de los cultos y afectados escritos, y cuyas obras son de tramoya, frases sin concepto, hoja sin frutos, tomos sin lomo, cuerpos sin alma, todo confusión y quimera. Vete a los tribunales, donde no se oyen sino mentiras: en las escuelas sofistéricas, y en las logias trampas y en los palacios quimera. Vete a los prometedores falsos, noveleros, crédulos, entremetidos, desahogados, linajudos, desvanecidos, casamenteros, mentirosos, pleiteantes, necios, sabios aparentes, todo mentira y quimera. Vete a los hombres de hogaño, llenos todos de engaño, mujeres de embeleco, los niños mienten, los viejos engañan, los parientes faltan y los amigos falsean. Vete a todo lo que dejamos atrás de un mundo inmundo, laberinto de enredos, falsedades y quimera. Con esto traté de huir de ella, que fue del mundo todo y eché por este camino de la verdad en tan buen punto, que tuve dicha de encontrarte. —Harto fue, dijo el Acertador, que así oyó le llamaban, que todo tú pudieses salir. —No tan todo, respondió Critilo, que no me dejase la mitad, pues otro yo allá queda, Andrenio, aún más amigo que hijo, nada suyo, y todo ajeno rendido a una brutal vinolencia; mas aquí no pudiendo articular las palabras, prosiguió haciendo extremos. —Ahora bien, no te pudras tú, le dijo, de lo que otros engordan. Quiero por consolarte y remediarte, que volvamos allá, y que experimentes el eficacísimo contraveneno del vino que conmigo llevo.

Es la embriaguez (iba ponderando) el último asalto que dan al hombre los vicios, es el mayor esfuerzo que ellos hacen contra la razón, y así cuentan que habiéndose coligado todos estos monstruos enemigos contra un hombre luego que naciera, embistiéndole ya uno, ya otro por su orden, para más desordenarle, la voracidad cuando más rapaz, la mancebía cuando mancebo, la avaricia cuando varón y la vanidad cuando viejo. Viéndole pasar de edad en edad victorioso y que ya entraba en la vejez triunfando de todos ellos, no pudiendo sufrir que así se les escapase e hiciese burla de ellos, acudieron a la embriaguez, afianzado en ella su despique. No se engañaron, pues acometiéndole ésta con capa de necesidad, llamando al vino su leche, su abrigo y su consuelo, poco a poco y trago a trago, se fue entrando y apoderándose de él, hasta rendirle de todo punto. Hízole cerrar los ojos a la razón, abrir puertas a todo vicio, y de modo que con lastimosa infelici-

dad, aquel que toda la vida se había conservado en la virtud y
entereza, se halló de repente a la vejez glotón, lascivo, iracundo,
maldiciente, locuaz, vano, avaro, ridículo, imprudente; y todo esto
porque vinolento.

Mas ya habían llegado, no al estanque, sino al cenegal de los
vicios: entraron ambos, y hallaron a Andrenio, que aún estaba
por tierra, sepultado en sueño y vino. Comenzaron a llamarle por
su nombre, más él, impaciente, respondía: —Dejadme, que estoy
soñando cosas grandes. No puede ser, dijo el Acertador, que los
hombres grandes sólo tienen sueños grandes. —Eh, dejadme, que
estoy viendo cosas prodigiosas. —No sean monstruosas, ¿qué
puedes ver sin vista? —Veo, dijo, que el mundo no es ya redondo, cuando todo va a la larga; que la Tierra no es ya firme, cuando todo anda rodando; que el Cielo no es Cielo para los más,
pues los menos son personas; que todo es aire en el mundo y
así todo se lo lleva el viento; el agua que fue y el vino que vino;
el Sol no es solo, ni la Luna es una; los luceros sin estrellas y
el Norte no guía; la luz da enojos y el alba llora cuando ríe; las
flores son delirios y los lirios espinas; los derechos andan tuertos
y los tuertos a las claras; las paredes oyen cuando las orejas se
rascan; los postres son antes y muchos fines son medios; que el
oro no es pesado y las plumas mucho; los mayores alcanzan menos y hablan gordo los más flacos y alto los más bajos; no son
ladrados los ladrones, con que ninguno tiene cosa suya; los amos
son mozos y las mozas las que mandan; más pueden espaldas
que pechos y quien tiene yerro no tiene acero; los servicios se
miran de mal ojo y los proveídos son premiados; la vergüenza es
corrimiento y los buenos no hacen llorar sino reír; del mentís
se hace caso y del mentir casas; no son sabios los entendidos, ni
oídos los que hablan claro; el tiempo hecho cuartos y el día enho-
ramala; los relojes quitan dando y de los buenos días se hacen
los malos años: tras la tercera va la primera y las desgracias
son gracias; las diademas en París y los galanes en Francia.
—¡Calla ya!, le dijo el Acertador (que sin duda se dijo, diablo
que de noche y día habla, más en cantar mal y porfiar). —Digo,
que todo anda al revés, y todo trocado de alto a bajo, los buenos
ya valen poco y los muy buenos para nada, y los sin honra son
honrados, las bestias hacen del hombre y los hombres hacen las
bestias; el que tiene es tenido, y el que no tiene es dejado; el de
más cabal es sabio, que no el de más caudal; las niñas lloran y
las viejas ríen; los leones dan balidos, los ciervos cazan; las gallinas cacarean y no despiertan los gallos; no caben en el mundo
los que tienen más lugar y muchos hijos de algo valen nada;
muchos, para tener antojos, no ven y no se usan los usos. Ya no
nacen niños, ni los mozos bien criados; las que valen menos son
buenas joyas y los más herrados buenas lanzas. Veo unos desdichados antes de nacidos y otros venturosos después de muer-

tos; hablan a dos luces los que a oscuras y todo ahora es a deshonra.

Prosiguiera en sus dislates, si el Acertador no tratara de aplicarle el eficaz remedio, que fue echarle en la vasija del vino, no una anguila, como el vulgo ignorante sueña, sino una serpiente sabia, que al punto le hizo volver a ser persona, y aborrecer aquel tóxico del juicio y veneno letal de la razón. Sacólos con esto el Acertador de aquel estanco de los vicios y estanque de monstruos, al de prodigios. Era éste uno de los raros personajes que se encuentran en el vario viaje de la vida, de tan extraña habilidad, que a todos cuantos encontraba les iba advirtiendo el suceso de su vida y el paradero de ella. Iban atónitos nuestros peregrinos, oyéndole adivinar con tanto acierto. Hallaron de los primeros unos de muy may gesto y al punto dijo: de éste no hay que aguardar buen hecho, y no se engañó. De un tuerto pronosticó que no haría cosa buen ojo, y acertó. A un corcovado le adivinó sus malas inclinaciones; a un cojo los malos pasos en que andaba, y a un zurdo sus malas mañas; a un calvo lo pelón, y a un ceceoso, lo mal hablado. A todo hombre señalado de la naturaleza, señalaba él con el dedo, diciéndoles se guardasen. Encontraron ya un grande perdigón, que iba perdiendo a toda prisa lo que muy poco a poco se había ganado, y al punto dijo: no hizo él la hacienda, no, que quien no la gana, no la guarda. Pero esto es nada, cosas más raras y más recónditas adivinaba, como si las viera, y así encontrando un coche, que traía tan arrastrado a su dueño cuan desvanecida a su ama, dijo: ¿veis aquel coche? Pues antes de muchos años será carreta, y realmente fue así. Viendo edificar una casa muy suntuosa y fanfarrona, con muchos dorados hierros, que pudiera sustituir un palacio, dijo: ¿quién creerá, que ha de venir a ser hospital? Y de verdad lo fue, porque vinieron a parar en ella pobres desvalidos y desdichados. De un cierto personaje, que tenía muchos y buenos amigos, dijo que danzaba muy bien y acertó, porque todos le alabaron. Al contrario de otro, que tenía cara de pocos amigos: éste no hará cosa bien ni saldrá con lo que emprendiere. Esto es más, que llegó uno y le preguntó cuánto tiempo viviría. Miróle a la cara y dijo que cien años, y que si bobeara un poco más, dijera que doscientos. A otro inútil para todo, aseguró, que sacaría de la puja al mismo Matusalén. Pero lo más es que, en viendo a cualquiera, le atinaba la nación, y así de un invencionero, dijo: éste sin más ver es italiano. De un desvanecido, inglés; de un desmazalado, alemán; de un sencillo, vizcaíno; de un altivo, castellano; de un cuitado, gallego; de un bárbaro, catalán; de un poca cosa, valenciano; de un alborotado, alborotador mallorquín; de un desdichado, sardo; de un tozudo, aragonés; de un crédulo, francés; de un encantado, danao; y así de todos los otros, no sólo la nación, pero el estado y el empleo adivinaba; vio a un personaje muy cortés, siempre con el sombrero en la mano, y dijo: ¿quién dirá

que éste es hechicero?, y realmente fue así, que a todos hechizaba. De un embelesado, que era astrólogo; de un soberbio, cochero; de un descortés, ujier de saleta; de un desarrapado y arrador,
soldado; de un lascivo, viudo; de un peludo, hidalgo; de un
hombre de puesto, que prometía mucho, y a todos daba buenas
palabras; dijo: Éste contentará a muchos necios. De otro, que
no tenía palabra mala, adivinó que no tendría obra buena, y al
que mucha miel en la boca, mucha hiel en la bolsa. Vio a uno
ir y venir a una casa y dijo: éste anda por cobrar. A cierto
hombre, que dio en decir verdades, le pronosticó muchos pesares,
y al de gran lengua, gran dolor de cabeza. A cada uno le adivinaba su paradero como si lo viera, sin discrepar un tilde: a los
liberales, el hospital; a los interesados, el infierno; a los inquietos,
la cárcel, y a los revoltosos, el rollo; a los maldicientes, palos;
a los descarados, redomas; a los capeadores, jubones; a los esca-
ladores a las malas, palo santo; a los famosos, clarín; a los sonados, paseo; a los perdidos, pegones; a los entrometidos, desprecios;
a los que les prueba la tierra, el mar; a los buenos pájaros, el
aire; a los gavilanes, pigüelas; a los lagartos, culebras; a los cuerdos, felicidades; a los sabios, honras, y a los buenos, dichas y
premios.

—Qué rara habilidad ésta, ponderaba Andrenio, no sé qué me
diera por tenerla, ¿no me enseñarías esta tu astrología? —Paréceme a mí, dijo Critilo, que no es menester muchos astrolabios
para esto, ni consultar muchas estrellas. —Así lo creo, dijo el
Adivino; pero pasemos adelante que yo te ofrezco, oh Andrenio,
sacarte tan adivino como yo, con la experiencia y el tiempo.
—¿Dónde nos llevas? —Donde todos huyen. —Pues si todos huyen, ¿para qué vamos nosotros? —Y aun por eso para huir de
todos ellos. Aunque primero quería introduciros en la famosa
Italia, la más célebre provincia de la Europa. Dicen que es país
de personas. Y personadas también. —Extraño dejo ha sido el de
Alemania, decía Andrenio. Y Critilo: —Sí, cual yo me lo imaginaba. ¿Qué os ha parecido de aquella tan extendida provincia?
—La mayor sin duda de Europa. —Decidlo en puridad. —A mí,
respondió Andrenio, la que más me ha contentado hasta hoy; y
Critilo: —¡A mí la que menos! —Por eso no se vive en el mundo con un solo voto. ¿Qué te ha agradado a ti más en ella? —Toda
de alto a bajo. —Querrás decir alta y baja. —Esto mismo. —Sin
duda que su nombre fue su definición, llamándose Germania, a
germinando, la que todo lo produce y engendra, siendo segunda
madre de vivientes y de víveres, y de todo cuanto se puede imaginar para la vida humana. —Sí, replicó Critilo, mucho de extensión y nada de intención, mucha cantidad y poca calidad. —Eh,
que no es una provincia sola, proseguía Andrenio, sino muchas
que hacen una; porque si bien se nota, cada potentado es casi
un rey, y cada ciudad una corte, cada casa un palacio, cada
castillo una ciudadela, y toda ella un compuesto de populosas ciu-

dades, ilustres cortes, suntuosos templos, hermosos edificios e inexpugnables fortalezas. —Esto mismo hallo yo, dijo Critilo, que la ocasiona su mayor ruina y su total perdición; porque cuanto más potentados, más cabezas; cuantas más cabezas, más caprichos, y cuantos más caprichos, más disensiones; y como dijo Horacio, lo que los príncipes deliran, los vasallos lo suspiran. —No me puedes negar, dijo Andrenio, su abundancia y su opulencia; mira, ¡qué abastecida de todo, que si dicen España la rica, Italia la noble, también Alemania la harta! ¡Qué abundante de granos, de ganados, pescas, cazas, frutos y frutas! ¡Qué rica de minerales! ¡Qué vestida de arboledas! ¡Qué adornada de bosques, hermoseada de prados! ¡Qué surcada de caudalosos ríos y todos navegables, de tal suerte que tiene más ríos Alemania que las otras provincias arroyos, más lagos que las otras fuentes, más palacios que las otras casas, y más cortes que las otras ciudadelas! —Así es, dijo Critilo, yo lo confieso; mas en eso mismo hallo yo su destrucción, y que su misma abundancia la arruina, pues no hace otro que ministrar leña al fuego de sus continuas guerras, en que se abrasa sustentando contra sí muchos y numerosos ejércitos, lo que no pueden otras provincias, especialmente España, que no sufre ancas. —Pero viniendo ya a sus bellos habitadores, dijo el Acertador: ¿cómo quedáis con los alemanes? —Yo muy bien, dijo Andrenio; hanme parecido muy lindamente, son de mi genio, engáñanse las demás naciones en llamar a los alemanes los animales; y me atrevo a decir, que son los más grandes hombres de la Europa. —Sí, dijo Critilo, pero no los mayores. —Tiene dos cuerpos de un español cada alemán. —Sí, pero no medio corazón: —¡Qué corpulentos! —Pero sin alma. —¡Qué frescos! —Y aun fríos. —¡Qué bravos! —Y aun feroces... —¡Qué hermosos! —Nada de bizarros. —¡Qué altos! —Nada altivos. —¡Qué rubios! —Hasta en la boca. —¡Qué fuerzas las suyas! —Mas sin bríos. —Son... de cuerpos gigantes. —Y de almas enanas. —Son... moderados en el vestir. —No... así en el comer. —Son... parcos en el regalo de sus camas y menaje de sus casas. —Pero... destemplados en el beber. —Eh, que eso en ellos no es vicio, sino necesidad. ¿Qué había de hacer un corpacho de un alemán sin vino? Fuera un cuerpo sin alma; él les da alma y vida. Hablan la lengua más antigua de todas. —Y la más bárbara también. Son curiosos de ver mundo y si no serían de él. —Hay grandes artífices. —Pero no grandes doctos. —Hasta en los dedos tienen la sutileza. —Más... valiera en el cerebro. —No pueden pasar sin ellos los ejércitos. —Como ni el cuerpo sin el vientre. —Resplandece su nobleza. —Ojalá su piedad. —Pero su infelicidad es, que así como otras provincias de Europa han sido ilustres madres de insignes patriarcas, de fundadores de las Sagradas Órdenes, ésta al contrario de, etcétera.

Estorbóles el proseguir un confuso tropel de gentes, que a todo correr venían haciendo por aquellos caminos, harto descaminados.

al derecho y al revés, atropellándose unos a otros y todos desalentados; y lo que más admiración les causó fue ver que los
mayores hombres eran los primeros en la fuga, y que los más
grandes alargaban más el paso y echaban valientes trancas los
gigantes; y aun los cojos no eran los postreros. Atónitos nuestros
flemáticos peregrinos, comenzaron a preguntar la causa de una
tan fanática retirada y nadie les respondió, que aun para eso no
se daban vagar. ¡Hay tal confusión! ¡Viose semejante locura!, decían, cuando más admirado uno de su admiración de ellos, les
dijo: —O vosotros sois unos grandes sabios o unos grandes necios en ir contra la corriente de todos. —Sabios no, le respondieron, pero sí que lo deseamos ser. —Pues mirad, que no mu-
ráis con ese deseo, y arrancó cien pasos. —¡A huir, a huir!, venía
voceando otro, que ya parece que desbucha, y pasó como un
regañón. —¿Quién es éste que anda de parto?, preguntó Andrenio. Y el Acertador: —Poco más o menos, ya yo adivino lo que
es. —¿Qué cosa? —Yo os lo diré: Éstos sin duda vienen huyendo
del reino de la verdad, donde nosotros vamos. —No le llames
reino, replicó uno de los tránsfugas, sino plaga, y con razón,
pues así lastima, y más hoy que tiene alborotado el mundo, soli-
citándose la ojeriza universal. —¿Y qué es la causa?, le preguntaron, ¿hay alguna novedad? —Y bien grande, ¿eso ignoráis ahora? Que tarde llegan a vosotros las cosas. ¿No sabéis que la
verdad va de parto estos días? —¿Cómo de parto? —Sí, aun con
la barriga a la boca, reventando por reventar. —¿Pues qué importa que para?, replicó Critilo; ¿por eso se inquieta el mundo?
Haced que para en buena hora, y el Cielo que la alumbre.
—¿Cómo que qué importa?, levantó la voz el cortesano; qué
linda flema la vuestra, mucha Alemania gustáis: si ahora con
una verdad sola no hay quien viva, ni hay hombre que la pueda
tolerar, ¿qué será si da en parir otras verdades? ¿Y si estas otras,
y todas paren, llenarse ha el mundo de verdades, y después bus-
carán quien lo habite. Dígoos, que se vendrá a despoblar. Porque
no habrá quien viva, ni el caballero, ni el oficial, ni mercader, ni
el amo, ni el criado; en diciendo verdad, nadie podrá vivir; dígoos,
que no vendrán a quedar de cuatro partes la media; con una
verdad que le digan a un hombre, tiene para toda la vida, ¿qué
será con tantas? Bien pueden cerrar los palacios y alquilar los
alcázares: no quedarán cortes, ni cortijos; con una verdad hay
hombre que se ahíta, y no es posible divertirle; ¿qué hará con
un hartazgo de verdades? Gran buche será menester, para cada
día su verdad a secas; bien amargarán. —He que muchos habrá,
dijo Critilo, que no temerán las verdades, antes les vendrán na-
cidas. —Y ¿quién será ése? Decidlo, levantarémosle una estatua.
¿Cuál será el confiado, que no le puedan estrellar una verdad
entre ceja y ceja, y aun darle con muchas por la cara?, y a fe,
que escuecen mucho y por muchos días. Líbreos Dios de una
valiente zurra de verdades: pican, que abrasan. Y si no, veamos,

díganle a la otra lo que le dijo don Pedro de Toledo: Mire, que
le diré peor que tal; y replicando ella: ¿Qué me dirá? Peor que
vieja. Plántenle al otro Lucifer una verdad en un cedulón, y veréis lo que se endiabla; acuérdenle al más estirado lo que él más
olvida; al más pintado sus borroncillos, píquenle con la lezna al
desvanecido; díganle al otro rico, que lo ganó por su pico su
abuelo; que vuelva la mira atrás al que se hace tan adelante;
acuérdenle lo de los pasteles al que hoy asquea los faisanes; de
su cuartana al león y al Fénix de su gusano; no os admiréis que
huyamos de la verdad, que es traviesa y atraviesa el corazón.

Veis allí tendido un gigante de la hinchazón, que le mató un
niño, y con un alfiler; y hay quien dice, se le vendió su abuelo;
mas él se tiene la culpa, que hiciera orejas de mercader. Digo,
pues, que no hagáis admiraciones de que todos corran de corridos. —¿De qué huyen aquellos soldados?, decía Andrenio. —Porque no les digan que huyeron, y que son de los de *fugerunt,
fugerunt.* Venía uno gritando, verdad, verdad; pero no por mi
boca, menos por mis orejas; de éstos hallaréis muchos. Todos
querrían les tratasen verdad, y ellos no tomarla en la boca. —Ahora, señores, ponderaba Andrenio, que los trasgos huyan; vayan
con Belcebú, nunca acá vuelvan. —Pero ¿los Soles? —Sí, porque
no les den en rostro con sus lunares. Venía por puntos reforzando la voz ¡ya pare, afuera, que desbucha, a huir príncipes, a
correr poderosos! Y a este grito había hombre que tomaba pos-
tas; no había monta a caballo como éste. Potentado hubo que
reventó los seis caballos de la carroza; pero es de advertir que
esto pasaba en Italia, donde se teme más una verdad que una
bala de un basilisco otomano, que por eso corren tan pocas, se
usan raras. —¿De cuándo acá está preñada esta verdad, preguntó
Andrenio, que yo la tenía por decrépita, y aun caduca, y ahora
sale con parir? Días ha que lo está, y aun años, y dicen que del
tiempo: según eso, mucho tendrá que echar a luz. Por lo menos
cosas bien raras. —Y ¿todas serán verdades? —Todas; ahora
vendrá bien aquello de noche mala y parir hija. —¿Por qué no
pare cada año y no hace tripa de verdades? O si ¿no hay más
de desbuchar? Antes concibe en un siglo, para parir en otro.
—Pues ¿serán ya verdades rancias? —No a fe, sino eternas: no
sabes tú, que las verdades son de casta de acerolas, que las po-
dridas son las maduras y más suaves, y las crudas las coloradas;
aquellas que hacen saltar los colores al rostro son intratables,
sólo las puede tragar un vizcaíno.

Sin duda, que allá, en aquellos dorados siglos, debía parir esta
verdad cada día menos, porque no había qué decir, no concebía:
todo se estaba dicho; mas ahora no puede hablar y revienta;
vase deteniendo, como la preñada erizo, que cuanto más tarda,
más siente las punzas de los hijuelos, y teme más el echarlos a
luz. Ahora, qué de cosas raras tendrá guardadas en aquellas ensenadas de su notar y advertir: por eso decía un atento, casar

y callar. ¡Qué hermosos partos! ¡Qué de bellezas desbuchará!
—Antes sospecho yo, dijo Critilo, que han de ser horribles monstruosidades; desaciertos increíbles, valientes desatinos, cosas al
fin sin pies ni cabeza, que si fueran aciertos, bulleran panegíricos.
—Sean lo que fueren, decía el Adivino, ellas han de salir; ella
no conciba, que si una vez se empeña, o reventar o parir, que
como dijo el mayor de los sabios, ¿quién podrá detener la palabra concebida?

—¿Dime, preguntó Andrenio, nunca se ha rezumado, siquiera
discurrido, lo que parirá esta verdad, será hijo o hija? ¿Qué mienten las comadres, qué adulan los físicos: no corre algún disparo
claro de un tan sellado secreto? —En esto hay mucho que decir
y más que callar. Luego que tuvo por cierto este preñado, vié-
rades asustados los interesados, cuidadosos lo que se quemaban,
que fueron casi todos los mortales: trataron luego de consultar
los oráculos sobre el caso. Respondióles el primero, que pariría
un fiero monstruo, tan aborrecible cuan feo: considerad ahora
el mortal susto de los mortales. Acudieron a otro por consuelo,
y le hallaron; porque les respondió todo lo contrario, que pariría
un pasmo de belleza, un hijo tan lindo cuan amable. Quedaron
con esto más confusos, y por sí o por no, intentaron ahogarlo,
mas en vano, que aseguran es inmortal, y sépalo todo el mundo.
Dicen que la verdad es como el río Guadiana, que aquí se hunde
y acullá sale; y no osa chistar, parece que anda sepultada, y mañana resucita; un día por rincones y al otro por corrillos y plazas:
llegará el día del parto y veremos este secreto, saldremos de esta
suspensión, y tú que te picas de adivinarlo todo, ¿qué sientes de
esto? ¿Qué rastreas? ¿No das en quién será este monstruo y este
prodigio? —Sí, dijo él, por lo menos lo que podría ser; el primero
para los necios, y el segundo para los cuerdos; yo diría, que el
primero es.

Pero asomó en éstas un raro ente, que venía, no tanto huyendo
cuanto haciendo huir; hacíase no sólo calle, pero plaza; daba
desaforados gritos, y decía: —¿A mí el loco cuando hago tantos
cuerdos? ¿A mí el desatinado, que hago acertar? ¿A mí, a mí el
juicio, que a muchos doy entendimiento? —¿Quién es éste?, preguntó Critilo, y respondióle: —Éste es un ablativo absoluto, que
ni rige ni es regido. Éste es el loco del príncipe tal. —¿Cómo es
posible, replicó, que un señor tan cuerdo, llamado por antonomasia el prudente, y no el Séneca de España (como si el otro
hubiera sido de Etiopía), como es creíble lleve consigo un pere-
nal? —Y aun por eso, porque él es prudente. —¿Pues qué pretende? —Oír la verdad alguna vez, que ningún otro se la dirá, ni
la oirá de otra boca. No os admiréis, cuando viéredes los reyes
rodeados de locos y de inocentes, que no lo hacen sin misterio;
no es por divertirse, sino para advertirle que ya la verdad se
oye por boca de ganso. Ahora caminemos, que no podemos estar
ya muy lejos de la corte. —Eso de corte, excusadlo, replicó un

gran contrario suyo. —Y ¿por qué no? —Porque si no se oyó
jamás verdad en corte, ¿cómo habrá corte de la verdad? ¿Cómo
puede llamarse corte, donde no se miente ni se finge, donde no
hay mentidero; donde no corren cada día cien mentiras como
el puño? —Pues ¿qué, preguntó Andrenio, no se puede mentir
en esa corte? —¿Cómo si es de la verdad? —¿Ni una mentirilla
ni media, ni en su ocasión, que es gran socorro? —No por cierto,
ni sustentada por tres días a la francesa, que vale mucho, ni por
uno. —Eh, vaya, que por un cuarto, ni por un instante, ni una
equivocación a la hipócrita, tampoco; ni un disimular la verdad
que no es mentira; ni decir todas las verdades ¿ni aun eso? Válgate Dios por verdad y qué puntual que eres: casi voy tratando
de huir también, que ni una excusa con el embestidor, ni una
lisonja con el príncipe, ni un cumplimiento con un cortesano.
—Nada, nada de todo eso, todo liso, todo claro. —Ahora digo
que no entro yo allá, no me atrevo a pasar por una tan estrecha
religión: ¿yo vivir sin el desempeño ordinario? Será imposible;
desde ahora me despido de tal corte, y a fe que no seré solo.
¿No hay embuste? Pues digo que no es corte. ¿No hay engañadores, ni lisonjeros, ni encarecedores? Pues no habrá cortesanos.
¿No hay caballeros sin palabras, ni grandes sin obras? Pues digo
que ni es corte. ¿No hay casas a la malicia y calles a la pena?
Vuelvo a decir que no puede ser corte, señores, quien vive en
este París, en esta Estocolmo. ¿Quién en esta Cracovia? ¿Quién
corteja a esta reina? Sola debe andarse, como la Fénix. —No
falta quien la asista y la corteje, respondió el Acertador. Porque
sabrás, ¡oh, Andrenio!, que cuando los mundanos echaron la verdad del mundo y metieron en su trono la mentira, según refiere
un amigo de Luciano, trató el Supremo Parlamento de volverla
a introducir en el mundo, a petición de los mismos hombres, a
instancias de los mundanos, que no podían vivir sin ella. No podían averiguarse, ni con criados ni con las propias mujeres; todo
era mentira, enredo y confusión; parecía una Babel todo el mundo, sin poderse entender unos a otros: cuando decían sí, decían
no, y cuando blanco, negro; con que no había cosa cierta ni
segura; todos andaban perdidos y gritando: ¡vuelva, vuelva la
verdad! Era dificultosa la empresa y temíase mucho el poder
salir de ella; porque no se hallaba quién quisiese ser el primero
a decirla: ¿quién dirá la primera verdad? Ofreciéronse grandes
premios al que quisiese decir la primera y no se hallaba ninguno:
no había hombre que quisiese comenzar. Buscáronse varios medios, discurriéronse muchos arbitrios, y no aprovechaban. Pues
ella se ha de introducir, ella ha de volver a los humanos pechos
y a arraigarse en los corazones: véase el cómo. Teníanlo por
imposible los políticos, y decían: ¿por dónde se ha de comenzar?
Por Italia, es cosa de risa; por la Francia, es cuento; por Inglaterra, no hay que tratar; por España, aún, aún, pero será dificultoso. Al fin después de muchas juntas se resolvió que la dilu-

yesen con mucho azúcar para desmentir su amargura, y le echasen mucho ámbar contra la fortaleza que de sí arrojaba; y de este modo dorada y azucarada en un tazón de oro, no de vidrio, por ningún caso, que se trasluciría, luego la fuesen brindando a todos los mortales, diciendo ser la más exquisita confesión y rara bebida, venida de allá de la China, aún más lejos, más preciosa que el chocolate y que el sorbete, para que con eso hiciese vanidad beberla. Comenzaron, pues, de mandarla a unos y a otros por su orden. Llegaron a los príncipes los primeros para que con su ejemplo se animasen a pasar los demás, y se compusiese el orbe todo; mas ellos de una legua sintieron su amargura, que tienen muy despiertos los sentidos, tanto huelen como oyen, y comenzaron a dar arcadas: alguno hubo que por una sola gota que pasó, comenzó luego a escupir, que aún le dura; en probándola decían todos: qué cosa tan amarga; y respondían los otros: es la verdad. Pasaron un tanto a los sabios: éstos sí, decían, que toda su vida hacen estudio de averiguarla; mas ellos tan prestos como la conocieron, la arrimaron, diciendo: que tenían harto con la teórica, que sólo la querían en especulación y no en ejecución. Ahora vamos a los ancianos y muchachos que suelen hacer pasto de ella; engañáronse, porque en sintiéndola, cerraron los labios y apretaron los dientes, diciendo: por mi boca no, por la de otro, a la del vecino. Convidaron a los oficiales. Menos; antes dijeron que morirían de hambre en cuatro días, si en la boca la tomasen, especialmente sastres; los mercaderes, ni verla, que por eso tienen las tiendas a oscuras y aborrecen sus cajones la luz; los cortesanos ni oírla: no se halló mujer que la quisiese probar, y decía una: anda allá, que mujer sin enredo, bolsa sin dinero. De esta suerte fueron pasando por todos los estados y empleos y no se halló quien quisiese arrostrar a la verdad. Viendo esto, se resolvieron de probar con los niños, para que tan temprano la mamasen con la leche, y se hiciesen a ella, y fue menester buscarlos muy pequeñuelos; porque los grandecitos ya la conocían y la aborrecían, a imitación de sus padres. Fueron a los locos perenales, a los simples solemnes, que todos la bebieron; los niños, engañados con aquella primera dulzura; los simples, porque no dieron en la cuenta, apechugaron con el vaso hasta agotarle, llenaron el buche de verdades, comenzando al punto a regoldarlas; amargue o no amargue, ellos las dicen; pique o no pique, ellos las estrellan, unos las hablan, otros la vocean; ellos no la sepan, que si la saben, no dejaran de decirla: así que los niños y los locos son hoy los cortesanos de esta reina: ellos los que la asisten y la cortejan.

Hallábanse ya a la entrada de una ciudad, por todas partes abierta; veíanse sus calles extensas, anchas y muy derechas, sin vueltas ni revueltas, ni encrucijadas, y todas tenían salida. Las casas eran de cristal, con puertas abiertas y ventanas patentes, no había celosías traidoras, ni tejados encubridores; hasta el Cielo

estaba muy claro y sereno, sin nieves de emboscadas y todo el
hemisferio muy despejado. —¡Qué diferente región ésta, ponderaba Critilo, de lo restante del mundo! —Pero qué corta corte
ésta, decía Andrenio y el Acertador: por eso defendía uno que
la mayor corte hasta hoy había sido la de Babilonia; perdone
la triunfante Roma con seis millones de habitadores, y Pequín
en la China, en cuyo centro puesto en alto un hombre no descubre sino casas, con ser tan llano su hemisferio. Estaban ya para
entrar, cuando repararon en que muchos y gente de autoridad,
antes de meter el pie, hacían una acción bien notable y era cala-
fatearse muy bien las orejas con algodones; y aún no satisfechos
con esto, se ponían ambas manos en ellas, y muy apretadas.
—¿Qué significa esto, preguntó Critilo; sin duda que éstos no
gustan mucho de la verdad? —Antes no hallan otra cosa, respondió el Acertador. —Pues ¿para qué es esta diligencia? —Hay
un gran misterio en esto, dijo uno de ellos mismos, que lo oyó.
—Y aun una gran malicia, replicó otro. Si es cautela, no es
cautela, conque se trabó entre los dos una gran altercación. —De
necios es el porfiar, decía el primero. —Y de discretos el disputar,
replicó el segundo. —Digo que la verdad es la cosa más dulce
de cuantas hay. —Y yo digo que la más amarga. —Los niños son
amigos de los dulces, y la dicen, luego dulce es. —Los príncipes
son enemigos de lo que amarga, y la escupen, luego amarga es.
—Loco es el que la dice, y sabio el que la oye. —No es política
tampoco, es embustera, es muy pesada. —También es preciosa
como el oro. —Es desaliñada. —Achaque de linda. Todos la
maltratan. —Ella hace bien a todos. De esta suerte discurrían
por extremos, sin hallar el medio, cuando Acertador se puso en
él y les dijo: —Amigos, menos voces y más razones; distinguid
textos y concordaréis derechos. Advertid que la verdad en la
boca es muy dulce, pero en el oído es muy amarga; para dicha
no hay cosa más gustosa; pero para oída, no hay cosa más desabrida: no está el primor en decir las verdades, sino en el escucharlas; y así veréis que la verdad murmurada es todo el entendimiento de los viejos, en esto gastan días y noches, gustan mucho de decirla, pero no que se la digan, y en conclusión, la verdad
por activa es muy agradable; pero por pasiva, la quinta esencia
de lo aborrecible; esto es, en murmuración, no en desengaño.
Comenzaron ya a discurrir por aquellas calles, si bien no acertaba
Andrenio a dar paso y de todo temía: en viendo un niño, se
ponía a temblar, y en descubriendo un orate, desmayaba. Hallaron y oyeron cosas nunca dichas ni oídas, hombres nunca vistos
ni conocidos. Aquí hallaron el sí, sí, y el no, no, que aunque
tan viejos, nunca los habían hallado; aquí el hombre de palabra,
que casi no le conocían, viéndolo estaban y no lo creían, como
ni al hombre de verdad y de entereza: el de andemos claros,
vamos con cuenta y razón, el de la verdad por un moro, que
todos eran personajes prodigiosos. —Y aun por eso no los hemos

encontrado en otras partes, decía Critilo, porque están aquí juntos. Aquí hallaron los hombres sin artificios, las mujeres sin enredos, gente sin tramoya. —¿Qué hombres son éstos, decía Critilo, y de dónde han salido tan opuesto con los que por allá corren? No me harto de verlos, tratarlos y conocerlos, que esto sí que es vivir; esto Cielo es, que no mundo; ya creo ahora todo cuanto me dicen, sin escrúpulo alguno ni temor de engaño, que antes no hacía más que suspender el juicio y tomar un año para creer las cosas. ¿Hay mayor felicidad que vivir entre hombres de bien, de verdad, de conciencia y entereza? Dios me libre de volver a los otros, que por allá se usan. Pero duróle poco el contento, porque yéndose encaminando hacia la plaza mayor, donde se lograba el transparente alcázar de la verdad triunfante, oyeron antes de llegar allá unas descomunales voces, como salidas de la garganta de algún gigante, que decían: ¡Guarda el monstruo, huye el coco, a huir todo el mundo, que ha parido ya la verdad el hijo feo, el odioso, el abominable, que viene, que vuela, que llega! A esta espantosa voz echaron todos a huir, sin aguardarse unos a otros, a necio el postrero, hasta el mismo Critilo (¿quién tal creyera?) llevado del vulgar escándalo, cuando no ejemplo, se metió en fuga, por más que el Acertador le procuró detener con razones y con ruegos. —¿Dónde vas?, le gritaba. —Donde me llevan. —Mira que huyes de un Cielo. —Pongamos Cielo en medio. Quien quisiere saber qué monstruo y qué espantoso fuese aquel feo hijo de una tan hermosa madre, y dónde fueron a parar nuestros asustados peregrinos, trate de seguirlos hasta la otra Crisi.

CRISI IV

EL MUNDO DESCIFRADO

Es Europa vistosa cara del mundo, grave en España, linda en Inglaterra, gallarda en Francia, discreta en Italia, fresca en Alemania, rizada en Suecia, apacible en Polonia, adamada en Grecia y ceñuda en Moscovia. Esto les decía a nuestros dos fugitivos peregrinos un otro en lo raro que le habían ganado cuando perdido él a su Adivino. —Tenéis buen gusto, les decía, nacido de un buen capricho, en andaros viendo mundo, y más en sus cortes, que son escuelas de toda discreta gentileza. Seréis hombres tratando con los que lo son, que eso es propiamente ver mundo; porque advertid que va grande diferencia de ver al mirar; que quien no entiende, no atiende; poco importa ver mucho con los ojos, si con el entendimiento nada; ni vale el ver sin el notar. Discurrió bien quien dijo que el mejor libro del mundo era el mismo mundo cerrado, cuando más abierto, pieles extendidas. Esto es, pergaminos escritos, llamó el mayor de los sabios a esos Cielos, iluminados de luces en vez de rasgos, y de estrellas por

letras. Fáciles son de entender esos brillantes caracteres, por más
que algunos los llamen dificultosos enigmas. La dificultad la hallo
yo en leer y entender lo que está de las tejas abajo; porque como
todo ande en cifra y los humanos corazones estén tan sellados e
inescrutables, aseguroos que el mejor lector se pierde; y otra cosa,
que si no lleváis bien estudiada y bien sabida la contracifra de
todo, os habréis de hallar perdidos, sin acertar a leer palabra ni
conocer letra, ni un rasgo, ni un tilde. —¿Cómo es eso, replicó
Andrenio, que el mundo todo está cifrado?. —¿Pues ahora re-
cuerdas con eso? ¿Ahora te desayunas de una tan importante
verdad, después de haberle andado todo? ¡Qué buen concepto
habrás hecho de las cosas! —¿De modo que todas están en cifras? —Dígote que sí, sin exceptuar un ápice; y para que lo entiendas, ¿quién piensas tú que era aquel primer hijo de la verdad,
de quien todos huían, y vosotros de los primeros? —Quién había
de ser, respondió Andrenio, sino un monstruo tan fiero, un trasgo
tan aborrecible, que aún me dura el espanto de haberle visto.
—Pues hágote saber que era el odio primogénito de la verdad:
ella le engendra, cuando los otros le conciben, y ella le pare con
dolor ajeno. —Aguarda, dijo Critilo, ¿y aquel otro hijo también
de la verdad, tan celebrado de lindo, que no tuvimos suerte de
verle ni tratarle, quién era? —Ése es el postrero, que llega tarde;
a ése os quiero yo llevar ahora para que le conozcáis y gocéis de
su buen trato, discreción y respeto.

   —Pero ¡que no tuviésemos suerte de ver la verdad, se lamentaba Andrenio, ni aun esta vez, estando tan cerca, especialmente
en su elemento! Que dicen es muy hermosa; no me puedo conso-
lar. —¿Cómo que no la viste?, replicó el Descifrador, que así
dijo se llamaba. Ése es el engaño de muchos que nunca conocen
la verdad en sí mismo, sino en los otros; y así verás que alcanzan lo que le está mal al vecino y al amigo, lo que debían hacer,
y lo dicen, y lo hablan, y para sí mismo, ni saben, ni entienden;
en llegando a sus cosas desatinan de modo que en las cosas ajenas son unos linces, y en las suyas unos topos. Saben cómo vive
la hija del otro y en qué pasos anda la mujer del vecino, y de
la suya propia están muy ajenos. Pero ¿no viste alguna de tantas
bellísimas hembras que por allí discurrían? —Sí, muchas y bien
lindas. —Pues todas ésas eran verdades, cuanto más ancianas,
más hermosas, que el tiempo, que todo lo desluce, a la verdad
la embellece. —¿Sin duda, añadió Critilo, que aquella coronada
de álamo, como reina de los tiempos, con hojas blancas de los
días y negras de las noches era la verdad? —La misma. —Yo la
besé, dijo Andrenio, la una de sus blancas manos, y la sentí
tan amarga, que aún me dura el sinsabor. —Pues yo, dijo Critilo, la besé otra al mismo tiempo, y la hallé de azúcar, más que
linda estaba; y muy de día: todos treinta y tres treses de
hermosa se los conté uno por uno. Ella era blanca en tres cosas,
colorada en tres cosas, crecida en tres y así de los demás; pero

entre todas estas perfecciones excedía la de la pequeña y dulce boca, brollador de ámbar. —Pues a mí, replicó Andrenio, me pareció al contrario, y aunque pocas cosas me suelen desagradar, ésta por extremo.

—Paréceme, dijo el Descifrador, que vivís ambos muy opuestos en genio: lo que al uno le agrada, al otro le descontenta. —A mí, dijo Critilo, pocas cosas me satisfacen del todo. —Pues a mí, dijo Andrenio, pocas dejan de contentarme, porque en todas hallo yo mucho bueno y procuro gozar de ellas, tales cuales son, mientras no se hallan otras mejores; y éste es mi vivir, al uso de los acomodados. —Y aun necios, replicó Critilo. Interpúsose el Descifrador: —Ya os dije que todo cuanto hay en el mundo, pasa en cifra, el bueno, el malo, el ignorante, el sabio, el amigo le hallaréis en cifra, y aun el pariente, el hermano, hasta los padres e hijos, que las mujeres, y los maridos, es cosa cierta, cuanto más los suegros, y cuñados, el dote fiado, y la suegra de contado. Las más de las cosas no son las que se leen, ya no hay entender pan por pan, sino por agua, que hasta los elementos están cifrados en los elementos: ¿qué serán los hombres? Donde pensareis que hay sustancia, todo es circunstancia, y lo que parece más sólido, es más hueco, y toda cosa hueca vacía: sólo las mujeres parecen lo que son, y son lo que parecen. —¿Cómo puede ser eso, replicó Andrenio, si todas ellas de pies a cabeza no son otro que una mentirosa lisonja? —Yo te lo diré; porque las más parecen malas, y realmente que lo son. De modo que es menester ser uno muy buen lector para no leerlo todo al revés, llevando muy manual la contracifra para ver si el que os hace mucha cortesía quiere engañaros; si el que besa la mano, querría morderla; si el que gasta mejor prosa, os hace la copla; si el que promete mucho, cumplirá nada; si el que ofrece ayudar, tira a desayunar, para salir él con la pretensión. La lástima es que hay malísimos lectores, que entienden C por B, y fuera mejor D por C. No están al cabo de las cifras, ni las entienden, no han estudiado la materia de intenciones, que es la más dificultosa de cuantas pueden haber. Y yo os confieso, ingenuamente, que he nadado muchos meses y aun años tan a ciegas como vosotros, hasta que tuve suerte de hallar con este nuevo arte de discifrar, que llaman de discurrir los entendidos.

—Pues dime, preguntó Andrenio, ¿estos que vamos encontrando no son hombres en todo el mundo, y aquellas otras no son bestias? —¡Qué bien lo entiendes!, le respondió en pocas palabras y mucha risa. Eh, que no lees cosa a derechas; advierte que los más que parecen hombres no lo son, sino diptongo. —¿Qué cosa es diptongo? —Una rara mezcla; diptongo es un hombre con voz de mujer, y una mujer que habla como hombre; diptongo es un marido con melindres, y la mujer con calzones; diptongo es un niño de sesenta años, y uno sin camisa crujiendo seda; digtongo es un francés inserto en español, que es la peor mezcla de cuantas hay; diptongo hay de amo y mozo. —¿Cómo puede ser eso? —Bien mal, un señor en servicio de su mismo criado: hasta de ángel y de demonio le hay, Serafín en la cara y duende en el alma. Diptongo hay de Sol, de Luna, en la variedad y belleza; diptongo hallaréis de sí y de no, y diptongo en un monjil forrado de verde. Los más son diptongos en el mundo: unos compuestos de fieras y hombres, otros de hombres y bestia; cuál de político y raposo, y cuál de lobo y avaro, y de hombre y gallina; muchos bravos de hipogrifos, muchas tías de corderas y de lobas las sobrinas, de micos y de hombres, los pequeños y los agigantados de la gran bestia; hallaréis los más vacíos de sustancia y rebutidos de impertinencias, que conversar con un necio no es otro que estar toda una tarde sacando pajas de una albarda. Los indoctos afectados son buñuelos sin miel, y podridos bizcochos de galera; aquel tan tieso, cuan enfadoso, es diptongo de hombre y estatua, y de éstos hallaréis muchos; aquel otro, que os parece un Hércules con clava, no es sino con rueca, que son muchos los diptongos afeminados; los peores son los caricompuestos de virtud y de vicio, que abrasan al mundo, pues no hay mayor enemigo de la verdad que la verosimilitud, así como los de hipócrita malicia. Veréis hombres comunes, injertos en particulares, y mecánicos en nobles; aunque veáis algunos con vellocino de oro, advertid que son borregos, y que los Cornelios son ya Tácitos, y los Lucios, Apuleyos. Pero, que mucho, si aun en las mismas frutas hay diptongos, que compraréis peras, y comeréis manzanas, y os dirán que son peras.

Que os diré de los paréntesis, aquellos que ni hacen ni deshacen en la oración, hombres que ni atan ni desatan, no sirven sino de embarazar el mundo. Hacen algunos números de cuarto conde y quinto duque en sus ilustres casas, añadiendo cantidad, no calidad, que hay paréntesis de valor y digresiones de la fama. ¡Oh, cuántos de éstos no vinieron a propósito, ni a tiempo! —De verdad, dijo Critilo, que me va contentando este arte de discifrar, y aun digo, que no se puede dar un paso sin él. —¿Cuántas cifras habrá en el mundo?, preguntó Andrenio. —Infinitas, y muy dificultosas de conocer; mas yo prometo declararos algunas, digo las corrientes, que todas sería imposible. La más universal entre ellas abarca medio mundo, es el &c. Ya la he oído usar algunas veces, dijo Andrenio, pero nunca había reparado como ahora, ni me daba por entendido. ¡Oh, que dice mucho y explica poco! ¿No habéis visto estar hablando dos y pasar otro?; ¿quién es aquél?, ¿quién? —Fulano. No lo entiendo: o válgame Dios, dice el otro, aquel que, &c. ¡Oh, sí, sí, ya lo entiendo! Pues eso es &c. ¿Y aquella otra, quién es? ¿Qué, no la conocéis? Aquélla es la que, &c. ¡Sí, sí, ya doy en la cuenta. —Aquél es cuya hermana &c. No digáis más, que ya estoy al cabo. Pues es el, &c. Enfádase uno con otro, y dícele: quita allá, que es un &c. Váyase para una &c. Entiéndense mil cosas con ella, y todas notables. Reparad en aquel monstruo casado con aquel Ángel, ¿pensaréis que es su marido? Pues ¿qué había de ser? ¡Oh, qué lindo!, sabed que no lo es. ¿Pues qué? No se puede decir: es un &c. Válgate por la cifra, y ¿quién había de dar con ella? Aquella otra, que se nombra tía, no lo es. Pues qué, &c. La otra por doncella, el primero de la prima, al amigo del marido. Eh, que no lo son, por ningún caso, no son sino &c. El sobrino del tío, que no lo es, sino &c. Digo sobrino de su hermano. Hay cien cosas a esta traza, que no se pueden explicar de otra manera, y así echamos un &c., cuando queremos que nos entiendan, sin acabarnos de declarar, y os aseguro que siempre dice mucho más de lo que se pudiera expresar: hombre hay que habla siempre por &c. Y que llena una carta de ellas, pero si no van preñadas, son sencillas, y otras tantas necedades: por eso conocí yo uno, que llamaron el Licenciado de &c. Así como a otro el Licenciado del chiste. Reparad bien, que os prometo que casi todo el mundo es un &c. —Gran cifra es ésta, decía Andrenio, abreviatura de todo lo malo y lo peor. Dios nos libre de ella, y de que caiga sobre nosotros. ¡Qué preñada y llena de ilusiones, qué historias que toca, y todas raras; yo la repasaré muy bien. —Pues pasemos adelante, dijo el Descifrador.

Otra os quiero enseñar, que es más dificultosa, y por no ser tan universal, no es tan común, pero muy importante. —¿Y cómo la llaman? Cutildeque. Es menester gran sutileza para entenderla; porque incluye muchas, y muy enfadosas impertinencias, y se descifra por ella la necia afectación. ¿No ois aquel que habla con eco, escuchándose las palabras, con pocas razones? —Sí, y aun parece hombre discreto. —Pues no lo es, sino un afectado, un presumido, y en una palabra, es un cultideque. Notad aquel otro, que se compone, y hace de los graves y de los tiesos: aquel otro que afecta misterio y habla por sacramentos: aquel que va vendiendo secretos. Parecen grandes hombres, pues no lo son, sino que lo querían parecer, no son sino figuras en cifras de cultideque. Repararon en aquel atufadillo, que se va paseando la mano por el pecho, y diciendo: ¡qué gran hombre se cría aquí, qué prelado, qué presidente! Pues aquel otro, que no le pesa de haber nacido, también es cutildeque. El atildado, estáse dicho, el mirlado, el abemolado, y que habla con la voz aflautada, con tonillo de falsete, el ceremonioso, el espetado, el acartonado; y otros muchos de la categoría del enfado, todos éstos se descifran por la cutildeque. —¡Qué docto se quiere ostentar aquél, dijo Andrenio, qué bien ve lo que sabe, señal que es ciencia comprada y no inventada. —Y advierte que no es letrado; más tiene de cutildeque que de otras letras. Todos estos atildados afectan parecer algo, y al cabo son nada; y si acertáis a descifrarlos, hallaréis que no son otros que figuras en cifras de cutildeque.

—Aguarda, ¿y aquellos otros, dijo Andrenio, tan alzados y dispuestos, que parece los puso en zancos la misma naturaleza, o

que su estrella los aventajó a los demás, y así los miran por
encima del hombro, y dicen a los de abajo, ¿quién anda por esos
suelos? Éstos sí que serán muy hombres, pues hay tres y cuatro
de los otros en cada uno de ellos. —Oh, qué mal que lees, le dijo
el Descifrador; advierte que lo que menos tienen es de hombre:
nunca verás que los muy alzados sean realzados; y aunque cre-
cieron tanto, no llegaron a ser personas. Lo cierto es que no son
letras, ni hay que saber en ellos, según aquel refrán: hombre
largo, pocas veces sabio. —¿Pues de qué sirven en el mundo?
—¿De qué? De embarazar. Éstos son unas ciertas cifras, que llaman zancón; y, es decir, que no se ha de medir uno por las zancas,
no por cierto, sino por la testà, que de ordinario lo que echó en
éstos la naturaleza en gambas, les quitó de cerbelo; lo que les
sobra de cuerpo, les hace falta de alma. Levanta los desproporciona-
dos tercios el cuerpo, mas no el espíritu; quédaseles del cuello
abajo; no pasa tan arriba. Y así veréis que por maravilla les llega
a la boca, y se les conoce en la poca sustancia con que hablan.
Mira qué trancos da aquel zancón que por allí pasa la calle y
plazas, y con todo eso anda mucho y discurre poco. —¡Oh, lo
que abraza aquel otro del suelo, ponderaba Andrenio. —Sí; pero
cuán poquito de cielo, y aunque tan alto, muy lejos está de tocar
con la coronilla en las estrellas. De estos tales zancones hallaréis
muchos en el mundo, tenedlos en lo que son, llevando la contracifra; por otra parte, veréis que se paga mucho el vulgo de ellos,
y más cuanto más corpulentos; creyendo que consiste en la gordura la sustancia, miden la calidad por la cantidad, y como los
ven hombres de fachada, conciben de ellos altamente; llena mucho una gentil presencia; por poco que favorezca el espíritu, parece uno doblado, y más si es hombre de puesto; pero ya digo
por lo común, ellos bien descifrados, no son otros que zancones.
—Según eso, dijo Andrenio, aquellos otros sus antípodas, aquellos pequeños, y por otro nombre ruincillos, que por maravilla
escapan de ahí, aquellos que hacen del hombre, porque no lo son,
siquiera por parecerlo, semilla de títeres, moviéndose todos, que
ni paran ni dejan parar, amasados con azogues, que todos se
mueven, hechos de goznes, gente de polvorín, picantes granos,
aquel que se estira, porque no le cabe el alma en la vaina, el otro
gravecillo, que afecta el ser persona, y nunca sale de personilla,
con poco se llena, chimenea baja y angosta, toda es humo, ¿todos
éstos sí que serán letras? —De ningún modo, digo que no lo son.
—¿Pues qué? —Añadiduras de letras, puntillos de íes y tildes
de enes. Por eso es menester guardarles los aires, que siempre
andan en puntillos, y de puntillas, ni hay mucho que fiar, ni qué
confiar de personeta, ni de sus otros consonantes; son chiquitos y
poquitos, y menuditos; así dice el catalán *poca cosa para forsa.*
Yo conocí un gran ministro que jamás quiso hablar con ningún
hombre muy pequeño, ni le escuchaba; llevan el alma en pena;
si andan, no tocan en tierra, porque van de puntillas; y si se

sientan, ni tocan ni en Cielo ni en Tierra; tienen reconcentrada
la malicia, y así tienen malas entrañuelas: son de casta de sabandijas pequeñas, que todas pican, que matan. Al fin ellos son abre-
viaturas de hombres, y cifra de personillas.

Otra cifra me olvidaba, que os importará mucho el conocerla,
la más practicada y la menos sabida, entiéndense mil cosas en
ella, y todas muy al contrario de lo que pintan, y por eso se han
de leer al revés. ¿No veis aquel del cuello torcido? ¿Pensaréis
que tiene muy recta la intención? —Claro es eso, respondió Andrenio. —¿Creeréis que es un beato? —Y con razón. —Pues sabed que no lo es. —¿Pues qué? —Un *Alterutrum.* —¿Qué cosa
es *Alterutrum?* —Una gran cifra que abrevia al mundo entero, y
todo muy al contrario de lo que parece. Aquel de las grandes
melenas, bien pensaréis que es un león —Yo por tal le tengo.
—En lo rapante ya podría, pero aténgome más a las plumas de
gallina que tremola que a las guedejas que ondea. —Aquel otro
de la barba ancha y autorizada, ¿creerás tú que tiene de mente lo
que de mentón? —Téngole por un Bártulo moderno. —Pues no
es sino un *Alterutrum,* un semícrapo lego, de quien decía un
macánico: pruébeme el señor licenciado que es letrado, que al
punto sacaré de la vecindad mi herrería. Qué brava hazañería
hace aquel otro ministro, y cuando más celoso del servicio real,
entonces hace el suyo de plata, que no es sino un *Alterutrum,* que
de achaque de gorrón a Salamanca, come hoy lo que entonces
ayunó: los veinte mil de renta cuando se están comiendo de
sarna los mayores soldados y los primogénitos de la fama la de-
linean. Prométoos que está lleno el mundo de estos *Alterutrum,*
muy otros de los que se muestran, que todo pasa en representación,
para unos comedia, cuando para otros tragedia. El que parece
sabio, el que valiente, el entendido, el celoso, el beato, el cauto,
más que casto, todos pasan en cifras de *Alterutrum;* observadlo
bien, que si no a cada paso tropezaréis en ella; estudiad la contracifra de suerte que no a todo vestido de sayal tengáis por
monje, ni el otro porque roce seda dejará de ser mico: hallaréis
brutos en doradas salas, y bestias que volvieron de Roma borregos felpados de oro. Al oficial veréis en cifra de caballero, al
caballero de título, al título de grande, al grande en la de príncipe. Cubre hoy el pecho con la espada roja el que ayer con el
mandil. Lleva el nieto la insignia verde, y llevó el abuelo el babador amarillo; jura éste a fe de caballero, y pudiera de gentil;
cuando oigáis a uno prometerlo todo, entended *Alterutrum,* que
dará nada; y cuando responda el otro a vuestra súplica un sí, sí
duplicado, creed *Alterutrum,* que dos afirmaciones niegan, así
como dos negaciones afirman; esperad más de un no, no, no, que
de un doblado sí, sí. Cuando al pagar dice el médico no, no,
habla en cifra, y toma en realidad. Cuando os dijere el otro: señor, veámonos, es decir que no os le pongáis delante; el yo iré
a vuestra casa, es lo mismo que no pondré los pies en ella: aquí

está mi casa, es arrancar las puertas; y cuando el otro dice ¿habéis menester algo?, bien descifrado, es lo mismo que decir, pues idlo a buscar; y cuando dice: mirad si se os ofrece alguna cosa, entonces echa otro nudo a la bolsa. A esta traza habéis de descifrar los más apretados cumplimientos. Todo soy vuestro, entended que es muy suyo; o lo que me alegro de veros, y más de aquí a veinte años. Mandadme algo, entended que en testamento. Créeselo todo el otro necio, y en llegando la contracifra de ocasión se halla engañado.

Otras muchas hay que llaman de arte mayor, ésas son muy dificultosas, quedarán para otra ocasión. —Ésas, replicó Critilo, que a todo había callado, me holgara yo saber en primer lugar; porque estas otras que nos has dicho, los niños las aprenden en la cartilla. —Ahí verás, dijo el Descifrador, que aun comenzando tan temprano a estudiarla, tarde llegan a entenderlas: a los niños los destetan con ellas, y los hombres las ignoran; estudiad por ahora éstas y practicad las contracifras, que estas otras yo os ofrezco explicároslas en el arte de discurrir, para que haga pareja con la de concebir.

Desta suerte divertidos, se hallaron, sin advertir, en medio de una gran plaza, emporio célebre de la apariencia, y teatro espacioso de la ostentación, del hacer parecer las cosas, muy frecuentado en esta era, para ver las humanas tropelías y las tramoyas tan introducidas; hoy vieron a la una y otra hacer a varias oficinas, aunque tenidas por mecánicas, nada vulgares, y más para los entendidos y entendedores. En una estaban dorando cosas varias, yerros de necedades, con tal sutileza, que pasaban plaza de aciertos: albardas, estatuas, terrones, guijarros y maderos, muladares y albañales. Parecían muy bien de luego; pero con el tiempo caíaseles el oro y descubríase el lodo. —Basta, dijo Critilo, que no es todo oro lo que reluce. —Aquí sí, respondió el Descifrador, que hay que discurrir, y bien que descifrar: creedme, que por más que se quieran dorar los desaciertos, ellos son yerros y los parecen después. Querernos persuadir, que el matar un príncipe, y por su mano, horrible hazaña a sus nobilísimos cuñados, por solas vanas sospechas, entristeciendo todo el reino, que fue celo de justicia. ¡Díganle al que tal escribe, que es querer dorar un yerro! Defender que el otro rey no fue cruel ni se ha de llamar así, sino el justiciero; díganle al que tal estampa que tiene pequeña mano para tapar la boca a todo el mundo. Decir que el perseguir los propios hijos y hacerles guerra, encarcelarlos y quitarles la vida, que fue obligación y no pasión; respóndaseles que por más que lo quieran dorar con capa de justicia, siempre serán yerros. Publicar que el dejamiento y remisión, que ocasionó más muertes de grandes y de señores que la misma crueldad, que eso nació de bondad y de clemencia, díganle al que eso escribe que es querer dorar un yerro; pero poco importa, que el tiempo deslucirá el oro y sobresaldrá el yerro, y triunfará la verdad.

Confitaban en otras varias frutas ásperas, ácidas y desabridas, procurando con el artificio desmentir lo insulso y lo amargo. Sacáronles una gran fuente de estos dulces, que no sólo no rehusaron, pero la lograron diciendo era debido a su vejez. Cebóse en ellos Andrenio, celebrándolos mucho; más el Descifrador, tomando uno en la mano: —Veis, dijo, qué bocado tan regalado éste, ¡pues si supieses de lo que es! —¿Qué ha de ser, dijo Andrenio, sino un terrón de azúcar de Candia? —Pues sabed que fue un pedazo de una insulsa calabaza, sin el picante moral y sin el agrio satírico; este otro que cruje entre los dientes era un troncho de lechuga; mirad lo que puede el artificio, y que hombres sin sabor y sin saber se disfrazan de esta suerte y tan celebrados por grandes hombres, confitan su agria condición y su aspereza a los principios; azucaran otros el no, el mal despacho, enviando al pretendiente si no despechado no despachado. Esta otra era una naranja palaciega tan amarga en la corteza como agria en lo interior; atended, qué dulce se vende con el buen modo, ¡quién tal creyera! Éstas eran guindas intratables, y hanlas confeccionado de suerte que son regalo; ésta era flor de azar, que ya hasta los azares se confitan y son golosinas, y hay hombres tan hallados con ellos como Mitrídates con el veneno; aquel tan apetitoso era un pepino, escándalo de la salud; y aquel otro un almendruco, que hay gustos que se ceban en un poco de madera. De modo que andan unos a cifrar, y otros a descifrar, y dar a entender. Junto a éstos estaban los tintoreros dando raros colores a los hechos. Usaban de diferentes tintas para teñir del color que querían los sucesos, y así daban muy buen color a los más mal hechos y echaban a la buena parte lo mal dicho, haciendo pasar negro por blanco, y malo por bueno. Historiadores de pincel, no de pluma, dando buena o mala cara a todo lo que querían. Trabajaban los contralores, dándole bueno al mismo cieno y desmintiendo la hediondez de sus costumbres y el mal aliento de la boca con el almizcle y el ámbar. Solos a los sogueros celebró mucho el Descifrador por andar al revés de todos.

En llegando aquí se sintieron tirar del oído, y aun arrebatarles la atención; miraron a un lado y a otro y vieron sobre un vulgar teatro un valiente *Decitore* rodeado de una gran muela de gente, y ellos eran los molidos; teníalos en son de presos, aherrojados de las orejas, no con las cadenillas de oro del Tébano, sino con bridas de yerro. Éste, pues, con valiente parola, que importa el saberla bornear, está vendiendo maravillas. Ahora quiero mostraros, les decía, un alado prodigio, un portento del entender; huélgome de tratar con personas entendidas, con hombres que lo son; pero también sé decir que el que no tuviere un prodigioso entendimiento, bien puede despedirse desde luego, que no hará concepto de cosa tan alta y sutil: alerta, pues, mis entendidos, que sale un águila de Júpiter, que habla y discurre como tal, que se ríe a lo Zoilo y pica a lo Aristarco; no dirá palabra que no en-

cierre un misterio, que no contenga un concepto, con cien ilusiones a cien cosas, todo cuanto dirá serán profundidades y sentencias. —Éste, dijo Critilo, sin duda será* algún rico, algún poderoso,
que si él fuera pobre, nada valiera cuanto dijera, que se canta
bien con voz de plata, y se habla mejor con pico de oro. —Ea,
decía el Charlatán, tómense la honra, los que no fueren águilas
en el entender, que no tienen que atender. ¿Qué es esto? ¿Ninguno se va? ¿Nadie se mueve? (El caso fue que ninguno se dio
por entendido, de desentendido, antes todos por muy entendedores, todos mostraron estimarse mucho y concebir altamente de sí.)
Comenzó ya a tirar de una grosera brida, y asomó el más estólido de los brutos, que aun el nombrarle ofende. —He aquí,
exclamó el embustero, un águila a todas luces, en el pensar, en
el discurrir, y ninguno se atreva a decir lo contrario, que sería
no darse por discreto. —Sí, juro a tal, dijo uno, que yo le veo
las alas, y ¡qué altaneras! Yo le cuento las plumas, ¡y qué sutiles
que son! ¿No la veis vos?, le decía al del lado. Pues no, respondía él, y ¡muy bien! Mas otro hombre de verdad y de juicio
decía: Juro como hombre de bien que yo no veo que sea águila,
ni que tenga plumas, sino cuatro pies zompos y una cola muy reve-
renda. —Ta, ta, no digáis eso, le replicó un amigo, que os echaréis a
perder, que os tendrán por un gran &c. —¿No advertís lo que los
otros dicen y hacen? Pues seguid la corriente. —Juro a tal, proseguía otro varón también de entereza, que no sólo no es águila,
sino antípoda de ella: digo que es un grande &c. —Calla, calla,
le dio del codo otro amigo; ¿queréis que todos se rían de vos?
No habéis de decir sino que es águila, aunque sintáis todo lo contrario, que así lo hacemos nosotros. —¿No notáis, gritaba el Charlatán, las sutilezas que dice? No tendrá ingenio quien no las note
y observe. Y al punto saltó un bachiller diciendo: ¡Qué bien!
¡Qué gran pensar! ¡La primera cosa del mundo! ¡Oh, qué sentencia! ¡Déjenmela escribir! Lástima es que se le pierda un ápice!
Disparó en esto la portentosa bestia aquel su desapacible canto,
bastante a confundir un consejo, con tal torrente de necedades que
quedaron todos aturdidos mirándose unos a otros. —Aquí mis entendidos, acudió al punto el ridículo embustero, aquí de puntillas;
esto sí que es decir: ¿Hay Apolo como éste? ¿Qué os ha parecido
de la delgadeza en el pensar, de la elocuencia en el decir? ¿Hay
más discreción en el mundo? Mirábanse los circunstantes y ninguno osaba chistar, ni manifestar lo que sentía, y lo que de verdad
era, porque no le tuviesen por un necio: antes todos comenzaron
a una vez a celebrarle y aplaudirle. A mí, decía una muy ridícula bachillera, aquel su pico me arrebata; no le perderé día. Voto
a tal, decía un cuerdo, así bajito, que es un asno en todo el mundo; pero yo me guardaré muy bien de decirlo. Pardiez, decía otro,
que aquello no es razonar, sino rebuznar; pero mal año para quien
tal dijese. ¿Esto corre por ahora?, ¿el topo pasa por lince, la rana

por canario, la gallina pasa plaza de león, el grillo de jilguero, el jumento de aguilucho?; qué me va a mí en lo contrario. Sienta yo conmigo, y hable yo con todos, y vivamos, que es lo que importa.

Estaba apurado Critilo de ver semejante vulgaridad de unos y artificios de otros: ¡hay tal dar en una necedad!, ponderaba; y el socarrón del embustero, a sombra de su nariz de buen tamaño se estaba riendo de todos, y solemnizaba aparte, como paso de comedia: ¡cómo que te lo engaño a todos éstos!, ¿qué más hiciera la encandiladora? Y les hago tragar cien disparates. Y volvía a gritar: ninguno diga que no es así, que sería calificarse de necio: con esto se iba reforzando más el mecánico aplauso, y hacía lo que todos Andrenio; pero Critilo, no pudiéndolo sufrir, estaba que reventaba, y volviéndose a su mudo Descifrador, le dijo:
—¿Hasta cuándo éste ha de abusar de nuestra paciencia? Y ¿hasta cuándo tú has de callar? ¿Qué desvergonzada vulgaridad es ésta?
—Eh, ten espera, le respondió, hasta que el tiempo lo diga; él volverá por la verdad, como suele; aguarda que este monstruo vuelva la grupa, y entonces oirás lo que abominaban de él estos mismos que le admiran. Sucedió puntualmente, que al retirarse el Embustero, aquel su diptongo de águila y bestia, tan mentida aquélla con cierta ésta, al mismo instante comenzaron unos y otros a hablar claro. Juro, decía uno, que no era ingenio, sino un bruto. ¡Qué brava necedad la nuestra!, dijo otro, con que se fueron animando todos, y decían: ¡Hay tal embuste! De verdad que no le oímos decir cosa que valiese y le aplaudimos. Al fin él era un jumento, y nosotros merecemos la albarda.

Mas ya en esto volvía a salir el Charlatán, prometiendo otro mayor portento. Ahora sí, decía, que os propongo no menos que un famoso gigante, un prodigio de la fama; fueron sombra con el Encélado y Tifeo; pero también digo que el que le aclamare gigante, será de buena ventura, porque le hará grandes honras y amontonará sobre él riquezas, los mil y los diez mil de renta, la dignidad, el cargo, el empleo; mas el que no le reconociere, jayán, desdichado de él, no sólo no alcanzará merced alguna, pero le alcanzarán rayos y castigos. Alerta todo el mundo, que sale, que se ostenta, ¡oh, cómo descuella! Corrió una cortina y apareció un hombrecillo, que aun encima de una grulla no se divisara; era como del codo a la mano, una nonada, pigmeo en todo, en el ser y en el proceder. ¿Qué hacéis que no gritáis? ¿Cómo no le aplaudís? Vocead, oradores; cantad, poetas; escribid, ingenios; decid todos el famoso, eminente, el gran hombre. Estaban todos atónitos y preguntábanse con los ojos: Señores, ¿qué tiene éste de gigante? ¿Qué le veis de héroe? Mas ya la runfla de los lisonjeros comenzó a voz en grito a decir: ¡Sí, sí, el gigante, el gigante, el primer hombre del mundo! ¡Qué gran príncipe tal! ¡Qué bravo mariscal aquél! ¡Qué gran ministro fulano! Llovieron al punto doblones

sobre ellos, componían los autores, no ya historias, sino panegíricos, hasta el mismo Pedro Mateo; comíanse los poetas las uñas
para hacer pico; no había hombre que se atreviese a decir lo contrario; antes todos, al que más podía, gritaban: ¡El gigante, el
máximo, el mayor!, esperando cada uno un oficio y un beneficio,
y decían en secreto, allá en sus interioridades: ¡qué bravamente
que miento, que no es crecido, sino un enano!; pero ¿qué he de
hacer? Mas no, sino andaos a decir le que sentís y medraréis.
Deste modo, visto yo, como y bebo y campeo y me hago gran
hombre, mas que sea él lo que quisiere, y aunque pese a todo el
mundo, él ha de ser gigante. Trató Andrenio de seguir la corriente
y comenzó a gritar: ¡El gigante, el gigante, el gigantazo! Y al
punto granizaron sobre él dones y doblones, y decía: —Esto sí
que es saber vivir. Estaba deshaciéndose Critilo, y decía: —Yo
reventaré si no hablo. —No hagas tal, le dijo el Descifrador, que
te pierdes; aguarda a que vuelva las espaldas el tal gigante y verás
lo que pasa. Así fue, que al mismo punto que acabó de hacer su
papel de gigante y se retiró al vestuario de las mortajas, comenzaron todos a decir: ¡qué bobería la nuestra! ¡Eh!, que no era gigante, sino un pigmeo, que no fue cosa ni valió nada; y dábanse
el cómo unos a otros. —¡Qué cosa es, dijo Critilo, hablar de uno
en vida o después de muerto! ¡Qué diferente lenguaje es el de las
ausencias! ¡Qué gran distancia hay de estar sobre la cabeza o bajo
los pies!

No pasaron aquí los embustes del Sinón moderno, antes echando por la contraria, sacaba hombres eminentes, gigantes verdaderos, y los vendía por enanos, y que no valían cosa, que eran nada,
y menos que nada; y todos daban en que sí, y habían de pasar
por tales, sin que osasen chistar los hombres de juicio y de censura: sacó la Fénix, y dio en decir que era un escarabajo, y todos,
que sí, que lo era, y hubo de pasar por tal. Pero donde se acabó
de apurar Critilo, fue cuando le vio sacar un grande espejo y
decir con desvergonzado despejo: Veis aquí el cristal de las maravillas: ¿qué tenía que ver con éste el del Faro? Si ya no es él
mismo, pues hay tradición que sí, y lo atestiguó el célebre don
Juan de Espina, que le compró en diez mil ducados, y le metió al
lado del yunque de Vulcano. Aquí os lo pongo delante, no tanto
para fiscal de vuestras fealdades, cuanto para espectáculo de maravillas; pero es de advertir, que fuera villano, mal nacido, de
mala raza, hombre vil, hijo de ruin madre, el que tuviera mancha
en su sangre, el que le hiciere feeza su esposa bella, que las más
lindas suelen salir con tales fealdades, aunque él no lo supiera,
pues basta que todos le miren como al toro; ni los simples, ni los
necios, no tienen que llegarse a mirar, porque no verán cosa. Alto,
que le descubro, que le careo: ¿Quién mira? ¿Quién ve? Comenzaron unos y otros a mirar y todos a remirar, y ninguno veía cosa;
mas, ¡oh, fuerza del embuste!, ¡oh, tiranía del artificio! Por no

desacreditarse cada uno, porque no le tuviesen por villano, mal
nacido, hijo de &c, o tonto, o mentecato, comenzaron a decir mil
necedades de marca: yo veo, yo veo, decía uno. ¿Qué ves? La
misma Fénix, con sus plumas de oro y su pico de perlas. Yo veo,
decía otro, resplandecer el carbunclo en una noche de diciembre.
Yo oigo, decía otro, cantar el Cisne. Yo, dijo un filósofo, la armonía de los Cielos al moverse. Y se lo creyeron algunos simples.
Hombre hubo que dijo que veía el mismo Ente de razón tan
claro, que le podía tocar con la mano. Yo veo el punto fijo de la
longitud del Orbe. Yo las partes proporcionales. Y yo las indivi-
sibles, dijo un secuaz de Zenón. Pues yo la cuadratura del círculo.
Más veo yo, gritaba otro. ¿Qué cosa? ¿Qué cosa? El alma en la
palma, por señas, que es sencillísima. Nada es todo eso, cuando
yo estoy viendo un hombre de bien en este siglo, quien habla
verdad, quien tenga conciencia, quien obre con entereza, quien
mire más por el bien público que por el privado. A esta traza
decían cien imposibles, y con que todos sabían que no sabían, y
creían que no veían, ni decían verdad, ninguno osaba declararse,
por no ser el primero en romper el hielo. Todos agraviaban la
verdad y ayudaban al triunfo de la mentira.

—¿Para cuándo aguardas tú, le dijo Critilo a su Descifrador,
esa tu habilidad, si aquí no la sacas? Ea, acaba ya de descifrarnos
este embeleco al uso: dinos, por tu vida, ¿quién es este insigne
embustero? —Éste es..., le respondió. Mas al pronunciar estas
solas palabras, al mismo punto que le vio mover los labios el
famoso Tropelista, que en todo aquel rato no había apartado los
ojos de él, temiendo le descifrase sus embustes y diese con todo
su artificio al traste, comenzó a echar por la boca espeso humo,
habiendo antes engullido grosera estopa, y vomitó tanto, que llenó
todo aquel claro hemisferio de confusión; y cual suele la jibia,
notable pececillo, cuando se ve a riesgo de ser pescado, arroja
gran cantidad de tinta, que tiene recogida en sus senillos, y muy
guardada para su ocasión, con que enturbia las aguas, y oscurece
los cristales, y escapa del peligro. Así éste comenzó a esparcir tinta
de fabulosos escritores, de historiadores manifiestamente mentirosos, tanto que hubo un autor francés, entre éstos, que se atrevió a
negar la prisión del rey Francisco en Pavía, y diciéndole cómo
escribía una tan desvergonzada mentira, respondió: Eh, que de
aquí a doscientos años, tan creído seré yo como ellos; por lo
menos causaré razón de dudar y pondré en disputa, que de esta
suerte se confunden las materias. No paraba de arrojar tinta de
mentiras y fealdades, espeso humo de confusión, llenándolo todo
de opiniones y pareceres, con que todos perdieron el tino; y sin
saber a quién seguir, ni quién era el que decía verdad, sin hallar
a quién arrimarse con seguridad, echó cada uno por su vereda de
opinar, y quedó el mundo bullendo de sofisterías y caprichos. Pero
el que quisiere saber quién fuese este embustero político, prosiga
en leer la siguiente Crisi.

CRISI V

Varias y grandes son las monstruosidades que se van descubriendo de nuevo cada día en las arriesgadas peregrinaciones de la vida humana. Entre todas las más portentosas, es el estar el engaño en la entrada del mundo, y el desengaño a la salida; inconveniente tan perjudicial, que basta a echar a perder todo el vivir; porque son fatales los yerros en los principios de las empresas, por ir creciendo siempre y aumentándose cuanto más va, hasta llegar en el fin a un exorbitante exceso de perdición. Errar, pues, los principios de la vida, ¿qué será sino irse uno despeñando con mayor precipitación cada día, hasta venir a dar al cabo en un irremediable abismo de perdición y desdicha? ¿Quién tal dispuso de esta suerte? ¿Quién así lo ordenó? Ahora me confirmo en que todo el mundo anda al revés, y todo cuanto hay en él es a la trocada. El desengaño para bien ir, había de estar en la misma entrada del mundo, en el umbral de la vida, para que al mismo tiempo que el hombre metiera el pie en ella, se le pusiera al lado y le guiara, librándole de tanto lazo y peligro como le está armando. Fuera un ayo puntual, que siempre le asistiera, sin perderle un solo instante de vista, fuera el Numen vial, que le encaminara por las sendas de la virtud al centro de su felicidad destinada. Pero como al contrario, halla luego con el engaño, el primero que le informa de todo el revés, hácele desatinar, y le conduce por el camino de la mano izquierda al paradero de su perdición. Así se lamentaba Critilo, mirando a una y otra parte en busca de su Descifrador, que en aquella confusión universal de humo y de ignorancia le había perdido. Mas fue su suerte que otro que les estaba oyendo y percibió los extremos de su sentimiento, se fue llegando a ellos, y les dijo: —Razón tenéis de quejaron del desconcierto del mundo, mas no habéis de preguntar quién así lo ordenó, sino quién lo ha desordenado; no quién lo ha dispuesto, sino quién lo ha descompuesto. Porque habéis de saber, que el Artífice Supremo muy al contrario lo trazó de como hoy está, pues colocó el desengaño en el mismo umbral del mundo y echó el engaño acullá lejos, donde nunca fuera visto ni oído, donde jamás los hombres le contrataran. Pues ¿quién los ha barajado de este modo? ¿Quién fue aquel tan atrevido hijo de Jafet, que así los ha trastrocado? ¿Quién? Los mismos hombres, que no han dejado cosa en su lugar, todo lo han revuelto de alto a bajo con el desconcierto que hoy le vemos y lamentamos. Digo, pues, que estaba el bueno del desengaño en la primera grada de la vida, en el zaguán de esta casa común del Orbe, con tal atención, que en entrando alguno, al punto se le ponía al lado, y comenzaba a hablarle claro y desengañarle. Mira, le decía, que no naciste para

el mundo, sino para el Cielo: los halagos de los vicios matan, y
los rigores de las virtudes dan vida; no te fíes en la mocedad, que
es de vidrio; no tienes de qué desvanecerte, le decía al presumido,
por tus presentes; vuelve los ojos a tus pasados, reconócelos bien
a ellos, para que no te desconozcas a ti. Advierte, le decía el tahúr,
que pierdes tres cosas: el precioso tiempo, la hacienda y la conciencia. Avisábale de su fealdad a la resabia, y de su necedad a la
bella; a los varones de prendas, de su corta ventura, y a los venturosos, de sus pocos méritos; al sabio, de su desestimación, y de
su incapacidad al poderoso; al pavón le acordaba el potro de sus
pies, y al mismo Sol sus eclipses; a unos su principio; a otros su
paradero; a los empinados su caída, y a los caídos su merecido;
andábase de unos en otros estrellando verdades. Decíale al viejo,
que tenía todos los sentidos consentidos; y al mozo, que sin sentir;
al español, que no fuese tan tardo; y al francés, que no se moviese
tan de ligero; al villano, que no fuese malicioso; al cortesano, adulador. No se ahorraba con ninguno; pues aunque fuera un gran
señor, le avisaba, que no le caía bien el vos con todos, que podría
tal vez descuidarse con su príncipe, y hablarle del mismo modo
o tan sin él. Y a otro, que siempre estaba de chanza, le advirtió
que podría ser le llamasen el duque de Bernardina. Traía el espejo
cristalino del propio conocimiento muy a mano, y plantábasele
delante a todos. No gustaba de esto el malcarado, y menos el mascarado, ni el tuerto, ni el boquituerto, el cano, el calvo. Decíale a
uno, que le bobeaba el gesto; y al otro, que tenía ruin fachada;
las feas le hacían malísima cara, y las viejas le paraban arrugado
ceño. Hízose con esto malquisto en cuatro días, y a cuatro verdades tan aborrecible, que no le podían ver. Comenzaron a darle de
mano, y aun de pies; buenos porrazos asentó él de verdades, pero
también se llevó malos empellones de enfados. Éste le arrojaba a
aquél, y aquél al otro de más allá, hasta venir a dar con él en la
vejez, acullá en el remato de la vida; y si pudieran más lejos, aun
allí no le dejaran parar. Al contrario, lisonjeados grandemente del
engaño, aquel plausible hechicero, comenzaron a tirar de él, cada
uno hacia sí, hasta traerlo al medio de la vida y de allí, poco a
poco, a los principios de ella; con él comienzan, con él prosiguen:
a todos les venda los ojos, jugando con ellos a la gallina ciega,
que no hay hoy juego más introducido; todos andan desatinados,
dando de ojos de vicio en vicio, unos ciegos de amor, otros de
codicia; éste de venganza, aquél de su ambición, y todos de sus
antojos, hasta que llegan a la vejez, donde hallan con el desengaño, o él los halla a ellos, quítales las vendas y abren los ojos
cuando ya no hay que ver. Porque con todo acabaron: hacienda,
honra, salud y vida; y lo que es peor, con la conciencia. Ésta es la
causa de estar hoy el engaño a la entrada del mundo y el desengaño a la salida; la mentira al principio, la verdad al fin; aquí la
ignorancia, y acullá la ya inútil experiencia.

Pero lo que más es de ponderar y de sentir, que aun llegando tan tarde el desengaño, ni es conocido ni estimado, como os ha sucedido a vosotros, que habiendo tratado, conversado y comunicado con él, no le habéis conocido. —¿Qué decís, hombre? ¿Nosotros visto, hablado y comunicado con él? ¿Cuándo y dónde? —Yo os lo diré. ¿No os acordáis de aquel que todo lo iba descifrando y no se descifró a sí mismo? ¿Aquel que os dio a entender todas las cosas, y a él no le conocisteis? —Sí, y harto, que yo le suspiro, dijo Critilo. —Pues ése era el desengaño, el querido hijo de la verdad, por lo hermoso y lo lucido; ése el que causa los dolores, después de haberle sacado a luz. Aquí hizo extremos de sentimiento Critilo, lamentándose agriamente de que todo lo que más importa no se conoce cuando se tiene, ni se estima cuando se goza; y después, pasada la ocasión, se suspira, y se desea la verdad, la virtud, la dicha, la sabiduría, la paz, y ahora el desengaño. Al contrario, Andrenio no sólo no mostró sentimiento, sino positivo gozo, diciendo: —Eh, que ya nos enfadaba, y aun nos tenía muy hartos de tanta verdad a las claras, que buen gusto tuvieron los que supieron sacudir de sí al aborrecible entrometido, mosca importuna: él podía ser hijo de la verdad, más a mí me pareció padrastro de la vida; ¡qué enfado tan continuo! ¡Qué cosa tan pesada, su desengaño cada día! Aquello de desayunarse con el desengaño a secas. No paraba de ir diciendo necedades, a título de verdades; tú eres un desatinado, le decía al uno, sin más ni más; y al otro, tú eres un simple en seco y sin llover; tú, una necia, y tú, una fea. Mira, ¿quién le había de esperar, cuando no hay cosa más pesada que una verdad no pensada? Siempre andaba diciendo: ¡Qué mal hiciste! ¡Qué mal lo pensaste! ¡Qué mala resolución la tuya! Ah, quitádmele delante: no le vean más mis ojos. —Lo que yo más siento, ponderaba Critilo, fue el perderle cuando más le deseaba, cuando había de descifrarnos al mismo Descifrador que estaba leyendo cátedra de embustes, en medio de la gran plaza de las apariencias. Pues ¿qué os pareció de aquella afectación de unos en acreditar las cosas y los sujetos, y la vulgaridad de los otros en creerlo? ¿Aquel dar en una opinión de tanto necio? —Aquélla es la tiranía de la fama hechicera, el monopolio de la alabanza: apodéranse del crédito cuatro o cinco embusteros aduladores, y cierran el paso a la verdad con el afectado artificio de que no lo entienden los otros, y que es necio el que dice lo contrario; y así veréis, que los ignorantes se lo beben, los lisonjeros lo aplauden y los sabios no osan chistar; con que triunfa Aragne contra Palas, Marsias contra Apolo, y pasa la necedad por sutileza, y la ignorancia por sabiduría. ¡Oh, cuántos autores hay hoy muy acreditados por esta opinión común, sin haber hombre que se les atreva! ¡Cuántos libros y cuántas obras en gran predicamento, que bien examinados no merecen el crédito que gozan! Pero yo me guardaré muy bien de poner nota en quien tiene estrella. ¡Cuántos sujetos sin valor, y sin saber son celebrados

a esta traza! Sin haber hombre que ose hablar, sino algún desesperado Bocalini. Si dan en decir que una es linda, saldrá con ello,
aunque sea una idiota. Si en que es gran pintura, aunque sea un
borrón; y de ésta hallaréis mil vulgaridades: tal es la tiranía de la
afectada fama; la violencia del dar a entender todo lo contrario
de lo que las cosas son. De suerte que hoy todo está en opinión,
y según como se toman las cosas.

—Pero qué gran arte aquella de descifrar, ponderaba Critilo.
No sé qué me diera por saberla, que me pareció de las más importantes para la humana vida. Sonrióse aquí el nuevo camarada,
y añadió: —Otra me atrevo yo a comunicaros harto más sutil y
de mayor maestría. —¿Qué dices?, le replicó Critilo. ¿Otra mayor
puede hallarse en el mundo? —Sí, respondió, que cada día se van
adelantando las materias y sutilizando las formas; mucho más personas son los de hoy que los de ayer, y lo serán mañana. —¿Cómo
puedes decir eso, cuando todos convienen en que ya todo ha
llegado a lo sumo y que está en su mayor pujanza, tan adelantadas todas las cosas de la naturaleza y arte, que no se pueden
mejorar? —Engáñase de medio a medio quien tal dice, cuando
todo lo que discurrieron los antiguos es niñería respecto de lo que
se piensa hoy, y mucho más será mañana: nada es cuanto se ha
dicho, con lo que queda por decir, y creedme, que todo cuanto
hay escrito en todas las artes y ciencias, no ha sido más que sacar
una gota de agua del océano del saber. ¡Bueno estuviera el mundo
si ya los ingenios hubieran agotado la industria, la invención y la
sabiduría! No sólo no han llegado las cosas al colmo de su perfección, pero ni aun a la mitad de lo que pueden ser.

—Dinos por tu vida, así llega a ser más rancia que la de Néstor,
¿qué arte puede ser esa tuya? ¿Qué habilidad que sobrepuje al
ver con cien ojos, al oír con cien orejas, al obrar con cien manos,
proceder con dos rostros, doblando la atención, al adivinar cuanto
ha de ser, y al descifrar un mundo entero? —Todo eso que exageras, es niñería, pues no pasa de la corteza, es un discurrir de las
puertas afuera; aquello de llegar a escudriñar los senos de los
pechos humanos, a descoser las entretelas del corazón, a dar fondo
a la mayor capacidad, a medir un cerebro, por capaz que sea, a
sondar el más profundo interior, eso sí que es algo, ésa sí que es
fullería, y que merece la tal habilidad ser estimada y codiciada.
Estaban atónitos ambos peregrinos, oyendo tal destreza del discurrir, cuando prorrumpió Andrenio, y le dijo: —¿Quién eres, hombre o prodigio? Si ya no eres algún malicioso, algún malintencionado o algún vecino, que es el que ve más? —Nada de eso soy.
—Pues ¿qué eres, que no te queda ya que ser, sino algún político,
o un veneciano estadista? —Yo soy, dijo, el Veedor de todo.
—Explícate, que menos te entiendo. —¿Nunca habéis oído nombrar los zahoríes? —Aguarda, ¿aquel disparate vulgar? ¿Aquella
necedad celebrada? —¿Cómo necedades?, les replicó. Zahoríes hay
tan ciertos como perspicaces; por señas, que yo soy uno de ellos;

yo veo clarísimamente los corazones de todos, aun los más cerrados, como si fuesen de cristal; y lo que por ellos pasa como si los
tocase con las manos, que todos para mí llevan el alma en la
palma. Vosotros los que no gozáis de esta eminencia, asegúroos
que no veis la mitad de las cosas, ni la centésima parte de lo que
hay que ver en el mundo: no veis sino la superficie, no ahondáis
con la vista, y así os engañáis siete veces al día, hombres al fin
superficiales. Pero a los que descubrimos cuanto pasa allá en las
ensenadas de una interioridad, acullá dentro en el fondo de las
intenciones, no hay echarnos dado falso; somos tan tahúres del
discurrir, que brujuleamos por el semblante lo más delicado del
pensar; con sólo un ademán tenemos harto. —¿Qué puedes tú ver,
replicó Andrenio, más de lo que vemos nosotros? —Sí, y mucho;
yo llego a ver la misma sustancia de las cosas en una ojeada, y no
sólo los accidentes y las apariencias, como vosotros: yo conozco
luego si hay sustancia en un sujeto; mido el fondo que tiene, descubro a lo que tira y dónde alcanza, hasta dónde se extiende la
esfera de su actividad, dónde llega su saber y su entender, cuándo
ahonda su prudencia; veo si tiene corazoncillo, y el que bravos
hígados y si se le han convertido en bazo; pues el seso, yo le
veo con tanta distinción como si estuviese en un vidrio: si está en
su lugar, que algunos le tienen a un lado, si maduro o verde;
en viendo un sujeto, conozco lo que pesa y lo que piensa; otra
cosa más, que he hallado muchos que no tenían la lengua trabada
con el corazón, y los ojos unidos con el seso, con dependencia de
él; otros que no tienen hiel. —¡Qué linda vida pasarán ésos!, dijo
Critilo. —Sí, porque nada sienten, de nada se consumen ni melan-
colizan; pero lo que es más de admirar, que hay algunos que no
tienen corazón. —Pues ¿cómo pueden vivir? —Antes más, y mejor,
sin cuidados; que corazón se dijo del cuidarse, y tener cuidados; a
los tales, nada les da pena, no se les viene a consumir, como al
célebre duque de Feria, que cuando llegaron a embalsamarle, le
hallaron el corazón todo arrugado y consumido, conque le tenía
grande. Yo veo si está sano, y de qué color, si amarillo de envidia
y si negro de malicia; percibo su movimiento y me estoy mirando
hacia dónde se inclina; las más cerradas entrañas están a mis ojos
muy patentes, y descubro si están gastadas o enteras; la sangre
veo en sus venas, y advierto el que la tiene limpia, noble y gene-
rosa; los mismo puedo decir del estómago, luego conozco qué
estómago le hacen a cualquiera los sucesos: si puede digerir las
cosas; y me río las más veces de los médicos, que estará el mal
en las entrañas, y ellos aplican los remedios al tobillo; procede el
mal de la cabeza, y recetan untar los pies; veo y distingo clarísimamente los humores, y el de cada uno si está o no de buen
humor, observándolo para la hora del despacho y conveniencia;
si reina la melancolía para remitirlo a mejor sazón; si gasta cólera
o flema. —Válgate Dios por Zahorí, dijo Andrenio, y lo que penetras. Pues aguarda, que eso es nada: yo veo, yo conozco si uno

tiene alma o no. —Pues ¿hay quién no la tenga? —Sí, y muchos por varios modos. —Y ¿cómo viven? —En diptongo de vida y muerte, andan sin alma como cántaros, y sin corazón, como hurones; y en una palabra, de pies a cabeza comprendo un sujeto por dentro y fuera le reconozco y le defino, con que a muchos no les hallo definición. ¿Qué os parece de la habilidad? —Que es cosa grande. —Mas pregunto, dijo Critilo, ¿procede de arte o naturaleza? —Mi industria me cuesta; y advierte que todas estas artes son de calidad, que se pegan practicando con quien la tiene.

—Yo la renuncio desde luego, dijo Anudrenio, no trato de ser Zahorí. —¿Por qué no? —Porque tú no has dicho lo malo que tiene. —¿Qué le hallas tú de malo? ¿No es harto aquello de ver lo muerto en sus sepulcros, aunque estén metidos entre mármoles o siete estadios bajo de tierra, aquellas horribles cataduras, hormigueros de sabandijas, visiones de corrupción? —Quita allá y líbreme Dios de tan trágico espectáculo, aunque sea de un rey: dígote que no podría comer ni dormir en un mes. ¡Qué bien lo entiendes! —Eso nosotros no lo vemos, que allí no hay que ver, pues todo paró en tierra, en polvo, en nada: los vivos son los que a mí me espantan, que los muertos nunca me dieron pena; los verdaderos muertos que nosotros vemos y huimos son los que andan por su pie. —Si muertos andan, ¿cómo andan? —Ahí verás que andan entre nosotros y arrojan pestilencial olor de us hedionda fama, de sus gastadas costumbres; hay muchos ya podridos que les huele mal el aliento; otros que tienen roídas las entrañas, hombres sin conciencia, hombres sin vergüenza, gente sin alma; muchos que parecen personas y son plazas muertas. Todos éstos sí que me causan a mí gran horror, y tal vez se me espeluzan los cabellos. —Según esto, replicó Critilo, ¿también debes de ver lo que se cocina en cada casa? —Sí, y a fe muchos malos guisados, veo maldades emparedadas, que se cometen en los más escondidos retretes, fealdades arrinconadas, que se echan luego a vola por las ventanas y andan de corrillo en corrillo, corriendo a sus avergonzados dueños. Sobre todo, yo veo si uno tiene dinero, y me río muchas veces de ver que a algunos los tienen por ricos, por hombres adinerados y poderosos; y yo sé que es su tesoro de duendes y sus baúles como los del Gran Capitán, y aun sus cuentas. A otros veo tenerlos por unos pozos de ciencias y yo llego y miro, yo veo que son secos. Pues de verdad, aseguróos, que no veo la mitad. Así que no hay para mi vista cosa reservada, ni escondida; los billetes y las cartas por selladas que estén, las leo y atino lo que contienen en viendo para quién van y de quién vienen. —Ahora no me espanto, decía Critilo, que oigan las paredes, y más las del palacio, entapizadas de orejas; al fin todo se sabe y se huele. —¿Qué ves en mí?, le preguntó Andrenio. ¿Hay algo de sustancia? —Eso no diré yo, respondió el Zahorí; porque aunque todo lo veo, todo lo callo, que quien más sabe, suele hablar menos.

Procedían gustosamente embelesados, viéndole hacer maravillosas experiencias, cuando descubrieron a un lado del camino un extraño edificio, que en lo encontrado parecía palacio, y en lo ruidoso casa de contratación, y en lo cerrado brete: no se le veían ventanas, ni puertas. —¿Qué diptongo de estancias es ésta?, preguntaron. Y el Zahorí: —Éste es el escándalo mayor. Pero al decir esto. salió de él sin que advirtiesen cómo ni por dónde, un monstruo, sobre raro, formidable, mezcla de hombre y caballo de aquellos que los antiguos llamaban centauros. Éste en dos brincos estuvo sobre ellos, y formando algunos caracoles se fue, arrimando a Andrenio, y asiéndole de un cabello, que para ocasión basta y para afición sobra, metióle en las ancas de aquel semicaballo con alas, que todos los males vuelan, y en un instante dio la vuelta para su laberinto corriente y confusión al uso. Dieron voces los camaradas, mas en vano, porque dejaba atrás el viento; y del mismo modo que salió, sin saberse cómo ni por dónde, le metió allá, dejándole muy encastillado en nuevas monstruosidades. —¡Hay tal violencia!, se lamentaba Critilo. ¿Qué casa o qué ruina es ésta? Y el Zahorí suspirando le respondió: —No es edificio, sino desedificación de tanto pasajero, casa hecha a cien malicias, bajío de la vejez, seminario de embustes, y para decirlo de una vez, éste es el palacio de Caco y de sus secuaces, que ya no habitan en cuevas. Diéronle muchas vueltas, sin poderse distinguir la frente del envés, rodeáronle todo muchas veces, sin poderle hallar entrada ni salida; sonaban y aun tronaban los de dentro, y aseguraba Critilo que sentía la voz de Andrenio, mas no percibía lo que decía, ni descubría por dónde podía haber entrado, afligiéndose en gran manera y desconfiando de poder penetrar allá. —Ten pecho y espera, le dijo el Zahorí, y advierte que con gran facilidad hemos de entrar bien presto. —¡Cómo! ¡Si no se le conocen entradas, ni salidas, ni un resquicio, ni una rendija! —Ahí verás el primor de la industria cortesana. ¿No has visto tú entrar a muchos en los palacios sin saberse cómo, ni por dónde, y apoderarse de ellos y llegar a mandarlo todo? ¿No viste en Inglaterra introducirse un hijo de un carnicero a hacer carnicería de sangre noble? ¿En Francia un cierto Noves a llevar al retortero a los mismos Pares? ¿Nunca has oído preguntar a algunos simples señores cómo entró aquél en el palacio? ¿Cómo consiguió el puesto y el empleo? ¿Con qué méritos? ¿Por qué servicios? Y todo hombre encoge los hombros cuando ellos se desencogen y hombrean. Yo tengo de introducirte en él. —¿Cómo, no siendo mozo vergonzoso, ni venturoso? —Pues tú has de entrar como Pedro por Huesca. —¿Qué Pedro fue ése? El famoso que la ganó. —Eh, que no veo puerta ni ventana. —No faltará alguna, que los que no pueden por las principales, entran por las excusadas. —Aun ésa no descubro. —Alto, entra por los entremetidos, que son los más: y realmente fue así, que entraron allá con gran facilidad entremetiéndose.

Luego que se vieron dentro, comenzaron a discurrir por el embustero palacio, notando cosas bien raras, aunque muy usadas en el mundo: oían a muchos y a ninguno veían, ni sabían con quién hablaban. —Extraño encanto, ponderaba Critilo. —Has de saber, le dijo el Zahorí, que en entrando acá los más se vuelven invisibles, todos los que quieren y obran sin ser vistos. Verás cada día hacerse malos tiros y esconder la mano, tirar guijarros, sin atinar de dónde vienen, y echar voz, que son deudores; los más obran bajo manga, hacen la copla y no la dicen: mas como yo tengo en estos ojos un par de viejas, en vez de niñas, todo lo descubro, que en eso consiste mucho el ser Zahorí. Sígueme, que has de ver bravas tramoyas y raros modos de vivir, no olvidando el descubrir a Andrenio. Introdújole en el primer salón desahogadamente capaz; tenía cuatrocientos pasos de ancho, como dijo aquel otro duque, exagerando uno de sus palacios; y riéndose los otros señores que le escuchaban, le preguntaron: ¿Pues cuánto tendrá de largo? Aquí él, queriendo reparar su empeño, respondió: tendrá algunos ciento y cincuenta. Estaba todo él coronado de mesas francesas, con manteles alemanes y viandas españolas, muchas y muy regaladas, sin que viese ni supiese de dónde salían, ni cómo venían; sólo se veían de cuando en cuando unas blancas y hermosas manos, con sus dedos coronados de anillos, con macetas de diamantes, muchos finos, los más falsos, que por el aire de su donaire servían a las mesas los regalados platos. Íbanse sentando a las mesas los convidados o los comedores, descogían los paños de mesa, mas no desplegaban los labios; y comían y callaban, ya el capón, ya la perdiz, el pavo y el faisán, a costa de su fénix, sin costarle un maravedí, y cuando más una blanca, sin meterse en averiguar de dónde salía el regalo ni quién lo enviaba. —¿Quién son éstos, preguntó Critilo, que comen unos lobos, callan como unos borregos? —Éstos, le respondió su Veedor Zahorí, son los que de nada tienen asco, los que sufren mucho. —Pues, moscas en la delicada honra, ¿qué tienen que sufrir los que están tan regalados? —Y aun por eso. —¿De dónde sale tanta abundancia, Zahorí mío? —De la Cornucopia de Amaltea, pero déjalos, que todo eso es un encanto de mediterráneas sirenas. Pasaron a otra mesa, y allí vieron comer a otros muy buenos bocados, lo mejor que llegaba a la plaza o a las despensas, la caza reciente, el pescado fresco y exquisito; y esto sin tener rentas, ni juros, aunque sí votos. —Éste sí que es raro encanto, decía Critilo, que coman éstos como unos príncipes, siendo unos desdichados, y lo que es más, sin tener hacienda, sin censos, sin conocérseles casa sobre que llueva Dios, sin trabajar ni cansarse, antes holgándose y paseando todos los días. ¿De dónde sale esto, señor Zahorí?, vos que lo veis todo. —Aguarda, le respondió, y verás el misterio. Asomaron en esto unas garras, no de nieve como las primeras, sino de neblí, y todas las de rapiña, que traían volando, esto es, por el aire el pichón y el gazapo. Quedó atónito

Critilo, y decía: —Esto sí que es cazar, ya echan piernas los que uñas, y todo es comer por encanto. —¿No has oído contar, le decía el Zahorí, que a algunos les traían de comer los cuervos y los perros? —Sí, pero eran Santos, y éstos son Diablos, aquello era por milagro, pues esto es por misterio. —Mas esto es niñería, respecto de lo que tragan aquellos otros, que están acullá más alto. Cerquémonos y verás los prodigios del encanto: ¡allí hay hombre que come los diez mil y los veinte mil de renta, que cuando llegó a meter la mano en la mesa y en la masa, no traía más que su capa, y bien raída. ¡Bravo encanto! —Pues éstos son migajuelas reales; mira aquellos otros, y señalóles unos bien señalados; aquéllos sí que tragan, pues, millones enteros; ¡qué bravos estómagos! ¡Oh, avestruces de plata!

Dejaron ésta y pasaron a otra sala, que parecía el vestuario, y aquí vieron sobre bufetes moscovitas, muchos tabaques india- nos, con ricas y vistosas galas, lamas de Milán, telas de Nápoles, brocados y bordados, sin saberse quién los cosió ni de dónde venían: echábase voz, que era para la casta Penélope, y servían después para la Tais y la Flora: decíase que para la honesta consorte y rozábalas la ramera. Todo se hacía invisible, todo noche y todo encanto. Había unas grandes fuentes que brindaban hielos de perlas a unas, y hacían saltar hilo a hilo las lágrimas a otras, a la mujer legítima y a la recatada hija; chorrillos de diamantes, dicho así con propiedad, porque ya se ha dicho cho- rrillo del pedir. Salía la otra transformada de Guinea, en una India de rubíes y esmeraldas, sin costarle al marido o al her- mano ni aun una palabra. —¿De dónde tanta riqueza, Zahorí mío? Y él: —De esas fuentes. Ahí mismo manan. Que por eso se llamaron fuentes, porque son brolladoras de perlas entre are- nas de oro, riéndose de tanto necio. Llegaban los maridos y ves- tían muy a lo príncipe, calzábanse el sombrero de castor a costa del menos casto, sacaban ellas randas al aire de su loca vanidad, y todo paraba en aire: aquí hallaron el caballero del milagro, y no uno solo, sino muchos de aquellos que visten y comen, pasean y campan, sin saberse cómo ni de qué. —¿Qué es esto, decía Critilo, al que tiene lucida hacienda, rentas pingües, juros y posesiones, le pone grima el vivir, el poder pasar, y éstos que no tienen donde caer muertos, lucen, campan y triunfan? —¿No ves tú, respondía el Zahorí, que a éstos nunca se les apedrean las viñas, jamás se les anieblan las hazas, no le llevan las avenidas los molinos, no se les mueren los ganados, por maravilla tienen desgracia alguna, y así viven de gracia y chanza? Lo que fue mucho de ver, la sala de los presentes, que no de los pasados, y aquí notaron los raros modos por donde venían los sobornos, los varios caminos por donde llegaban los cohechos, y la lámina pre- ciosa por devoción, la pieza rica por cosa de gusto, la vajilla de oro por agradecimiento, el cestillo de perlaas por cortesía, la fuente de doblones para alegrar, la sangría vaciando las venas y

llenando la bolsa, los perniles para unto, los capones para regalo,
y los dulce por chucherías. —Señor Zahorí, decía Critilo, ¿cómo
es esto que los presentes antes estaban helados y ahora vienen
llovidos? —He, le respondía, ¿no veis que las cargas siguen a los
cargos, y es de notar que todo venía por el aire, y en el aire?

—Raro palacio es éste, censuraba Critilo, que sin cansarse los
hombres, coman, beban, vistan y luzcan a pie quedo, a manos
holgadas; ¡valiente encanto!; y porfiaban algunos que no hay palacios encantados, y se burlan, y ríen, cuando los oyen pintar;
de ellos me río yo, aquí los quisiera ver. Lo que a mí más me
admira, decía Critilo, es ver cómo se hacen las personas invisibles,
no sólos los pequeños y los flacos, que esto no sería mucho;
pero los muy grandes, y que lo son mucho para escondido, no
sólo los flacos y exprimidos; pero los gordos y los godos, que
no se dejan ver, ni hablar, ni parecen; en habiendo menester al
que os importe, no le hallaréis, ni hay darle alcance; nunca están
en casa; y así decía uno: No come ni duerme este hombre, que
a ninguna hora le hallo. Pues que si ha de pagar, o prestar, no
le hallaréis en todo el año: hombre había que se le sentía hablar,
y se negaba, y él mismo decía, decidle, que no estoy en casa.
Las mujeres entre mantos de humo envolvían mucha confusión, y
se hacían tan invisibles, que sus mismos maridos las desconocían,
y los propios hermanos cuando les encontraban callejeando. Corrían voces, dejando a muchos muy corridos, y no se sabía quién
las echaba, ni de dónde salían, antes decían todos: Esto se dice
no me déis a mí por autor. Publicábanse libros, y libelos, pasando de mano en mano, sin saberse el original, y había autor que
después de muchos años enterrado, componía libros, y con harto
ingenio, cuando no había ya ni memoria de él. Entremetiéronse
en los íntimos retretes, alcobas y camarines, donde hallaron varias sombras de trasgos y duendes, nocturnas visiones, que aunque
se decían no hacían daño, no era pequeño el robar la fama y
descalabrar la honra; andaban a oscuras buscando los Soles, los
trasgos tras los Ángeles, aunque decía bien uno, que las hermosas
son diablos con caras de mujeres, y las feas son mujeres con caras de diablos. Mas en esto de duendes los había extremados, que
arrojaban piedras crueles tirando al aire, y aun a desaire, que
abrían una boca de medio a medio, y era de notar que las más
locas acciones se obraban bajo cuerda, sin poder atinar con el
intento, ni el brazo, que fueron muy otros siempre los títulos
que se dan a las cosas de los verdaderos motivos por que se hacían. Caían muchas habas negras, que mascaraban mucho a muchos, sin atinar quién la echaba, y tal vez salía de las manos del
más confidente, y así aconsejaba bien el sabio a no comerlas, por
ser de perversa digestión y mal aliento. —Ahora verás, dijo el
Zahorí, a vista de tal confusión de invisibilidades, si tuvo razón
aquel otro filósofo, aunque se burlaron de él e hicieron fisga los

más bachilleres. —¿Y qué decía el tal Estoico? —Que no había
verdaderos colores en los objetos, que el verde no es verde, ni el
colorado colorado, sino que todo consiste en las diferentes dis-
posiciones de la superficie y en la luz que las baña. —Rara paradoja, dijo Critilo. Y el Veedor: —Pues advierte que es la misma
verdad, y así verás cada día que de una misma cosa uno dice
blanco, otro negro. Según concibe cada uno, o según percibe, así
le da el color que quiere, conforme al afecto y no al efecto: no
son las cosas más de como se toman, que de lo que hizo admiración Roma, hizo donaire Grecia. Los más en el mundo son Tintoreros, y dan el color que les está bien al negocio, a la hazaña,
a la empresa y al suceso; informa cada uno a su modo, que según
es la afición, así es la afectación; habla cada uno de la Feria,
según le fue en ella; pintar como querer, que tanto es menester
atender a la cosa alabada o vituperada, como al que alaba o
vitupera. Ésta es la causa que de una hora para otra están las
cosas de diferente data, y muy de otro color. ¿Pues qué es menester ya para hacer verbo de lo que se habla, y de lo que se
dice, y de lo que corre? Aquí es el mayor encanto. No hay poder
averiguar cosa de cierto; así que es menester valerse del arte de
discurrir y aun adivinar, y no porque se hable en otra lengua
que la del mismo país, pero con el artificio del hacer correr la
voz, y pasar la palabra, parece todo algarabía.

Había al revés otros que se hacían invisibles a ratos; el día
que más eran menester en el trabajo, en la enfermedad, en la
prisión, en la hora de hacer la fianza. Olían los males de cien
leguas y huían de ellos otras tantas; pero pasada la borrasca, se
aparecían con Santelmos. A la hora de comer se hacían muy visibles, y más si olían el capón de leche, de Caspe, en la huelga,
en la merienda, al dar barato, que no había librarse de ellos; al
punto se los hallaba un hombre al lado, y en todas partes. —Sin
duda, decía Critilo, que éstos son demonios meridianos, pues todo
el día andan asombrados, y a la hora de comer se nos comen por
pies: cuando más son menester, se ocultan, y cuando menos se
aparecen. Sentían gorjear a Andrenio, mas sin verle, que en entrando allí se había hecho invisible muy hallado con el encanto,
cuando más perdido en el común embeleco. Sentía Critilo el no
atinar con él, ni percibir de qué color estaba, ni en qué pasos
andaba; porque todos afectaban el negarse al conocimiento ajeno,
que es tahurería el no jugar a juego descubierto: hasta el hijo
se recelaba del padre, y la mujer se recelaba del marido, el amigo
no se concedía todo al mayor amigo. Ninguno había que en todo
procediese liso, ni aun con el más confidente. Era muy aborrecida
la luz, de unos por lo hipócrita, de otros por lo político, por lo
vicioso y maligno. Maleábase Critilo de no poder dar alcance a
su buscado Andrenio, descubriendo su nuevo modo de vivir de
tramoya. —¿De qué sirve, le decía a su camarada perpicaz, el ser

Zahorí toda la vida, si en la ocasión no nos vale? ¿Qué haces, si aquí no penetras? Pero consolóle, ofreciéndole descubrirle bien presto, y aun a dar en tierra con todo aquel encanto embustero. Pero quien quisiere ver el cómo, y aprender a desencantar casas y sujetos, que lo habrá tal vez menester, y le valdrá mucho, extienda la paciencia, si no el gusto, hasta la otra Crisi.

CRISI VI

EL SABER REINAR

No hay maestro que no pueda ser discípulo, no hay belleza que no pueda ser vencida. El mismo Sol reconoce a un escarabajo la ventaja del vivir. Excédenle, pues, al hombre en la perspicacia el lince, en el oído el ciervo, en la agilidad el gamo, en el olfato el perro, en el gusto el simio y en lo vivaz la Fénix. Pero entre todas estas ventajas, la que él más codició fue aquella de rumiar, que en algunos de los brutos se admira y no se imita. ¡Qué gran cosa, decía, aquello de volver a repasar segunda vez lo que la primera a medio mascar se tragó! ¡Aquel desmenuzar de expansión lo que se devoró apriesa! Juzgaba ésta por una singular conveniencia, y no se engañaba, ya para el gusto, ya para el provecho. Contentóle de modo que aseguran llegó a dar súplica al Soberano Hacedor, representándole, que pues le había hecho uno como epílogo de todas las creadas perfecciones, no le quisiese privar de ésta, que él la estimaría, al paso que la deseaba. Vióse la petición humana en el Consistorio divino, y fuele respondido que aquel don por que suplicaba ya se le había concedido anticipadamente, desde que nació. Quedó confuso con semejante respuesta, y replicó: ¿cómo podía ser, pues nunca tal cosa había experimentado en sí, ni practicado? Volvióse a responder, advirtiese, que con mayores realces la lograba: no en rumiar el pasto material, de que se sustenta el cuerpo, sino el espiritual, de que se alimenta el alma: que realzase más los pensamientos, y entendiese que el saber era su comer y las nobles noticias su alimento; que fuese sacando de los senos de la memoria las cosas, y pasándolas al entendimiento, que rumiase bien lo que sin averiguar ni discurrir había tragado; que repasase muy despacio lo que de ligero concibió. Piense, medite, cave, ahonde y pondere, vuelva una y otra vez a pasar y repasar las cosas, consulte lo que ha de decir, y mucho más lo que ha de obrar. Así que su rumiar ha de ser repensar, viniendo del reconsejo muy a lo racional y discursivo.

Esto le ponderaba el Zahorí a Critilo cuando más desesperado andaba de poder dar alcance a su disimulado Andrenio. —He, no te apures, le decía, que así como pensando, hallamos la entrada en este encanto, así repensando, hemos de hallar la salida. Discurrió

luego en abrir algún resquicio por donde pudiese entrar un rayo
de luz, una vislumbre de verdad. Y al mismo instante (¡oh cosa
rara!) que comenzó a rayar la claridad, dio en tierra toda aquella
máquina de confusiones, que toda artimaña, en apareciendo, desaparece; deshízose el encanto, cayeron aquellas encubridoras paredes, quedando todo patente y desenmarañado. Viéronse las caras unos a otros, y las manos tan escondidas a los tiros, contó del
modo de proceder de cada uno; así que en amaneciendo la luz
del desengaño, anocheció todo artificio. Mas para que se vea
cuán hallados están los más con el embuste, especialmente cuando
viven de él, al mismo punto que se vieron desencastillados de
aquel su Babel común, y que habían dado en tierra con aquel su
engañoso modo de pasar, que ya no llegaban a mesa puesta, como
solían, con sus manos lavadas, y la honra no limpia; luego que
comenzaron a echar menos la gala y la gula, el vestido, el gui-
sado de buen gusto, sin costarles más que una gorra, enfurecidos
contra el que había ocasionado tanta infelicidad, arremetieron
contra el Zahorí descubridor de su artificio, llamándole enemigo
común. Mas él, viéndose en tal aprieto, apretó los pies, digo las
alas, y huyóse al sagrado de mirar y callar, voceándoles a los dos
camaradas, que ya se habían abrazado y reconocido, tratasen de
hacer lo mismo, prosiguiendo el viaje de su vida hacia la Corte
del saber coronado, tan encomendada de él y de todos los sabios
aplaudida.

—¡Qué entrada de Italia ésta, ponderaba Critilo! ¡Qué de laberintos a esta traza se nos aguardan en ella! Conviene prevenirnos
de cautela, así como hacen los atentos en las entradas de las provincias, donde llegan; en España contra las malicias, en Francia
contra las vilezas, en Inglaterra las perfidias, en Alemania las
groserías y en Italia los embustes. No les salió vana su presunción, pues a pocos pasos dieron en raro bivio, dudosa encruci-
jada, donde se partía el camino en otros dos, con ocasionado
riesgo de perderse muy al uso del mundo. Comenzaron luego a
dificultar cuál de las dos sendas tomarían, que parecían extremos:
estaban altercando al principio, con encuentro de pareceres, y
después de afectos, cuando descubrieron una banda de cándidas
palomas por el aire, y otras de serpientes por la tierra; parecieron
aquéllas, con su manso y sosegado vuelo, venir a pacificarlos y
mostrarles el verdadero camino, con tan fausto agüero, quedando
ambos en curiosa expectación de ver por cuál de las dos sendas
echarían. Aquí ellas, dejada la de mano derecha, volaron por la
siniestra. —Esto está decidido, dijo Andrenio, no nos queda qué
dudar. —Oh, sí, respondió Critilo, veamos por dónde se deshilan
las serpientes, porque advierte que la paloma no tanto guía a la
prudencia cuanto a la simplicidad. —Esto no, replicó Andrenio,
antes suelo yo decir que no hay ave ni más sagaz ni más política
que la paloma. —¿En qué lo fundas? —En que ella es la que
mejor sabe vivir, pues en fe de que no tiene hiel donde quiera

halla cabida, todos la miran con afecto y la cogen con regalo; no sólo no es tímida, como las de rapiña, ni odiosa como la serpiente, sino acariciada de todos, alzándose con el agrado de las gentes. Otra atención suya, que nunca vuela, sino a las casas blancas, y nuevas, y a las torres más lucidas; pero ¿qué mayor política que aquella de la hembra? Pues con cuatro caricias que le hace al palomo, le obliga a partirse el trabajo de empollar y sacar los hijuelos, aviniéndose muy bien con el esposo, y enseñando a las mujeres bravas y fuertes a templarse y saberse avenir con los maridos. Mas donde ella juega de arte mayor es en lo de sus polluelos, que aunque se los hurten y delante de sus ojos se los maten, no por eso se mata ella, ni se mete en guerra por defenderlos, no pasa pena alguna, sino que come y vive de ellos. Pues ¿qué diré de aquella espaciosa ostentación que suele hacer de sus plumas, cambiando visos y brillando argentería? Así que no hay otra razón de estado como la sinceridad y la mansedumbre de la paloma, y que ella es la mayor estadista.

Vieron en esto que la otra tropa de serpientes se fue desfilando por la senda contraria de la mano derecha, con que se aumentó su perplejidad. —Éstas, sí, decía Critilo, que son maestras de toda sagacidad; ellas nos muestran el camino de la prudencia; sigámosla, que sin duda nos llevarán al saber reinar. —No haré yo tal, decía Andrenio, porque yo no sé que pare en otro todo el saber de las culebras que en ir arrastrando toda la vida entre los pies de todos. Resolviéronse al fin en seguir cada uno su vereda, éste de la astucia de la serpiente y aquél de la sinceridad de la paloma, con cargo de que el primero que descubriese la Corte del saber triunfante, avisase al otro y le comunicase el bien hallado. A poco rato que se perdieron de vista, no de afecto, encontró cada uno con su paraje bien diferente, habitado de gentes totalmente opuestas y que vivían muy al revés unos de otros.

Hallóse Critilo entre aquellos que llaman los reagudos, gente toda de alerta, hombres de ensenadas, de reflejas y de segundas intenciones, de trato nada liso, sino doblado. Fuésele apegando luego un grande narigudo, digo, nariagudo, no tanto para conducirle cuanto para explorarle, y comenzó a tentarle el vado y quererle sondar el fondo con rara destreza, hombre al fin de atención y de intención. Hízosele amigo de los que llaman hechizos o hechizados, aceptando agasajos, mostrándosele muy oficioso, con que ambos se miraron con cautela y procedían con resguardo. Lo primero en que reparó Critilo fue, que encontrando muchos, que parecían muy personas, ellos no repararon en él, ni le hacían cortesía: calificólo, o por grosería, o por insolencia. —Ni uno ni otro, le respondió el nuevo camarada. ¿Pues qué? —Yo te lo diré, que todos ésos son gente de su negocio y no atienden a otro; no hacen caso sino de quien puede hacer fortuna; no se cuidan sino de quien dependen, y toda la cortesía, que hurtan a los demás, las gastan con éstos. Aquellos del otro lado son hijos de este siglo, y aun por eso tan metidos en él, todos puestos en acomodarse, como si se hubiesen de perpetuar acá. Hallaron luego un raro sujeto, que no contentándose con una ojeada les echó media docena, y aunque aquí todos andaban muy despiertos, éste les pareció desvelado. —¿Quién es éste?, preguntó Critilo. —No sé si te lo podré dar a conocer como quisiera, que yo ha años que le trato, y aún no le acabo de sondar, ni acertaré a definirle. Baste por ahora saber que éste es el Marrajo. —¡Oh, sí, dijo Critilo, ya estoy al cabo! —¿Cómo al cabo? Ni aun al principio, que si con otros para conocerlos es menester comer un almud de sal, con éste doblada; porque él lo es mucho. Oyeron a otro que venía diciendo: —La mitad del año, con arte y engaño, y la otra parte, con engaño y arte. —No tiene razón, glosó Critilo, porque este aforismo ya yo le he oído condenar y más entre astutos, donde más se engaña con la misma verdad, cuando ninguno cree que algún otro la diga. Éste, sin más ver que su figurilla y su modillo, es Tracillas. —El mismo, y viene hablando muy de lo secreto y profundo con aquel otro su mellizo. —¿Y quién es? —A éste le llaman el Bobico, y estarán trazando cómo armar alguna zancadilla; pero de verdad que se las entienden, que basta conocerlo y tenerlos en esa opinión; y aun por eso viene diciendo aquel otro sí, sí, entre bobos anda el juego; con esto no les dejan hacer baza. Asomó otro de la misma data. —¿Qué papel hace éste? —Es el tal nombrado Dropo, y tan temido. —¿Y aquél? —El Zaino, otro que tal. —Creerás que no veo alguno de éstos, que no me asuste: heles cobrado especial recelo. —No me admiro, porque a ninguno llegan a hablar, que no le suceda lo mismo: todos los temen y se previenen. Por eso cuentan de la raposa, dijo el nariagudo, que volviendo un día muy asustados sus hijuelos a su cueva, diciendo habían visto una espantosa fiera, con unos deformes colmillos de marfil: quita de ahí, no hay que temer, les dijo, que ése es Elefante, y una gran bestia: no os dé cuidado. Volviendo al otro día, huyendo de otra, decían con agudas puntas en la frente. Eh, que también es nada, les respondió, que sois unos simples. Ahora sí que hemos hallado otra, con las uñas como navaja, ondeando horribles melenas. Ese es el león, pero no hay nada que hacer caso, que no es tan bravo como le pintáis. Finalmente vinieron un día muy contentos, por haber visto, decían, un otro, no animal ni fiera, sino muy diverso de todos los otros, pues desarmado, apacible, manso y risueño. Ahora sí, les dijo, que hay que temer; guardaos de él, hijos míos, huid cien leguas. ¿Por qué, si no tiene uñas, ni puntas, ni colmillos? Basta, que tiene maña. Ése es el hombre, guardaos, digo otra vez, de su malicia. Y tú de aquel que pasa por allá, a quien todos les señalan con el dedo a lo cigüeño: es un raro sujeto de quien dicen es un diablo, y aun peor. Aquel que va a su lado, te venderá siete veces al día; pues que otro aquel que va guiñando, llamado por eso el raposo, que lo es en el nombre y en los he-

chos, tiene bravas correrías, que toda ésta es gente de artimaña.
—Ahora dime, ¿qué será la causa, preguntó Critilo, que cada uno
anda de por sí, nunca van juntos, ni hacen camarada, así como
en cierta plaza, donde vi yo pasearse muchos ciudadanos, y cada
uno solo, sin osarse llegar, temiéndose unos a otros? —¡Oh, respondió el nariagudo, por éstos y ésos se dijo: cada lobo por su
senda. Fue muy de notar el encuentro del codicioso con el tram-
poso, porque urdía éste mil trapazas en un punto, y el otro se
las pasaba todas, aunque las conocía, en atención a su codicia;
y es lo bueno que cada uno decía del otro, qué simple éste,
cómo que le engañó. ¿No reparas en aquel tan runcillo, digo chi-
cuelo? Pues todo es malicias: nada de cuanto dices y piensas se
le pasa por alto; ni a aquel otro de su tamaño hay echarle dado
falso. —Pues dime, ¿quién metió acá a aquél, que retira a tonto,
y ya sabes, que en pareciéndolo, lo son, y aun la mitad de los
que no lo parecen? —Advierte que no lo es, sino que sabe ha-
cerlo, así como aquel otro, que hace los zonzos, que no hay peor
desentendido que el que no quiere entender.

Dudó Critilo, y aun le preguntó, si acaso estaban en la lonja
de Venecia, o en el Ayuntamiento de Córdoba, o en la plaza de
Calatayud, que es más que todo. Donde dijo un forastero, hablando con una natural, y confesándose vendido o vencido: Señor mío, por eso dicen que sabe más el mayor necio de Calatayud que el más cuerdo de mi patria. ¿No digo bien? No, por
cierto, le respondió. Pues ¿por qué no? Porque no hay ninguno
necio en Calatayud, ni cuerdo en vuestra ciudad. Pero nada has
visto, le dijo el camarada, si no das una vista por la Sátrapa;
guióle a ella; díjose al entrar: aquí abrir el ojo, y aun ciento, y
retirarlos bien. Hallaron un vejazo y otro más. Aquí admiró bravas tretas, las grandes sutilezas, jugando todo de arte mayor, que
todos eran peliagudos y nariagudos, mañosos, sagaces y políticos.

Pero mientras anda aquí Critilo, ya comprando, ya vendiendo,
bien será que demos una vuelta en seguimiento de Andrenio, que
va perdido por el contrario paraje, que casi todos los mortales
andan por extremos, y el saber vivir consiste en hallar el medio.
Hallábase en el país de los buenos hombres, y, que diferentes de
aquellos otros, parecían de otra especie, gente toda pacífica, por
quienes nunca se revolvió el mundo ni se alborotó la feria. Encontró de los primeros con Juan de Buen Alma, a medio saludar,
que se le olvidaban las palabras; con todo eso contrajeron estrecha amistad. Allegóseles un otro, que también dijo llamarse
Juan, que aquí los más lo eran, y buenos, si allá Pedros revuel-
tos. —¿Quién es aquél que pasa riéndose? —Aquél es de quien
dicen que de puro bueno se pierde, y es un perdido; aquel otro,
el bueno bueno, y el que de puro bueno vale para nada, gente
toda amigable. —Qué poca ceremonia gastan, ponderó Andrenio,
aun cortesía no hacen. —Es que no saben engañar. Con todo eso
se llegó, y les saludó *bon compaño*, que venía con tal sea mi

vida, y mi alma con la suya, no se oía un sí ni un no entre ellos,
en nada se contradecían, aunque dijeran la mayor paradoja, ni
porfiaban. Y era tal su paz y sosiego, que dudó Andrenio si eran
hombres de carne y sangre. —Bien dudas, le respondió el hombre, de su palabra, a quien se holgó mucho de ver, como cosa
rara, y no era francés, que los más de ellos son de pasta, y buenas pastas; y en confirmación de ello, repara en aquél, todo boca-
deado, como Fulano de Mazapán, que cada uno le da un pellizco.
Aquel otro es el Canónigo Blandura, que todo lo hace bueno.
Vieron uno, todo comido de moscas: aquél es la buena miel. Qué
serena gente toda ésta para superiores, que ya así lo buscan, cabezas de cera, que la puedan volver y revolver donde quisieren, y
retorcerles las narices a un lado y a otro. Aquí hallaron con
Buenas Entrañas, que no pensaba mal de nadie, ni tal creía. Aquél
se pasa de bueno, y está harto pasado, mira a todos como él;
pero que bueno estuviera el mundo si así fueran todos: venía con
él dejado, y bien dejado de todos: ¡qué hombre de tan linda
corpulencia aquél! —¡Es el celebrado Pachorra, que nada le quita
el sueño, ni por acontecimiento alguno le pierde, aunque sea el
más trágico, tanto, que despertándole una noche para darle aviso
de un extraño suceso que espantó al mundo: —Quitaos de ahí,
dijo a los criados, ¿y no estaba mañana para decírmelo? ¿Pensáis
que no había de llegar? Sobre todo no se hartaba Andrenio de
ver su traje, nada a lo práctico, sin pliegues ni aforros y sin
alforjas. Vio a don Fulano de todos, y para nadie, y para nada,
acompañado de un gran camarada: aquel de la mano derecha es
el del primero que llega; y el de la izquierda, el último se le
lleva; el de más allá, el que le pierde le gana; el otro tanto le
querría mío, como ajeno. Allí viene el que no sabe negar cosa,
el que no tiene cosa suya, ni la acción, ni la palabra. Aquel otro
todo lo otorga, don Fulano del sí, antípoda de monseñor *no li
po fare*, gente toda bien quista y de vivir muchos años. De tal
suerte, que preguntó Andrenio si era aquélla la región de los
inmortales. —¿Por qué lo dices?, le preguntó uno. —Porque ninguno veo que se mate ni se consuma; yo no sé de qué mueren
éstos. —No mueren, que ya lo están. —Antes yo digo, que eso
es saber vivir, tener buena complexión, hombres sanos, gente de
buenos hígados, de buen estómago, y que esotros hacen de las
tripas corazón, éstos al revés, hacen del corazón tripas, y crían
buena panza. Así era su trato llano, sin revoltijas, ninguno tenía
caracol en la garganta, hablaban sin artificio, llevaban el alma
en la palma, y aun en palmas; no había aquí engañadores, ni
cortesanos, ni cordobeses, y con pasar a Italia, no había ningún
italiano, cuando mucho algunos de Bérgamo; de los españoles, algún castellano viejo; de los franceses, algún albernio, y muchos
polacos. Fiábanse de todos, sin distinción; y así todos los engañaban, y que ya no se ha de decir engañabobos, sino buenos, ésos
son los más fáciles de engañar. —¡Qué lindo temple de tierra éste,

le decía Andrenio, y mejor Cielo! —En otro tiempo habíais de
haber venido, le dijo un viejo, hecho al buen tiempo, cuando
todos se trataban de vos y todos decían vos, como en el Cid;
entonces sí que estaba este país muy poblado, no se había descubierto aún el de la malicia, ni se sabía hubiese tan mala tierra; siempre se creyó era inhabitable, más que la Tórrida Zona.
Dios se lo perdone a quien la halló: mirad qué India. No se
hallaba entonces un hombre doblado por maravilla, y todo el
mundo le conocía y le señalaban de una legua; todos huían de
él como de un tigre. Ahora todo está maleado, todo mudado,
hasta los climas, y según van las cosas, dentro de pocos años será
Alemania otra Italia, y Valladolid otra Córdoba.

Pero aunque estaba allí Andrenio, no vendido, sino hallado
en aquella mansión de la bondad y verdad de la candidez y llaneza, con todo trató de dejarla, pareciéndole era sobrada simplicidad; y fue cosa notable que ambos a la par, aunque tan distantes, parece que se orejearon, pues convinieron en dejar cada uno
el extremo por donde había echado: el uno de la astucia, el otro
de sencillez; y poniendo la mira en el medio, descubrieron la
Corte del saber prudente, y se encaminaron allá. Llegaron a en-
contrarse en un puesto donde se volvían a unir ambas sendas, y
a emparejarse los extremos. Aquí pareció estarles esperando un
raro personaje, de los portentosos que se encuentran en la jornada de la vida, porque así como algunos suelen hacerse lenguas,
y otros ojos, éste se hacía sesos, y todo él se veía hecho de sesos,
de modo que tenía cien corduras, cien esperas, cien advertencias
y otros tantos entendimientos. En suma, él era castellano en lo
sustancial, aragonés en lo cuerdo, portugués en lo juicioso y todo
español en ser hombre de mucha sustancia. Púsoselo a contemplar Andrenio, después de haberse confabulado con Critilo, y
decía así: —Señores, que tenga unos sesos en la cabeza está bien,
que es allí el folio del alma, pero lengua de sesos, ¿a qué propósito? Si aun siendo de carne, y muy sólida, desliza con riesgo
de toda la persona, que sería menos inconveniente tropezar diez
veces con los pies, antes que una con la lengua, que si allí se
maltrata el cuerpo con la caída, aquí se descompone toda el
alma, ¿qué será de una masa tan fluida y deleznable? ¿Quién la
podrá gobernar? —Oh, cómo te engañas, le respondió el Sesudo,
que así se llamaba, antes ahí conviene tener más seso, para andar con más tiento, que no hay palabra más bien articulada que
la que está en el buche. —¿Narices de seso? ¿Quién tal inventó,
y para qué? Proseguía en su reparo Andrenio, los ojos ya podrían para no mirar a tontas, y a locas; pero en las narices ¿de
qué puede servir el seso? —Oh, sí, y mucho. —¿Pues para qué?
Para impedir que no se les suba el humo a las narices, y lo tizne
todo, y abrase un mundo. Hasta en los pies ha de haber seso, y
mucho, y más en los malos pasos, que por eso decía un atento:
aquí todo el seso ha de ir en el carcañal; y si los que andan a

caballo le llevasen en los pies, no perderían tan fácilmente los estribos: habría siquiera algún cuerdo entronizado. Así que todo el hombre, para bien ir, habría de ser de seso: seso en los oídos, para no oír tantas mentiras, ni escuchar tantas lisonjas, que vuelven locos a los tontos; seso en las manos, para no errar el manejo, y atinar aquello en que se ponen; hasta el corazón ha de ser de sesos, para no dejarse tirar, y aun arrastrar de sus afectos; seso, y más seso, y mucho seso para ser hombre chapado, sesudo y sustancial. —¡Qué pocos he hallado yo de ese modo!, decía Critilo. —Antes oí decir a uno, ponderó Andrenio, que no había sino una onza de seso en todo el mundo, y que de ésa, la mitad tenía un cierto personaje, que no le nombro, por no incurrir en odio, y la otra estaba repartida por los demás: mirad qué le cabría a cada uno. —Engañóse quien tal dijo. Nunca más seso ha habido en el mundo, pues no ha dado ya al traste con tanta priesa como le han dado. —Ahora dime, instó Andrenio, ¿de dónde has sacado tú tanto seso, así te dure; dónde le hallaste? —¿Dónde? En las oficinas en que se forja, y en las boticas donde se vende. —¿Qué dices? ¿Boticas hay de cordura? Nunca tal he hallado, con tanto como he discurrido. —¿Pues no te corres tú de saber dónde se vende el vestir, y el comer, y no dónde se compra el ser persona? Tiendas hay donde se feria el entendimiento y el juicio, verdad sea que es menester tenerle para hallarle. —¿Y a qué precio se vende? —A aprecio. —¿De que modo? —Teniéndole. —¿A buen ojo? —No, sino a peso y medida. Pero vamos, que hoy os he de conducir a las mismas oficinas donde se forjan y se labran los buenos juicios, los valientes entendimientos, a las escuelas de ser persona. —Y dinos, en esas oficinas que tú dices, ¿refinan mucho seso cada día? —No va sino por año, y para sola una onza hay que hacer toda una vida.

Fuelos introducido en una tan espaciosa cuan especiosa plaza, coronada de alternados edificios, unos muy majestuosos, que parecían alcázares reales, otros muy pobres, como casa de filósofos, hasta pabellones militares entre patios de escuelas. Quedaron admirados nuestros peregrinos de ver tal variedad de edificios, y después de bien registrados los de una y otra acera, le preguntaron dónde estaban las oficinas del juicio, las tiendas del entendimiento. Ésas que veis son, mirad a un lado y a otro. —¿Cómo es posible, si aquéllos son palacios, donde más presto suele perderse el juicio que cobrarse, y aquellas otras militares tiendas más lo suelen ser de la temeridad que de la cordura? Pues aquellos patios llenos de estudiantes, menos lo serán, que entre gente moza no se hallará la prudencia, y en cascos verdes no cabe la madurez. —Pues sabed que ésas son las oficinas donde se suben los buenos caudales, ahí se forjan los grandes hombres, en esos talleres se desbastan de troncos y de estatuas, se labran los mayores sujetos. Mirad bien aquel primer palacio tan suntuoso y augusto: en él se fundieron los mayores hombres de aquel siglo, los prudentes senadores, los sabios consejeros, los famosos escritores; y así como otros inculcan estatuas mudas entre columnas pesadas para adorno de las vistosas fachadas, aquí veréis gigantes vivos, varones eminentes. —Así es, dijo Critilo, que aquel de la mano derecha parece el setencioso Horacio, y el de la izquierda es el más fecundo que facundo Ovidio, coronándole el superior Virgilio. —Según eso, dijo Andrenio, ¿aquél es el palacio del más augusto de los Césares? —No has de decir; se vio la oficina heroica de los mayores sujetos de su tiempo. Ese gran emperador les dio entendimiento con sus estimaciones, y ellos a él inmortalidad con sus escritos. Volved la mirada a aquel otro, no fabricada de mármoles sin alma, sino de vivas columnas, que sostienen reinos, escuela cortesana de los mayores entendimientos, y fueron muchos en aquella era. —¿Sería grande su dueño? —Y aun magnánimo, pues es el inmortal rey don Alonso, por quien se dijo que Aragón era la turquesa de los reyes. Vieron otro de animadas piedras, hablando con lenguas de inscripciones; no se veían tablas rasas de mármol, como en otros alcázares, sino grabadas de setencias y heroicos dichos. —¡Oh, gracia al Cielo, dijo Critilo, que veo un palacio que huele a personas! —Fuelo mucho su gran dueño, digo el rey don Juan el Segundo de Portugal volviendo por el crédito de los Juanes. Pero no es menos de admirar aquél, que allá se ve alternando de espadas y de plumas del rey Francisco el Primero de la Francia, extendiendo a la par ambas reales manos a los sabios y a los valerosos, que no a los farsantes y farsantas. Mas ¿no reparáis en aquél, coronado de palmas y de laureles, que ocupa el supremo ápice del Orbe y de los siglos? Aquél es el inmortal trono del gran pontífice León Décimo, en cuyo seno anidaron las águilas ingeniosas, más seguramente que en el del fabuloso Júpiter, aunque fue ingeniosa invención, para declarar cuán favorecidos deben ser de los príncipes los varones sabios. Águilas en la vista y en el vuelo. Aquel otro es del prudentazo rey de las Españas Felipe el Segundo, y escuela primera de la prudencia política, donde se forjaron los grandes ministros, los insignes gobernadores, generales y virreyes.

—¿Qué tienda militar es aquélla, que se hace lugar entre los palacios magníficos? ¿A qué propósito se baraja lo militar con lo cortesano? —¡Oh, sí, respondió el Varón de Sesos, porque has de saber que también los militares pabellones son oficinas de los hombres grandes, no menos valerosos que entendidos: apréndese mucho en ellos, dígalo el marqués de Grana y Carrero; porque ahí se sabe, no tanto de capricho cuanto de experiencia. Aquélla es la del Gran Capitán, a quien dio lugar entre los reyes, el de Francia, diciendo: bien puede comer con reyes el que vence reyes; fue tan cortesano como valiente, de tan gran brazo como ingenio, plausible en dichos y en hechos. Aquella otra es del duque de Alba, escuela de la prudencia y experiencia, así como su casa en la paz era el paradero de los grandes hombres, y por

eso tan recomendada de Juan Vega a su hijo cuando le enviaba
a la corte. —¿Qué otro modelo de edificios sabios son aquéllos,
no suntuosos, pero honrosos? —Ésos, dijo, no son alojamientos
de Marte, albergues sí de Minerva. Éstos son los colegios mayores de las más célebres universidades de la Europa; aquellos cuatro son los de Salamanca, aquel otro el de Alcalá, y el de más
allá, San Bernardino de Toledo, Santiago el de Huesca, Santa
Bárbara en París, los albornoces de Bolonia y Santa Cruz de
Valladolid, oficinas todas donde se labran los mayores hombres
de cada siglo, las columnas que sustentan después los reinos, de
quienes se pueblan los consejos reales y los parlamentos supre-
mos. —¿Qué ruinas son aquellas tan lastimosas, cuyas descompuestas piedras parecen estar llorando su caída? —Ésas, que ahora lloran, en algún tiempo, y siempre de oro sudaban bálsamos
olorosos; y lo que es más, destilaban sudor y tinta. Esos fueron
los palacios de los plausibles duques de Urbino y de Ferrara,
asilos de Minerva, teatro de las buenas letras, centro de los superiores ingenios. —¿Qué es la causa, preguntó Critilo, que no
se ven anidar ya, como solían, las águilas en tantos reales asilos?
—No es porque no las haya, sino que no hay un Augusto por
cada Virgilio, un Mecenas para cada Horacio, un Nerva para
cada Marcial y un Trajano para cada Plinio. Creedme que todo
grande hombre gusta de los grandes hombres. —Mayor reparo
es el mío, dijo Andrenio, y es cuál sea la causa que los príncipes
se pagan más, y les pagan también a un excelente pintor, a un
escultor insigne, y los honran y premian mucho más que a un
historiador eminente, que al más divino poeta, que al más excelente escritor. Pues vemos que los pinceles sólo retratan lo exterior, pero las plumas el interior, y va la ventaja de uno a otro,
que del cuerpo al alma exprimen aquéllos, cuando mucho el talle,
el garbo, la gentileza y tal vez la fiereza; pero éstos el entendimiento, el valor, la virtud, la capacidad y las inmortales hazañas.
Aquéllos le pueden dar vida por algún tiempo, mientras duraren
las tablas, o los lienzos, ya sean bronces; mas estas otras por
todos los venideros siglos, que es inmortalizarlos; aquéllos los
dan a conocer, digo a ver, a los pocos que llegan a mirar sus
retratos; mas éstos a los muchos que leen sus escritos, yendo
de provincia en provincia, de lengua en lengua, y aun de siglo en
siglo. —¡Oh, Andrenio, Andrenio, le respondió el Prudente, ¿no
ves tú que las pinturas y las estatuas se ven con los ojos, se tocan
con las manos, son obras materiales, no sé si me has entendido?
—Bastantemente.
Vieron ya en las oficinas del tiempo y del ejemplo formar un
grande hombre, copiándole más felizmente de siete héroes, que
el retrato de Apeles de las siete mayores bellezas. —¿Quién es
éste?, preguntó Andrenio. —Y el Sesudo: éste es un héroe moderno, éste es... —Tate, le interrumpió Critilo, no le nombres.
—¿Por qué no?, replicó Andrenio. —Porque no importa. —¿Cómo

no, habiendo nombrado hasta ahora tanto insigne varón, tantos plausibles sujetos? —De eso estoy arrepentido. —¿Pues por qué? —Porque piensan ellos que el celebrarlos es deuda, y así no hacen mérito del obsequio: creen que procede de justicia, cuando no es sino muy de gracia; por lo tanto, anduvo discretamente donoso aquel autor que en la segunda impresión de sus obras puso entre las erratas la dedicatoria primera.

Al contrario en otra oficina atendieron cómo estaban forjando cien hombres de uno, cien reyes de un don Fernando el Católico, y aún le quedaba sustancia para otros tantos. Aquí era donde se fundían los grandes caudales y se formaban las grandes testas, los varones de chapa, los hombres sustanciales. Y notó Andrenio que lo más dificultoso de ajustar eran las narices. —Hartas veces lo he reparado yo, decía Critilo, que suele acertar la naturaleza de las demás facciones. Sacaba unos buenos ojos, con ser de tanto artificio, una frente espaciosa y serena, una boca bien ajustada; pero en llegando a la nariz, se pierde, y de ordinario la yerra. —Es la facción de la prudencia esa, ponderó el Cuerdo, tablilla de mesón del alma, señuelo de la sagacidad y providencia.

Resonó en esto un vulgar estruendo de trompetas y atabales. —¿Qué es esto?, corrían de unas y otras partes, preguntando. Pregón, pregón, respondían otros. ¿Qué cosa? Un bando que manda echar el coronado Saber por todo su imperio de aciertos. —¿Y a quién destierran? ¿Acaso al Arrepentimiento, que no tiene cabida donde hay cordura, o a su grande enemiga la propia satisfacción? ¿Publícase la guerra contra la envidiosa Fortuna? —Nada de eso es, les respondieron, sino una crítica reforma de los comunes refranes. —¿Cómo puede eso ser?, replicó Andrenio, si están hoy tan recibidos, que los llaman Evangelios pequeños. —Recibidos o no, llegaos, y oíd lo que el Pregonero vocea. Atendieron curiosos, y después de haber prohibido algunos, oyeron que proseguía así: Ítem más, mandamos que ningún cuerdo en adelante diga que quien tiene enemigos no duerma; antes lo contrario, que se recoja temprano a su casa, se acueste luego y duerma, que se levante tarde y no salga de su casa hasta el Sol salido. Ítem que nunca más se diga que quien no sabe de abuelo no sabe de bueno: antes bien, que no sabe de malo, pues no sabe, que fue un mecánico sombrerero, un carnicero, un fundidor y otras cosas peores. Que ninguno sea osado decir que los casamientos y las riñas de prisa, por cuando no hay cosa que se haya de tomar más despacio que el irse a matar y casar, y se tiene por constante que los más de los casados, si hoy hubieran de volver, lo pensaran mucho, y como decía aquél: dejádmelo pensar cien años. También se prohíbe el decir que más sabe el necio en su casa que el Sabio en la ajena; pues el Sabio donde quiera sabe, el necio donde quiera ignora. Sobre todo, que ninguno de hoy más se atreva a decir: no me den consejos, sino dineros, que el buen consejo es dinero y vale un tesoro, y al que no tiene

buen consejo no le bastará una India, ni aun dos. Entiendan todos que aquel otro refrán que dice: Aquello se hace presto que
se hace bien, propio de los españoles, es más en favor de mozos
perezosos que de amos bien servidos; y así se ordena a petición
de los franceses, y aun de italianos, que se vuelvan del revés, y
digan en favor de los amos puntuales: aquello se hace bien que
se hace presto. Que por ningún acontecimiento se diga que la voz
del pueblo no es de Dios, sino de la ignorancia y de ordinario
por la boca del vulgo suelen hablar todos los diablos. Ítem, se
suspende esta máxima: honra y provecho no caben en un saco,
viendo que hoy el que no tiene no es tenido. Como una gran
blasfemia se veda el decir: ventura te dé Dios hijo, que el saber
poco te vale; por cuanto de sabiduría nunca hay bastante, ¿y qué
mayor ventura que el saber y ser persona? Así como unos se
prohíben del todo, otros se enmiendan en parte, por lo cual no
se diga que al buen callar llaman Sancho, sino Santo; y en las
mujeres milagroso, si ya no es que por lo Sancho se entiende lo
callado del consejo. Quien tal pudo decir: Asno de muchos, lobos
se lo comen, antes él se los come a ellos, come como un lobo y
come el pan de todos diciendo: Yo me albardaré y el pan de
todos me comeré, que ya el ser muy hombre embaraza, y el saber
bobear es ciencia de ciencias. Fue muy mal dicho: el mozo y el
gallo un año; porque si es malo, ni un día, y si bueno, toda la
vida. Ítem, se condenan a descaramiento algunos otros, como
decir: preso por mil, preso por mil y quinientos; al mayor amigo,
el mayor tiro; y aquello de ándeme yo caliente y ríase la gente,
es una muy desvergonzada frialdad; sólo se les permita a las mujeres que andan escotadas, es decir, ándeme yo fría, y más que
todo el mundo se ría. Otros se mandan moderar, como aquél bien
haya quien a los suyos parece, que no se ha de extender a los
hijos y nietos de alguaciles, escribanos, alcabaleros, farsantes, venteros y otra símil canalla. Otros se interpretan como aquel donde
quieras que vayas, de los tuyos hayas; antes ha de huir de los
suyos el que quisiere vivir con quietud, paz y contento; y de sus
paisanos el que pretendiere honra y estimación. Ítem, se destierra
por ocioso el: cobra buena fama y échate a dormir, pues ya aún
antes de cobrarla se echan a dormir todos. Modérese aquel que
dice: en los nidos de antaño no hay pájaros hogaño. Pluguiera a
Dios que el amancebado y el adúltero no se estuviera en el lecho,
como el chinche, ni los tahúres en el garito, quemados que estuvieran los nidos encubridores; y las redes de las arañas de las
escribanías atentas a coger la mosca del mal aconsejado pleiteante.
Aquello de: Dios me dé contienda con quien me entienda, sin duda
que fue dicho de algún sencillo. Los políticos no dicen así, sino
con quien no me entienda, ni atine con mis intentos, ni descubra
de una legua mis trazas. El dormir sobre ellos es una necedad
muy perezosa, no diga sino velar. Ítem, se prohíbe, como pestilente dicho: mal de muchos, consuelo de todos: no decía en el

original, sino de tontos, y ellos le han adulterado. A instancia de
Séneca y otros filósofos morales, se ha tenido por un solemne
disparate decir: haz bien y no mires a quién; antes se ha de mirar
mucho a quién, no sea el ingrato el que se alce con la baraja,
el que te saque después los ojos con el mismo beneficio; al
ruin, que se ensanche; al villano, que te tome la mano; a la hor-
miga, que cobre alas; al pequeño, que suba a mayores; a la serpiente, que reciba calor en tu seno y después te emponzoñe. No
se diga que lo que arrastra, honra, sino al contrario, que lo que
honra arrastra y trae a muchos más arrastrados que sillas. Ítem, a
petición de los hortelanos, no se dirá mal de tu perro; pero sí
de tu asno, que se come las berzas y las deja comer. Enmiéndese
aquel otro: con tu mayor no partas peras, no diga sino piedras,
que lo demás es decir que se alce con todo. Tampoco sirve decir:
quien todo lo puede todo lo pierde, por cuanto es preciso tirar
a todo, y aun a más, para salir con algo. Dirá, pues, como quien
yo sé: señor, si todo lo puedo, todo lo quiero. También es falso
aquel de: bien canta Marta después de harta; antes, ni bien ni
mal, que en viéndose harta, ni canta Marta ni pelea Marte, sino
que se echan a poltrones. Cada loco con su tema, es poco, diga
con dos, y de aquí a un año con ciento. Lo que se usa, no se
excusa, necedad: eso es lo que se debe excusar, que ya no se
usa lo bueno, ni la virtud, ni la verdad, ni la vergüenza, ni cosa
que comience de este modo. Dile tú una vez, que el diablo se lo
dorá diez; ¿dicho de otro tal, si malo, para qué se lo he de decir?
Si bueno, nunca se lo dirá el diablo. Engañóse quien dijo que el
paciente es el postrero, antes quieren ya ser los primeros en todo,
e ir delante. Por necedad se prohíbe el decir: más valen amigos en plaza que dineros en arca: lo uno, porque ¿dónde se
hallarán verdaderos y fieles? Lo otro, porque a quien tiene dineros en arca, nunca le faltan amigotes en todas partes. Aquel
otro: ni para buenos ganar, ni para malos dejar, sin duda salió
de algún gran perdigón, pues antes a los buenos se les ha de
dejar y a los malos ganar, para que sean buenos. No hay mal
que no venga por bien, una por una, el mal va adelante, y abrir
puerta a un mal, es abrirla a ciento, porque el mal va donde
más hay. Ítem, se enmiende aquel: donde fueres, harás como
vieres, no diga sino como debes. Extíngase de todo punto aquel
que dice: mal le va a la casa donde no hay corona rasa, antes
muy bien, y muy mal donde la hay; porque la hacienda de la
iglesia pierde toda la otra y arrasa la mejor casa. Por mucho ma-
drugar no amanece más presto, es dicho de dormilones; entiendan
que el trabajar es hacer día, y el que madruga goza de día y medio, pero el que tarde se levanta, todo el día trota. Si uno no
quiere, dos no barajan; éste no tiene lugar en Valencia, porque
allí, aunque uno no quiera empeñarse, le obligan, y ha de porfiar aunque reviente de cuerdo. No se diga ya, que el dar va con
el tomar, porque no se sigue bien; podríase proponer por enigma.

y preguntar: ¿cuál fue primero, el dar o el tomar? Quien no
sabe pedir, no sabe vivir, ¡qué engaño! Antes el pedir es morir
para los hombres de bien: no diga sino quien no sabe sufrir.
Peor es aquél: quien tiene argén, tiene todo bien, no sino todo
mal. Como decir: voluntad es vida; no es si no muerte. Ítem, se
prohíbe por cosa ridícula el decir: riña de por San Juan, paz
para todo el año; ¿qué más tiene la de por San Juan que la de
por San Antón? Y ¿quién tiene mal San Juan, que buena Pascua
espera? Duro es Pedro para cabrero, peor fuera blando. Quien
se muda, Dios le ayuda: entiéndese, cuando iba de mal en peor,
que el mudar de cartas es treta de buenos jugadores cuando dice
mal el juego. El sufrido es buen servido, no sino muy mal y
cuanto más peor. Quiere ser Papa, póntelo en la testa: muchos
se lo ponen, que no salen de sacristanes; más valdría en las manos, con obras y méritos. Quien tiene lengua, a Roma va: entiéndese por penitencia de los pecados del hablar. Por ningún caso
se diga: darse un buen verde, no sino muy malo y muy negro,
que al cabo deja en blanco, y el rostro avergonzado, y la tez
amarilla, y los labios cárdenos, vengándose de él todos los colores. Tampoco es verdadero decir: quien malas mañas ha, tarde
o nunca las pierde; no sino muy presto, porque ellas acaban con
él, y con la vida, y con la hacienda, y con la honra, cuando él
no con ellas. Engañóse también el que dijo: casarás y amansarás:
antes al contrario, es menester que ellas amansen para poderse
casar, y se tiene observado que ellos se vuelven más bravos; pues
preguntando ¿por qué no riñe su amo?, responde: porque no es
casado. Mándale leer al trocado aquel que dice que los locos
dicen las verdades; esto es, que los que las dicen, son tenidos
por locos, y aun de ese achaque se han deslumbrado varias veces
algunas verdades bien importantes, que pudieran desengañar a
muchos. Al que dijo: en Toledo no te cases, compañero, pudié-
rasele preguntar: pues ¿dónde que no suceda lo mismo? Léase
en Toledo sincopado, con que dirán en todo el mundo. El mozo
vergonzoso, el diablo le metió en palacio, ya no se ve el tal, sino
su contrario, embusteros y aduladores. Al médico, y al letrado
no le quieras engañado; antes sí, que de ordinario discurren al
revés, y de ese modo acertarán. No se toman truchas a bragas
enjutas; digo que sí, que los buenos pescadores las toman pre-
sentadas. No hay peor sordo que el que no quiere oír; otro hay
peor, aquel que por una oreja le entra y por otra se le va. Allá
van leyes donde quieren los reyes; no digo sino los malos ministros. A mal paso pasar postrero; por ningún caso, ni primero,
ni postrero, sino rodear. Cuando la barba de tu vecino veas pelar,
echa la tuya en remojo; ¿de qué servirá si no de que se la pelen
más fácilmente y aun se le repelen? Mas da el duro que el
desnudo; una por una, ya dio ése hasta la capa, el otro aún se
está por ver; y él repite, para tener dineros, tenerlos. Ítem, se
ordena que no se diga que los criados son enemigos no excusados.

sino muy excusados, y que para cada falta tienen cien excusas; los hijos, sí, se llamen de esa suerte o enemigos dulces, que cuando chiquitos hacen reír, y cuando grandes, llorar. Grande pie y grande oreja, señal de grande bestia; mas no sino un piececito de un chisgarabís, sin asiento ni fundamento; y una grande oreja es alhaja de un príncipe, para oírlo todo. Ítem, ninguno se persuada, que son buenas mangas después de Pascua, y cuando más anchas peores, si es por Pascua Florida. Tampoco vale decir: quien calla otorga, antes es un político atajo de negar; y cuando uno otorga en su favor, no se contenta con un sí, sino que echa media docena. Aquello de a uso de Aragón, a buen servicio mal galardón, los aragoneses lo entienden por pasiva. A falta de buenos han hecho a mi marido jurado; engáñase, que antes por ser ruin notoriamente, que ya se buscan los peores. Quien quisiere mula sin tacha, estése sin ella; bobería, más fácil es quitársela. El que da presto, da dos veces, no está bien entendido: no sólo dos, pero tres y cuatro, porque en dando, luego le vuelven a pedir, y él a dar: con que mientras el duro da una vez, el liberal da cuatro.

De esta suerte fue prosiguiendo el pregonero en prohibir otros muchos, que nuestros peregrinos, cansados de tal prolijidad, remitieron al examen de los entendidos; y también porque les dio priesa el Sesudo para que llegasen a la oficina mayor, donde se refinaba el seso y se afinaba la sindéresis. El cómo y dónde, quedarse ha para la otra Crisi.

CRISI VII

LA HIJA SIN PADRE EN LOS DESVANES DEL MUNDO

Opinaron algunos sabios, que con ser el hombre la obra más artificiosa y acabada, le faltaban aún muchas cosas para su total perfección. Echóle uno menos la ventanilla en el pecho, otro un ojo en cada mano, éste un candado en la boca y aquél una amarra en la voluntad; mas yo diría fáltale una chimenea en la coronilla de la cabeza, y a algunos dos, por donde se pudiesen exhalar los muchos humos que continuamente están evaporando del cerebro, y esto mucho más en la vejez, que si bien se considera, no hay edad que no tenga su tope, y alguna dos, y la vejez ciento. Es la niñez ignorante, la mocedad desatenta, la edad varonil trabajada y la senectud jactanciosa: siempre está humeando presunciones, evaporando jactancias, cavando estimaciones y solicitando aplausos. Como no hallan por donde exhalarse estos desapacibles humos, sino por la boca, ocasionan notable enfado a los que les oyen, y mucha risa, sin son cuerdos. Quién creyera que Andrenio, y mucho menos Critilo, recién caldeados en las oficinas de la cordura, frescamente salidos de darse un baño moral de prudencia y atención, habían de errar jamás las sendas de la virtud,

las veredas de la entereza; pero así como dentro de la más fina
grana se engendra la polilla, que la come, y en las entrañas del
cedro el gusano que le carcome, así de la misma sabiduría nace
la hinchazón, que la desluce, y en lo más profundo de la prudencia la presunción que la desdora.

Iban, pues, ambos peregrinos en compañía del Varón de Sesos,
encaminándose a Roma y acercándose a su deseada Felisinda, no
acabando de celebrar los prodigios de cordura que habían hallado
en los palacios del coronado saber, aquellos grandes hombres, for-
jados todos los sesos, y aquellos otros, de quienes se pudiera sacar
zumo para otros diez y sustancia para otros veinte: los verdaderos gigantes del valor y del saber; los fundadores de las monarquías, no confundidores; los de cien orejas para las noticias, de
cien manos para las ejecuciones; aquel extraño modo de coser los
sujetos grandes en cincuenta y sesenta otoños de ciencia y experiencia. Aquí vieron formar un gran rey, y cómo le daban los
brazos del emperador Carlos Quinto, la testa de Felipe Segundo,
y el corazón de Felipe Tercero, y el celo de la Religión Católica
del rey don Felipe Cuarto. Íbales dando las últimas lecciones de
cordura. —Advertid, les decía, que por una de cuatro cosas llega
un hombre a saber mucho: por haber vivido muchos años, o por
haber caminado muchas tierras, o por haber leído muchos y buenos libros, que es más fácil, o por haber conversado con amigos
sabios y discretos, que es más gustoso. Por último primor de la
cordura, les encargó la española espera y la sagacidad italiana.
Sobre todo, que atendiesen mucho a no errar las principales y mayores ocasiones de la vida, que son como las llaves del ser y del
valer; porque mirad, les decía, que un hombre pierda un diente,
o una uña, y aunque sea un dedo, poco importa, fácilmente se
suple o se disimula; pero aquello de perder un brazo, tener un ojo
menos, mancarse de una pierna, esa sí que es gran tacha; adviér-
tase mucho, que afea toda la persona. Pues así digo, que un
hombre yerre una acción pequeña, no hace mucho al caso, fácilmente se disimula; pero aquello de errar las mayores acciones de
la vida, las principales ejecuciones, en que va todo el ser, las partes sustanciales, eso sí que monta mucho, que es un cojear la
honra, afear la fama y un deformar toda la vida.

Esto iban repasando, cuando vieron que en medio del camino
real estaban batallando dos bravos guerreros, y no sólo conten-
diéndose de palabra, sino muy de obra, haciéndose el uno al otro
valientes tiros a toda oposición. Aquí el Sesudo guión hizo alto,
y por evitar el empeño, les pidió licencia de retirarse a sagrado y
volverse a su centro, que dijo ser el retrete de la prudencia; mas
ellos, asiendo de él fuertemente, le suplicaron no los dejase, y
menos en aquella ocasión; antes bien, que apresurasen todos tres
el paso hacia los dos combatientes, para despartirlos y detenerlos.
No hagáis tal, les dijo, que el que desparte, suele siempre llevar la
peor parte. Porfiaron ambos, encaminándose a la pendencia, y lle-

vándole a él asido en medio. Cuando llegaron cerca y creyeron
hallarlos muy malparados, y aun heridos de muerte de sus mismos hierros, advirtieron que no les salía gota de sangre, ni les
faltaba el menor pelo de la cabeza. —Sin duda, que estos guerreros, dijo Andrenio, están encantados, y que son otros horrilos, que
no pueden morir, si no es que les corten un cierto cabello de la
cabeza, que suele ser el de la ocasión, o les atraviesen la planta
del pie, como fundamento de la vida, según lo discurre el ingenioso Ariosto, no bien entendido hasta hoy, perdónenme sus italianos
ingenios. —Ni eso, ni esotro, respondió el Sesudo; ya yo atino
lo que es. Sabed que este primero es uno de aquellos que llaman
insensibles, de los que nada les hace mella, nada les empeña, ni
los mayores reveses de la fortuna, ni los tajos de la propia naturaleza, ni los mandobles de la ajena malignidad; aunque todo el
mundo se conjure contra ellos, no los sacará de su paso, no por
eso dejan de comer, ni pierden el sueño, y dicen que es indolencia,
y aun magnanimidad. —Y ¿este otro, preguntó Andrenio, de tan
gentil corpulencia, tan grueso y tan hinchado? —Éste es, le respondió, de otro género de hombres, que llaman fantásticos y entumecidos, que tienen el cuerpo aéreo. No es aquélla verdadera y
sólida gordura, sino una hinchazón fofa, y se conoce en que si los
hieren no les sacan sangre, sino viento, haciendo más caso de la
reputación que pierden que de la herida que reciben. Pero lo más
digno de reparo fue que, a todo esto, no sólo no cesaron de su
necia porfía cuando llegaron a ellos los tres pasajeros, antes reno-
varon con mayor empeño la pendencia. Arremetieron a la par
ambos peregrinos a detenerlos, dejando libre al Varón de Sesos,
que como tal, en viendo la suya, dejó la ajena, y se metió en salvo,
dejándolos a ellos en el empeño, que siempre falta el seso a lo
mejor, y la cordura cuando más fue menester. Con harta dificultad
pudieron sosegarlos, preguntándoles la ocasión de su debate, a lo
que respondieron, ser por ellos. Causóles mayor reparo y aun
cuidado. —¿Cómo por nosotros, si no nos conocéis ni os cono-
cemos? —Ahí veréis lo poco que han menester para empeñarse
dos necios. Peleamos por cuál os ha de ganar, y conduciros a su
región muy opuesta. —Si por eso es, tratad de deponer los aceros
y de informarnos de quiénes sois y adónde pretendéis llevarnos,
dejándolo a nuestra elección. —Yo, dijo el primero, queriéndolo
ser en todo, soy el que guío los mortales pasajeros, a ser inmortales, a lo más alto del mundo, a la región de la estimación, a la
esfera del lucimiento. —Gran cosa, dijo Critilo; a esa parte me
atengo. —Y tú, ¿qué intentas?, le preguntó al otro Andrenio.
—Yo soy, respondió, el que en este paraje de la vida conduzco
los fatigados viandantes al deseado sosiego, a la quietud y al descanso. Hízole grande armonía a Andrenio esto del descansar, aquello de tender la pierna y dedicarse a la venerable poltronería, y
declaróse luego de su banda. Creció con esto la contienda, pasando de los dos guerreros, a los dos peregrinos, y trabóse más por-

fiadamente entre los cuatro. —Yo, decía Andrenio, al dulce ocio
me consagro: ya es tiempo de descansar, trabajen los mozos, que
ahora vienen al mundo; suden como nosotros hemos sudado,
anhelen y revienten por conseguir los bienes de la industria y la
fortuna, que a un viejo permítasele entregarse ya al dulce ocio y
al descanso, atendiendo a su regalo, cuando no hace poco en vivir.
—¿Quién tal dice?, replicó Critilo. Cuanto más anciano uno es
más hombre, y cuanto más hombre debe anhelar más a la honra
y a la fama, no se ha de alimentar de la tierra, sino del Cielo: no
vive ya la vida material y sensual de los mozos, o los brutos, sino
la espiritual y más superior de los viejos y los Celestes Espíritus.
Goce de los frutos de la gloria, conseguido con los afanes de tanta
pena, corónese del trabajo de las demás edades con las honras
de la senectud.

Todo el precioso día gastaron en su necia altercación, asistiéndoles a cada uno su padrino, a Critilo el vano y a Andrenio el
poltrón, sin poderse ajustar; antes estuvieron al canto de dividirse,
echando por su opinión cada uno. Mas Andrenio, porque no se
dijese que siempre tomaba la contraria y quería salir con la suya,
se dobló esta vez, diciendo que se rendía más al gusto de Critilo
que al acierto. Comenzóles a guiar el Fantástico y a seguirles el
Ocioso, en fe de que les conduciría después a su paraje, no con-
tentándoles el que emprendían, como lo tenía por cierto. A pocos
pasos descubrieron un empinado monte, con toda propiedad soberbio, y comenzó a celebrarse el desvanecido, dándose todos los
epítetos de grandeza. —¡Mira, decía, qué excelencia, qué eminencia, qué alteza! —¿Y dónde te dejas lo serenísimo?, replicó el
Ocioso. Coronaba su frente un extravagante edificio, pues todo él
se componía de chimeneas, no ya siete solas, sino setecientas, y por
todas no paraba de salir espeso humo, que en altivos penachos se
esparcía al aire, y todos se los llevaba el viento. —¡Qué perennes
voladores aquéllos!, ponderaba Critilo. —¡Y qué enfadosa estancia!, decía Andrenio. ¿Quién puede vivir en ella? De mí digo, que
ni un cuarto de hora. —Qué bien lo entiendes, respondió el Jactancioso, antes aquélla es la vivienda propia de los muy personas,
de los estimados y aplaudidos. Había chimeneas de todos modos:
unas a la francesa, muy disimuladas y angostas; otras a la española, muy campanudas y huecas, para que aun en esto se muestre
la natural antipatía de estas dos naciones, opuestas en todo, en el
vestir, en el comer, en el andar y hablar, en los genios e ingenios.
—Veis allí, les decía el Vano, el alcázar más ilustre del orbe.
—¿De qué suerte?, replicó Andrenio. Mejor dijeras el más tiznado,
el más curado con tanta humareda. —¿Pues hay hoy en el mundo
cosa que más valga, ni más se busque, que el humo? —¿Qué
dices? ¿Y para qué puede valer sino para tiznar el rostro, hacer
llorar los ojos y echar a un cuerdo de su casa y aun del mundo?
—¿Quién tal discurre? No sólo huyen de él las personas, sino que
se andan tras él. Hombre hay que por un poco de humo dará todo

el oro de Génova, que no ya de Tíbar. Yo le vi dar a uno más
de diez mil libras de plata por una onza de humo. Dicen que es
hoy el mayor tesoro de algunos príncipes, y que les vale una
India, pues con él pagan los mayores servicios y con él contentan
los más ambiciosos pretendientes. —¿Cómo es eso que con humo
les pagan? ¿Cómo es posible? —Sí, porque ellos se pagan de
él. ¿Nunca has oído decir que con el humo de España se luce
Roma? ¿Sabes tú qué cosa es tener un caballero humos de títulos, y su mujer de condesa, y de marquesa, y que les llamen
señoría? ¿Humos de mariscal, de Par de Francia, de Grande de
España, de Palatino de Alemania, de Baiboda de Polonia? Piensas tú que se estiman en poco estas penacheras, tremolando al
aire de su vanidad. Con este humo de la honrilla se alienta el
soldado, se alimenta el letrado y todos se van tras él. ¿Qué piensas tú que fueron y son todas las insignias que han inventado,
ya el premio, ya la ambición, para distinguirse de los demás?
¿Las coronas romanas cívicas, o murales de encina, o grama, las
cídaris persianas, los turbantes africanos, los hábitos españoles, las
jarretieras inglesas y las bandas blancas? Un poco de humo, ya
colorado, ya verde, y de todas maneras y en todas partes plausible.

Íbanse encaramando por aquellas alturas y subidas con buen
aire y mucho aliento, cuando se sintió un extraordinario ruido
dentro del humoso palacio. —Y ¿esto más?, ponderó Andrenio.
¿Sobre humo ruido? Parece casa de herrería. De modo que ya
tenemos dos de aquellas tres cosas, que basta cada una a echar a
un cuerdo de sus casillas. —También eso, acudió el Vano, es de
las cosas más acreditadas y pretendidas en el mundo. —¿El ruido
estimado?, replicó Andrenio. —Sí; porque aquí toda es gente ruidosa, todos se pican de hacer ruido en el mundo y que se hable
de ellos; para esto se hacen de sentir, y hablan alto, hombres
plausibles, hembras famosas, sujetos célebres, que si no es de ese
modo, no se hace caso de un hombre en el mundo; que no llevando el caballo campanillas ni cascabeles, nadie se vuelve a mirarle,
el mismo toro le desprecia. Aunque sea el hombre de más importancia, si no es campanudo, no vale dos chochos. Por docto, por
valiente que sea, en no haciendo ruido, no es conocido, ni tiene
aplausos, ni vale nada. Reforzábase por puntos la vocería, que
pareció hundirse el teatro de Babilonia. —¿Qué será esto?, preguntó Critilo. Aquí alguna grande novedad hay. —Es, que vito-
rean algún gran sujeto, dijo el Fantástico. —¿Y quién será el tal?
¿Acaso algún insigne catedrático, algún victorioso caudillo?, decía
Andrenio. —No tanto como eso, respondió con mucha risa el
Ocioso; en menos se emplean ya los vítores de estos tiempos; no
será sino que habrá dicho alguna chancilla de las que se usan algún
farsante, o habrá recitado de buen aire su papel, y ésa es la cele-
bridad. —¡Hay tal fullería!, exclamaron. ¿De modo que éstos son
los vítores de ahora? —Basta, que se celebra hoy más una chanza
que una hazaña. Todos cuantos vienen de unas partes y otras, no

traen otro que referirnos sino el cuentecillo, el chiste, la chancilla; con esto pasan y deslumbran los males: más sonada es una tramoya que una estratagema. Solemnizábanse en otro tiempo las graves sentencias, los heroicos dichos de los príncipes y señores, pero ahora la frialdad del truhán y el chiste de la cortesana. Comenzó a tesonar por todas aquellas raridades del aire un bélico clarín, alborozando los espíritus y realzando los ánimos. —¿Qué es esto?, preguntó Andrenio. ¿A qué toca este noble instrumento, alma de aire, aliento de la fama? ¿Despierta, acaso, a dar alguna insigne batalla o a celebrar el triunfo de alguna conseguida victoria? —Que no será eso, respondió el Ocioso; ya yo adivino lo que es: por la experiencia que tengo, habrá pedido de beber algún cabo, algún señorazo de los muchos que aquí yacen. —¿Qué dices, hombre?, se impacientó Critilo; di que ejecutado alguna inmortal hazaña; di que ha triunfado gloriosamente; que toca a beber la sangre de los enemigos, y no digas que brinda el otro en el banquete, que es afrenta vil emplear en acciones tan civiles las sublimes trompas del aplauso, reservadas a la más heroica fama.

Estaban ya para entrar, cuando se divirtió Andrenio en mirar la ostentosa pompa del arrogante edificio. —¿Qué miras?, dijo el Fantástico. —Miraba, respondió él, y aun reparaba que para ser ésta una casa tan majestuosa y un tanto monte de todas las ilustres casas, con tantas y tan soberbias torres, que dejan muy abajo a las de la Imperial Zaragoza, y ocupan esas regiones aire, parece que tiene poco fundamento, y ese flaco y falso. Rióse aquí mucho el Ocioso, que siempre iba picándoles la retaguardia. Volvióse Andrenio, y en amigable confianza le preguntó si sabía de quién era aquel alcázar y quién habita. —Sí, dijo, y más de lo que quisiera. —¿Pues dinos, así te vea yo siempre lleno de dejadme estar, quién es el que le embaraza, si no le llena? —Éstos, dijo, son los célebres desvanes de aquella tan nombrada reina, la hija sin padres. Causóle mayor admiración: —¿Hija y sin padres, cómo puede ser? Contradicción envuelve: si es hija, padre ha de tener, y madre también que no viene del aire. —Antes sí, y dígoos que no tiene ni una ni otro. —Pues ¿de quién es hija? —¿De quién? De la nada, ella lo piensa ser todo, y ella que todo es poco para ella, y que todo se le debe. —¡Hay tal hembra en el mundo! Y ¿que no la conozcamos nosotros? —No os admiréis de eso, que os aseguro que ella misma no se conoce, y los que más la tratan, menos las entienden, y viven desconocidos de sí mismos, y quieren que todos los conozcan; y si no, preguntadle de qué se desvanece el otro, no ya el que se levantó del polvo de la tierra, el nacido entre las malvas, sino el más estirado, el que dice se crió en limpios pañales a todos cuantos hay, que todos son hijos del barro y nietos de la nada, hermanos de los gusanos, casados con la pudrición, que si hoy son flores, mañana estiércol, ayer maravillas y hoy sombras, que aquí parecen y allí desaparecen. —¿Según eso, dijo Andrenio, esta vana reina es, o quiere ser, la hinchadísima

soberbia? —Puntualmente, ella misma: la que siendo de la nada,
presume ser algo, y mucho, y todo. ¿No reparáis qué huecos, qué
entumecidos entran todos cuantos vienen, sin tener de qué ni
saber por qué? Antes bien, teniendo muchas causas de confundirse,
que si ellos oyesen lo que los otros dicen, se hundirían siete Estados bajo tierra, que como yo suelo ponderar, las más veces entra
el viento de la presunción por los resquicios por donde había de
salir, que hacen muchos vanidad de lo que debieran humillación.

Mas id ya reprimiendo la risa, que hallaréis bien donde em-
plearla. Entraron, y volviendo a mirar a todas partes no hallaban
donde parar: no se veían en toda aquella gran concavidad, ni
columnas firmes que las sustentase, ni salones reales, ni cuadras
doradas que la enriqueciesen, como se ven otros palacios, sino
desvanes y más desvanes, huequedades sin sustancia, bóvedas con
mucha necedad: todo estaba vacío de importancia y relleno de
impertinencia. Encaminólos el Desvanecido al primer desván, tan
espacioso y extendido como hueco, y al punto los emprendió un
cierto personaje, diciéndoles: —Señores míos, cosa sabida es que
el señor conde Claros, mi tatarabuelo paterno, casó... —Aguardad,
señor, le dijo Critilo, mirad no fuese el conde Oscuros; cuando no
hay cosa más oscura que los principios de las prosapias. A Alciato
con eso en su Emblema de Proteo, donde pondera cuán oscuros
son los cimientos de las casas. —Por línea recta, decía otro, pro-
baré yo descender del señor infante don Pelayo. —Eso creeré yo,
dijo Andrenio, que los más linajudos suelen venir de Pelayo en lo
pelón, de Laín en lo calvo, y de Rasura en lo raído. Estuvo precioso otro, que hacía vanidad de que en seiscientos años no había
faltado varón en su casa, por no decir macho. Riólo mucho Andrenio, y díjole: —Señor mío, eso cualquier pícaro lo tiene, y si
no veamos los esportilleros: ¿descienden acaso de hombres o de
duendes? Desde Adán acá venimos todos de varón en varón, que
no de trasgo en trasgo. —Yo, decía una muy desvanecida, en
verdad que vengo, y sépalo todo el mundo, de mi señora la infanta
doña Toda. —Poco le aprovecha esa señora doña Calabaza, si
V. Señoría es doña Nada. Blasonaban muchos su casa de solar,
y ninguno contradecía. Hombre hubo de tan extraño capricho, que
enfilaba su ascendencia de Hércules Pinario, que esto del Cid y de
Bernardo es de ayer; y le averiguaron curiosos de enfados, que
no descendía sino de Caco y de su mujer doña &c; que no son
hidalguillos los míos, decía otra impertinentísima, sino un muy
de los gordos. Y respondiéronla: —Y aun de los hinchados. —¡Qué
bravo desván éste, ponderaba Critilo, no sabríamos cómo le nombran! Respondiéronle que aquélla era la sala del aire. —Y lo creo,
que no corre otro en el mundo. —De la mejor cepa del reino, decía uno. —Según eso, no será de blanco, no tinto, sino moscatel.
Hallaron un grande personaje que estaba sacando un grande árbol
de su genealogía, que eso de cepas es niñería. Iba injiriendo ramas
de acá y de acullá, y después de haberse enramado mucho, paró

todo en hojarasca, sin género de fruto. —Desengáñense, dijo el Jactancioso, que no hay más casa en el mundo que la de Enríquez. —Buena es ésa, respondió el Ocioso; pero aténgome a la de Manrique. —Sí, es más rica. Lo que solemnizaron mucho, fue ver fijar a muchos grandes escudos de armas a las puertas de sus casas, cuando no había un real dentro; por eso decía aquél, que no hay otra sangre que la real, y mis armas son reales. En esto de los escudos de armas había donosas quimeras, porque unos los llenaban de árboles y pudieran de troncos; otros de fieras y pudieran de bestias; de torres de viento muchos, y todo era Babilonia. Valía allí un tesoro un cuarto de hierro, porque decía ser vizcaíno, a pesar del Búho Gallego, frío, infausto y de mal pico. —¿No notáis, decía el Poltrón, las cosas que añaden todos a sus apellidos, González de tal, Rodríguez de cual, Pérez de allá y Fernández de acullá; es posible que ninguno quiere ser de acá? Procuraban todos injerirse en buenos troncos, y de buen tamaño, unos a púa, otros a escudete. Jactábanse algunos de descender de las casas de los ricos hombres, y era verdad, porque ascendieron primero por los balcones y ventanas. —No se vuelve colorada mi sangre, decía un gentil hombre, y respondióle otro: —Pues de verdad, que ni de carne de doncella. —No hay cuatro como el real, concluyó Andrenio, y más si fuere de a ocho.

—¡Qué cansado salgo, decía Critilo, del primer desván! —Pues advierte que aún nos quedan muchos, y más enfadosos. Diralo éste. Era muy ostentoso, porque había en él sitiales, doseles, tronos y troneras. Aquí habéis de entrar, les dijo el Jactancioso y ceremonioso, haciendo cortesías y zalemas: a tantos pasos, una inclinación, y a tantos, otra; de modo que a cada paso su ceremonia, y a cada razón su lisonja, como si entrásedes a la audiencia del rey don Pedro el Cuarto de Aragón, llamado el Ceremonioso, por lo puntual y por lo autorizado en el modo de portarse. Aquí veréis las humanidades, afectando divinidades; hallaréis adoradas muchas estatuas de insensibilidad. Vieron ya en un estrado una muy desvanecida hembra, que sin título ni realidad se hacía servir de rodillas, y muy mal; porque si aun ministrando el paje con manos, y con pies, y con toda la acción del cuerpo, se turba, y no acierta a hacer cosa, qué será sirviendo a medias, torciendo el cuerpo, doblando la rodilla, en gran daño de los búcaros y vidrios. Viendo esto, dijo Critilo: —Mucho me temo que estas rodillas de estrado han de venir a parar en rodillas de cocina. Y realmente fue así, que toda aquella fantasía de adoraciones vino a parar en humillaciones, y toda la afectación de grandeza se trocó en confusión de pobreza. Pero lo que les cayó muy en gusto, y aun donaire, fue tres casas llenas de pepitoria de familia, que con un solo título pretendían todos a la señoría, unas por tías, otras por cuñadas, los hijos por herederos, las hijas por damas, de modo que entre padres e hijos, tíos y cuñados, llegaban a ser ciento. Y así dijo una harto entendida, que aquella señoría

parecía ciento en un pie. Era de reír oírles hablar hueco y entonado, y con tal afectación, que aseguran que un cierto gran señor
hizo junta de físicos para ver si podrían darle modo como hablar
por el cogote, para distinguirse del pueblo, que eso de hablar por
la boca era una de las acciones, contados los pasos, que habían de
dar al entrar; y al salir, así tuvieran ajustados lo que daban en el
vicio. Todo su cuidado ponían en los cumplimientos, ojalá en las
costumbres; todo su estudio en estos puntos, metiendo en ellos
grandes metafísicas a quién habían de dar asiento y a quién no,
dónde y a qué mano, que si no fuera por eso, no supieran muchos
cuál era su mano derecha. Causóle gran risa a Andrenio, haciendo
gusto del enfado, ver amo que estaba en pie todo el día, cansado
y aun molido, manteniendo la tela de su impertinencia. —¿Por
qué no se sienta este señor, preguntó, siendo tan amigo de su
comodidad? Y respondiéronle: por no dar asiento a los otros.
—¡Hay tal impertinencia! De modo que porque no se sienten los
demás delante de él, él tampoco se sienta delante de ellos; y es lo
bueno que se conciertan los tacaños en darle chasco, yéndose unos
y viniendo otros, con que no están en pie media hora, y a él le
tienen así todo el día Y aquel otro: —¿Por qué no se cubre, que
se está helando el mundo? —Porque no se cubran delante de él.
—Ésa sí que es una gran frialdad, pues él, como más delicado,
estando todo el día descubierto, recoge un romadizo, con que por
hacer del grave vendrá a ser el mocoso. Si daban silla a alguno,
después de bien escrupuleada, y el tal quería acercarse para preno-
nar lo que pedía secreto, sentía que se la detenía el pago por
detrás, como diciendo, non plus ultra. Y de verdad que las más
veces será conveniencia, ya para no sentir el mal olor del afeite
cuidadoso de ella, ya del achaque descuidado de él. En esto de las
cortesías, acontecía desayunarse cada mañana con un par de enfados, porque había algunos de bravo humor, que se iban todo el
día de casa en casa, de estrado en estrado, dándoles valientes sus-
tos, escaseándoles la señoría, cercenándoles la excelencia, que por
eso dijo alguno que la pragmática de poderles dar señoría, o excelencia, había sido ciencia para hacerles muchos desaires. Al contrario otro, cuando les iba a hablar, por haberles menester, llevaba
consigo un gran saco de borra. Y preguntándole para qué aquella
prevención, respondió: —De borras de cumplimientos, de paja
de lisonjas y cortesías, cuando quisieren, a hartar, que me cuesta
poco y me vale mucho; mas cuando voy por mi negocio a pedir,
o pretender, vacío mi saco de señorías, llénole de mercedes. Pero
donde fue ya poca la risa y llegó a irrisión, donde Critilo exclamó,
diciendo: —¡Oh, Demócrito!, ¿y dónde estás?, fue al ver la afectada femenil divinidad; porque si ellos son vanos, ellas desvane-
cidas, más siempre andan por extremo: —No hay ira, dijo el Sabio, sobre la de la mujer; y podría añadirse, ni soberbia: sola una
tiene desvanecimiento por diez hombres. Bien pueden ser ellos
camaleones del viento, pero a fe que son ellas piraustas de la

humareda. Estaban endiosadas en tronos de borra, sobre cojines
de viento; más huecas que campanas, moviendo apriesa los abanicos, como fuelles de su hinchazón, papando aire, que no pueden vivir sin él; si caminaban, era sobre corcho; si dormían, en
colchones de viento o pluma; si comían, azúcar de viento; si vestían, randas al aire, mantos de humo, y todo huequedad y vanidad,
más profanas cuanto más superiores; adoradas de los serviles
criados, que de esta desvanecida adoración les debieron llamar
gentiles hombres, que no de su gallardía. No se comunicaban con
todas, sino con otras como ellas: mi prima la duquesa, mi sobrina
la marquesa; en no siendo princesa, no hay que hablar; traedme la
taza del duque, el anís del almirante; visíteme el médico de los
príncipes y señores, aunque sea el más matante; recéteme el jarabe
del rey, venga o no venga bien, basta ser del rey; llamadme el
sastre de la princesa.

Faltóles la paciencia, y pasaron al desván de la ciencia, que de
verdad hincha mucho, y no hay peor locura que enloquecer de
entendido, ni mayor necedad que la que se origina del saber. Hallaron aquí raras sabandijas del aire, los preciados de discretos,
los bachilleres de estómago, los doctos legos, los conceptistas, las
cultas resabidas, los míseros, los sabihondos y doctorcetes; pero a
todos ellos ganaban en tercio y quinto de desvanecimientos los
puros gramáticos, gente de brava satisfacción; y así decía uno que
él bastaba a inmortalizar los hombres con su estilo y hacer emes
con su pluma. Decía ser el clarín de la fama, cuando todos le
llamaban el cencerro del orbe. —Ver éstos, ponderaba Critilo,
cuando estampan algún mal librillo, la audacia con que entran, la
satisfacción con que hablan. Mal año para Aristóteles, con todas
sus metafísicas, y a Séneca, con sus profundidades. Achaque también de poetillas intrépidos, cuando desconfía Virgilio y manda
quemar su inmortal *Eneida;* y el ingenioso Bocalini comienza en
su prólogo recelando. Pues oír un astrólogo, el desvanecimiento
con que habla en un pronostiquillo de seis hojas y seis mil disparates, como si fuese el mejor tomo del Tostado. Aquí hallaron
los Narcisos del aire, que pareció novedad, porque los de los cristales, los pasados por agua, son ya vistos, aunque no vistosos.
¡Qué bien glosaban estos mismos a todo lo que decían, y las más
veces era un disparate!: ¿Digo algo? Arqueando las cejas: ¿No
os parece que dije bien? Dictaba uno de éstos que se escuchan
un memorial para el rey, y díjole al escribiente, que no llegaba a
secretario: Escribid, *señor.* Y no bien hubo escrito esta sola palabra, cuando le dijo: Leed. Leyó, *señor,* y él, cayéndosele la baba,
comenzó a exclamar: ¡Qué bien, *señor,* bien, mil veces bien! Había muchos de éstos que, como si echaran preciosidades por la
boca, peores que los que miran en el lienzo lo que arrojan por
las narices, a cada palabra hacían pausa, solicitando el aplauso;
y si el oyente, o enfadado o frío, se les excusaba, ellos mismos
le acordaban el descuido: ¿Qué os parece, no estuvo bien dicho?

Pero los rematados eran algunos oradores, que en puesto tan
grave y alto decían: —Esto sí que es discurrir; aquí, aquí ingenios míos, de puntillas, de puntillas. Cuando menos se tenía lo
que decían, cuando menos subsistía el conceptillo. Y así decía
uno de esto: Séneca dijo esto, pero más diré yo. —¿Hay necedad
más garrafal, glosó Andrenio? ¡Que eso puede decir un blanco!
—Dejadlo que es andaluz, dijo otro, ya tienen licencia. —Esto
dificultan los sabios, proseguía, yo daré la solución, yo la diré, y
más y más. —¡Juro por vida de la cordura, exclamó Critilo, que
sueñan todos éstos, en opinión de juicio, que dijo bien aquel gran
monarca habiendo oído a uno de éstos: traedme quien ore con
seso; y otro semejante le apodó buñuelo de viento. —Lástima es,
ponderaba Critilo, que no haya un avisado sabidor que tuerza la
boca, guiñe el ojo, doble el labio y se ageste de licenciado de
Salamanca; pero ya Momo anda a sombra de tejado, y campea
en su lugar el aplauso, cabeceando a lo necio, con la simplísima
lisonja, aquella hermosa que basta a desvanecer al mismo bruto
de Apuleyo.

—Señores, ponderaba Andrenio, que a los grandes hombres no
les pese de haber nacido, que los entendidos quieran ser conocidos, súfrasele; pero que el nadilla y el nonadilla quieran parecer
algo, y mucho; que el niquilote lo quiera ser todo; que el villano
se ensanche; que el ruincillo se estire; que el que debía esconderse
quiera campear; que el que tiene por qué callar blasfeme, ¿cómo
nos ha de bastar la paciencia? —Pues no hay sino tenerla y pres-
tarla, dijo el Jactancioso, que aquí no hay hombre sin penacho,
ni hembra sin garzota; y muchos con penacheras de tornear de
a doce palmos en alto, y los avestruces baten las mayores, porque dicen la tienen nacida. Y es de notar que cuando parecían
irlos dejando caer, las echan hacia atrás, haciendo cola de las
que fueron crestas. Atended cuáles andan todos los pequeños, de
puntillas para poder ser vistos, ayúdanse de ponlevíes para ser
mirados; hombrean aquéllos y alargan el cuello para ser estimados; los otros hacen de los graves muy hinchados con fuelles
de lisonja y desvanecimiento; précianse éstos de muy apersona-
dos y de tener gentil fachada; porque los exprimidos dicen no valer nada, gente de poca sustancia. —¡Oh, lo que importa la buena
corpulencia!, decía uno de ellos. Que da autoridad, no sólo para
con el vulgo, sino para con un Senado, que los más son superficiales; suple mucha falta de alma, que un abultado tiene andado
mucho para parecer hombre de autoridad: gran hombre y gran
nombre prometen gran persona, que hace mucho ruido lo campanudo, y parece gran cosa lo abultado. —¿Qué hiciera el mundo
sin mí?, pasaba diciendo un mochillero, y no era español. Mas
luego pasó otro, que lo era, y decía: —Nosotros nacimos para
mandar. Paseaba un mal gorrón, pasando la mano por el pecho,
y decía: —¡Qué arzobispo de Toledo se cría aquí, qué patriarca!
—Yo seré un gran médico, decía otro, que tengo buen talle y

mejor parola. No faltaba en Italia soldado español que no fuese luego don Diego y don Alonso, y decía un italiano: —¿Signori, en España quién guarda la pécora? —Anda, le respondió uno, que en España no hay bestias, ni hay vulgo, como en las demás naciones. Llegaron actualmente a darle la enhorabuena a un cierto personaje de harto poca monta, de una merced muy moderada. Y respondía: pecho hay para todo, dándose en él dos palmadas. Procedía otro muy a lo fantástico, hinchado los carrillos y soplando: —A éste, dijo Andrenio, sin duda, que no le cabe el viento y humo en los cascos, cuando se le rezuma por la boca. Pasó en esto otro con un gran tizón en la mano, humeando ambos. —¿Quién es éste?, preguntaron. Y respondiéronles: —Éste es el que pegó fuego al célebre Templo de Diana; en efecto, no más de porque se hablase de él en el mundo. —¡Oh, mentecato!, dijo Critilo. Pues ¿no advierte que todos le habían de quemar la estatua y que su fama había de ser funesta? Que no se le dio a él nada de eso, no pretendió más de que se hablase de él en el mundo, fuese bien o mal. ¡Oh, cuántos han hecho otro tanto, abrasando las ciudades y los reinos, no más porque se hablase dellos, pereciendo su honra, pero no su infamia! ¡Cuántos y cuántos sacrifican sus vidas al ídolo de la vanidad, más bárbaros que los caribes, exponiéndose a los choques y a los asaltos, no más de por andar en las gacetas, embarazando las cartas novas. —¡Qué caro ruido, ponderaba Critilo: dígole sonada necedad.

Pero no se admiraron ya de haber visto todos estos imaginarios espacios, con caramanchones de la loca fantasía, desde el un cabo del mundo al otro, comenzando por Inglaterra, que es el extremo del desvanecimiento y aun de toda monstruosidad, compitiendo la belleza de sus cuerpos con la fealdad de sus almas. No extrañaron ya el desván de los necios linajudos, ni el de los poderosos altivos, por verse en alto, el de los hinchados sabios, de las insufribles hembras, con todos los demás. El que les hizo grande novedad fue uno, llamado el desván viejo, lleno de varones ancianos y muy autorizados de canas y de calvas. —Basta, dijo Andrenio, que yo siempre creí que el encanecer era un rezumarse el mucho seso, y ahora conozco que en los más no es sino quedárseles el juicio en blanco. Escucharon lo que conversaban, y hallaron que todo era jactarse y alabarse. —En mi tiempo, decía uno, cuando yo era, cuando yo hacía y acontecía, entonces sí que había hombres, que ahora todos son muñecas. —Yo conocí, yo traté, decía otro. ¿No os acordáis de aquel gran maestro, el otro famoso Predicador, pues aquel gran soldado? Qué grandes hombres había en todo género de cosas. ¡Qué mujeres! Más valía una de entonces que un hombre de ahora. De esta suerte están todo el día diciendo mal del siglo presente, que no sé cómo los sufre; nadie les parece que sabe, sino ellos; a todos los demás tienen por mozos y por muchachos, aunque lleguen a los cuarenta; y mientras ellos viven, nunca llegan los otros a ser hombres, ni a

tener autoridad ni mando; luego les salen con que ayer vinieron
al mundo, que aún se están con la leche en los labios y con el
pico amarillo; antes que vos nacierais, antes que vinierais al
mundo, ya yo estaba cansado, y no miente, que a fe lo son de
todas maneras: jactanciosos, vanagloriosos, ocupando uno de los
más encaramados desvanes. Finalmente, llegaron a otro tan extremo de fantástico, que dejaba muy atrás todos los pasados. Tenía dos gigantes columnas a la puerta, como non plus ultra del
desvanecimiento. Negábanles la entrada, y hubiera sido conveniencia, porque después de haber despreciado ruegos éstos y con-
ciliado estimaciones aquéllos, al abrir ya la ostentosa puerta, digo
puerta de torbellinos de viento, de tempestades de vanidad, les
embistió una tal avenida de humos y de fantasías, que dudaron
si se había reventado en el Vesubio algún volcán: y fue tal el
tropel de enfados, que no le pudieron tolerar, volvieron las espaldas a lo cuerdo. Pero qué desván de desvanes fuese el tal,
promete decirlo la siguiente Crisi.

CRISI VIII

LA CUEVA DE LA NADA

A todas luces anduvieron deslumbrados los que dijeron que
pudiera estar el mundo mejor trazado de lo que hoy está, con las
mismas cosas de que se compone. Preguntados del modo, respondían que todo al revés de como hoy le vemos; esto es, que el
Sol había de estar acá bajo ocupando el centro del universo, y
la Tierra acullá arriba, donde ahora está el Cielo, en ajustada
distancia; porque de esa suerte los que hoy experimentan azares,
entonces lograran conveniencias. Fuera siempre día claro, viéra-
monos las caras a todas horas y procediéramos con lisura. Pues
a la luz del mediodía con esto no hubiera noches prolijas para
desazonados, ni largas para enfermos, ni capas de maldad para
bellacos; no padeciéramos las desigualdades de los tiempos, las
inclemencias del Cielo, ni la destemplanza de los climas; no hubiera invierno triste y encapotado con nieves, nieblas, escarchas;
no se sonaran los romadizos, no tosiéramos con los catarros, no
conociéramos sabañones en el invierno, ni sarpullido en el verano;
no hubiera que empezar por las mañanas, ni que estar todo el
día tragando humo a una chimenea, calentándonos por un lado
y resfriándonos por el otro; no pasáramos el estío sudando, asqueando, dando vuelcos toda la noche por la cama; escapáramos
de una tan intolerable plaga de sabandijas, enemigos ruincillos,
mosquitos que pican, moscas que enfadan; fuera siempre una
primavera alegre y regocijada; no duraran sólo quince días las
rosas, ni solos dos meses las flores; cantaran todo el año los rui-
señores y fuera continuo el regalo de las guindas; no conociéra-

mos entonces ni groseros diciembres, ni julios apicarados, con
tanto desaliño; todos fueran verdes abriles y floridos mayos, a
uso de paraíso, conduciendo todas estas comodidades a una salud
de bronce y a una felicidad de oro. Otra cosa, que fuera cien
veces mayor la Tierra, pues todo lo que ahora es Cielo, repartida
en muchas y mayores provincias, habitadas de cultas y políticas
naciones, no informes sino uniformes, porque no hubiera entonces negros, chichimecos, ni pigmeos, salvajes, &c. Otrosí, que no
fuera tan seca España, airosa la Francia, húmeda Italia, fría Alemania, neblada Inglaterra, hórrida Suecia y abrasada la Maurita-
nia. Así que toda la Tierra fuera un Paraíso, y todo el mundo
un Cielo.

De este modo discurrían hombres blancos y aun aplaudidos
de sabios; pero bien examinado este modo de echarse a discurrir,
no tanto puede pasar por opinión, cuanto por capricho de entendimientos noveleros, amigos de trastornarlo todo y mudar las
cosas cuadradas en redondas, dando materia de risa al sentencioso Venusino. Éstos, por huir de un inconveniente, dieron en
muchos y mayores, quitando la variedad, y con ella la hermosura
y el gusto, destruyendo de todo punto el orden y concierto de
los tiempos, de los años, los días y las horas, la conservación de
las plantas, la sazón de los frutos, el sosiego de las noches, el
descanso de los vivientes, procediendo a todo esto sin estrella,
pues las habrían de desterrar todas por ociosas, no hallándolas
ocupación ni puesto; pero a todos estos desconciertos, ¿qué había
de hacer el Sol, inmoble y apoltronado en el centro del mundo,
contra toda su natural inclinación y obligación, que a fuer de
vigilante príncipe pide moverse sin parar, dando una y otra vuelta
por toda su lucida monarquía? He, que no es tratable eso: mué-
vase el Sol y camine, amanezca en unas partes y escóndase en
otras, véalo todo muy de cerca y toque las cosas con sus rayos,
influya con su eficacia, caliente con actividad y refresque con templanza, y retírese con alternación de tiempos y de efectos; aquí
levante vapores, allí conmueva vientos, hoy llueva, mañana nieve; ya cubierto, ya sereno, ande, visite, vivifique, pase y pasee de
la una India a la otra; déjese ver ya en Flandes, ya en Lombardía, cumpliendo con las obligaciones de universal monarca del
orbe, que si el ocio en cualquiera es culpable vicio, en el príncipe
de los astros sería intolerable monstruosidad.

De este modo iban altercando el Honroso y el Ocioso: éste,
que ya los guiaba, y aquél, que les seguía. —Ahora dejaos, dijo
Andrenio, de caprichosas cuestiones; decidnos qué desván fuese
aquel último y tan extremado. —Aquél, respondió el Fantástico,
es el de los primeros hombres del mundo, de los que ocupan la
coronilla de Europa y aun la coronan, y por eso tan altivos que
realmente tienen valor, pero se le presumen; saben, pero se escuchan; obran, pero blasonan. —¡Oh, qué capaz me pareció!, decía
Critilo. —Sí, el más hueco, porque es agregado de todos los otros!

Haced cuenta que estuvisteis a las mismas puertas de la plausible Lisboa. —Sí, sí, exclamaron, el desván de los fidalgos portugueses; cierto, que serían famosos si no fuesen humos, pero responden ellos que no puede dejar de haber mucho humo donde hay mucho fuego. Llámanles sebosos vulgarmente, pero ellos echan a crueles en sus memorables batallas. Tomaron mucho de su fundador Ulises, con que no se halla jamás portugués ni bobo ni cobarde. —Pésame que no entrásedes allá, dijo el Holgón, porque hubiérades visto extremados pasajes de fantasía, que como en otras partes se dijo el non plus ultra del valor, aquí el de la presunción, allí hubiérades hallado hidalguías de par de Deos, solares de antes de Adán, enamorados perenales, poetas atronados, aunque ninguno aturdido; músicos de quita allá, ángeles, ingenios, prodigio sin rastro de juicio, y en una palabra, cuando las demás naciones de España, aun a los mismos castellanos alaban sus cosas con algún recelo, por excelentes que sean, yendo con tiento en celebrarlas. —¿Esto vale algo? —Es así, así parece bueno, los portugueses alaban sus cosas a todo hipérbole, a superlativa satisfacción: cosa famosa, cosa grande, la primera del mundo, no se hallará otra como en todo el orbe, que eso de Castela es poca cosa.

—Aguarda, dijo Critilo, entre éstas y ésas, ¿dónde nos llevas? Que me parece vamos dando gran baja, pasando de extremo a extremo. —No os dé cuidado, les respondió su flemático guión, que os prometo que sin cansaros os habéis de hallar en el más holgado país del mundo: en el de los acomodados y que saben vivir. Asegúroos que son sombra suya los decantados Elíseos, y que los asombra. Aquí hallaréis los hombres de buen gusto, los que viven y gozan. Mas apenas dejaron el empinado monte, cuando entraron a glorias en un ameno y alegre prado, centro de delicias, estancia del buen tiempo, ya sea la primavera, coronada de flores, ya en otoño, de frutos. Ostentábanse aquellos suelos cubiertos de alfombras del abril, matizadas de Flora, recamadas de líquidos aljófares por las bellas niñas de la más alegre aurora, si bien no se lograba fruto alguno. Comenzaban a registrar todas aquellas floridas campiñas, alternadas de huertas, parques, florestas y jardines, y de trecho a trecho se levantaban vistosos edificios, que parecían casas todas de recreación, porque allí campeaba la Tapada de Portugal. Buena Vista de Toledo, la Trova de Valencia, Comares de Granada, Fontanable de Francia, el Aranjuez de España, el Pusicipo de Nápoles, Belveder de Roma. Fuéronse empeñando por un paseador espacioso y delicioso y no tan común que no encontrase gente de buen porte y de deporte, más lucios que lucidos. Y entre muchos personajes muy particulares, ninguno conocido. Tomaban todo el viaje muy despacio. Piano piano, decían los italianos; no vivir apriesa, repetían los españoles. —Porque mirad, glosaba el Poltrón, todos al cabo de la jornada de la vida llegamos a un mismo paradero, los sagaces tarde y los necios temprano; unos llegan molidos, otros holgados; los sabios mueren, mas los tontos revientan; éstos hechos pedazos y aquéllos muy enteros; y de verdad, que pudiendo llegar algunos años después, que es gran necedad veinte años antes, ni una hora. Saber un poco menos y vivir un poco más, iba diciendo uno, y no los envidies los buenos ratos, les encargaba otro. No os queráis sisar los buenos días: ¡Placheri, placheri y más placheri!, decía un italiano. ¡Holgueta, holgueta!, un español. Encontraban a cada paso estancias de mucho recreo, donde no trataban de darse un buen verde y dos azules, y los que podían gozar de dos primaveras no se contentaban con una. Allí vieron los bailes franceses, haciéndose piezas los mismos monsiures, bailando y silbando; los toros y cañas españolas, los banquetes flamencos, las comedias italianas, las músicas portuguesas, los gallos ingleses y las borracheras septentrionales. —¡Qué lindo país, decía Andrenio, y lo que me va contentando!, ¡esto sí que es vivir y no matarse! —Pero notad, dijo el Fantástico, toda esta bulla, el poco ruido que hace en el mundo y que con tanto juglar no sean estos hombres sonados. —No es gente ruidosa, respondió el Dejado, no gustan de meter ruido en el mundo. Tampoco veo hombre conocido, y con pasar tantas carrozas llenas de príncipes y señores, no veo que sean nombrados. —Es que lo disimulan, y no poco.

Toparon una gran muela de gentes y no personas. Tenían rodeando un monstruo de gordura, que no se le veían los ojos, pero sí una gran panza, colgada al cuello de una banda. —¡Qué pesado hombre será éste!, dijo Andrenio. —Pues te aseguro que lo es harto más un flaco, un podrido, un consumido o consumidor, un estrecho, un estrujado, que antes los muy gruesos de ordinario son más llevaderos, digo tolerables. Estaba dando reglas de acomodabuntur, hecho un oráculo de la propia comodité. —¿Qué cosa es ésta?, preguntó Critilo. —Ésta es, le respondieron, la escuela donde se enseña a vivir; llegaos por vuestra conveniencia, y aprenderéis a alargar los años y a estirar la vida. Llegaban unos y otros a consultarle aforismos de conservarse, y él los daba y los practicaba. Estaba actualmente diciendo: —Eyo voglio videre quanto tempo potrá acampare un bel poltroni; y repantigóse en una silla poltrona. —Sin duda, que ésta es la escuela de Epicuro, dijo Andrenio. —No será, respondió Critilo, que aquel filósofo no hablaba italiano. —Qué importa, si lo obraba y lo vivía; sea lo que fuere, éste puede ser maestro de aquel otro. Llegó uno que platicaba en pachorra, y díjole: Messere, ¿qué remedio para tener buenos días y mejores años? Aquí él, abriendo un geme de boca de los del gigante Goliat, habiendo hecho la salva a carcajadas, le respondió: bono, bono, sentaos, que mientras pudiereis estar sentado, nunca habéis estar en pie. —Yo os quiero dar mejor regla de todas, la nata del vivir; pero habéismela de pagar en trentines catalanes. —No será posible, respondió. —¿Por qué no? —Porque no han dejado uno tan sólo los monsiures. —Buen remedio, sean de los del duque de Alburquerque, que con un par me contento. *Ora va de regola, attentione. No pillar fastidio de nienti.* —¿De nada, *messere?* —*De nienti.* —¿Aunque se me muera una hija, una hermana? —*De nienti.* —¿Ni la mujer? —Menos. —¿Una tía de quien heredo? —¡Oh, qué *cosa aquesta!* —Aunque se os muera todo un linaje entero de madrastras, cuñadas y suegras, haceos insensibles y decid que es magnanimidad. —*Messere,* preguntó otro, ¿y para tener buenas comidas y mejores cenas, cómo haría yo? —Gastad en buenas ollas, que lo ahorréis de malas nuevas. —Pues ¿cómo haría yo para no oírlas? —No escucharlas. Haced lo que aquel otro avisado, que al criado que se descuidaba en decir algo que de mil leguas le pudiese desazonar o darle pena, al punto lo mandaba despedir de su servicio. —*Patrono mio caro,* entre otro platicante de acomodado, todo eso es niñería con lo que yo pretendo. Decidme, ¿cómo haría yo, aunque me costase perder media hora de sueño, el no dormir una siesta para llegar a vivir unos, unos... —¿Qué? ¿Cien años? ¿Ciento veinte? —Poco es eso. —Pues ¿cuánto queréis vivir? —Lo que ya hay ejemplar, lo que se vivía antiguamente. —¿Qué? ¿Novecientos años? —Sí, sí. —No tenéis mal gusto. —¿Cómo haría yo para llegar siquiera a unos ochocientos? —¿Para llegar decís? Mas en llegando ¿qué más tiene que hayan sido mil que ciento? —Aunque no fuesen sino unos quinientos. —No puede ser eso, respondió. —¿Por qué no? —Porque no se usa. —Pues así como vuelven todos los demás usos, ¿por qué no podría volver éste al cabo de los años mil y aun de los cuatro mil? —No veis vos que los buenos usos nunca más vuelven ni lo bueno a tener vez. —Pues *messere,* ¿cómo hacían aquellos primeros hombres del tiempo antiguo para vivir tanto? —¿Qué? Ser buenos hombres, como quien no dice nada. No se pudrían de cosa, porque no había entonces mentiras, ni aun en los casamientos; ni excusas para no pagar, ni largas para cumplir; no había preguntadores que matan, habladores que muelen, porfiados que atormentan, necios cansados que aporrean; no había quien estorbase; ni mujeres tijeretas, criados rezongones; no mentían los oficiales, ni aun los sastres; no había abogados ni alguaciles; y lo que es más que todo esto, no había médicos, y con que inventaron mil cosas, Júbal la música, Tubal Caín el hierro; no hubo hombre que se aplicase a ser boticario. Así que nada había de todo esto: mira si habían de vivir a ochocientos y a novecientos años los hombres, siendo tan personas. Quitadme vos todos estos topes, que yo os daré luego que vivan a mil y aun a dos mil años. Porque cada cosa de éstas basta a quitar cien años de vida y hacer que se pudra y se consuma y se mate un hombre en cuatro días. Y digo que aún es milagro que vivan tanto, sino que a puro de ser buenos hombres viven algunos, que para ésos es el mundo. Otra cosa os sé decir, que según van de cada día empeorándose las materias, agotándose los bienes y aumentándose los males, adelantándose los malos usos, temo que se ha de ir acortando la vida, de modo que no lleguen a ceñirse espada los hombres, ni aun a atacarse las calzas. —*Messere*, le replicó, será imposible eso, y más en los tiempos que alcanzamos, quitar que no haya pleitos, injusticias, falsedades, tiranías, latrocinios, ateísmos acá y herejes acullá. Pues tampoco faltarán guerras que destruyan, hambres que consuman, pestes que acaben y rayos que asuelen. Íbase ya muy desconsolado éste, cuando le llamó el Poltrón y le dijo: —Ahora, mire V. Señoría, que no querría que se fuese triste de mi jovial presencia; yo le haré una recetilla de conservar el individuo, que es hoy la más valida en Italia y la más corriente en todo el mundo, y es ésta: *cena poco, usa el foco, in testa capelo e poqui pensieri en el cerbello. ¡Oh, la bella cosa!* —¿De modo que me dice V. Señoría que pocos cuidados? —*Poquisimi*. —Según eso, ¿no me conviene a mí el ser hombre de negocio, ni asistir al despacho? —Por ningún caso. —¿Ni ministro? —Menos. —¿Ni tratar de avíos, llevar cuentas, ser asentista, mayordomo? —De ningún modo. —¿Ni estudiar mucho, ni pleitear, ni pretender? —*Nata, nata de todo eso, nunca trabajar de cabeza*, y en una palabra: *Non curare de niente*. Desta suerte acudían unos y otros a consultarles de *tuenda valetudine;* y a todos respondía muy al caso: a éste, *folgueta;* a aquél, *vita bona*, y a todos, *andiamo alegremente;* y a un cierto personaje, bien grave, le encargó mucho aquello de las sesenta ollas al mes.

—Paréceme, dijo Critilo, que toda esta ciencia del saber vivir y gozar para en pensar en nada y hacer nada y valer nada. Y como yo trato de ser algo y valer mucho, no se me asienta esta poltronería. Y con esto dio priesa en pasar adelante, siguiéndole Andrenio con harto dolor de su corazón, que le ahumaban mucho aquellas lecciones, e iba repasando su aforismo: *non curare de niente*, sino del *vientre*. Pasaron adelante, y entre varias tropelías del gusto, casas de gula y juego, hallaron una gran casa que repetía para palacio, con sus empinadas torres, soberbios homenajes, y en medio de su majestuosa portada, en el mismo arquitrabe, se leía este letrero: «Aquí yace el príncipe de tal.» —¿Cómo que yace?, se escandalizó Andrenio. Yo le he visto pocas horas ha, y sé que es vivo, y que no piensa en morir tan presto. —Eso creeré yo, le respondió el Honroso. También es verdad que aquí vivieron muchos héroes antepasados suyos; pero el que aquí yace, que no vive, muerto es, y huele tan mal, que todos se tapan las narices cuando sienten la hediondez de sus viciosas costumbres. Ni es él solo el que yace, sino otros muchos sepultados en vida, amortajados entre algodones y embalsamados entre delicias. —¿Cómo sabes tú que están muertos?, dijo el Ocioso. —¿Y cómo sabes tú que están vivos?, respondió el Vano. —Porque los veo comer. —¿Pues el comer es vivir? —¿No les oyes roncar? —Esto es decir que están muertos desde que nacieron, y pasan plaza de finados, pues ya llegaron al fin del ser personas. Que, si la definición de la vida es el moverse, éstos no tienen acción propia, ni obran cosa que valga. ¿Qué más muertos los quieres? Lastimábase Critilo de ver tanta crueldad, que enterrasen los hombres vivos, y reíase el Vano de su llanto, diciéndole: —Advierte que ellos mismos, por no matarse, se sepultan en vida y se vienen por sus pies a enterrar en los sepulcros del ocio, en las urnas de la flojedad, quedando cubiertos del polvo del eterno olvido. —¿Quién será aquel señor que yace en aquel sepulcro de la hedionda lascivia? —Quien no será más de lo que hasta hoy ha sido. Y de aquel otro antes se supo que fue muerto que vivo, o fue su nacer el morir. Mirad aquel príncipe: no hizo más ruido que el de su primer llanto, cuando entró en el mundo. —He reparado, dijo Critilo, que no se halla un caballero francés sepultado en vida, habiendo tantos de otras naciones. —Ésa, dijo el Honroso, es una singular prerrogativa de la nación francesa, que lo bueno se debe aplaudir. Sabed que en aquel belicoso reino ninguna damisela admitirá para esposo a aquel que no hubiere asistido en algunas campañas, que no las sacan para el tálamo del túmulo del ocio. Desprecian los Adonis de la corte, por los Martes de la campaña. —¡Oh, qué buen gusto de madamas! Esa mismo reputación introdujo la católica reina doña Isabel en su palacio entre sus damas, aunque duró poco, habiendo sido la primera que se sirvió de las hijas de grandes señoras.

Estaban llenos aquellos holgazanes sepulcros, no de muertos vivos, sino de vivos muertos; y no sólo de los mayorazgos de las ilustres casas, sino de segundones, sucesores de retén, de terceros y de cuartos, sin que saliesen a medrar y valer, ni en las campañas ni en las Universidades; todos yacían en las mesas del juego, en el cieno de la torpeza, en el regazo de la ociosidad, única consorte del vicio; y lo que es más, a vista de sus padrazos y madronas, penándose de que les duela una uña y no haciendo caso de que les duela la honra y la conciencia con traidora piedad.

Llegaron, después de haber paseado toda aquella dilatada campaña de la ociosidad, los prados del deporte y campos francos de los vicios, a dar vista a una tenebrosa gruta, boquerón funesto de una horrible cueva, que yacía al pie de aquella soberbia montaña en lo más humilde de su falda, antípoda del empinado alcázar de la estimación honrosa, opuesta a él de todas maneras; porque si aquél se encumbraba a coronarse de estrellas, ésta se abatía a sepultarse en los abismos del olvido. Allí todo era empinarse al Cielo, aquí rodar por el suelo, que para todo se hallan gustos, más de malos que de buenos. Había la distancia de una a otra que va de un extremo de altiveza a otro de abatimiento y vileza; campeaba más la entrada cuando más oscura y tenebrosa, que su mismo deslucimiento la hacía más notable: era muy espaciosa, nada suntuosa, sin género alguno de simetría, basta y bruta; y con ser tan fea y tan horrible, embocaba por ella un mundo de cosas. Los coches de a tres tiros, muy holgados, carrozas tiradas de seis pías y las más veces remendadas; sillas de mano y literas, pero ningún carro triunfal. Estábaselo mirando Andrenio, poco menos que aturdido; mas Critilo, solicitado de su mucha aunque no ordinaria curiosidad, comenzó a inquirir qué cueva fuese aquélla. Aquí el Honroso, sacando un gran suspiro del profundo de su sentimiento, dijo: —¡Oh, cuidados de los hombres! ¡Oh, cuán mucha es la nada! Sabrás, ¡oh Critilo!, que ésta es aquella tan conocida cuan poco celebrada cueva, sepultura de tantos vivos, éste el paradero de las tres partes del mundo; ésta es, y no te escandalices, la cueva de la nada. —¿Cómo de la nada, replicó Andrenio, cuando yo veo desaguar en ella la gran corriente del siglo, el torrente del mundo, ciudades populosas, cortes grandes, reinos enteros? —Pues advierte que después de haber entrado allá todo eso que tú dices, se queda vacía. —Eh, mira cuántos van entrando allá. —Pues no hallarás persona dentro. —¿Qué se hace? —Lo que hicieron. —¿En qué paran? —En lo que obraron. Fueron nada, obraron nada y así vinieron a parar en nada.

Llegó en esto a querer entrar un cierto sujeto, y hablando con ellos les dijo: —Señores míos, yo lo he probado todo, y no he hallado oficio ni empleo como no hacer nada; y colóse dentro. Venía encaminándose allá un otro gran personaje, con numerosa comitiva de lacayos y gentiles hombres a toda priesa de su antojo, sin poderle detener ni los ruegos de sus fieles criados ni los consejos de sus amigos. Salióle al paso el Honroso, y díjole: —Señor excelentísimo, serenísimo, sea lo que fuere, ¿cómo hace esto V. Excelencia pudiendo ser un príncipe famoso, el héroe de su casa, el aplauso de su siglo, obrando cosas memorables y hazañosas, llenando su familia de blasones; por qué se quiere sepultar en vida? —Quitaos de ahí, le respondió, que no quiero nada, ni se me da nada de todo; mas quiero hacer mi gusto y gozar de mi regalo. ¿Yo cansarme? ¿Yo molerme? ¡Bueno por mi vida! Nada, nada de eso. Y diciendo y no haciendo, metióse dentro, a nunca más ser nombrado. Tras éste venía un mozo galancete, más estirado de calzas que de hombros, y con tanta resolución como disolución, se fue a meter allá. Gritóle el Honroso, diciendo: —Señor don Fulano, una palabra de una obra: Pues ¿cómo un hijo de un tan grande padre, que llenó el mundo de sus heroicos aplausos, que floreció tanto en su siglo, así se quiere marchitar y sepultarse en el ocio y en el vicio? Mas él, atropellando con todo: —No me enfadéis, le dijo; no me deis consejos. Obraron tanto mis pasados, que no me dejaron que hacer; no se me da nada de no ser algo. Y lanzóse a no ser nunca visto ni oído.

De esta suerte y tan sin dicha entraron unos y otros, éstos y aquéllos, que se despoblaba el mundo, y nunca se llenaba la infeliz sima de las honras y de las haciendas. Entraban caballeros, títulos, señores y aun príncipes. Y admirados de ver uno muy poderoso, le dijeron: —¿Y vos, señor, también venís a parar acá? —No vengo, respondió él, sino que me traen. Entraban hombres de valor a valer nada, floridos ingenios a marchitarse, hombres de prendas a nunca desempeñarse. Pasaban del holgarse y del entretenerse a no ser estimados, y del prado a la cueva de la nada. Tenía ya el un pie en el umbral de la cueva un cierto personaje, que parecía de importancia, cuando llegó un otro de barbas tan agrias como su condición, que parecía persona de gobierno. Y tirándole de la capa, le dio un recado de parte de su gran dueño, ofreciéndole una embajada de las de primera clase, y que otros muchos la pretendían. Mas él haciendo burla no la quiso aceptar, diciendo: Yo renuncio todos los cargos con las cargas. Volvióle a hacer instancia tomase un bastón de general. Y él: —Quita allá, que no quiero nada sino a mí mismo y todo entero. —¿Siquiera un virreinato? —Nada, nada; déjenme estar en mis gustos y mis gastos; y quedóse muy casado con su nada. —Válgate por cueva de la nada, decía Critilo, y lo que te sorbes y te tragas.

Estaban dos ruincillos, que no les dieran del pie, arrojando a puntillazos allá dentro a muchos hombres grandes, gente sin cuento, por no ser de cuenta, sin darse manos de echar, por no tenerlas. —Allá van, decían, noblezas, hermosuras, gallardías, floridos años, bizarrías, galas, banquetes, paseos, saraos, entretenimientos, al covachón de la nada. —¿Hay tal monstruosidad?, se lamentaba Critilo. —¿Y quién es esta vil canalla? —Aquél es el Ocio y este otro es el Vicio, camaradas inseparables.

Oyeron que estaba un ayo ponderando a un hijo segundo de una de las mayores casas del reino: —Mirad, señor, que podéis ser mucho. —¿Cómo? —Queriendo. —He que nací tarde. Adelantaos con la industria y con el mérito, recompensando con el valor el poco favor de la fortuna, que ése fue el atajo del Gran Capitán y algunos otros que se aventajaron a sus venturosos mayorazgos. ¿Pudiendo ser un león en la campaña, queréis ser un lechón en el cenegal de la torpeza? Oíd cómo os llaman los bélicos clarines a emplear las trompas de la fama, cerrad los oídos a las cómicas sirenas que os quieren echar a pique de valer nada. Mas él haciendo chanza de las hazañas, respondía: —¿Yo balas? ¿Yo asalto? ¿Yo campañas pudiéndome andar del paseo al juego, de la comedia al sarao? De eso me guardaré yo bien. —Mirad, que valdréis nada. Y así fue, que tampoco se le dio nada y alcanzó nada.

A quien se le logró la diligencia fue al Honroso, que viendo que un padre verdadero y muy prudente enviaba un hijo suyo, mozo de buenas esperanzas, a la Universidad de Salamanca, para que por el atajo de las letras (que de verdad lo es, así como rodeo el de las armas) llegase a conseguir un gran puesto, él, en vez de ir a cursar, echó por el divertimiento y se encaminaba al paradero ordinario de valer nada. Compasivo el Honroso de ver perderse tan voluntariamente un tan buen ingenio, llegóse a él y díjole: —Señor legista, qué mal parecer habéis tomado, pudiendo estudiar y velando lucir, y pretendiendo un colegio mayor, pasar a una cancillería y un consejo real, que no hay más seguro pasadizo que una beca. Olvidando todo esto, queréis malograr el precioso tiempo, hundir la hacienda y frustrar las esperanzas de vuestros padres. Cierto, que habéis tomado mal consejo. Valióle este aviso, y aun desengaño, que importa mucho el tener buen entendimiento para abrazar la verdad. Y aseguran que velando y valiendo, de grada en grada llegó a una presidencia, honrando su casa y su patria. Pero fue éste la Fénix entre muchos partos, que lo común es trocar el libro por la baraja, el teatro literario por el cómico corral, y el vade por la guitarra, con que el Derecho anda tuerto y aun a ciegas, el Digesto mal digerido, yendo a parar en la cueva de la nada, no siendo ni valiendo nada.

—Señores, ponderaba Critilo, que un hombre común, un plebeyo trate de entrarse en esta cueva vulgar, pase, no me admiro, que de verdad les cuesta mucho el llegar a valer algo, estáles muy cara la reputación, cuéstales mucho la fama. Pero los hombres de mucha naturaleza, los de buena sangre, los de ilustres casas, que por poco que se ayuden han de venir a valer mucho, y dándoles todos la mano han de venir a tener mano en todo, que ésos se quieran enviciar y anonadar y sepultarse vivos en el covachón de la nada, cierto que es lastimosa infelicidad. Si los otros pelean con balas de plomo, el noble con balas de oro; las letras, que en los demás son plata, en los nobles son oro, y en los señores piedras preciosas. ¡Oh, cuántos, por no cansarse media docena de cursos, anduvieron corridos toda la vida! ¡Por no lograr breve tiempo de trabajo, perdieron siglos de fama!

Pero entre muchos de aquellos viles ministros, sepultureros del vicio, vieron que andaba muy arreada una bellísima hembra, convirtiendo en azar con manos de jazmín cuanto tocaba. Teníalas de nieve, pues todo lo elevaban; tanto, que en tocando el mayor hombre, el más prudente, el más sabio, le convertía en estatua de pórfido o de mármol frío, y no paraba un punto ni un momento de arrojar gente en aquella funesta sima del desprecio. Ni era menester traerlos con sogas, ni con maromas, que sólo un caballo bastaba. Pero ¿qué mucho, si los llevaba cuesta abajo? Hacía mayor estrago cuanto mayor prodigio era de belleza. —¿Quién es ésta, preguntó Andrenio, que lleva traza de despoblar el mundo? —Es posible que no la conozcas, respondió su gran contrario el Honroso. —¿Ahora estamos en eso? Ésta es mi mayor antagonista, la misma Deidad de Chipre, si no en persona en sirena, que si eso hubiera hecho aquel príncipe, que tiene asido con mano de nieve y garra de neblí, no hubiera tan presto descaecido de héroe, que ya andaba en ese predicamento y muy adelante. —¡Oh, qué lástima!, se lamentaba Critilo. ¡Que al más empinado cedro, al más copudo árbol, al que sobre todos descollaba, se le fuese apegando esta inútil yedra, más infructífera cuando más lozana. Cuando parece que le enlaza, entonces le aprisiona; cuando le adorna, le marchita; cuando le presta la pompa de sus hojas, le despoja de sus frutos, hasta que de todo punto le desnuda, le seca, le chupa la sustancia, le priva de la vida y le aniquila. ¿Qué más? Y ¿a cuántos volviste vanos? ¿Cuántos linces cegaste, cuántas águilas abatiste, a cuántos ufanos pavones hiciste abatir la rueda de su más bizarra ostentación? ¡Oh, a cuántos, que comenzaban con bravos aceros, ablandaste los pechos! Tú eres, al fin, la aniquiladora común de sabios, santos y valerosos.

A otro lado de la cueva vieron un raro monstruo con visos de persona, haciendo a todo muy mala cara. Tenía extrañas fuerzas, pues asiendo con solos dos dedos, como haciendo asco, algunos suntuosos edificios los arrojaba al centro de la nada. —Allá va, decía, ese dorado palacio de Nerón; esas termas de Domiciano; esos jardines de Heliogábalo. Porque todos valieron nada y sirvieron de nada. No así los castillos fuertes, las incontrastables ciudadelas que erigieron los valerosos príncipes para llaves de sus reinos y freno de los contrarios. No los famosos templos que enternizaron los piadosos monarcas; las dos mil iglesias que dedicó a la madre de Dios el rey don Jaime. Allá van, decía, esos serrallos de Amurates, ese alcázar de Sardanápalo.

Pero lo que mayor novedad les hizo, fue verle asir las obras del ingenio, y con notable desprecio vérselas arrojar allá. Hízole duelo a Critilo verle asir de un libro muy dorado, y que amagaba sepultarle en el eterno olvido, y rogóle no lo hiciese; mas él, haciendo burla, le dijo: —¡Eh, vaya allá, pues entre mucha adulación no tiene rastro de verdad ni de sustancia! —Basta, replicó Critilo, que el dueño de que habla y a quien lo dedica, le hará inmortal. —No podrá, respondió él, que no hay cosa que más presto caiga que la mentirosa lisonja, que no tiene fundamento, antes solicita enfado. Echóle allá, y tras él otros muchos libros, voceando: —Allá van esas novelas frías, sueños de ingenios enfermos, esas comedias silbadas, llenas de impropiedades y faltas de verosimilitud. Apartó unas y dijo: —Éstas no, resérvense para inmortales, por su mucha propiedad y donoso gracejo. Miró el título Critilo, creyendo fuesen las de Terencio y leyó: Parte primera de Moreto. —Éste es, le dijo, el Terencio de España. Allá van, decía, esos autores italianos. Reparó Critilo y díjole: —¿Qué haces?, que se escandalizará el mundo. Pues están hoy en tanta reputación las plumas italianas como las espadas españolas. —¡Eh!, dijo, que muchos de estos italianos, debajo de rumbosos títulos no meten realidad ni sustancia. Los más pecan de flojos, no tienen pimienta en lo que escriben ni han hecho; otros muchos de ellos, más que echar a perder buenos títulos, como el autor de la Plaza Universal, prometen mucho y dejan burlado al lector, y más si es español. Alargó la mano hacia otro estante y comenzó con harto desdén a arrojar libros. Leyó los títulos Critilo, y advirtió eran

españoles, de que se maravilló no poco, y más cuando conoció
eran historiadores. Y sin poder contenerse le dijo: —¿Por qué
desprecias esos escritos, llenos de inmortales hazañas? —Y aun
ésa es la desdicha, le respondió, que no corresponde lo que éstos
escriben a lo que aquéllos obran; asegúrote que no ha habido más
hechos ni más heroicos que los que han obrado los españoles;
pero ninguno más mal escritos, por los mismos españoles. Las más
de estas historias son como tocino gordo, que a dos bocados empa-
lagan. No escriben con la profundidad y garbo político que los
historiadores italianos, un Guiciardino, Bentivollo, Catarino de
Ávila, el Siri y el Virago en sus Mercurios, secuaces todos de Tácito. Creedme que no han tenido genio en la historia, así como ni
los franceses en la poesía. Con todo, de algunos reservaba algunas
hojas; mas a otros todos enteros, y aun sin desatarlos, los tiraba de
revés hacia la nada, y decía: —Nada valen, nada. Pero notó Critilo que por maravilla desechaba obra alguna de autor portugués:
—Éstos, decía, han sido grandes ingenios, todos son cuerpos con
alma. Alteróse mucho Critilo al verle alargar la mano hacia algunos teólogos, así escolásticos como morales y expositivos, y respondióle a su reparo: —Mira, los más de éstos, ya no hacen otro
que trasladar y volver a repetir lo que ya estaba dicho. Tienen
bravo cacoetes de estampar, y es muy poco lo que añaden de
nuevo, poco o nada inventan. De solos comentarios sobre la primera parte de Santo Tomás, le vio echar media docena, y decía:
—Andad allá. —¿Qué decís? —Lo dicho. Y haréis lo hecho. Allá
van esos expositivos, secos como esparto, que tejen lo que ha mil
años que se estampó. De los legistas arrojaba librerías enteras, y
añadió que si le dejaran los quemara todos, fuera de unos cuantos.
De los médicos echaba sin distinción, porque aseguraba que ni
tienen modo ni concierto en el escribir. Mirad, decía, qué tanto,
que aún no saben disponer un índice; y esto habiendo tenido un
tan prodigioso maestro como Galeno.

Entre tanto que esto le pasaba a Critilo, fuese acercando Andrenio al boquerón de la cueva, y puso el pie en el deslizadero de su
umbral; mas al punto arremetió a él el Honroso, diciéndole:
—¿Dónde vas? ¿Es posible que tú también te tientas de ser nada?
—Déjame, le respondió, que no quiero entrar, sino ver desde aquí
lo que por allá pasa. Rióló mucho el Honroso, y díjole: —¿Qué
has de ver si todo en entrando allá es nada? —Oiré, siquiera.
—Menos, porque las cosas que una vez entran, nunca más son
vistas ni oídas. —Llamaré alguno. —¿De qué suerte, que ninguno
tiene nombre? —Y si no, dime, del infinito número de gentes que
en tantos siglos han pasado, ¿qué ha quedado de ellos? Ni aun la
memoria de que fueron, ni que hubo tales hombres. Sólo son nombrados los que fueron eminentes en armas o en letras, gobierno
y santidad. Y porque lo consideremos más de cerca, dime, en este
nuestro siglo, entre tantos millares como hoy embarazan la redondez de la Tierra, en tantas provincias y reinos, ¿quiénes son nom-

brados? Media docena de hombres valerosos, aun no otros tantos
sabios. No se habla sino de dos o tres reyes, un par de reinas,
de un Santo Padre que resucita los Leones y Gregorios. Todo lo
demás es número, es broma, no sirven sino de consumir los víveres y aumentar la cantidad, que no la calidad. Pero ¿qué estás
mirando con mayor ahinco, cuando ves nada? —Miro, dijo, que
aún hay menos que nada en el mundo. Dime por tu vida, ¿quiénes
son aquellos que están arrinconados aún en la misma nada?
—¡Oh!, le respondió, mucho hay que decir de esa nada. Ésos son...,
pero dejémoslos, si te parece, para la siguiente Crisi.

CRISI IX

FELISINDA DESCUBIERTA

Cuentan que un cierto curioso, mas yo lo definiera necio, dio
en un raro capricho de ir rodeando el mundo, y aun rodando con
él en busca, cuando menos, del contento. Llegaba a una provincia
y comenzaba a preguntar por él a los ricos los primeros, creyendo
que ellos le tendrían, cuando la riqueza todo lo alcanza y el dinero todo lo consigue; pero engañóse, pues los halló cuidadosos
siempre y desvelados. Lo mismo le pasó con los poderosos, viviendo penados y desabridos. Fuese a los sabios, y hallólos muy
melancólicos, quejándose de su corta ventura, a los mozos con
inquietud, a los viejos sin salud, con que todos de conformidad
le respondieron que ni le tenían, ni aun le habían visto; pero sí
oído a sus antepasados, que habitaban en el otro país de más adelante. Pasaba luego allá, tomaba lengua de los más noticiosos, y
respondíanle lo mismo, que allí no, pero que se decía estar en el
que se seguía. Fue pasando de esta suerte de provincia en provincia, diciéndole en todas: —Aquí no, allá, acullá, más adelante. Subió a la Islandia, de allí a la Groenlandia hasta llegar al Tule, que
sirve al mundo de tilde, donde oyendo la misma canción que en
las otras, abrió los ojos para ver que andaba ciego y conocer su
vulgar engaño, y aun el de todos los mortales, que desde que
nacen van en busca del contento sin topar jamás con él, pasando
de edad en edad, de empleo en empleo, anhelando siempre a
conseguirle. Conocen los del un estado que allí no está; piénsanse
que en el otro y llámanles felices, y aquéllos a los otros, viviendo
todos en un tan común engaño, que aún dura y durará mientras
hubiere necios.

Así les sucedió a nuestros dos peregrinos del mundo, pasajeros
de la vida, que ni en la vana presunción ni en el vil ocio pudieron hallar descanso, y así no hicieron su mansión ni el uno en el
Palacio de la Vanidad ni el otro en la Cueva de la Nada. En
medio del umbral de ella, persistía Andrenio, solicitando saber
quién fuesen aquellos que estaban metidos de medio a medio en

la nada. —Ésos, le respondió el Fantástico, son unos ciertos sujetos, que aún son menos que nada. —¿Cómo puede ser esto?
¿Qué menos pueden ser que nada? —Muy bien. —Pues ¿qué serán? —¿Qué? Nonadillas, que aun de la nada no se hartan, y
así les llaman cosillas y figurillas y ruincillos y nonadillas. Mira,
mira aquél cómo anda echando piernas, sin tener pies ni cabeza;
hombreando el otro sin ser hombre. ¡Qué cosilla tan ruincilla
aquella de allá, acullá! Pues a fe, que tiene harto malas entrañuelas. Verás hombres de carne momia y monios los que deberían
ser los primeros. Mira qué de sombras sin cuerpo y qué de figurillas sin sombra y sobra. Hallarás títulos sin realidad y muchas cosas de solo título. Mira qué de impersonales personas y
qué de estatuas sin estatua. Verás magnates servidos con vajillas
de oro entre costumbres de lodo, y al estiércol. Muchos nacidos
que aún no viven, y muchos muertos que no vivieron. Aquellos
de acullá eran leones, que en teniendo cama fueron liebres; y
estos otros nacidos como hongos, sin saberse de dónde ni de qué.
Mira hacer los estoicos a muchos epicúreos, y la follonería pasar
por filosofía. Mira lejos de aquí la fama y muy cerca la fame. Verás mal vistos los que están en alto, y muchos hijos de algo que pararon en nada. Verás muchas hermosuras perderse de vista, y las
más lindas por bellas. Verás que no son de gloriosa fama las que
de golosa voluntad, y venir a morir de hambre los más hartos. Verás pedir y tomar a los que no se les da nada, y a muchos tenidos
por ricos que aun el nombre no es suyo. No hallarás sí sin no, ni
cosa sin un si no. Verás que por no hacer cosa se pierden las
casas, y aun los palacios, y por no curarse de lo mucho, todo
fue nada. Mira muchos cabos que acaban todo, sino con el enemigo, y por eso nunca se acaban las guerras, porque hay cabos.
Verás que todo buen verde fue sin fruto, y que las verduras no
granan. Toparás muchas arrugas en agraz seco, y pocas en sazonadas pasas. Sentirás lo más bien dicho sin dicha, y toda gracia
en desgracia, grandes ingenios sin genios, y sin doctor muchas
librerías. Oirás locos a gritos, y las menos cuerdas más tocadas.
Los que deberían ser Césares, son nada, y las más grandes casas
sin un cuarto. Verás encogidos los más estirados, y a muchos hacer vanidad de lo que es nada. Buscarás hombres y toparás con
trastos, y el que creíste ser de terciopelo es de bayeta. Verás sin
ceros, los más sinceros, y al que no tiene cuentos no ser de cuenta. Ya las dádivas y dones son aire, pues donaire. Verás finalmente cuán mucha es la nada, y que la nada querría serlo todo.
Mucho más dijera, que tenía mucho que decir de la nada, a no
interrumpirle el Ocioso, que acercándose a Andrenio intentó a
empellones de dejamiento arrojarle dentro de la infeliz cueva y
sepultarle en medio del fondo de la nada. Viendo esto el Fantástico, asió de Critilo, y comenzó a tirar de él hacia el Palacio
de la Vanidad, llenándole los cascos de viento, fatales ambos escollos de vejez, tan por extremo opuestos que en el uno suele

peligrar de ociosa y en el otro de vana. Pero fue único remedio
darse ambos las manos, con que pudieron templarse y hacer un
buen medio entre tan peligrosos extremos. Asieron de la ocasión
que, aunque cana, no calva, y a pura fuerza de razón y de cordura, salieron del evidente riesgo de su pérdida.

Trataron, ya victoriosos, de encaminarse a triunfar a la siempre
augusta Roma, teatro heroico de inmortales hazañas, corona del
mundo, reina de las ciudades, esfera de los grandes ingenios, que
en todos siglos, aun los mayores, las águilas caudales tuvieron
necesidad de volar a ella y darle unos filos de Roma. Hasta los
mismos españoles, Lucano, Quintiliano, ambos Sénecas cordobeses, Luciano y Marcial bilbilitanos. Trono de lucimiento, que lo
que en ella luce por todo el mundo campea. Fénix de las edades,
que cuando otras ciudades perecen, ella renace y se eterniza. Emporio de todo lo bueno, corte de todo el mundo, que todo él cabe
en ella. Pues el que ve a Madrid, ve sólo a Madrid; el que a
París, no ve sino a París, y el que ve a Lisboa, ve a Lisboa; pero
el que ve a Roma, las ve todas juntas y goza de todo el mundo
de una vez, término de la Tierra y entrada católica del Cielo.

Y si ya la veneraron de lejos, ahora la admiraron de cerca, sella-
ron sus labios en sus sagrados umbrales antes de estampar sus
plantas. Introdujéronse con reverencia en aquel non plus ultra
de la Tierra y un tanto monte del Cielo. Discurrían mirando y
admirando sus novedades, que parecen antiguas, y sus antigüeda-
des, que siempre se hacen nuevas. Reparó en su reparar un mucho
hombre, que cortésmente se les fue acercando, o ellos a él, para
informarse. A pocos lances que hizo con destreza, conoció que
eran peregrinos, y ellos que él era raro, y tanto que pudiera dar
lecciones de mirar al mismo Argos, de penetrar a un Zahorí, de
prevenir a un Jano y de entender al mismo Descifrador. Pero
¿qué mucho si era un cortesano viejo de muchos cursos de Roma,
español injerto en italiano, que es decir un prodigio? Era gran
hombre de notas y de noticias, con los dos realces de buen ingenio y buen gusto, el cortesano de más buenos tratos que pudieran
desear. —Vosotros, les dijo, según veo, habéis rodeado mucho y
avanzado poco, que si de primera instancia hubiérades venido a
este epílogo del político mundo, todo lo bueno hubiérades logrado
y visto de la primera vez, llegando por el atajo del vivir, al colmo
del valer. Porque advertid que si otras ciudades son celebradas
por oficinas de maravillas mecánicas, en Milán se templan los impenetrables arneses, en Venecia se clarifican los cristales, en Nápoles se tejen las ricas telas, en Florencia se labran las piedras
preciosas, en Génova se ahuchan los doblones, Roma es oficina
de los grandes hombres. Aquí se forjan las grandes testas, aquí
se utilizan los ingenios, y aquí se hacen los hombres muy personas. —Y si son dichosos los que habitan las ciudades grandes,
añadió otro, porque se halla en ellas todo lo bueno y lo mejor,
en Roma se vive dos veces y se goza muchas, paradero de prodi-

gios y centro de maravillas. Aquí hallaréis cuanto pudiérades desear. Sólo una cosa no toparéis en ella. —Y será, sin duda, replicaron ellos, la que nosotros venimos a buscar, que ése suele ser
el ordinario chasco de la fortuna. —¿Qué es lo que buscáis?, les
dijo. Y Critilo: —Yo una esposa. Y Andrenio: —Yo una madre.
—¿Y cómo se nombra? —Felisinda. —Dudo que la halléis, por
lo que dice de felicidad. Pero ¿dónde tenéis nuevas que se alber-
ga? —En el palacio del embajador del rey católico. —Oh, sí, y
aun el rey de los embajadores. Llegáis a ocasión que ya es parte
de la dicha, allá me encaminaba yo esta tarde, donde concurren
los ingenios a gozar del buen rato de una discreta academia. Es
el embajador príncipe de bizarro genio originado de su grandeza;
que así como otros príncipes ponen sus gustos en tener buenos
caballos, que al fin son bestias, otros en lebreles, dados a perros,
en tablas y en lienzos muchos, que son casos pintados, en estatuas
mudas, en piedras preciosas, que si un día amaneciese el mundo
con juicio se hallarían muchos sin hacienda, este señor gusta de
tener cerca de sí hombres entendidos y discretos, de tratar con
personas, que cada uno muestra lo que es en los amigos que tiene.
     Llegaron ya al genial albergue, entraron en un salón bien aliña-
do y capaz teatro de Apolo, estancia de sus galantes gracias y
coro de sus elegantes musas. Allí apreciaron mucho el ver y conocer los mayores ingenios de nuestros tiempos, hombres tan eminentes que con cada uno se pudiera honrar un siglo y desvane-
cerse una nación. Íbaselos nombrando el cortesano y dándoseles
a conocer. Aquel que habla el francés en latín, es el Barclayo,
venturoso en aplausos por no haber escrito en lengua vulgar;
aquel otro de la bien inventada invectiva, es el que supo más bien
decir mal, el Bocalini: conoced el Marvesi, filosofando en la historia estadista de sí mismo. Aquel Tácito a las claras, es Henrico
Caterino; mas aquel otro que está embutiendo de borra de memoriales de cartas y de relaciones de la tela de oro de su Mercurio, es el Siri, vale a los alcances su antagonista el Virayo, más
flojo y más verídico. Ved el Góngora de Italia, como si él fuese
el Aquilino. Aquel elocuentísimo polianteista es Agustín Mas-
cardo, y así otros singulares ingenios de valiente rumbo y mucho
garbo. Fueron ocupando sus puestos y llenándolos también; y
después de conciliada, no sólo la atención, pero la expectación,
arengó el Marino, cumpliendo con el oficio de secretario y dando
principio con el más célebre de sus Epigramas Morales, que comienza: *Abre el hombre infeliz, luego que nace, antes que al Sol,
los ojos a la pena, &c.* Aunque no pudo librarse de la censura de
que no concluye al propósito, pues habiendo referido la prolijidad
de miserias por toda la vida del hombre, da fin diciendo: *De la
cuna a la urna hay sólo un paso.* Acabó de relatar el soneto y
prosiguió así: —Todos los mortales andan en busca de la felicidad, señal de que ninguno la tiene. Ninguno vive contento con
su suerte, ni la que le dio el Cielo ni la que él se busca. El solda-

do siempre pobre alaba las ganancias del mercader y éste, recíprocamente, la fortuna del soldado; el jurisconsulto envidia el trato sencillo y verdadero del rústico y éste la comodidad del cortesano; el casado codicia la libertad del soltero y éste la amable compañía del casado; éstos llaman dichosos a aquéllos y aquéllos al contrario a éstos, sin hallarse uno que viva contento con su fortuna. Cuando mozo, piensa el hombre hallar la felicidad en los deleites, y así se entrega ciegamente a ellos, con muy costosa experiencia y tardo desengaño. Cuando varón, la imagina en las ganancias y riquezas, y cuando viejo, en las honras y dignidades, rodando siempre de un empleo en otro, sin hallar en ninguno la verdadera felicidad. Donosa ponderación del sentencioso lírico, si bien, aunque levantó la caza no la dio mate, ni halló salida al reparo. Ésta hoy se libra a vuestro bizarro discurrir, siendo el asunto señalado para esta tarde disputar en qué consiste la felicidad humana. Dicho esto, volvió el rostro hacia el primero, que era el Barclayo, más por acaso que por afectación; éste, después de haber pedido la venia al príncipe y haber cabeceado a un lado y a otro, discurrió así: —De gustos siempre oí decir que no se ha de disputar, cuando vemos que la una mitad del mundo se está riendo de la otra. Tiene su gusto y su gesto cada uno y así yo hago burla de aquellos sabios a lo antiguo, que defendían consistir la felicidad, uno que en las honras, otro que en las riquezas, éste que en los deleites, aquél que en el mundo, tal que en el saber y cuál que en la salud. Digo que me río de todos estos filósofos cuando veo tan encontrados los gustos, que si el vano anhela por la honras, el sensual hace burla de él y de ellas; si el avaro codicia los tesoros, el sabio los desprecia. Así que diría yo que la felicidad de cada uno no consiste en esto ni en aquello, sino en conseguir y gozar cada uno de lo que gusta.

Fue muy celebrado este decir, y matúvose buen rato en este aplauso, hasta que el Virago: —Reparad, señores, les dijo, en que los más de los mortales emplean mal su gusto, pues a veces en las cosas más viles e indignas de la naturaleza racional. Porque si se halla uno que guste de los libros, habrá ciento que de las cartas; si éste de las buenas musas, aquél de las malas sirenas. Y así entended que las más veces no es, no, felicidad conseguir uno su gusto, cuando le tiene tan malo. Demás, que por bueno y relevante que sea, de nada se satisface, no para en ningún empleo, antes alcanzando uno luego le enfada y busca otro, siendo la inconstancia evidencia de la no conseguida felicidad. Muchas habrían de ser las felicidades de los señores y príncipes de quienes decía uno, y no mal, que todas son ganicas. Hoy asquean lo que aplaudieron ayer, y mañana acriminarán lo que buscaron hoy. Cada día empleo flamante, y cada instante obra nueva. Borró con esto el concepto que había de la pasada opinión, y mereció la expectación de todos para la suya, que propuso así: Principio es muy asentado entre los sabios que el bien ha de constar de todas sus causas, lleno de todas partes sin que le falte la menor circunstancia. De modo que para el bien, todas que sobren, y para mal, una que falte, y si esto se requiere para cualquier dicha, ¿qué será para una felicidad entera y consumada? Supuesta esta máxima, saquemos ahora las consecuencias. ¿Qué le importa a un poderoso tener todas las comodidades, si le falta la salud para gozarla? ¿Qué tendrá el avaro con las riquezas si no tiene ánimo para guardarlas? ¿De qué le sirve al sabio su mucho saber, si no tiene amigos capaces con quien comunicarlo? Digo, pues, que no me contento con poco, todo lo pretendo, y juzgo que lo ha de tener todo el que se hubiere de llamar feliz, para que nada desee. De suerte que la felicidad humana consiste en un agregado de todos los que se llaman bienes, honras, placeres, riquezas, poder, mando, salud, sabiduría, hermosura, gentileza, dicha y amigos con quien gozarlo.

—Esto sí que es decir, exclamaron; no deja qué discurrir a los demás.

Pero tomó la mano el Siri, intimando la atención para echar el bollo a la controversia. —Grandemente, dijo, os ha contentado este montón quimérico de gustos, este agregado fantástico de bienes; pero advertid que es tan fácil de imaginar cuan imposible de conseguir. Porque ¿cuál de los mortales pudo jamás llegar a esta felicidad soñada? Rico fue Creso, pero no sabio. Sabio fue Diógenes, pero no rico. ¿Quién lo tuvo todo? Mas doy que lo consiga. El día que no tenga que desear ha de ser ya infeliz. Y que también hay desdichados de dichosos: suspiran, asquean algunos de hartos, y les va mal porque les va bien. Después de haberse enseñoreado Alejandro de este mundo, suspiraba por los imaginarios que oyó quimerear a un filósofo. Con más facilidad querría yo la felicidad, y así me calzo la opinión del revés y firmo todo lo contrario. Estoy tan lejos de decir que consista la felicidad en tenerlo todo, que antes digo que en tener nada, desear nada y despreciarlo todo. Y ésta es la única felicidad, con facilidad, la de los discretos y sabios. El que más cosas tiene, de más depende y es más infeliz el que más cosas necesita, así como el enfermo más cosas ha menester que el sano. No consiste el remedio del hidrópico en añadir de agua, sino en quitar de sed. Lo mismo digo del ambicioso y del avaro. El que se contenta consigo solo, es cuerdo y es dichoso. ¿Para qué la taza, donde hay mano con que beber? El que encarcelara su apetito entre un pedazo de pan y un poco de agua, trate de competir de dichoso con el mismo Jove, dice Séneca. Y sello mi voto, diciendo: Que la verdadera felicidad no consiste en tenerlo todo, sino en desear nada.

No queda más que oír, exclamó el común aplauso. Pero fue también descaeciendo este sentir, y callaron todos para que el Malvezi filosofase de esta suerte: —Digo, señores, que este modo de opinar procede más de una melancólica paradoja, que de un acierto político, y que es un querer reducir la noble humana na-

turaleza a la nada. Pues desear nada, conseguir nada y gozar de
nada, ¿qué otra cosa es que aniquilar el gusto, anonadar la vida
y reducirlo todo a la nada? No es otra cosa el vivir que un gozar
de los bienes y saberlos lograr, tanto los de la naturaleza como
del arte, con modo, forma y templanza. No hallo yo que pueda
perfeccionar al hombre el privarle de todo lo bueno, sino des-
truirle de todo punto. ¿Para qué son las perfecciones? ¿Para qué
los empleos? ¿Para qué crió el Sumo Hacedor tanta variedad de
cosas con tanta hermosura y perfección? ¿De qué servirá lo honesto, lo útil y deleitable? Si éste nos vedara lo indecente y nos
concediera lo lícito, pudiera pasar; pero bueno y malo, llevarlo
todo por un rasero, a fe que es bravo capricho. Por lo tanto,
diría yo: ya veo que es una académica bizarría; pero en las grandes dificultades, arte es el saberse arrojar. Digo, pues, que aquél
se puede llamar dichoso y feliz, que se lo piensa ser; y al contrario, aquél será infeliz que por tal se tiene, por más felicidades
y venturas que le rodeen. Quiero decir, que vivir con gusto, es
vivir, y que solos los gustosos viven. ¿Qué le aprovecha a uno
tener muchas y grandes felicidades si no las conoce, antes las
juzga desdichas, y al contrario, aunque al otro todas le falten, si
él vive contento eso le basta? El gusto es vida, y la gustada vida
es la verdadera felicidad.

Arquearon todos las cejas, diciendo: —Esto ha sido dar en el
blanco y apurar del todo la dificultad. De modo que cada sentencia les parecía la última, y que no quedaba ya qué discurrir.
Y es cierto se abrazara este dictamen si no se le opusiera aquel
águila, cisne, digo el culto Aquilini, diciendo:

—Aguardad, reparad, señores, en que es de solos necios el vivir
contentos de sus cosas, siendo la bienaventuranza de los simples
la propia y plena satisfacción. Beato tú, le dijo el célebre Bonarota, al que le contentaban sus malos borrones, cuando a mí nada de
cuanto pinto me satisface. Así que yo siempre me contenté mucho de aquella bella prontitud del Dante. Al fin, Alígero por su
alado ingenio. Tuvo muy viva aquella sazonada respuesta, cuando
habiéndose disfrazado en uno de los días de Carnaval, y mandándole buscar el Médicis, su gran patrón y Mecenas, para poderle
conocer entre tanta multitud de personados, ordenó que los que
le buscasen, fuesen preguntando a unos y a otros: *¿Quién sabe
del bien?* Y desatinando todos, cuando llegaron a él y le preguntaron: *¿Chi sa del bene?*, prontamente respondió: *Chi sa del male.*
Con que al punto dijeron: Tú eres el Dante. ¡Oh, gran decir!:
aquél sabe del bien que sabe del mal. No gusta de los manjares
sino el hambriento, y el sediento de la bebida. Dulce le es el
sueño a un desvelado, como el descanso al molido. Aquéllos estiman la abundancia de la paz, que pasaron por las miserias de
la guerra; el que fue pobre, sabe ser rico; el que estuvo encarcelado, goza de la libertad; el náufrago, del puerto; el desterrado,
de su patria, y el que fue infeliz, de la dicha. Veréis a muchos

mal hallados con los bienes, porque no probaron de los males.
Así que aquel, diría yo, es feliz que fue primero desdichado.

Contentó mucho ese discurso, mas entró a impugnarle el Mascarado, probando no poder ser dicha la que suponía la desdicha,
ni contento verdadero el que sucedía a la pena. Ya el mal va
delante, y el pesar gana de mano al placer. No sería esa felicidad
entera, sino a medias de la desdicha de esa suerte, ¿quién quisiera ser feliz? Viniendo, pues, a mi sentir, como yo tenga por
máxima con otros muchos, que no hay dicha ni desdicha, felicidad o infelicidad, sino prudencia o imprudencia. Digo, que la
felicidad humana consiste en tener prudencia, y la desventura en
no tenerla. El varón sabio no teme la fortuna, antes es señor de
ella y vive sobre los astros superior a toda dependencia. Nada le
puede empecer, cuando él mismo no se daña. Y concluyo con que
en todo lo que llena la cordura no cabe la infelicidad. Inclinó
todo político la cabeza, haciéndole la salva como a vino de una
oreja, y todo crítico dijo: —Bueno.

Pero al mismo tiempo se vio sacudirlas ambas al caprichoso
Capriata, diciendo: —¿Quién vio jamás contento a un sabio,
cuando fue siempre la melancolía manjar de discretos? Y así
veréis que los españoles, que están en opinión de los más entendidos y cuerdos, son llamados de las otras naciones los tétricos y
graves, como al contrario los franceses son alegres, y que van
siempre brincándose y bailando. Los que más alcanzan, conocen
mejor los males y lo mucho que les falta para ser felices. Los
sabios sienten más las adversidades, y como a tan capaces les
hacen mayor impresión los topes. Una gota de azar basta a aguar-
les el mayor contento, y demás de ser poco afortunados, ellos
mismos ayudan a su descontento con su mucho entender. Así que
no busquéis la alegría en el rostro del sabio; la risa sí que la
hallaréis en el del loco.

Al pronunciar esta palabra, saltó un muy célebre, que gustaba
de llevar consigo el cuerdo embajador para ganso de noticias, y
aun de verdades. Éste, pues, sin ton y sin son, hablando alto
y riendo mucho, dijo: —De verdad, señor, que estos vuestros sabios son unos grandes necios, pues andan buscando por la Tierra
la que está en el Cielo. Y dicho esto, que no fue poco, dio las
puertas afuera.

—Basta, confesaron todos, que un loco había de hallar con la
verdad. Y en confirmación, el Mascarado peroró así: —En el
Cielo, señores, todo es felicidad; en el infierno todo es desdicha;
en el mundo, como medio entre estos dos extremos, se participa
de entrambos; andan barajados los pesares con los contentos;
altérnase los males con los bienes; mete el pesar el pie donde se
levanta el placer; llegan tras de las buenas nuevas las malas; ya
en creciente la Luna, ya en menguante, es presidenta de las cosas
sublunares. Sucede a una ventura una desdicha, y así la temía Filipo el Macedón, después de las tres felices nuevas. Tiempo señaló

el sabio para reír y tiempo para llorar. Amanece un día nublado, otro sereno, ya mar en leche y ya en hiel. Viene tras una mala guerra, una buena paz, con que no hay contentos puros, sino muy aguados, y así lo beben todos. No tenéis que cansaros en buscar la felicidad en esta vida: milicia sobre el haz de la Tierra. No está en ella y convino así, porque si aun de este modo estando todo lleno de pesares, sitiada nuestra vida de miserias, con todo eso no hay poder arrancar los hombres de los pechos de la villana Nodriza, despreciando los brazos de la Celestial Madre que es la reina, ¿qué hicieran, si todo fuera contento, gusto, placer, solaz y felicidad? Con esto se dieron por entendidos nuestros dos peregrinos, Critilo y Andrenio, y con ellos todos los mortales, añadiendo el Cortesano: —En vano, ¡oh peregrinos del mundo, pasajeros de la vida!, os cansáis en buscar desde la cuna a la tumba esta vuestra imaginada Felisinda, que el vano llama esposa y el otro madre. Ya murió para el mundo y vive para el Cielo. Hallaréisla allá, si la supiéredes merecer en la Tierra.

Disolvióse la majestuosa junta, quedando desengañados todos al uso del mundo, tarde. Convidóles el Cortesano a ver algo de mucho que se logra en Roma. —Pero lo que más hay que ver, decían ellos, y la mejor vista es ver tantas personas, que habiendo nosotros peregrinado todo el mundo, podemos asegurar no haber visto otras tantas. —¿Cómo dices que habéis andado todo el mundo, no habiendo estado sino en cuatro provincias de la Europa? —¡Oh! Bien, respondió Critilo. Yo te lo diré. Porque así como en una casa no se llaman parte de ella los corrales donde están los brutos, no entran en cuenta las reductos de las bestias, así lo más del mundo no son sino corrales de hombres incultos, de naciones bárbaras y fieras, sin política, sin cultura, sin artes y sin noticias: provincias habitadas de monstruos de la herejía, de gentes que no se pueden llamar personas, sino fieras. —Aguarda, dijo, ahora que tocamos este punto, vosotros que habéis registrado las más políticas provincias del mundo, ¿qué os ha parecido de la culta Italia? —Vos lo habéis dicho en esa palabra culta, que es lo mismo que aliñada, cortesana, política y discreta, la perfecta de todas maneras. Porque es de notar que España se está hoy del mismo modo que Dios la crió, sin haberla mejorado en cosa sus moradores, fuera de lo poco que labraron en ella los romanos. Los montes se están hoy tan soberbios y zahareños como al principio; los ríos innavegables, corriendo por el mismo camino que les abrió la naturaleza; las campañas se están páramos, sin haber sacado para su riego las acequias; las tierras incultas, de suerte que no ha obrado nada la industria. Al contrario, la Italia está tan otra y tan mejorada, que no la conocerían sus primeros pobladores que viniesen. Porque los montes están allanados, convertidos en jardines; los ríos, navegables; los lagos son viveros de peces; los mares, poblados de famosas ciudades, coronados de muelles y puertos; las ciudades todas por un parejo, hermoseadas

de vistosos edificios, templos, palacios y castillos; sus plazas, adornadas de brolladores y fuentes; las campañas son Elíseos llenas de
jardines; de suerte que hay más que ver y que gozar en sola una
ciudad de Italia, que en toda una provincia de las otras. Ella es
la política, madre de las buenas artes, que todas están en su mayor
punto y estimación: la política, la poesía, la historia, la filosofía,
la retórica, la erudición, la elocuencia, la música, la pintura, la
arquitectura, la escultura; y en cada una de estas artes se hallan
prodigiosos hombres. Por esto, sin duda, dijeron que cuando las
diosas se repartieron las provincias del mundo, Juno escogió a
España, Belona la Francia, Proserpina a Inglaterra, Ceres a Sicilia, Venus a Chipre y Minerva a Italia. Allí florecen las buenas
letras, ayudadas de la más suave, copiosa y elocuente lengua, que
aun por eso en aquella plausible comedia, que se representó en
Roma, de la caída de nuestros primeros padres, se introducían
donosamente los personajes, hablando el Padre Eterno en alemán;
Adán en italiano: *Lo mio signori;* Eva en francés: *Qui monsiur;*
y el Diablo en español, echando votos y retos. Exceden los italianos a los españoles en los accidentes y a los franceses en la
sustancia. Ni son tan viles como éstos ni tan altivos como aquéllos; igualan a los españoles en genio y sobrepujan a los franceses
en juicio, haciendo un gran medio entre estas dos naciones. Pero si
en mano de los italianos hubieran dado las Indias, ¡cómo que las
hubieran logrado! Está Italia en medio de las provincias de la
Europa, coronada de todas como reina. Y trátase como tal, porque
Génova la sirve de tesorera, Sicilia de despensera, la Lombardía
de copera, Nápoles de maestresala, Florencia de camarera, el Lacio
de mayordomo, Venecia de aya; Módena, Mantua, Luca y Parma
de meninas, y Roma de dueña. —Sólo una cosa la hallo yo mala,
dijo Andrenio. —¿Sola una?, replicó el Cortesano. ¿Y cuál es? Reparaba en decirla, y quisiera que él la adivinara. Con esta atención
le iba deteniendo, y el otro inflando. —¿Sería acaso el ser tan
viciosa, porque eso la viene del ser tan deliciosa? —No es eso.
—¿Aquello de oler aún a gentil, hasta en los nombres de Cipiones
y Pompeyos, Césares y Alejandros, Julios y Lucrecias, y en la
vana estimación de las antiguas estatuas que parecen idolatrar en
ellas, el ser tan supersticiosos y agoreros, porque todo eso les
viene de gentil herencia? —Ni eso. —¿Pues qué? ¿El estar tan
dividida y como hecha jigote en poder de tantos señores y señorcitos, saliéndole estéril toda su política y sirviéndola de nada
toda su razón de Estado? —Tampoco es eso. —Válgate Dios,
¿pues qué será? ¿Es por ventura aquello de ser campo abierto
a las naciones extranjeras, palenque de españoles y franceses?
—He, que no es eso. —¿Si sería el ser maestra de invenciones y
quimeras, porque eso pasó de la Grecia al Lacio juntamente con
el imperio? —Ni eso ni estotro. —Pues ¿qué puede ser, que ya
me doy por vencido? —¿Qué? El haber tantos italianos. Que si
eso no tuviera, hubiera sido sin oposición el mejor país del mun-

do. Y vese claro, pues Roma, con el concurso de las naciones, se viene a templar mucho. Por eso dicen que Roma no es Italia, ni España, ni Francia, sino un agregado de todas. Gran ciudad para vivir, aunque no para morir. Dicen que está llena de santos muertos y de demonios vivos, paradero de peregrinos y de todas las cosas raras, centro de maravillas, milagros y prodigios. De suerte, que más se vive en ella en un día que en otras ciudades en un año, porque se goza de todo lo mejor.

—Un secreto ha días deseo saber de la Italia, dijo Critilo. —¿Qué cosa?, le preguntó el Cortesano. —Yo te lo diré. ¿Cuál sea la causa que, siendo los franceses tan fatales para ella, los que la inquietan, la azotan, la pisan, la saquean, cada año la revuelven y son su total ruina, y al contrario, siendo los españoles los que la enriquecen, la honran, la mantienen en paz y quietud, los que la estiman, siendo atlantes de la Iglesia Católica Romana, con todo eso se pierden por los franceses, se les va el corazón tras ellos, les alaban sus escritores, les celebran sus poetas con declarada pasión, y a los españoles los aborrecen, los execran y siempre están diciendo mal de ellos? —¡Oh, dijo el Cortesano, has tocado un gran punto; no sé cómo te lo dé a entender! ¿No has visto muchas veces aborrecer una mujer el fiel consorte que la honra y que la estima, que la sustenta, la viste y la engalana, y perderse por un rufián, que la da de bofetadas cada día y la acocea, la azota y la roba, la desnuda y la maltrata? —Sí. —Pues aplica tú la luz de la semejanza.

Faltóles antes la luz del día para ver, que grandezas y portentos para ser vistos, con que hubieron de dar treguas a su bien lograda curiosidad hasta el siguiente día. —Mañana, les dijo el Cortesano, os convido a ver, no sólo Roma, sino todo el mundo de una vez, desde cierto puesto de donde se señorea. Veréis no sólo este siglo, esta nuestra Era, sino las venideras. —¿Qué dices, Cortesano mío?, replicó Andrenio. ¿Para otro mundo y otro siglo nos emplazas? —Sí, que habéis de ver cuanto pasa y ha de pasar. Gran cosa será y gran día. Quien quisiere lograrlo, madrugue en la siguiente Crisi.

CRISI X

LA RUEDA DEL TIEMPO

Creyeron vanamente algunos de los filósofos antiguos que en los siete errantes astros se habían repartido las siete edades del hombre, para asistirle desde el quicio de la vida hasta el umbral de la muerte. Señalábale a cada edad su planeta, por su orden y su puesto, avisando a todo mortal se diese por entendido, ya del planeta que le presidía, ya del traste de la vida en que andaba. Cúpole, decían, a la niñez la Luna, con nombre de Lucina, comunicándole con sus influencias sus imperfecciones, esto es, con la humedad la ternura, y con ella la facilidad y variedad, aquel mudarse a cada instante, ya llorando ya riendo, sin saber de qué se enoja, sin saber con qué se aplaca; de cera a las impresiones, de masa a las aprehensiones, pasando de las tinieblas de la ignorancia a los crepúsculos de la advertencia. Desde los diez años hasta los veinte, decían presidirle el planeta Mercurio, instruyendo docilidades, con que se va adelantando ya muchacho, al paso que en la edad, en la perfección. Comienzan a estudiar y a deprender, cursa las escuelas, oye las facultades y va enriqueciendo el ánimo de noticias y de ciencias. Pero descárase Venus a los veinte, y reina con grande tiranía hasta los treinta, haciendo cruda guerra a la juventud a sangre que hierve, y a fuego en que se abrasa, y todo esto con bizarra galantería. Amanece a los treinta años el Sol, esparciendo rayos de lucimiento, con que anhela ya el hombre a lucir y valer. Emprende con calor los honrosos empleos, las lucidas empresas, y cual Sol de su casa y de su patria, todo lo ilustra, lo fecunda y lo sazona. Embístele Marte a los cuarenta, infundiéndole valor con calor: revístese de aceros, muestra bríos, riñe, venga y pleitea. Entra a los cincuenta mandando Júpiter, influyendo soberanías. Ya el hombre es señor de sus acciones, habla con autoridad, obra con señorío, no lleva bien el ser gobernado de otros, antes lo querría mandar todo; toma por sí las resoluciones, ejecuta sus dictámenes, sábese gobernar, y a esta edad, como a tan señora, la coronaron por reina de las otras, llamándola el mejor tercio de la vida. A los sesenta anochece, que no amanece el melancólico saturnino con humor y horror de viejo. Comunícale su triste condición, y como se va acabando, querría acabar con todos, vive enfadado y enfadando, gruñendo y riñendo y, a lo de perro viejo, royendo lo presente y lamiendo lo pasado, remiso en sus acciones, tímido en sus ejecuciones, lánguido en el hablar, tardo en el ejecutar, ineficaz en sus empresas, escaso en trato, asqueroso en su porte, descuidado en su traje, destituido de sentidos, falto de potencia, y a todas horas y de todas las cosas quejoso. Hasta los setenta es el vivir, y en los poderosos hasta los ochenta, que de ahí adelante todo es trabajo y dolor, no vivir sino morir. Acabados los diez años de Saturno, vuelve a presidir la Luna, y vuelve a niñear y a babear el hombre decrépito y caduco, con que acaba el tiempo en círculo mordiéndose la cola la serpiente: ingenioso jeroglífico de la rueda de la humana vida.

Con esto entró el Cortesano, no tanto a despertarles cuanto a darles el buen día, y aun el mejor de su vida, muy entretenido con la máscara del mundo, el baile y mudanza del tiempo, el entremés de la fortuna y la farsa de toda la vida. —Alto, les dijo, que tenemos mucho que hablar de este mundo y del otro. Sacóles de casa, para más meterlos en ella, y fuelos conduciendo al más realzado de los siete collados de Roma, tan superior, que no sólo pudieron señorear aquella universal corte, pero todo el mundo

con todos los siglos. —Desde esta eminencia, les decía, solemos
con mucho deporte algunos amigos tan geniales cuan joviales registrar todo el mundo, y cuanto en él pasa, que todo corre a la
posta. Desde aquí atalayamos las ciudades y los reinos, las monarquías y repúblicas, ponderamos los hechos y los dichos de
todos los mortales, y lo que es de más curiosidad, que no sólo
vemos lo de hoy y lo de ayer, sino lo de mañana discurriendo de
todo y por todo. —¡Oh, lo qué diera yo, decía Andrenio, por ver
lo que será del mundo de aquí a unos cuantos años, en qué habrán parado los reinos, qué habrá hecho Dios de Fulano y de
Zutano, qué habrá sido de tal y de tal personaje. Lo venidero, lo
venidero querría yo ver, que eso de lo presente y lo pasado cualquiera se lo sabe. Hartos estamos de oírlo, cuando una victoria,
un buen suceso, lo repiten y lo vuelven a cacarear los franceses
en sus gacetas, los españoles en sus relaciones, que matan y enfadan. Como lo de la victoria naval contra Selín, que aseguran fue
más el gasto que se hizo en salvas y en luminarias, que lo que
se ganó en ella. Y modernamente decía un discreto: Tan enfadado me tienen estos franceses con su socorro de Arrás, con
tanto repetirlo, que no pudo ver las tapicerías, aun en medio del
invierno. —Pues ya te ofrezco, dijo el Cortesano, mostrarte todo
lo venidero, como si lo tuvieses aquí delante. —¡Brava arte mágica sería ésa! —Antes no, ni es menester, cuando no hay cosa
más fácil que saber lo venidero. —¿Cómo puede ser eso, si está
tan oculto y tan reservado a sola la perspicacia divina? —Vuelvo
a decir que no hay cosa más fácil ni más segura. Porque has de
saber que lo mismo que fue, eso es y eso será, sin discrepar ni
un átomo. Lo que sucedió doscientos años ha, eso mismo estamos
viendo ahora. Y si no aguarda. Y echóse mano a una de las faltriqueras de la faldilla delantera, y sacó una caja de cristales,
celebrándolos por cosa extraordinaria. —¿Qué más tendrán ésos
que los demás antojos?, decía Andrenio. —¡Oh, sí, que alcanzan
mucho. —¿Qué tanto? ¿Más que el antojo del Galileo? —Mucho
más, pues lo que está por venir, lo que sucederá de aquí a cien
años. Éstos los forjaba Arquímides, para los amigos entendidos.
Tomad y calzáoslos en los ojos del alma, en los interiores. E hi-
ciéronlo así, sobre la facción de la prudencia. —Mirad ahora hacia España. ¿Qué veis? —Veo, dijo Andrenio, que las mismas
guerras intestinas de agora doscientos años pasan del mismo
modo, las rebeliones, las desdichas del cabo al otro. —¿Qué ves
hacia Inglaterra? —Que lo que obró un Enrique contra la Iglesia,
ejecuta después otro peor. Que si ya degollaron una reina Estuarda, hoy su nieto Carlos Estuardo. Veo en Francia que matan
un Enrique y que vuelven a brotar las cabezas de la Herética
hidra. Veo en Suecia que lo que le sucedió a Gustavo Adolfo en
Alemania le va sucediendo por los mismos filos a su sobrino en
la católica Polonia. —¿Y aquí en Roma? —Que ha vuelto aquel
siglo de oro, y aquella felicidad pasada, de que gozó en tiempo

de los Gregorios y los Píos. —Ahí veréis que las cosas las mismas son que fueron; sólo la memoria es la que falta. No acontece cosa que no haya sido ni que se pueda decir nueva bajo el Sol.

—¿Quién es aquel vejezuelo, dijo Critilo, que nunca para, que todos le siguen y él a nadie espera, ni a reyes ni a monarcas, hace su hecho y calla? ¿No le ves tú, Andrenio? —Sí, por señas, que lleva unas alforjas al cuello, como caminante. —¡Oh, dijo el Cortesano, ése es un viejo que sabe mucho, porque ha visto mucho, y al cabo todo lo dice sin faltar a la verdad. —¿Cabe mucho en aquellas alforjas? —No lo creeréis. Cabe una ciudad y muchos reinos enteros. Unos lleva delante, otros atrás, y cuando se cansa vuelve las alforjas, la de atrás adelante, y revuelve todo el mundo, sin saber cómo ni por qué, sino por variar. ¿Qué pensáis que es el pasarse el mundo, el mudarse el señorío de esta provincia en aquélla, de una nación en la otra? Es que se muda las alforjas el tiempo: hoy está aquí el imperio y mañana acullá; hoy van delante los que ayer iban detrás; mudóse la vanguardia en retaguardia. Así veréis que el África, que en otro tiempo era madre de prodigiosos ingenios, de un Augustino, Tertuliano y Apuleyo, ¡quién tal creyera!, hoy está hecha un barbarismo, engendradora de alarbes. Y lo que es de mayor sentimiento, la Grecia, progenitora de los mayores ingenios, la inventora de las ciencias y las artes, la que daba leyes en discreción a todo el mundo, madre del bien decir, hoy está hecha un solecismo en poder de los bárbaros traces, y a ese modo está trocado todo el mundo. La Italia que mandaba a todas las demás naciones y triunfaba de todas las provincias, hoy sirve a todas: mudóse las alforjas el tiempo.

Pero la que fue gran vista y espectáculo de mucho gusto fue una grande rueda, que bajaba por toda la redondez de la Tierra desde el Oriente al Ocaso de la ocasión. Veíanse en ella todas cuantas cosas hay, ha habido y habrá en el mundo, con tal disposición, que la una mitad se veía clara y exactamente sobre el horizonte, y la otra estaba hundida acullá abajo, que nada de ella se veía; pero iba rodando sin cesar dando vueltas, al modo de una grúa en que se metió el tiempo, y saltando de la grada de un día en la del otro, la hacía rodar, y con ella todas las cosas. Salían unas de nuevo y escondíanse otras de viejo, y volvían a salir al cabo de tiempo. De modo que siempre eran las mismas, sólo que unas pasaban, otras habían pasado, y volvían a tener vez. Hasta las aguas, al cabo de los años mil, volvían a correr por donde solían, aunque no serían por los ojos, que ésas más presto vuelven, que hay mucho que llorar. —Aquí hay mucho que ver, dijo Critilo. —Y que notar, dijo el Cortesano. Bien lo podéis tomar de propósito. Atended cómo va pasando todo en la rueda de la vicisitud, unas cosas van, otras vienen. Vuelven las monarquías y revuélvense también, que no hay cosa que tenga estado; todo es subida y declinación.

Veíanse acullá al un cabo de la rueda, y que ya habían pasado, unos hombres y unos príncipes parcos, que no pobres, prodigios de su sangre y guardadores de la hacienda. Vestían de lana y la sabían cardar. Crujían mangas de seda los días de fiesta por gran gala, y todo el año la malla. —¿Quiénes son aquéllos, preguntó Critilo, que cuando más llanos mejor parecen? —Aquéllos fueron, respondió el Cortesano, los que conquistaron los reinos. Nota bien, que allí hallarás un don Jaime de Aragón, un don Fernando el Santo de Castilla y un don Alfonso Enríquez de Portugal. Mira qué pobres de gala y qué ricos de fama. Hicieron muy bien su papel, pues llenaron las historias de sus hazañas y metiéronse en el vestuario común de las mortajas, pero no en olvido. Al mismo tiempo por la contraria banda de la rueda salían otros, y muy otros, ricos, bizarros y suntuosos, rozando sedas, arrastrando telas y gozando de lo que sus antepasados les ganaron; pero iban éstos pasando también su carrera y hundíanse al cabo, después de hundido todo, y volvían a salir aquellos primeros, volviendo a juego las materias. Y con esta alternación procedían las cosas humanas, al fin temporales. —¡Hay tal variedad!, ponderaba Andrenio! ¿Y siempre ha sido desta suerte? —Siempre, decía el Cortesano, y esto en cada provincia, en cada reino. Vuelve la cabeza atrás y mira qué moderados entraron en España los primeros godos, Ataulfo, hasta el rey Wamba. Sucede al cabo el delicioso Rodrigo y da al traste con la más florida monarquía. Va pasando la rueda, y vuelve otra vez el valor con la parsimonia en el famoso Pelayo. Restáurase poco a poco lo que se perdió tan apriesa. Descaece otra vez, pero resucita en el rey don Fernando el Católico, y así se van alternando las ganancias y las pérdidas, las dichas y las desdichas.

—¡Oh, lo que son de ver, decía Critilo, aquellos primeros vestidos de paño, ya los segundos de brocado, aquéllos crujiendo acero y éstos seda, arreados aquéllos en el alma y desnudos en el cuerpo; adornados éstos de galas y desnudos de hazañas; faltos de noticias y sobrados de delicias. Escondíanse unas mujeres y señoras y aun princesas, con las ruecas en la cinta, refilando el huso, y salían otras con abanicos costosos de varillas de diamantes, fuelles de su vanidad. Aquéllas con sus manguitos de paños, estas otras de martas, nada piadosas y muy suyas. Aquéllas exprimidas de talles, estas otras más huecas que campanas, y no obstante esto, aquéllas sonaban mejor. —Por eso digo yo, ponderaba Critilo, que siempre lo pasado fue mejor. Alargaba el cuello Andrenio, mirando hacia el Oriente de la rueda, y preguntóle el Cortesano: —¿Qué buscas? ¿Qué echas menos? Y él miraba, si volvía a salir aquel plausible rey don Pedro de Aragón, llamado bastón de franceses, que con ellos solos fue cruel. ¡Oh, cómo que despicaría a España! ¡Qué coscorrones pegaría! ¡Cómo que les abajaría las crestas a los gallos! Pero mudóse las alforjas el tiempo. Iba dando, sin parar, la vuelta la rueda, y volteando con ella cuanto hay. Salía una ciudad con sus casas de tierra, y los palacios a piedra y lodo. Paseaban sus calles en carros los caballeros, el mismo Nuño Rasura. Que las damas, como tan recatadas, ni eran vistas ni oídas; cuando mucho salían a alguna romería, que no se nombraban las ramerías. Más colorada se volvía entonces una mujer de ver un hombre, que ahora de ver un ejército. Y es de advertir que entonces no había otro color que el de la vergüenza y el blanco de la inocencia. Parecían de otra especie, porque eran muy calladas, no andariegas, honestas, hacendosas. Al fin, mujeres para todo, y no como agora, para nada. Pero daba la vuelta la rueda, hundíase aquella ciudad, y al cabo de tiempo volvía a salir otra, digo, la misma; pero tan otra, que no la conocían. —¿Qué ciudad es ésta?, preguntó Andrenio. —La misma, respondió el Cortesano. —¿Cómo puede ser eso, si estas casas de agora son de mármoles y de jaspes, con tanto dorado balcón en vez de los de palo? ¿Qué tienen que ver estas tiendas con aquellas otras de doscientos años atrás? Allí, señor Cortesano, no había guantes de ámbar, sino de lana; no tahalíes bordados de oro, sino una correa; no sombreros de castor, cuando mucho bonetillos o monteras. Manguitos de a ciento de a ocho, ¿quién tal dijo? Fuera herejía. No, sino de paño y abanicos de paja, y ésos lo llevaba la señora y la condesa, que aún no había duquesas, y la misma reina doña Constanza, y por mucha gala, que costaba cuatro maravedís; y no como ahora de garapiña y de rapiña francesa. Con un real compraba entonces un hombre sombrero, medias, zapatos, guantes y aun le sobraban algunos maravedises. Las que aquí son telas de oro y brocados, allí eran bureles, y por cosa muy preciosa se hallaba algún contray para mantos a las ricas hembras el día de su boda, que por eso se llamaron de velarse. Las que allí eran carretillas, aquí son coches y carrozas; las que angarillas, son sillas de manos tachonadas; aquí no se ve ruar el carretón de la Inés, tirado de sola una bestia, que no había entonces tantas. Las calles hierven de mujeres tan descocadas cuan escotadas, cuando allí si se les veía una muñeca era ya perderse todo y ser ellas unas perdidas. Mucho de estrados y cojines, y no se ve una almohadilla sin hacer hacienda, antes deshaciéndolas y acabando con las casas. —Pues te aseguro, dijo el Cortesano, que es la misma ciudad, aunque tan otra de lo que fue, tan mudada, que no la conocerían sus primeros habitantes. Mira lo que hace y deshace el tiempo. —Válgame el Cielo, dijo Critilo, y ¿qué dijeran si volvieran hoy a Roma los Camilos y Dentatos, si el buen Sancho Minaya a Toledo, si García Ramírez a Madrid, Laín Calvo a Burgos, el conde Alperche a Zaragoza y Garci Pérez a Sevilla? ¿Si pasearan por estas calles y las hallaran ocupadas de coches y de carrozas, si vieran estas tiendas y esta perdición?

Volteaba la rueda y escondíase el buen tiempo, y todo lo bueno con él. Aquellos hombres buenos y llanos, sin artificio ni em-

beleco, tan sencillos en el vestido como en el ánimo, sin pliegues
en las capas y sin dobleces en el alma, con el pecho desabrochado
mostrando el corazón, la conciencia a ojo, con el alma en la
palma y por eso victoriosa, hombres, al fin, del tiempo antiguo,
y con todo eso muy ricos y sobrados, desaliñados y nunca más
bien puestos. Que cuando los hombres eran más sencillos, aseguran que había más doblones. Escondíanse aquéllos y salían
otros antípodas suyos en todo, embusteros, mentirosos, falsos y
faltos, que se corrían de que les llamasen buenos hombres, más
pequeños de cuerpo, también de alma. Y con ser todos palabras
no tenían palabras. Mucho de cumplimiento y nada de verdad.
Mucho de circunstancia y nada de sustancia. Gente de poca ciencia, de menos conciencia. —Éstos, decía Critilo, yo juraría que
no son hombres. —Pues ¿qué? —Sombras de aquellos que van
delante, medio hombres, pues no tienen entereza. ¡Oh, cuándo
volverán aquellos primeros agigantados hijos de la fama! —Dejad,
decía el Cortesano, que aún volverán a tener vez. —Sí, pero qué
tarde, si se ha de acabar primero la mala semilla de éstos.

De lo que gustaba mucho Andrenio, y tanto que no pudo contener la risa, era de ver rodar los trajes, y dar vueltas los usos,
y más mirando hacia España, donde no hay cosa estable en esto
del vestir, a cada tumbo de la rueda se mudaban, y siempre de
malo en peor, con mucho gusto y figurería. Un día salían con
unos sombreros anchos y bajos, que parecían gorras; al otro día
otros amorrionados, que parecían capacetes; luego otros pequeños
y puntiagudos, que parecían alhajas de títeres y hacían bravas
figuras; pasaban éstos y sucedían otros chatos y anchos, con dos
dedos de falda, que parecían bacinilla y aun olían mal; mas al
otro día los dejaban y salían con otros tan altos, que parecían
orinales; quebrábanse éstos también, y sacaban los gaviones con
una vara de copa y otra de falda, ya pequeños, ya tan grandes,
que se pudieran hacer dos de cada uno de los primeros. Y es lo
bueno, que los que hacían más ridícula figura se burlaban de los
pasados, diciendo que parecían figurillas, mas luego los que se seguían les llamaban a ellos figurones. Fue de modo que en poco
rato que lo estuvieron mirando, contaron más de una docena de
formas diferentes de solo sombreros. ¿Qué sería de todo el demás traje? Las capas ya eran tan largas y prolijas, que parecían
ir fajados en ellas; ya tan cortas y tan bien criadas, que cuando sus
amos estaban sentados, ellos se quedaban en pie. Dejo las calzas,
ya afolladas, ya botargas; los zapatos, ya romos, ya puntiagudos.
—¡Qué cosa tan graciosa!, decía Andrenio. —Señores, ¿quién inventa estos trajes, quién saca estos usos? —Ahí me digas tú, que
hay bien que reír, porque has de saber que llega un gotoso, que
tiene necesidad de llevar el pie holgado y calzarse un zapato
romo y ancho, por su comodidad, diciendo ¿qué importa que el
mundo sea ancho si mi zapato es estrecho? Los otros que lo ven,
luego lo apetecen y dan todos en llevar zapatos romos, y parecer

gotosos y patituertos. Si una mujer pequeña hubo menester ayu-
darse de chapines, añadiendo de corcho lo que le falta de persona,
luego todas las otras dan en llevarlos, aunque sean más crecidas
que la Giralda de Sevilla o la Torre Nueva de Zaragoza. Llega
en esto una muy estirada en todo, que no necesita de ellos, antes
la hacen embarazo, dales del pie, y gusta de irse en zapato. Luego
todas las otras la quieren imitar, aunque sean unas enanas, valiéndose de la ocasión para más soltura y para parecer niñas. La otra
flamenca dio en ir escotada, vendiendo el alabastro, y quiérenla seguir las de Guinea, feriando el azabache, que en unas y en otras
es una gran frialdad y un traje muy desharrapado. Y es de advertir que el peor y el más deshonesto es el que dura más. Pero
para que rías de buen gusto, mirad aquella ristra de mujeres, que
van unas tras otras en la rueda del tiempo. La primera lleva
aquel desproporcionado tocado que llamaron almirante y lo inventó una calva; la otra que se sigue, lo trocó por la arandela,
que hizo brava visión; sucede la otra con el bobo, que fue su
más propio traje; trocólo ya la que viene detrás por el trenzado,
no mendigando un pelo ajeno a su belleza; la quinta en orden,
lo dejó para las mozas de cántaro, y echó el cabello atrás en una
crecida cola; la sexta inventó el moño, desmitiendo lo pelado; la
séptima se echó un gobelete al tozuelo, echando allá cuanto la
pudiesen decir; la octava va con una trenza a la jineta, a tuerto
y a derecho; la nona, con asa de cántaro, y pudiera de cantarilla.
De esta suerte van variando y desvariando, hasta que vuelvan a su
primera impertinencia. Pero lo que fue, no ya de reír, sino de
sentir, que siempre se va todo empeorando, pues es cosa cierta
que con lo que se gasta hoy una mujer, se vestía antes todo un
pueblo; más plata echa hoy en relumbrones una cortesana que
había toda España antes que se descubrieran las Indias; no conocían las perlas aquellas primeras señoras, pero éranlo ellas en
la fineza; los hombres eran de oro y se vestían de paño. Ahora
son asco, y rozan damasco, y después que hay tantos diamantes,
ni hay fineza ni firmeza.

Hasta en el hablar hay novedad cada día, pues el lenguaje de
hoy a doscientos años parece algarabía. Y si no leed esos fueros
de Aragón, esas *Partidas* de Castillas, que ya no hay quien las
entienda. Escuchad un rato aquellos que van pasando uno tras de
otro en la rueda del tiempo. Atendieron y oyeron que el primero
decía fillo, el segundo fijo, el tercero hijo, y el cuarto ya decía
gijo a lo andaluz, y el quinto de otro modo, sino que no lo
percibieron. —¿Qué es esto?, decía Andrenio. Señores, ¿en qué
ha de parar tanto variar? ¿Pues no era muy buena aquella primera palabra fillo, y más suave, más conforme a su original, que
es el latín? —Sí. —Pues ¿por qué la dejaron? —No más de por
mudar, sucediendo lo mismo en las palabras que en los sombreros. Estos de ahora tienen por bárbaros a los de aquel lenguaje,
como si los venideros no hubiesen de vengarlos a aquéllos y reírse

de éstos. Púsose de puntilla Critilo, desojándose hacia el Oriente
de la rueda. —¿Qué atiendes con tanto ahínco?, le preguntó el
Cortesano. —Estoy mirando si vuelven a salir aquellos Quintos
tan famosos y plausibles en el mundo, un don Fernando el Quinto,
un Carlos Quinto y un Pío Quinto. ¡Ojalá que eso fuese y que
saliese un don Felipe el Quinto en España! Y como que vendrá
nacido, qué gran rey había de ser, copiando en sí todo el valor
y el saber de sus pasados. Pero lo que noto es que antes vuelven
a salir los males que los bienes. Tardan éstos lo que avanzan
aquéllos. —¡Oh sí!, dijo el Cortesano, detiénense, y mucho, en
volver los siglos de oro y adelántase los de plomo y de hierro.
Son las calamidades más ciertas en repetir que las prosperidades.
Así como el mal humor de una terciana y de una cuartana tienen
su día fijo, su hora, subida, sin discrepar un punto, y el buen humor, la alegría, el contento, no le tienen, ni repiten, a la hora las
guerras; las rebeliones no discrepan un lustro; las pestes ni un
año; las secas no pierden vez; vuelven las hambres, las mortan-
dades, las desdichas, por sus pasos contados. —Pues si eso es así,
dijo Andrenio, ¿no se les podía tomar el pulso a las mudanzas
y el tino a la vicisitud de la rueda para prevenir los remedios a
los venideros males y saberlos desviar? —Ya se podría, respondió
el Cortesano; pero como fenecieron aquellos que entonces vivían
y suceden otros de nuevo, sin recuerdo de los daños, sin experiencia de los inconvenientes, no queda lugar al escarmiento. Vinieron unos noveleros, amigos de mudanzas peligrosas, que no
probaron de las calamidades de la guerra, atropellaron con la
rica y abundante paz y después murieron suspirando por ella.
Con todo ya hay algunos de bueno y sano juicio, prudentes consejeros, que huelen de lejos las tempestades, las pronostican, las
dicen y aun las vocean; pero no son escuchados, que el principio
de los males es quitarnos el Cielo el inestimable don del consejo.
Sacan los cuerpos por discurso cierto, las desdichas, que amena-
zan: en viendo en una república la desolación de costumbres,
pronostican la disolución de la provincia; en reconociendo caída
la virtud, atinan la caída de las monarquías, gritando a quien
tiene tapados los oídos, y así veréis que de tiempo en tiempo se
pierde todo para volverse otra vez a ganar todo. Pero buen ánimo, que todas las cosas vuelven a tener día, lo bueno y lo malo,
las dichas y las desventuras, las ganancias y las pérdidas, los cautiverios y los triunfos, los buenos y los malos años.

—Sí, dijo Andrenio; pero ¿qué me importa a mí que hayan
de suceder después las felicidades, si a mí me cogen de medio a
medio todas las calamidades? Eso es decir, que para mí se hicieron las penas, y para otros los contentos. —Buen remedio, ser
prudente, abrir el ojo y dar ya en la cuenta. Ea, alégrate, que aún
volverá la virtud a ser estimada, la sabiduría a estar muy valida,
la verdad amada y todo lo bueno en su triunfo. —Y cuándo será
eso, suspiró Critilo, ya estaremos nosotros acabados y aun consu-

midos. ¡Oh, quién viera aquellos hombres con sus sayos y aquellas mujeres con sus cofias y sus ruecas, que desde que se arrimaron los husos, no se usa cosa buena! ¡Cuándo volverá la reina doña Isabel la Católica a enviar recados: decidle a doña Fulana que se venga esta tarde a pasarla conmigo y que se traiga su rueca; y a la condesa, que venga con su almohadilla! ¡Cuándo oiremos al otro rey, excusarse en las cortes, que no había comido gallina, y decía la verdad, que una que comió un jueves, había sido presentada! Y al otro, que si las mangas del jubón eran de seda, pero el cuerpo de tela. ¡Oh, cuánto me holgaría ved salir aquellos siglos de oro y no de lodo y basura! Aquellos varones de diamantes y no de claveques; aquellas hembras de margaritas y sin perlas; las Hermelindas y Jimenas, con que no faltan Urracas; aquellos hombres de bien, que ya no sólo no corren, pero ni dan un paso, de Taso lenguaje, pero de buena lengua, de poca sazón y de mucha razón, de mucha sustancia y poca circunstancia; gente de apoyo y no de tramoya, y de sola apariencia, que no hay cosa más contraria a verdad que la verosimilitud. ¿Qué soldados eran aquellos de acullá, vestidos de pieles y calzados de cuero que repetían de fieras? —Esos eran los almogávares, la milicia del rey don Jaime y de su valeroso hijo; no como los capitanes de ahora, vestidos de tafetán, dando cuchilladas de seda. —Aguarda, ¿qué varas eran aquellas tan macizas y tan firmes? —Las de la justicia del buen tiempo, gruesas, pero no groseras, que no se torcían a cualquier viento ni se doblaban, aunque las cargasen de metal pesado, aunque colgasen de ellas un bolsón de doblones. —¡Qué diferentes, decía Andrenio, destas otras tan delgadas, al fin juncos, que ceden al soplo del favor y se inclinan por poco que les cuelguen un par de capones, a cualquier pluma. ¿Quién es aquél que habla ronco? —Pues a fe que no es ronca, sino bien clara su fama; aquél es el plausible alcalde Ronquillo, blasón de la justicia. —¿Y aquel otro que todo lo averigua? —Ése es el del proverbio, por quien decía el rey Católico a cualquiera escándalo que sucedía: vaya y averígüelo Vargas. Todo lo aclaraba y nada confundía, con que también ha tenido en estos tiempos la justicia sus Quiñones.

Cansábanse ya ellos de ver, pero no la rueda de dar vueltas, y a cada tumbo se trastornaba el mundo, caían las casas más ilustres y levantábanse otras muy oscuras, con que los descendientes de los reyes andaban tras los bueyes, trocándole el cetro en aguijada, y tal vez en un cepillo. Al contrario, los lacayos subían a Balengabores y Taicosamas. Vieron un nieto de un herrador muy puesto a la jineta, y otro muy a caballo, rodeado de pajes, aquel cuyo abuelo iba tal vez lleno de pajas. Decantábase la rueda y comenzaban a bambalear las torres y los homenajes, caían los alcázares y empinábanse los aduares, y al cabo de años, los nobles eran villanos. —¿Quién es aquel, decía Andrenio, que vive en la casa solar de los condes de tal? —Un hornero que, haciendo mala

harina, hizo muchos ducados, de modo que no valen más sus salvados que la harina de muchos nobles. —¿Y en aquella otra de
los duques de cuál? —Un otro, que vendió mal y las compró bien.
—¿Pues posible, ponderaba Critilo, que no se contente ya la desvergonzada vanidad de éstos con levantar sus casas de nuevo,
sino que quieren hollar las más antiguas y las que eran de mejor
solar?

Salían unos ingenios noveleros con unos discursos viejos, opiniones rancias, pero bien alcoholadas con lindo lenguaje, y ven-
díanlas por invención suya, y de verdad que lo eran. Engañaban
luego a cuatro pedantes, mas llegaban los varones sabios y leídos
y decían: Ésta no es la doctrina de aquellos antiguos. En un rincón del Tostado se hallará sazonado y cocido todo lo que éstos
blasonan por crudo y valiente pensar; lo que éstos hacen, no es
más que sacarlo de aquella letra gótica y estamparlo en la romana más legible, mudando la cuadrada en redonda, echando un
papel blanco y nuevo, y con esto, cátalo aquí, concepto nuevo.
A fe que estos ecos que son de aquella lira y que este tomo es
de Toma. Lo mismo que en la cátedra, sucedía en el púlpito, con
notable variedad, que en el breve rato que se asomaron a ver la
rueda, notaron una docena de varios modos de orar. Dejaron
la sustancial ponderancia del Sagrado Texto, y dieron en alegorías
frías, metáforas cansadas, haciendo soles y águilas a los santos,
inanes las virtudes, teniendo toda una hora ocupado el auditorio,
pensando en un ave o una flor. Dejaron esto y dieron en descrip-
ciones y pinturillas. Llegó a estar muy valida la humanidad, mez-
clando lo sagrado con lo profano. Y comenzaba el otro, afectado
su sermón por un lugar de Séneca, como si no hubiera San Pablo,
ya con trazas, ya sin ellas, ya discursos atados, ya desatados, ya
viniendo, ya postillando, ya echándolo todo en frasecillas y modillos de decir, rascando la picazón de las orejas de cuatro imper-
tinentillos bachilleres, dejando la sólida y sustancial doctrina y
aquel verdadero modo de predicar de la boca de oro, y de la
ambrosía dulcísima, y del néctar provechoso del gran prelado de
Milán.

—Cortesano mío, decía Andrenio, ¿volverá al mundo otro Alejandro Magno, un Trajano y el gran Teodosio? ¡Gran cosa sería!
—No sé qué me diga, le respondió, que de uno de éstos hay para
cien siglos, y mientras sale un Augusto, ruedan cuatro Nerones,
cinco Calígulas, ocho Heliogábalos; y mientras un Ciro, diez Sardanápalos. Sale una vez un Gran Capitán y bullen después cien
capitanejos, con que se ha de mudar cada año de jefe. He aquí
que para conquistar a todo Nápoles bastó el gran Gonzalo Fernández; y para Portugal, un duque de Alba; y para la una India,
Fernando Cortés; y para la otra, Alburquerque. Y hoy para restaurar un palmo de tierra, no han sido bastantes doce Cabos.
Llevóse de carrera Carlos Octavo a Nápoles; y con otra vista que
dio el desposeído Fernando con cuatro naves vacías, lo volvió a

cobrar. De un Santiago cogió el Rey Católico a Granada, y su nieto Carlos Quinto toda la Alemania. —¡Oh, señor!, replicó Critilo, no hay que admirar que iban los mismos reyes en persona, no en sustituto, que hay gran diferencia de pelear el amo o el criado. Asegúroos que no hay batería de cañones reforzados como una ojeada de un rey. —Tras una reina doña Blanca, proseguía el Cortesano, salen cien negras. Mas hoy en otra española vuelve a florecer aquélla, y en una católica Cristina de Suecia renace hoy la emperatriz Elena; mas os digo, que vuelve a salir el mismo Alejandro; ya le veo y le reverencio, no gentil, sino muy cristiano; no profano, sino santo; no tirano de las provincias, sino padre de todo el mundo conquistándole para el Cielo.

Pasad un lienzo, les dijo, por esos cristales, y si fuere el de la mortaja, mejor, quedarán más limpios del polvo apegadizo de la Tierra, y mirad otro rato hacia el Cielo. Realzaron la vista, y en virtud de aquella diáfana perspicacidad, divisaron cosas en que jamás habían reparado. Vieron una gran multitud de hilos, y muy sutiles, que los iban devanando los celestes tornos y sacándolos de cada uno de los mortales como de un ovillo. —¡Qué delgado hilan los Cielos!, decía Andrenio. —Éstos son, respondió el Cortesano, los hilos de nuestras vidas, notad qué cosa tan delicada, de qué dependemos todos. Era mucho de ver cuáles andaban los hombres rodando y saltando como si fueran otros tantos ovillos, sin parar un instante, al paso que las celestiales esferas les iban sacando la sustancia y consumiendo la vida, hasta dejarlos de todo punto apurados y deshechos; de tal suerte que no venía a quedar en cada uno sino un pedazo de trapo de una pobre mortaja, que en esto viene a parar todo. De unos tiraban hebras de seda finas, de otros hilos de oro, y de otros de cáñamo y estopa. —Sin duda, que aquellos de oro y de plata, dijo Andrenio, serán de los ricos. —Engañaste. —¿De los nobles? —Tampoco. —¿De los príncipes? —No discurres bien. —¿No son los hilos de las vidas? —Sí, pues según fueren ellas, así serán ellos. Noble hay que sacan del hilo de estopa, y plebeyo que sacan del hilo de plata y aun de oro. Allí se acababa uno, acullá otro; faltábale muy poco a éste cuando comenzaba aquél. Que lo que la naturaleza va hilando de la vida, el Cielo va devanando y quitándonos los días con sus vueltas. Y cuando los mortales andan más diligentes y más solícitos, saltando y brincando, entonces se van más deshaciendo. —Pero ¡qué a lo callado, qué a las sordas nos van urdiendo la muerte, ponderaba Critilo, cuando nos van devanando la vida! Engañóse sin duda aquel otro filósofo en decir que al moverse esas celestes esferas de esos once Cielos, hacen una suavísima música, un muy sonoro ruido. Ojalá que eso fuera, que nos despertaran de nuestro sueño. Fuera un citarnos a cada instante de remate. No fuera música para entretenernos, sino un recuerdo para desengañarnos.

Miráronse ya a sí mismos y vieron lo poco que les faltaba por devanar, que fue materia de harto desengaño para Critilo, si para

Andrenio de melancolía. **Esto bastará** por ahora, les dijo el Cortesano, y bajemos a comer; no diga el otro simple lector: ¿De qué pasan estos hombres que nunca se introducen comiendo ni cenando, sino filosofando? Acertaron a pasar por una plaza, la de mayor concurso, que sería sin duda la novena, donde hallaron un numeroso pueblo, dividido en enjambres de susurro, aguardando alguno de sus espectáculos vulgares, que el Cortesano, al verle, realzó con su moral observancia y ellos con especial desengaño. Pero qué espantoso vulgo fuese éste, nos lo afianza declarar la siguiente Crisi.

CRISI XI

LA SUEGRA DE LA VIDA

Muere el hombre cuando había de comenzar a vivir, cuando más persona, cuando ya sabio y prudente, lleno de noticias y experiencias, sazonado y hecho, colmado de perfecciones, cuando era de más utilidad y autoridad a su casa y a su patria. Así que nace bestia y muere muy persona. Pero no se ha de decir que murió ahora, sino que acabó de morir, cuando no es otro el vivir, que un ir cada día muriendo. ¡Oh ley por todas partes terrible la de la muerte, única en no tener excepción, en no privilegiar a nadie, y debiera a los grandes hombres, a los eminentes sujetos, a los perfectos príncipes, a los consumados varones con quienes muere la virtud, la prudencia, la valentía, el saber y tal vez toda una ciudad, un reino entero! Eternos debieran ser los ínclitos héroes, los varones famosos, que les costó tanto el llegar a aquel cenit de su grandeza; pero sucede tan al contrario, que los que importan menos viven más y los que mucho valen viven menos. Son eternos los que no merecían vivir un día, y los insignes varones, momentáneos, pasan como lucidos cometas. Plausible resolución fue la del rey Néstor, de quien se cuenta que habiendo consultado los Oráculos acerca de los plazos de su vida y habiéndole sido respondido que aún había de vivir mil años cabales, dijo él: Pues no hay que tratar de hacer casa. Instando sus amigos, que no sólo casa, pero un palacio, y no sólo uno, sino muchos, para todos tiempos y pasatiempos, respondió: Para sólo mil años de vida, ¿queréis que me ponga ahora a fabricar casa, para tan poco tiempo un palacio? He, que bastará una tienda o una barraca donde me aloje de paso, que sería calificada locura tomar el vivir de asiento. ¡Qué bien viene esto con lo que hoy se practica, pues no llegando los hombres a vivir los más cien años, y no teniendo seguro ni un día, emprenden edificios de a mil años, fabrican casa como si se hubiesen de perpetuar sobre la haz de la Tierra. De éstos sería uno, sin duda, aquel que decía que aunque supiera que no había de vivir sino un año, hiciera casa si un mes se casara; si una semana, comprara cama y silla, y si un día,

sólo hiciera olla, ¡Oh, cómo debe reírse de estos necios la muerte
discreta, siquiera por lo fea, viendo que cuando ellos están levantando grandes casas, ella les está abriendo corta sepultura,
según el proverbio: A casa hecha, sepultura abierta. En acomo-
dándose uno, ella le desacomoda; acabarse de construir el palacio
y acabarse la vida, todo es a un tiempo, trocándose las siete columnas del más soberbio edificio en siete pies de tierra o en siete
palmos de mármol, vana necedad de muchos. Porque ¿qué más
tiene el pudrirse entre pórfidos y mármoles que entre terrones?

Sobre esta tan llana verdad venía echando el contrapunto de
un singular desengaño el Cortesano discreto con nuestros dos
peregrinos en Roma. Llegaron a una gran plaza embarazada de
infinito vulgo, muy puesto en expectación de alguna de sus necias
maravillas, que él suele admirar mucho. —¿Qué querrá ser esto?,
preguntó Andrenio. Y respondiéronle: —Tened paciencia y tendréis ciencia. Así fue que a poco rato vieron salir bailando y
brincando sobre una maroma un monstruo, que en la ligereza
parecía un pájaro y en la temeridad un loco. Estaban los que le
miraban tan pasmados cuanto él intrépido; ellos temblando de
verle y él bailando porque le viesen. —¡Brava temeridad!, exclamó Andrenio. Sin duda, que éstos primero pierden el juicio y después el miedo. A pie llano no llevamos seguros la vida, y éste la
mete en precipicios. —¿De éste te espantas tú?, le dijo el Cortesano. —¿Pues de quién, si de éste no? —De ti mismo. —De mí,
y ¿por qué? —Porque es niñería esto, respecto de lo que por ti
pasa. ¿Sabes tú dónde tienes los pies? ¿Sabes por dónde caminas?
—Lo que yo sé es, replicó Andrenio, que no me metiera allí por
todo el mundo, y éste por un vil interés se expone a tan grande
riesgo. —¡Qué bueno está eso!, le dijo el Cortesano! ¡Oh!, si tú
te vieses andar, no sólo de aquel modo, sino con harto mayor
peligro, ¿qué sentirías y qué dirías? —¿Yo? —Sí, tú. —¿Por qué?
—Dime, ¿no caminas cada hora y cada instante sobre el hilo de
tu vida, no tan grueso ni tan firme como una maroma, sino tan
delgado como el de una araña y aun más, y andas saltando y
bailando sobre él? Ahí comes, ahí duermes y ahí descansas sin
cuidado ni sobresalto alguno. Créeme que todos los mortales somos volatines arriesgados sobre el delgado hilo de una frágil
vida, con esta diferencia, que unos caen hoy, otros mañana. Sobre
él fabrican los hombres grandes casas y grandes quimeras, levantan torres de viento y fundan todas sus esperanzas. Admíranse de
ver al otro temerario andar sobre una gruesa y asegurada maroma, y no se espantan de sí mismos, que restriban sobre una no
cuerda, sino muy loca confianza de una hebra de seda. Menos,
sobre un cabello. Aún es mucho, sobre un hilo de araña. Aún es
algo, sobre el de la vida, que aún es menos. De esto sí que deberían andar atónitos, aquí sí que se les habían de erizar los
cabellos, y más reconociendo el abismo de infelicidades donde
los despeña el grave peso de sus muchos yerros. —Salgamos, sal-

gamos de aquí luego, luego, al mismo punto gritó Andrenio.
—Poco importa, dijo Critilo, dejar la consideración; si no salimos
del riesgo, bien podremos olvidarle, más no evitarle.

Volvieron ya a su posada, llamada el Mesón de la Vida. Aquí
les dejó el Cortesano, citados para otro gran día, si ya no les
faltase la noche, que fue atención precisa. Recibióles con lisonjero agasajo su agradable Huéspeda, mostrándose muy cuidadosa
en su asistencia y regalo; convidólos a la cena, diciendo: Aunque
no se vive para comer, se come para vivir. Cerróse la noche y
trataron ellos de cerrar los ojos, pasando a ciegas y a oscuras
la mitad de la vida. Y si dicen que el sueño es un ensayo de la
muerte, yo digo que no es sino un olvido de ella. Íbanse ya encaminando al sepulcro del sueño muy descuidados y seguros, cuando
llegó a embargárseles uno de los muchos pasajeros que allí se
alojaban. Éste, acercándose a ellos disimulado, les dio voces a la
sorda, diciéndoles: ¡Oh, inconsiderados peregrinos! ¡Cómo se os
conoce cuán ajenos vivís de vuestro mal y cuán ignorantes de
vuestro riesgo! Decidme, ¿cómo estando presos tratáis de dormir
a sueño suelto? No es tiempo de cerrar los ojos, sino de abrirlos
al mayor peligro, que os amenaza por instantes. —Tú debes ser
el que sueñas, le respondió Andrenio. ¿Aquí peligros, en el albergue de la vida, en el mesón del Sol, y tan claro y tan risueño? —Y aun por eso mismo, respondió el Pasajero. —¡He!, que
no es creíble que haya traiciones en tales agrados, que se escondan fierezas entre tales lindezas. —Pues advertid que aquí, donde
la veis tan cortesana, esta vuestra Huéspeda que es de nación
troglodita, hija del más fiero caribe, aquel que se chupa los dedos
tras sus propios hijos. —Quita de ahí, le replicó Andrenio, ¿aquí
en Roma trogloditas, cómo es posible? —¿Y es nuevo el concur-
rir en esta cabeza del orbe de todas sus naciones, los erizados
etíopes, los gruñidores sicambros, los alarbes, los sabeos y los
sármatas, aquellos que llevan consigo la fuente para socorrer la
sed en la picada vena del caballo? Sabed, pues, que esta hermosa
y agradable patrona alimenta sus fierezas de nuestras humanidades. —Es cosa de risa eso, replicó Andrenio. Lo que yo experimento es que ella no atiende a otro que a nuestro agasajo y regalo. —¡Oh, qué engaño el vuestro!, exclamó el Pasajero. ¿Nunca
habéis visto cebar antes las engañadas aves para cebarse en ellas
después sacándoles para esto los ojos? Pues así lo practica esta
hechicera común, que no hay Alcina que la iguale. Miradla bien,
reconocedla y veréis que no es tan linda como se pinta, antes la
hallaréis corta de facciones y larga de traiciones, breve de tercios
y cumplida de enredos. ¿Es posible que no habéis reparado en
estos días que aquí estáis, cómo han desaparecido casi todos los
pasajeros que han entrado? ¿Qué se hizo aquel gallardo mancebo
que tanto celebraste de lindo, airoso, galán, rico y discreto? Ya
no se ve, ni se oye. ¿Pues aquella otra peregrina de belleza que
tan bien pareció a todos? Ya no parece. Pregunto, ¿qué se hace

de tanto pasajero como aquí va entrando? Unos anochecen y no amanecen y otros al contrario: todos, todos, unos en pos de otros van desapareciendo, tan presto el cordero como el carnero, el amo como el criado, el soldado valiente y el cortesano discreto. Ni al príncipe le vale su soberanía, ni al sabio su ciencia; no le aprovechan al valentón sus bríos, ni al rico sus tesoros. Ninguno trae salvaguardia. —Ya yo lo había notado, respondió Critilo, como a la deshilada se nos iban todos desvaneciendo, y os aseguro que me ha ocasionado harto desvelo. Aquí, arqueando la ceja y encogiéndose de hombros el Pasajero: —Habéis de saber, les dijo, que yo, llevado de mi cuidadoso recelo, traté de escudriñar todos los rincones de esta traidora posada, y he descubierto una muy afectada traición contra nuestras descuidadas vidas. Amigos, que estamos vendidos, minada está la salud con pólvora sorda, armada nos está una emboscada traidora contra la felicidad más segura. Pero para que me creáis, seguidme, que lo habéis de ver con vuestros ojos y tocar con esas manos, sin hacer el menor sentimiento, porque seríamos perdidos antes con antes. Y diciendo y haciendo, levantó una losa que estaba bajo de su mismo lecho, de modo que la asechanza estaba inmediata a su descanso. Descubrióse un boquerón espantoso y lúgubre, por donde les animó a bajar, yendo él adelante, y a la luz de una disimulada linterna los fue conduciendo a unas profundas cuevas, a unos subterráneos tan inferiores, que pudieran ser llamados con mucha razón infiernos. Allí les fue mostrando una espectáculo tan crudo y tan horrendo, que pudiera hacer estremecer los huesos y dar diente con diente el solo imaginarlo. Por aquí vieron y conocieron todos aquellos pasajeros que habían echado menos, aunque muy desfigurados, tendidos por aquellos suelos. Estuvieron un gran rato sin poder hablar palabra, que aun para alentarles faltó el ánimo, tan muertos ellos como los que yacían. —¡Hay tal carnicería!, dijo Andrenio, más suspirando que pronunciando. ¡Hay tal catástrofe de bárbara impiedad! Aquél es sin duda el príncipe que vimos cuatro días ha tan agraciado y lindo, que era las delicias del mundo, tan cortejado y adorado de todos. Mirad qué solo yace, dejado y olvidado. Pereció su memoria con el ruido, que no haciéndole, luego es uno olvidado. —Aquel otro, decía Critilo, es aquel ruidoso campeón, conducidor de huestes valerosas. Mirad ahora qué desacompañado yace y solo. El que antes hacía temblar el mundo con su valor, ahora nos hace temblar a nosotros con horror, y el que triunfó de tanto enemigo, ya es trofeo de tanto gusano. —Contemplad, les decía el Pasajero, qué fiera y qué fea está aquella tan hermosa. Convirtióse su florido mayo en un erizado diciembre. ¿Cuántos por ver esta cara perdieron el ver la de Dios y gozar del Cielo? —Amigo, decía Andrenio, dinos por tu vida, ¿quién ejecuta semejantes atrocidades? ¿Son acaso ladrones que por robarles el oro les quitan la preciosa vida? Pero más malicia indica el estar tan desfigurados, medio comidos algunos y aun roídas las entrañas. Aquí alguna cruel Medea se oculta, que así desmiembra sus hermanos, alguna infernal Megéra, que ya poco es Troglodita. —¿No os decía yo?, ponderaba el Pasajero. Celebrad ahora el cortés agasajo de vuestra agradable Patrona. —Pues aún no acabo yo de creer, dijo Andrenio, que una fiereza tan atroz queda en tal agrado, tal crueldad en tal beldad, ni es posible que una Patrona tan humana nos sea tan traidora. —Señores míos, esto pasa en su misma casa, y aquí lo estamos viendo y lamentando. Ved ahora quién lo ejecuta, por lo menos ella lo consiente. Éste es el dejo de su cortejo, éste es el paradero de su agasajo y éste el remate de su hospedaje. Mirad qué caro se paga, atended en qué paran las paredes entoldadas de sedas, el servicio de plata, las doradas y mullidas camas, el convite y el regalo.

Esto estaban viendo, y no creyéndolo, cuando de repente se hizo bien de sentir un horrible sonido, un espantoso estruendo, como de muchas campanas, que doblaban el espanto. Correspondíale otro lastimero ruido de suspiros y lamentos. Quisieron nuestros peregrinos echar a huir y meterse en salvo, mas no pudieron, porque ya comenzaban a entrar de dos en dos funestos enlutados, con sus capuces tendidos, que no se les divisaba el gesto. Traían antorchas amarillas en las manos, no tanto para alumbrar los muertos cuanto para dar luz de desengaño a los vivos, que la han bien menester. Retiráronse a un rincón los espantados peregrinos, sin osar hablar palabra, con que dieron más lugar a la atención para ver lo que pasaba y oír lo que decían, aunque muy bajo, dos de aquellos enlutados que les cayeron más cerca. —¡Qué brava fiereza, decía el uno, la de esta cruel tirana! Al fin hembra, que todos los mayores males lo son: la guerra, la peste, las harpías, las sirenas, las furias y las parcas. —Sí, respondió el otro, pero ninguna como ésta, que si las demás persiguen y atormentan, no es con tal exceso. Si una calamidad os quita la hacienda, déjaos la salud; si la otra la salud, déjaos la vida; si ésta os priva de la dignidad, déjaos los amigos para el consuelo; si aquella os roba la libertad, déjaos la esperanza; de modo que ninguna de las desdichas apura del todo, todas operan algo para el consuelo. Esta sola, peor de cuantas hay, todo lo barre, con todo acaba de una vez, con la hacienda, con la patria, amigos, deudos, hermanos, padres, contento, salud y vida, enemiga mayor del género humano, asesina de todos. —Bástale, dijo el otro, ser peor que cuñada, peor que madrastra. Pues suegra de la vida, ¿qué otro puede ser la muerte?

Mas al nombrarla, ella como tan ruin, acudió luego. Comenzaron a entrar ya de su séquito, que es grande, unos que la preceden y otros que la siguen. Estaban espantados nuestros peregrinos, callando como unos muertos, y cuando esperaban ver entrar sus fúnebres pompas tropas de fantasmas, catervas de visiones, ejércitos de trasgos, multitud de larvas y un escuadrón de funestos monstruos, vieron muy al contrario muchos ministros suyos muy colorados, gruesos y lucidos, no sólo no tristes, pero muy risueños y placenteros, cantando y bailando con brava chanza y bureo. Fuéronse partiendo por todo aquel teatro soterráneo, con que comenzaron ya a respirar nuestros peregrinos, y aun habiendo cobrado ánimo Andrenio, se fue acercando a uno de ellos, que le pareció de mejor humor y de buen gusto. —Señor mío, le dijo, ¿qué buena gente es ésta? Mirósele él, y viéndole algo encogido le dijo: —Acaba ya de desenvolverte, que aun en el Palacio de la Muerte no conviene el ser mozo vergonzoso; más vale tener un punto y aun dos de entremetido. Sabrás que éste es el cortejo de la reina de todo el mundo, mi señora la Muerte, que ahí cerca viene; nosotros somos sus más crueles verdugos. —No lo parecéis, replicó Critilo, desencogiéndose también, pues vinísteis de fiesta y de placer, cantando y riendo. Yo siempre creí que los asesinos suyos eran tan fieros como crueles, intratables y ásperos, consumidores y consumidos, de tan mala catadura como ella. —Ésos, respondió él, doblando la risa, eran los del tiempo antiguo. Ya no se usan, todo está muy trocado, nosotros la asistimos ahora. —Y ¿quién eres tú?, le preguntó Andrenio. —Yo soy, no lo creeréis, un hartazgo. —Y aun por eso tan cariharto. ¿Y aquel otro? —Es un convite. Éste de mi otro lado es un almuerzo; el de más allá, un merendón; la otra, una fiambrera; aquéllas, las buenas cenas, que han muerto a tantos. —¿Y aquel adamado y galán? —Es un mal francés. —¿Y aquellas otras tan lindas? —Son unas lobas. Y así de los que veis, que ya los más de los mortales se mueren por lo que les mata y apetecen lo que les acarrea la muerte. Antes moría un hombre de una pesadumbre, de un despecho, de un cansancio; pero ya han dado muchos en la cuenta. No los matan ya pesares ni acaban penas. ¿Quién creerá que aquella tan blanca que está allí es una leche de almendras y que no pocos mueren de ello? Otra cosa te sé decir, que ya los menos son los que matan los asesinos de la muerte y los más los que ellos mismos se matan. Ellos se la toman por su mano. Veis allí los desórdenes, asesinos de la juventud. Aquel tan agradable es un jarro de agua fría. Aquellos otros tan bellos son los Soles de España, los serenos de Italia, las Lunas de Valencia, los dolores de Francia, toda ella linda gente.

No paraban de entrar achaques, y sin saberse por dónde, aunque por todas partes. Y decía Andrenio: —Hartazgo mío, ¿por dónde entran éstos? —¿Por dónde? Muerte no venga que achaque no falta. Pero atended, que entra ya ella misma, si no en persona, en sombra y en huesos. —¿En qué lo conoces? —En que comienzan a entrar ya los médicos, que son los inmediatos a ella, los más ciertos ministros, los que la traen infaliblemente. —No me dejes, Hartazgo mío, que quería dármelo de curiosidad, de más que estoy ya temblando con aquel su mal gesto. —Pues advierte que no le tiene malo ni bueno, para proceder más descarada. —¿Con qué ojos nos mirará? —Con ningunos, que no tiene miramientos. —¿Qué mala cara nos hará? —Antes no hace sino que la deshace. —Hablemos bajo, no nos oiga. —No hay que temer, que a nadie escucha, ni oye razón ni querella.

Entró finalmente la tan temida reina, ostentando aquel su tan extraño aspecto, a media cara, de tal suerte que era de flores la una mitad, y la otra de espinas; la una de carne blanca, y la otra de hueso; muy colorada aquélla y fresca, que parecía de cosas entreveradas, de jazmines, muy seca y muy marchita ésta; con tal variedad, que al punto que la vieron, dijo Andrenio: —¡Qué cosa tan fea! Y Critilo: —¡Qué cosa tan bella! —¡Qué monstruo! —¡Qué prodigio! —¡De negro viene vestida! —No, sino de verde. —Ella parece madrastra. —No, sino esposa. —¡Qué desapacible! —¡Qué agradable! —¡Qué pobre! —¡Qué rica! —¡Qué triste! —¡Qué risueña! —Es, dijo el Ministro que estaba en medio de ambos, que la miráis por diferentes lados, y así hace diferentes visos, causando diferentes efectos y afectos. Cada día sucede lo mismo, que a los ricos les parece intolerable y a los pobres llevadera, para los buenos viene vestida de verde y para los malos de negro, para los poderosos no hay cosa más triste, ni para los desdichados más alegre. No habéis visto tal vez un modo de pinturas, que si las miráis por un lado os parece un ángel, y si por el otro un demonio. Pues así es la muerte. Haceros heis a su mala cara dentro de breve rato, que la más mala no espanta, en haciéndose a ella. —Muchos años serán menester, replicó Andrenio. Sentóse ya en aquel trono de cadáveres, en una silla de costillas mondas, con brazos de canillas secas y descarnadas, sitial de esqueletos, y por cojines calaveras, bajo un deslucido dosel de tres o cuatro mortajas, con goteras de lágrimas y randas al aire de suspiros, como triunfando de soberanías, de bellezas, de valentías, de riquezas, de discreciones y de todo cuanto vale y se estima.

Luego que estuvo de asiento, trató de tomar residencia a sus ministros, comenzando por el valido; y cuando la imaginaron terrible: ¡Será horrenda y espantosa, al fin de residencia!; la experimentaron al revés, gustosa, placentera y entretenida y muy de recreo. Cuando aguardaban que arrojase en cada palabra un rayo, oyeron una y otra chanza; y en vez de una envenenada saeta en cada razón, comenzó con lindo humor a entretenerse de esta suerte: —Venid acá, pesares, decía, y no me alleguéis muy cerca; más allá, más de lejos. ¿Cómo os va de matar necios? Y vosotros, cuidados, ¿cómo os va de asesinar simples? Salid acá, penas, ¿cómo os va de degollar inocentes? —Muy mal, señora, le respondieron, que ya todos caen en la cuenta de no caer, ni en la cama, cuanto menos en la sepultura. No se usa ya el morir de tontos; toda va a la malicia. —Apartaos, pues, vosotros, mata bobos, y salid allá vosotros, mata locos. Saltó al punto la guerra con sus asaltos y choques. —¡Oh amiga mía!, la dijo. ¿Cómo te va de degollar centenares de millares de franceses en España y de españoles en Francia? Que si se sacase la cuenta de los que han muerto las gacetas francesas y relaciones españolas, llegaría sin duda a doscientos mil españoles cada año, y otros tantos franceses, pues no viene relación que no traiga veinte y treinta mil degollados. —Es engaño, señora, que no mueren peleando al cabo del año de ocho mil de ambas partes. Mienten las relaciones y mucho más las gacetas. —¿Cómo no, cuando yo veo que de todos cuantos van a la campaña no vuelve ninguno? ¿Qué se hacen? —¿Qué? Mueren de hambre, señora, de enfermedades, de mal pasar, de pecesidad, de desnudez y de desdicha. —He, que todo es uno para mí, dijo la Muerte. ¿Ellos, al cabo, no perecen todos? Sea de pelear, sea de no pelear, sea de lo que fuere, ¿sabéis lo que me parece? Que la campaña es como la casa del juego, que todo el dinero se hunde en ella, ya en barajas, ya en baratos, en luces y en refrescos. ¡Oh, buen príncipe aquél, y grande amigo mío, que acorralaba veinte mil españoles en una plaza y los hacía perecer todos de hambre, sin dejarles echar mano a la espada! Si eso hicieran, no había para comenzar de toda Francia, que a los españoles no les han faltado sino cabos chocadores, no soldados avanzadores. Pues ¿aquel otro que hizo perecer más de otros tantos a vista del enemigo, todos de hambre y de desdicha de jefes? Pero quítateme de delante, anda de ahí, guerra mal nacida y peor ejercitada; pues sin pelear, ¿cuándo el ejército se denominó del ejercicio? —Yo sí, señora, que mato y asuelo y destruyo en estos tiempos todo el mundo. —¿Quién eres tú? —Pues ¿que no me conoces? ¿Ahora sales con eso cuando yo creí que estaba en su valimiento? —No doy en la cuenta. —Yo soy la Peste, que todo lo barro y todo lo ando paseándome por toda la Europa, sin perdonar la saludable España, afligida de guerras y calamidades, que allá va el mal donde más hay. Y todo esto no basta para castigo de su soberbia. Saltó al punto un tropel de entrometidos, diciendo: —¿Qué dices, qué blasonas tú? ¿No sabes que toda esta matanza a nosotros se nos debe? —¿Quiénes sois vosotros? —¿Quiénes? Los Contagios. —Pues ¿en qué os diferenciáis de las Pestes? —¿Cómo en qué? Díganlo los médicos, y si no dígalo mi compañero, que es más simple que yo. Lo que sé es que mientras los ignorantes médicos andan disputando sobre si es peste o es contagio, ya ha perecido más de la mitad de una ciudad, y al cabo toda su disputa viene a parar en que la que al principio, o por crédito, o por incredulidad, se tuvo por contagio, después, al echar de las sisas o gabelas, fue peste confirmada y aun pestilencia incurable de las bolsas. —Al fin, vosotros, pestes o contagios, sus alcahuetes, quitáosme de delante, que no hacéis cosa a derechas, pues sólo las habéis con los pobres desdichados y desvalidos, no atreviéndoos a los ricos y poderosos, que todos ellos se escapan con aquellas tres alas de las tres eles, luego, lejos y largo tiempo; esto es, luego en el huir, lejos en el vivir y largo tiempo en el volver. De modo que no sois sino mata desdichados, aceptadores de personas y no ministros fieles de la Divina Justicia. —Yo sí, señora, que soy el verdugo de los ricos, la que no perdono a los poderosos.. —¿Quién

eres tú, que pareces la Fénix entre los males? —Yo, dijo, soy la
Gota, que no sólo no perdono a los poderosos, pero me encarnizo
en los príncipes y los mayores monarcas. —Gentil partida, dijo la
Muerte. Tú no sólo no les quitas la vida, pero dicen que se las
alargas veinte o treinta años más, desde que comienzas. Y lo que
se ve es que están muy bien hallados contigo, sirviéndoles de arbitrio de su poltronería y de alcahueta de su ocio y su regalo. Sepan
que yo tengo que hacer reforma de malos ministros y desterrarlos
a todos por inútiles y ociosos, donde hay médicos. Y he de comenzar por aquella gran follona la cuartana, por quien jamás
dobla campana. Que no sirve sino de hacer regalones los hombres,
agotando el vino blanco y encareciendo las perdices. Mirad qué
cara de hipócrita. Ella come bien y bebe mejor, y sin hacerme
servicio alguno pide premio, después de muchas ayudas de costa.
Hola, mis valientes, los matantes, ¿dónde andáis? Dolores de costado, tabardillos y detenciones de orina, andad luego y acabad
con estos ricos, con estos poderosos, que se burlan de las pestes
y se ríen de la gota y hacen fisga de la cuartana y jaqueca. Rehu-
saban ellos la ejecución del mandato y no se movían. —¿Qué es
esto?, dijo la Muerte. Parece que teméis la empresa. ¿De cuándo
acá? —Señora, le respondieron, mándanos matar cien pobres antes
que un rico; doscientos desdichados, antes que un próspero, aunque sea Colona. Porque, de más de que son muy dificultosos de
asesinar éstos, nos concitamos el odio universal de todos los otros.
—¡Oh, qué bueno está eso!, ponderó la Muerte. ¿Y ahora estamos
en eso? Si en eso reparamos, nada valdremos. Ahora yo os quiero
contar al propósito y al ejemplo, y demos este rato de treguas a
los mortales, que no hay suspensión de mis flechas, como un rato
de olvido, cuando la memoria de la muerte toda la vida desazona.
Habéis de saber que cuando yo vine al mundo, hablo de mucho
tiempo, allá en mi noviciado, aunque entré con vara alta y como
Plenipotenciaria de Dios, confieso que tuve algún horror al matar,
y que andaba en contemplaciones a los principios: si mataré éste,
no sino aquél; si el rico, si el poderoso; si la hermosa, no, sino la
fea; si el mozo gallardo, si el viejo; pero al fin yo me resolví, con
harto dolor de mi corazón, aunque dicen que no lo tengo, ni entrañas, y que soy dura. ¿Qué mucho, si soy toda huesos? Determiné comenzar por un mozo rollizo y bello, como un pino de oro,
destos que hacen burla de mis tiros. Parecióme que no haría tanta
falta en el mundo, ni en su casa, como un hombre de gobierno
hecho y derecho. Encaréle mi arco, que aún no usaba de guadaña
ni la conocía. Confieso que me temblaba el brazo, que no sé cómo
acerté el tiro; pero al fin él quedó tendido en aquel suelo y al
mismo punto se levantó todo el mundo contra mí, clamando y diciendo: ¡Oh, cruel! ¡Oh, bárbara Muerte! Mira a quién ha asesi-
nado, a un mancebo el más lindo, que ahora comenzaba a vivir en
lo más florido de su edad, qué esperanzas ha cortado, qué belleza
ha malogrado la traidora. Aguardara a que se sazonara y no co-

giera el fruto en agraz, y en una edad tan peligrosa. ¡Oh, malo-
grada juventud!

Llorábanle sus padres, lamentábanse sus amigas, suspiraban
muchas apasionadas, hizo duelo a toda una ciudad. De verdad que
quedé confusa, y aun arrepentida, de lo hecho. Estuve algunos días
sin osar matar ni parecer; pero al fin él pasó por muerto para
ciento y un año. Viendo esto, traté de mudar de rumbo, encaré el
arco contra un viejo de cien años. A éste sí, decía yo, que no le
plañirá nadie; antes todos se holgarán, que a todos los tenía cansados con tanto reñir y dar consejos. A él mismo pienso haberle
hecho favor, que vivía muriendo. Que si la muerte para los mozos
es naufragio, para los viejos es tomar puerto. Flechéle un catarro,
que le acabó en dos días, y cuando creí que nadie me condenaría
la acción, antes bien todos me la aplaudirían y aun la agradecie-
ran, sucedió tan al contrario, que todos a una voz comenzaron a
malearla y a decir mil males de mí, tratándome, si antes de cruel,
ahora de necia, la que así mataba un varón tan esencial a la república. Éstos, decían, con sus canas honran las comunidades y con
sus consejos las mantienen. Ahora había de comenzar a vivir este
lleno de virtud, hombre de conciencia y de experiencia. Estos agobiados son los puntales del bien común.

Quedé, cuando oí eso, de todo punto acobardada, sin saber a
quién llevarme. Mal si al mozo, peor si al anciano. Tuve mi
reconsejo y determiné encarar el arco contra una dama moza y
hermosa. Esta vez sí, decía, que he acertado el tiro, que nadie me
hará cargo, porque ésta era una desvanecida, traía en continuo
desvelo a sus padres y con ojeriza a los ajenos, la que volvía locos
(digo más de lo que estaban) a los mozos, tenía inquieto todo el
pueblo. Por ella eran las cuchilladas, el ruido de noche, sin dejar
dormir a los vecinos, trayendo sobresaltada la justicia. Y para
ella es ya favor, cuando fuera venganza el dejarla llegar a vieja y
fea. Al fin yo la encaré unas viruelas, que ayudadas de un fiero
garrotillo, en cuatro días la ahogaron. Mas aquí fue el alarido
común, aquí la conjuración universal contra mis tiros. No quedó
persona que no me murmurase, grandes y pequeños, echándome a
centenares las maldiciones. ¿Hay tan mal gusto, decían, como el
de esta muerte? ¿Hay semejante necedad? Que una sola hermosa
que había en el pueblo, ésa se la haya llevado, habiendo cien feas
en que pudiese escoger, y nos hubiera hecho lisonja en quitárnos-
las de delante. Concitaban más el odio contra mí sus padres, que
llorándola noche y día, decían: La mejor hija, la que más estimá-
bamos, la más bien vista, que ya se estaba casada. Llevárase la
tuerta, la coja, la corcovada; aquéllas serán las eternas, como vajilla quebrada. Impacientes los amantes me acuchillaran si pudieran: ¡Hay tanta crueldad! ¡Que no la enterneciesen aquellas dos
mitades del Sol, en sus dos ojos y ni la lisonjeasen aquellos dos
floridos meses de sus dos mejillas, aquel Oriente de perlas de su
boca y aquella madre de Soles de su frente. coronada de los rayos

de sus rizos! Ello ha sido envidia o tiranía. Quedé aturdida de esta vez, quise hacer el arco mil astillas; mas no podía dejar de hacer mi oficio: los hombres a vivir y yo a matar. Volví la hoja y maté una fea. Veamos ahora, decía, si callará esta gente, si estaréis contentos. Pero ¡quién tal creyera! Fue peor, porque comenzaron a decir: ¡Hay tal impiedad! ¡Hay tal fiereza! ¿No bastaba que la desfavoreció la naturaleza, sino que la desdicha la persiguiese? No se diga ya ventura de fea. Clamaban sus padres: La más querida, decían, el gobierno de la casa, que estas otras lindas no tratan sino de engalanarse, mirarse al espejo y que las miren. ¡Qué entendida!, decían los galanes. ¡Qué discreta!

Asegúroos que no sabía ya qué hacerme. Maté un pobre, pareciéndome le hacía mercedes, según vivía de lacerado: ni por ésas, antes bien todos contra mí. ¡Señor, decían, que matara un ricazo, harto de gozar del mundo, pase; pero un pobrecillo que no había visto un día bueno, gran crueldad! Calla, dije, que yo me enmendaré, yo mataré antes de muchas horas un poderoso. Y así lo ejecuté; mas fue lo mismo que amotinar todo el mundo contra mí; que tenía infinitos parientes, otros tantos amigos, muchos criados, y a todos dependientes. Maté un sabio y pensé perderme, porque los otros fulminaron discursos y aun sátiras contra mí. Maté después un gran necio y salióme peor, que tenía muchos camaradas y comenzaron a darme valientes mazadas. Señores, ¿en qué he de parar esto, decía yo? ¿Qué me he de hacer? ¿A quién he de matar? Determiné consultar primero los tiros con aquellos mismos en quienes se habían de ejecutar y que ellos mismos se escogiesen el modo y el cuándo; pero fue echarlo más a perder, porque a ninguno le venía bien, ni hallaban el modo ni el día. Para holgarse y entretenerse, eso sí; pero para morir, de ningún modo. Déjame, decía, concluir con estas cuentas, ahora estoy muy ocupado. ¡Oh, qué mala razón! Querría acomodar mis hijos, concertar mis cosas.

De modo que no hallaban la ocasión, ni cuando mozos, ni cuando viejos, ni cuando ricos, ni cuando pobres. Tanto, que llegué a un viejo decrépito y le pregunté si era hora, y respondióme que no, hasta el año siguiente. Y lo mismo dijo otro. Que no hay hombre, por viejo que esté, que no piense que puede vivir otro año. Viendo que ni eso me salía, di en otro arbitrio, y fue de no matar sino a los que me llamasen y me deseasen, para ser yo crédito y ellos vanidad; pero no hubo hombre que tal hiciese. Uno solo me envió a llamar tres o cuatro veces. Híceme de rogar, por ver si la misma privación le causaría apetito, y cuando llegué, me dijo: No te he llamado para mí, sino para mi mujer. Mas ella que tal oyó, enfurecida dijo: Yo me tengo lengua para llamarla, cuando la hubiese menester. ¿Quién le mete a él en esto? Mirad qué caritativo marido. Así que ninguno me buscaba para sí, sino para otro, las nueras para las suegras, las mujeres para los maridos, los herederos para los que poseían la hacienda, los preten-

dientes para los que gozaban de los cargos, pegándome bravas
burlas, haciéndome todos ir y venir, que no hay mejor deuda ni
más mala paga. Al fin, viéndome puesta en semejante confusión
con los mortales y que no podía averiguarme con ellos: mal si
mato al viejo, peor si al mozo, si la fea, si la hermosa, si el pobre,
si el rico, si el ignorante, si el sabio. Gente de la maldición, decía,
¿a quién he de matar? Concertaos. Veamos qué ha de ser. Vosotros sois mortales, yo matante, yo he de hacer mi oficio. Viendo,
pues, que no había otro expediente ni modo de ajustarnos, arrojé
el arco, y así de la guadaña, cerré los ojos y apreté los puños y
comencé a segar todo parejo, verde y seco, crudo y maduro, ya
en flor, ya en grano, a roso y a velloso, cortando a la par rosas y
retamas, dé donde diere. Veamos ahora si estaréis contentos. Con
este modo de proceder me hallé bien, que el poco mal espanta y
el mucho amansa. Con él me he quedado, así prosigo, y digan lo
que dijeren, murmuren cuanto quisieren, que ellos me lo pagarán.
Digan ellos, que yo haré, y así habéis de hacer vosotros.

En confirmación de esto, llamó uno de aquellos sus fieros ministros y diole un apretado orden, o un desorden: que fuese y
asesinase a un poderoso, que de nada hacía caso. Comenzó a embarazarse el verdugo y aun hacerse de pencas. —¿De qué temes?,
le dijo. ¿Hallas dificultad en chocar con él? —No, señora, que
éstos el primer día están malos, el segundo mejores, al tercero no
es nada y al cuarto mueren. —Pues qué, ¿los muchos remedios
qué se han de hacer? —Menos, que antes éstos nos ayudan, atropellándose unos a otros, sin dejarles obrar los segundos a los primeros, por lo mal sufrido del enfermo, hecho a su gusto e imperio. —¿Recelas las muchas plegarias y oraciones que se han de
mandar hacer por él? —Tampoco, que tienen éstos poco obligado
al Cielo en salud, y aunque se manden enterrar tal vez con un
hábito bendito, no por eso los deja de conocer el Diablo. —Pues
¿en qué reparas?; ¿en el odio que te han de conciliar por tener
muchos parientes y dependientes? —Eso es lo de menos; antes
bien, no hay tiro más acreditado y que mejor nos salga que el que
se emplea en uno de éstos; porque son los puercos de la casa del
mundo, que el día que los matan, ellos gruñen y los demás se
ríen, ellos gritan y los demás se alegran. Porque aquel día todos
tienen qué comer, los parientes heredan, los sacristanes repican,
aunque dicen que doblan; los mercaderes venden sus bayetas, los
sastres las cosen y hurtan, los lacayos las arrastran, págense las
deudas, danse limosnas a los pobres. De suerte que a todos viene
bien, lloran de cumplimiento y ríen de contento. —¿Recelas el des-
crédito? —De ningún modo, porque antes éstos vuelven por nosotros, diciendo todos que él se ha muerto, él se tiene la culpa, era
un desarreglado, no sólo en salud, pero aun enfermo: enjuagárase
cien veces, variando tazas el día de la mayor fiebre; tenía en un
salón doce camas, pegada la una con la otra, e íbase revolcando

por todas ellas, de un lado al otro, y volviendo a deshacer la rueda en el mayor crecimiento; viven apriesa, y así acaban presto. —Pues ¿en qué reparáis? —Yo te lo diré. Reparo, señora, y digo esto con notable sentimiento y aun con lágrimas, en que con todo lo que matamos, hacemos más risa que provecho, pues no enmiendan sus vidas los mortales ni corrigen sus vicios; antes se experimenta que hay más pecados después de una gran peste, y aun en medio de ella, que antes. Luego hallé una ciudad de rameras, y en lugar de una que pereció, acuden cuatro y cinco. Matamos a unos y a otros y ninguno de los que quedan se da por entendido. Si muere el joven, dice el viejo: éstos son unos desarreglados, fíanse en sus robusteces, atropellan con todo, no hay que espantar. Nosotros sí que vivimos, que nos sabemos conservar, caemos de maduro. De aquí es, que mueren más mozos que viejos. Toda la dificultad está en pasar de los treinta, que de ahí adelante es un hombre terno. Al contrario discurren los mozos, cuando muere el viejo: ¿Qué se podía esperar de éste? Bien logrado va, todos como él, de lo que ha vivido me admiro. Si muere el rico, se consuela el pobre: Éstos son voraces, comen bien, cenan mejor, hasta reventar, no hacen ejercicio, ni digieren, no consumen los malos humores, no trabajan, no sudan como nosotros. Pero si muere el pobre, dice el rico: Éstos desdichados comen poco y mal alimento, andan desharrapados, duermen por los suelos. ¿Qué mucho? Para ellos se hicieron los contagios y faltaron las medicinas. Si muere el poderoso, luego dicen que de pesares; si el príncipe, de veneno; si el docto, trabajaba de cabeza; si el letrado, tenía muchos negocios; si el estudiante, estudiaba mucho, viviera un poco más y supiera un poco menos; si el soldado, llevara jugada la vida, como si la llevara ganada; si el sano, fíase a la salud; si el enfermizo, estábase dicho. De esta suerte todos tratan y piensan vivir ellos, lo que los otros dejan. Ninguno escarmienta ni se da por entendido.

—Buen remedio, dijo la Muerte: matar de todos y por un parejo, mozos y viejos, ricos y pobres, sanos y enfermos, para que viendo el rico que no sólo mueren los pobres, y el mozo que no sólo los viejos, escarmienten todos y cada uno tema. Con eso no echarán el perro muerto a la puerta del vecino ni se apelarán al otro reloj, como el que está cenando capones en víspera de ayuno. Por eso yo doy bravos saltos de la choza al alcázar y de la barraca al homenaje. —Señora, yo no sé ya qué hacerme, dijo un malcarado ministro. No sé de qué valerme contra un cierto sujeto que ha muchos años que ando tras acabarle, y él bueno que bueno. —Si eso es, no le acabarás, ni bastan con los pesares, desdichas, malas nuevas, pérdidas grandes, muertes de hijos y parientes, siempre vivo que vivo. —¿Es italiano?, preguntó la Muerte. Porque eso sólo le basta, que saben vivir. —No, señora, que si eso fuera, no me cansara. —¿Es necio?, porque esos antes matan que mueren. —No lo creo, que harto sabe quien sabe vivir. Él no trata sino de holgarse. No hay fiesta que no goce, paseo en que no se halle, comedia que no vea, prado que no se disfrute, ni día bueno que no le logre. ¿Cómo puede ser necio? —Sea lo que fuere, concluyó la Muerte, no hay tal cosa como echarle un médico, o un par, para más asegurarlo. Mirad, decía, ministros míos, no os canséis, no pongáis estudio en matar los muy sanos y robustos, los valientes, que la misma confianza los engaña; en qué habéis de poner todo el cuidado y conato, es en matar un achacoso, un enfermizo, un podrido, uno de estos que cenan huevos. Ahí está toda la dificultad, porque éstos cada día acaban y cada día resucitan, y así veréis que mientras acaba de acabar uno de éstos, mueren ciento de los muy robustos y llevan traza de acabar con todos.

Despachaba dos esbirros, un Ahíto a matar un pobre y una Inedia a un rico. Replicaron ellos que llevaban encontrados los frenos. —He, que no lo entendéis, les dijo. ¿No habéis oído, cuando enferma el pobre, decir a todos que es de hambre, y unos y otros envían y hacen que comer, y le embuten, con que viene a morir de repleción? Al contrario, al rico luego dicen que es de ahíto, que todo su mal es el tragar, con que le quitan el comer y viene a morir de hambre. Iban llegando ministros de la cruda reina, de varias partes, y decíales: ¿De dónde venís, dónde habéis andado? Y respondían: Las Mutaciones, de Roma; los Letrados, de España; las Apoplejías, de Alemania; las Disenterías, de Francia; los Dolores de costado, de Inglaterra; los Romadizos, de Suecia; los Contagios, de Constantinopla, y la Sarna, de Pamplona. —¿Y en la isla pestilente, quién ha estado? —Ella es tal, que todos la habemos huído, que dicen se llamó así, más por sus moradores que por sus males. —Pues alto, id allá todos juntos y no me dejéis extranjero a vida. —Y ¿también los prelados? —Mejor, que no tienen el vulgar remedio. Esto estaban viendo y oyendo, no en sueños ni por imaginación fantástica, sino muy en desvelo y muy de veras, olvidados de sí mismo, cuando ceñó la Muerte a una Decrepitud y la dijo: —Llégate ahí y emprende de buen ánimo, que yo acometo cara a cara a los viejos, si a traición a los jóvenes. Y acaba ya con esos dos pasajeros de la vida y su peregrinación tan prolija, que tienen ya enfadado y cansado a todo el mundo. Vinieron a Roma en busca de la Felicidad, y habrán encontrado la Desdicha. —Aquí perecemos sin remedio, iba a decir Andrenio. Pero helósele la voz en la garganta, y aun las lágrimas en los párpados, asiéndose fuertemente de su conducidor peregrino. —Buen ánimo, le dijo éste, y mayor en el más apretado trance, que no faltará remedio. —¿De qué suerte, replicó, si dicen que para todo le hay sino para la muerte? —Engañóse quien tal dijo, que también le hay, yo lo sé, y nos ha de valer ahora. —¿Cuál será ése?, instó Critilo. ¿Es acaso el valer poco, el servir de nada en el mundo, el ser suegro necio, el desearnos la muerte los otros por la expectativa, o el dejarla nosotros por alivio, cargarnos de maldiciones, el ser desdichados? —Nada, nada de todo eso. —¿Pues qué será? —Remedio para no morir. —Ya muero por saberlo y por probarlo. —Tiempo tendremos, que el morir de viejos no suele ser tan de repente. Este único remedio, tan plausible cuan deseado, será el asunto de nuestra última Crisi.

CRISI XII

LA ISLA DE LA INMORTALIDAD

Error plausible, desacierto acreditado fue aquel tan celebrado llanto de Jerjes, cuando subido en una eminencia, desde donde pudo dar vista a sus innumerables huestes que, agotando los ríos, inundaban las campañas, cuando otro no pudiera contener el gozo, él no pudo reprimir el llanto. Admirados sus cortesanos de tan extraño sentimiento, solicitaron la causa tan escondida cuan impensada. Aquí el rey, ahogando palabras en suspiros, les respondió: —Yo lloro de ver hoy los que mañana no se verán. Pues del modo que el viento lleva mis suspiros, así se llevará los alientos de sus vidas. Prevéngolos las exequias a los que dentro de pocos años, todos los que hoy cubren la Tierra, ella los ha de cubrir a ellos. Celebran mucho los apreciadores de lo bien dicho, este hecho; mas yo ríome de su llanto porque, preguntárale yo al gran monarca del Asia: Sire, estos hombres o son insignes o vulgares. Si famosos, nunca mueren; si comunes, más que mueran. Eternízanse los grandes hombres en la memoria de los venideros, mas los comunes yacen sepultados en el desprecio de los presentes y en el poco reparo de los que vendrán. Así que son eternos los héroes y los varones eminentes inmortales.

—Éste es el único y el eficaz remedio contra la muerte, les ponderaba a Critilo y a Andrenio su Peregrino, tan prodigioso, que nunca envejecía ni le surcaban los años el rostro con arrugas del olvido, ni le amortajaron la cabeza con las canas, repitiendo para inmortal. —Seguidme, les decía, que hoy intento trasladaros de la casa de la Muerte al Palacio de la Vida, de esta región de horrores del silencio a la de los honores de la fama. Decidme, ¿nunca habéis oído nombrar aquella célebre isla de tan rara y plausible propiedad que ninguno muere, ni puede morir, si una vez entra en ella? Pues de verdad que es bien nombrada y apetecida. —Ya yo he oído hablar de ella algunas veces, dijo Critilo; pero como de cosa muy allende acullá en los Antípodas, socorro ordinario de lo fabuloso lo lejos, y como dicen las abuelas, de largas vías, cercanas mentiras. Por lo cual yo siempre la he tenido por un espantavulgo, remitiéndola a su simple credulidad. —¿Cómo es eso de *bene trovato?*, replicó el Peregrino. Isla hay de la inmortalidad, bien cierta y bien cerca, que no hay cosa más inmediata a la muerte que la inmortalidad: de la una se declina a la otra. Y así veréis que ningún hombre, por eminente que sea, ha sido estimado en vida, ni lo fue el Ticiano en la pintura, ni el Bonarota en la escultura, ni Góngora en la poesía, ni Quevedo en la prosa. Ninguno parece, hasta que desaparece. No son aplaudidos, hasta que idos. De modo que lo que para otros es muerte, para los insignes nombres es vida. Asegúroos que yo la he visto y andado, gozándome hartas veces en ella, y aun tengo por empleo conducir allá los famosos varones. —Aguarda, dijo Andrenio. Déjame hacer fruición de semejante dicha. ¿De veras que hay tal isla en el mundo y tan cerca y que entrando en ella adiós muerte? —Dígote que la has de ver. —Aguarda, ¿y que ya no habrá ni el temor de morir, que es aún peor que la misma muerte? —Tampoco. —¿Ni el envejecer, que es lo que más sienten las Narcisas? —Menos; no hay nada de eso. —¿De modo que no llegan los hombres a estar chochos, ni decrépitos, ni a monear aquellos tan prudentazos antes, que es brava lástima verlos después niñear los que eran tan hombres? —Nada, nada de eso se experimenta en ella. —¡Oh la bella cosa! —En entrando allá, digo, fuera canas, fuera toses y callos, adiós corcova y me pongo tieso, lucido y colorado, y me remozo, y me vuelvo de veinte años, aunque mejor será de treinta. —¡Y qué daría por poder hacer otro tanto quien yo me sé! ¡Oh cuándo me veré en ella, libre de pantuflos y manguitos y muletillas! Y pregunto, ¿hay relojes por allá? —No por cierto, no son menester, que allí no pasan días por las personas. —¡Oh qué gran cosa! Por solo eso se puede estar allá, que te aseguro que me muelen y me matan cada cuarto y cada instante. Gran cosa vivir de una tirada y pasar sin oír horas, como el que juega por cédulas, sin sentir lo que pierde. ¡Qué mal gusto el de los que los llevan en el pecho sisándose la vida e intimándose de continuo la muerte! Pero otra cosa, Inmortal mío, dime: ¿no se come, no se bebe en esa isla? Porque si no beben, ¿cómo viven? Si no se alimentan, ¿cómo alientan? ¿Qué vida sería ésa? Porque acá vemos que la sabia naturaleza de los mismos medios para vivir hizo vida: el comer es vivir, y el gustar. De modo que todas las acciones más necesarias para la vida las hizo más gustosas y apetecibles. —En eso del comer, respondió el Inmortal, hay mucho que decir. —Y que pensar, añadió Andrenio. Dícese que los héroes se sustentan de higadillas de la Fénix; los valientes, los Pablos de Parada y los Borros, de medulas de leones; pero los más noticiosos de esto aseguran que se pasan, como los del Monte Amanos, de los airecillos del aplauso, que corre con los soplos de la fama, con aquello de oír decir: no hay espada como la del señor don Juan de Austria; no hay bastón como el de Caracena; no hay testa como la de Oñate; no hay pico como el de Santillana. Esto es lo que los sustenta, este aplauso, este decir: ¡qué gran virrey el duque de Monte León! No le ha habido mejor en Aragón. No se ha visto otro embajador en Roma como el conde de Siruela; no hay garnacha como el Regente de Aragón, don Luis de Ejea; no hay Mitra como la de Santos en Sigüenza; no hay tres bonetes como los tres hermanos, el Deán de Sigüenza, Arcipreste de Valpuesta y el Arcediano de Zaragoza. Este aplauso les quita las canas y las arrugas y basta hacerlos inmortales. Vale mucho este decir universal: ¡qué gran ministro el presidente! ¡Pues el Inquisidor General! ¡No hay tiara como la de Alejandro el Máximo, el dos veces Santo! No hay Cetro como el... —Aguarda, dijo Critilo, no querría que fuese esto de hacer los hombres eternos, lo de aquel otro del secreto de hacer sólido el vidrio. De quien cuentan que un emperador le hizo hacer pedazos a él porque no cayesen de su estimación el oro y la plata. Que si aun de esta suerte les decían los indios a los españoles: ¿Teniendo el vidrio allá en el otro mundo, venís a buscar el oro en éste? ¿Teniendo cristales hacéis caso de metales? ¿Qué dijeran si no fuera quebradizo, si le experimentaran durable? Por tan dificultoso tengo yo alcanzarle solidez a la frágil vida como al delicado vidrio, que para mí, hombre y vidrio todo es uno, a un tris dan un tras, y acábase vidrio y hombre.

—Eh, seguidme, les decía su prodigioso. Que hoy mismo habéis de pasar por la gran plaza, por el anfiteatro de la inmortalidad. Fuelos sacando a luz por una secreta mina, pasadizo derecho de la muerte a la eternidad, del olvido a la fama. Pasaron por el templo del trabajo y díjoles: —Buen ánimo, que cerca estamos del de la fama. Sacóles finalmente a la orilla de un mar tan extraño, que creyeron estar en el puerto, si no de Hostia, de víctima de la muerte, y más cuando vieron sus aguas tan negras y tan oscuras, que preguntaron si era aquel mar donde desagua el Leteo, el río del olvido. —Es tan al contrario, les respondió, y está tan lejos de ser el golfo del olvido, que antes es de la memoria y perpetua. Sabed que aquí desaguan las corrientes de Elicona, los sudores hilo a hilo, y más los odoríferos de Alejandro y de otros ínclitos varones, el llanto de las Elíades, los aljófares de Diana, linfas todas de sus bellas ninfas. —Pues ¿cómo están tan denegridas? —Es lo mejor que tienen. Porque este color proviene de la preciosa tinta de los famosos escritores, que en ella bañan sus plumas. De aquí se dice tomaron fuego la de Homero para cantar de Aquiles, la de Virgilio de Augusto, Plinio de Trajano, Cornelio Tácito de ambos Nerones. Quinto Curcio de Alejandro, Jenofonte de Ciro, Comires del gran Carlos de Borgoña, Pedro Mateo de Enrique Cuarto, Fuen Mayor de Pío Quinto y Julio César de sí mismo. Autores todos validos de la fama. Y es tal la eficacia de este licor, que una sola gota basta a inmortalizar un hombre; pues un solo borrón que echaba en uno de sus versos Marcial, pudo hacer inmortales a Partenio y a Liciano (otros leen Liñano), habiendo perecido la fama de otros sus contemporáneos, porque el poeta no se acordó de ellos. Yace en medio de este inmenso piélago de la fama aquella célebre isla de la inmortalidad.

albergue feliz de los héroes, estancia plausible de los varones famosos. —Pues dinos, ¿por dónde y cómo se pasa a ella? —Yo os lo diré. Las águilas volando, los cisnes surcando, la Fénix de un vuelo, los demás remando y sudando, así como nosotros.

Fletó luego una chalupa, hecha de incorruptible cedro, taraceada de ingeniosas inscripciones, con iluminaciones de oro y bermellón, relevada de emblemas y empresas, tomadas del Sorio, del Saavedra, del Alciato y del Solórzano. Y decía el patrón haberse fabricado de tablas que sirvieron de cubiertas a muchos libros, ya de nota, ya de estrella. Parecían plumas sus dorados remos, y las velas lienzos del antiguo Timantes y del Velázquez moderno. Fuéronse ya engolfando por aquel mar, en leche de su elocuencia, de cristal en lo terso del estilo, de ambrosía en lo suave del concepto, y de bálsamo en lo odorífero de sus moralidades. Oíanse cantar regaladamente los cisnes, que de verdad cantan los del Parnaso. Anidaban seguros los Alciones de la Historia y andaban saltando alrededor del batel con mucha humanidad los delfines. Iban perdiendo tierra y ganando estrellas, y todas favorables con viento en popa, por irse reforzando siempre más y más los soplos del aplauso. Y para que fuese el viaje de todas maneras gustoso, iba entreteniéndoles el Inmortal con su sazonada erudición, que no hay rato hoy más entretenido ni más aprovechado que el de un *bel parlar* entre tres o cuatro. Recréase el oído con la suave música, los ojos con las cosas hermosas, el olfato con las flores, el gusto en un convite; pero el entendimiento con la erudita y discreta conversación entre tres o cuatro amigos entendidos y no más, porque en pasando de ahí es bulla y confusión. De modo que es la dulce conversación banquete del entendimiento, manjar del alma, desahogo del corazón, logro del saber, vida de la amistad y empleo mayor del hombre.

—Sabed, les decía: ¡oh mis candidatos de la fama, pretendientes de la inmortalidad!, que llegó el hombre a tener, no ya emulación, pero envidia declarada a una de las aves, y no atinaréis tan presto cuál fuese ésta. —¿Sería, dijeron, el águila, por su perspicacia, señorío y vuelo? —No por cierto, que se abate del Sol a una vil sabandija, rozando su grandeza. —¿Sin duda que el pavón, por las atenciones de sus ojos entre tanto bizarría? —Tampoco, que tiene malos dejos. —¿Y al cisne por lo cándido y lo canoro? —Menos, que es muy necio callar el de toda la vida. —¿A la garza, por su bizarra altanería? —De ningún modo, que aunque remontada es desvanecida. —¿Basta que sería a la Fénix, por lo única en todo? —Por ningún caso, que de más de ser dudosa, no pudo ser feliz, pues le faltó consorte: si hembra, no tiene macho, y si macho, no tiene hembra. —Válgate por ave, dijeron, y ¿cuál sería, que no queda ya cosa que envidiar? —Sí, sí queda. —¿Quién tal creyera? —No sé cómo me lo diga. No fue sino al cuervo. —¿Al cuervo?, dijo Andrenio. Qué mal gusto de hombre. —No sino muy bueno y rebueno. —¿Pues qué tiene que lo valga?

¿Lo negro, lo feo, lo ofensivo de su voz, lo desazonado de sus carnes, lo inútil para todo? ¿Qué tiene de bueno? —¡Oh, sí, una cierta ventaja que empareja todo eso! —¿Cuál es, que yo no hallo con ella? —¿Parécete que es niñería aquello de vivir trescientos años y aún, aún? —Sí, algo es eso. —¿Cómo algo? Y mucho, y no como quiera. —Sin duda, dijo Critilo, que le viene eso por ser aciago, que todo lo malo dura mucho, los azares nunca se marchitan y todo lo desdichado es eterno. Sea lo que fuere, él llegó a lo que no el águila ni el cisne. ¿Es posible, decía el hombre, que un pájaro tan civil haya de vivir siglos enteros, y que un héroe, el más sabio, el más valiente, la mujer más linda, la más discreta, no lleguen a cumplir uno, ni a vivir el tercio? ¿Qué haya de ser la vida humana tan corta de días y tan cumplida de miserias? No pudo contener esta su desazón allá en sus interioridades, a lo sagaz y prudente, sino que la manifestó luego a lo vulgar y llegó a dar quejas al Hacedor Supremo. Oyóle las mal fundadas razones de su descontento, escuchóle la prolija ponderación de sus sentimientos y respondióle: —¿Y quién te ha dicho a ti que no te he concedido yo muy más larga vida que al cuervo y que al roble y que a la palma? Eh, acaba ya de reconocer tu dicha y de estimar tus ventajas. Advierte que está en tu mano el vivir eternamente. Procura tú ser famoso, obrando hazañosamente, trabaja por ser insigne, ya en las armas, ya en las letras, en el gobierno, y lo que es sobre todo: sé eminente en la virtud, sé heroico y serás eterno, vive a la fama y serás inmortal. No hagas caso, no, de esa material vida en que los brutos te exceden. Estima sí la de la honra y de la fama y entiende esta verdad, que los insignes hombres nunca mueren.

Campeaban ya mucho, y de muy lejos dejábanse ver, entre brillantes esplendores, unos portentosos edificios, que en divisándolos, gritó Andrenio: —¡Tierra, tierra! Y el Inmortal: ¡Cielo, Cielo. —Aquellos, sin más ver, dijo Critilo, son los Obeliscos Corintios, los Romanos Coliseos, las Babilónicas Torres y los Alcázares Persianos. —No son, dijo el Inmortal, antes bien, calle la bárbara Menfis sus Pirámides, y no blasone Babilonia sus homenajes, porque éstos los exceden a todos. Cuando estuvieron ya más cerca, que pudieron distinguirlos, conocieron que eran de materia muy tosca y muy común, sin arte ni simetría, sin moldura ni perfiles, tanto que pasando Andrenio de admirado a ofendido, dijo: —¿Qué cosa tan baja y tan vil es ésta? ¿Qué edificios tan indignos de un tan sublime puesto? —Pues advierte, le respondió el Inmortal, que éstos son los más celebrados del mundo. ¿Qué importa que lo material sea común si lo formal de ellos es bien raro? Éstos han sido siempre venerados y plausibles, y con mucho fundamento. Cuando los anfiteatros y los coliseos ya cayeron, éstos están en pie, aquéllos acabaron, éstos permanecen y durarán eternamente. —¿Qué muro viejo y caído es aquél, que causa horror el mirarlo? —Aquél es más celebrado y más vistoso que todas las suntuosas fachadas de los palacios más soberbios. Aquellas son las almenas de Tarifa por donde arrojó el puñal don Alonso Pérez de Guzmán. --Y es de notar, ponderó Critilo, que ese Guzmán el Bueno fue en tiempo de don Sancho el Cuarto. —A par de él campea aquel otro, donde la no menos que valerosa matrona, levantando su falda, levantó bandera de gloriosa victoria, que en una mujer y al ver degollar el hijo, fue valor, singular alabanza. —¿Qué cueva es aquella que allí se divisa, aunque tan oscura? —No es sino muy clara y muy esclarecida. Aquélla es la tan nombrada cueva Donga del inmortal infante don Pelayo, más venerada que los dorados alcázares de muchos de sus antecesores, y aun descendientes. —¿Qué arrasada trinchera es aquella que allí se admira? —Dígalo el conde de Ancurt, que se acordará bien, pues ahí perdió el renombre de invencible y le ganó el valeroso duque del Infantado, mostrando bien ser nieto del Cid y heredero de su gran valor. Por aquellas otras tres brechas introdujeron el socorro en Valencia aquellos tres rayos, tres bravos chocadores: el afortunado señor don Juan de Austria; el único francés en la constancia, el plausible príncipe de Condé, y el Marte de España, Caracena. —¿Cómo no se descuellan aquí, reparó Critilo, las Pirámides Gitanas, tan decantadas y repetidas de los gramáticos pedantes? —Y aunque por eso, porque los reyes que las constituyeron no fueron famosos por sus hechos, sino por su vanidad. Y así veréis que aun sus nombres se ignoran, ni se sabe quiénes fueron. Sola queda la memoria de las piedras, pero no de las hazañas de ellos. Tampoco hallaréis aquí las doradas casas de Nerón, ni los palacios de Heliogábalo, que cuando más duraban sus soberbios edificios, pavonaban más sus viles hierros. —Señores, decía Andrenio, ¿qué se ha hecho de tanto ostentoso sepulcro con sus necias inscripciones, hablando no con los caminantes materiales, como creyeron algunos simples, sino con los pasajeros de la vida? ¿Dónde están que no parecen? —Ésos sí que fueron obras muertas, fundadas en piedras frías. Gastaron muchos grandes tesoros en labrar mármoles, y no en famosos hechos. Más les importara ahorrar de jaspes y añadir de hazañas. Y así vemos que no dura la memoria del dueño, sino de su desacierto. Alaban los que los miran los primores de las piedras, mas no las prendas. Y tal vez preguntan los pasajeros: ¿Quién fue el que allí yace? Y no saben responderles, quedando en disputa el dueño. Eterna necedad querer ser célebre después de muertos a porfía de losas, no habiéndolo sido vivos a costa de heroicos hechos. —¿Qué castillos son aquellos tan viejos, antiguallas, que caducan de piedras bastas y humildes, roídas del tiempo, indignos de estar a par de los pórfidos costosos? —Mucho más preciosos son éstos y de más estimación. Aquel que ves allí, míralo bien, que aún están sudando sangre sus cortinas, es el nunca bien celebrado, pero sí bien defendido, de los valerosos Cruzados Caballeros, los Medinas, Mirandas, Barraganes, Sanogueras y Guarales. —Según eso, ¿ése

es el San Telmo de Malta? —El mismo, el que basta a hacer sombra a todos los anfiteatros del orbe. Todos aquellos otros que
allí ves, los erigió el inmortal Carlos Quinto para defensa de sus
dilatados reinos, digno empleo de sus flotas y millones. Que aun
el palacio de recreación, que levantó en El Pardo, dispuso fuese
en forma de castillo, por no olvidar el valor en el mismo deporte.
En medio de arcos triunfales estaba una, ni bien casa, ni bien
choza, ladeándose con ellos. —¡Hay tal desproporción!, exclamó
Andrenio. ¡Que permanezca entre tanta grandeza tal bajeza, entre
tanto lucimiento una cosa tan deslucida! —¡Qué bien lo entiendes!,
dijo el Inmortal; pues advierte que compite estimaciones con los
más empinados edificios, y aun se honran mucho los majestuosos
alcázares de estar a par de ella. —¿Qué dices? —Sí. Parece de
madera, y lo es, más incorruptible que de cedro, más duradera
que los bronces. —Y ¿qué cosa es? —Una media cuba. Rióle
mucho Andrenio y serenóse el Inmortal diciendo: —Trocarás la
risa en admiración y en aplauso el desprecio, cuando sepas que
es la tan celebrada estancia del filósofo Diógenes, envidiada del
mismo Alejandro, que rodeó muchas leguas por verla, cuando el
filósofo le dijo: Apártate, no me quites el sol, sin hacerle más
fiesta al conquistador del mundo; mas él mandó fijar al lado de
ella su pabellón militar, como allí se ve. —Pues ¿por qué no su
palacio?, replicó Andrenio. —Porque no se sabe que le tuviese
ni que le fabricase. La tienda fue siempre su alcázar, que por su
gran corazón no bastaban palacios, todo el mundo era su casa,
que aun para morir se mandó sacar en medio de la gran plaza de
Babilonia, a vista de sus victoriosos ejércitos. —Muchos edificios
echo yo aquí menos, dijo Critilo, que fueron muy celebrados en
el mundo. —Así es, respondió el Inmortal, por cuanto sus dueños
tuvieron más de vanos que de hazañosos, y así no hallaréis aquí
disparates de jaspe, necedades de bronce, frialdades de mármol.
Más presto hallaréis la puente de palo del César, que la de piedra
de Trajano. No os canséis en buscar los pensiles, que no se apre-
cian aquí flores, sino frutos. —¿Qué trozos de naves son aquellos
que están pendientes del Templo de la Fama? —Son de las que
llevan el socorro a la Fénix de la lealtad: Tortosa. Y aquel prodigio del valor, el duque de Alburquerque, las rindió y desbarató
en los mares de Cataluña, hazaña tan dificultosa cuan aplaudida;
y de aquí es que aún le está ceñando Marte a otras gloriosas
empresas.

Mas ya había llegado el bien seguro batelejo a besar las ar-
gentadas plantas de aquellos inaccesibles peñascos, atlantes de las
estrellas, hallando por todas partes muy dificultoso el surgidero.
Y de este achaque padecieron naufragio muchos y muy grandes
bajeles, y aun carracas, a vista del inmortal reino. Chocaban en
aquellas duras, inexorables rocas, donde se hacían pedazos lasti-
mosamente. Perecían, porque no parecían. Y muchos que habían
navegado con próspero viento de la fama y la fortuna, habiendo

comenzado bien, acabaron mal, estrellándose en el vil acroceraunio de algún vicio. Encallaban otros en algún bajío de su eterna infamia. Así le sucedió a un navío inglés, y aun se dijo era la real del Octavo de sus Enriques, que habiendo navegado con favorable viento de aplauso y después de haber conseguido el glorioso renombre de Defensor de la Iglesia Católica, chocó con la torpeza y se fue a pique en la herejía con todo aquel su desdichado reino. Siguiéronle casi todos los demás bajeles de su armada, pero el más infeliz fue el de Carlos Estuardo, en quien se ostentó la monstruosidad de la herejía en él, muriendo a ciegas en los suyos, degollándoles ciegos, de tal suerte que quedó en duda cuál fuese mayor barbaridad, la de ellos en degollar su rey, sin ejemplar de la más bárbara fiereza; en él, de no confesarse católico. Amó la herejía, que tantas desdichas le ocasionaba; perdió ambas vidas; perdió ambas coronas, la temporal y la eterna, y pudiendo inmortalizarse fácilmente, declarándose católico, murió de todas maneras, de suerte que los herejes le degollaron y los católicos no le aplaudieron. En aquel otro de fiereza se estrelló Nerón, habiendo sido los seis primeros años de su imperio el mejor emperador y los seis últimos el peor. Allí pereció otro príncipe que comenzó con bríos de un Marte y luego dio en las flaquezas de Venus. De esta suerte dieron al traste muchos famosos escritores, que habiendo sacado a luz obras dignas de la eternidad, con el cacoetes del estampar y multiplicar libros, se fueron vulgarizando; a otros sus apasionados, con obras póstumas, mal digeridas o impuestas, los deslucieron el crédito.

Reconociendo la dificultad de tomar puerto el noticioso inmortal, valiéndose de su experiencia, guió el batel de arte, que pudieron descubrirle, aunque estaba muy desmentido. Abordaron ya con las mismas gradas de su muerte. Mas aquí consistió su mayor imposibilidad de surgir. Porque en la última se levantaba un arco triunfal de maravillosa arquitectura, esmaltado de inscripciones y de empresas, formando una majestuosa entrada; pero muy defendida con puertas de bronce, y éstas con candados de diamantes para que ninguno pudiese entrar a su albedrío y sin que lo mereciese. Y esto con tal rigor, que daban y tomaban el nombre y aun el renombre, como pudieran en la más recelosa ciudadela. Y aunque algunos se usurpaban grandes renombres o se los apegaban sus linsojeros, como el gran señor del emperador del Septentrión, del príncipe de mar y tierra, y otros semejantes disparates, no por eso tenían segura la entrada en la inmortalidad, ni el ser contados entre sus heroicos moradores. Para eso asistía a la puerta un tan exacto cuan absoluto portero, cerrando y abriendo a quien juzgaba digno de la inmortalidad. Y sin su aprobación no había entrar pretendiente. Y es de advertir que no podía aquí nada el soborno, que es cosa bien rara. No había que meterle en la mano el doblón, porque él no era de dos caras. Nada valía el cohecho, nada alcanzaba el favor, tan poderoso en otras partes.

No escuchaba intercesiones ni se obraba con él bajo manga, que no la tenía ancha, antes de una legua conocía a todo hombre. No había echarle dado falso, ¡qué bueno para ministro! Parecía un vicecanciller de Aragón. Todo lo deslindaba y lo apuraba. No se ahorraba con nadie. Jamás hizo cosa con escrúpulo. No condescendió, ni con señores, ni con príncipes, ni con reyes, y lo que es más, ni con validos.

En prueba de esto llegó en aquella misma ocasión un grave personaje, no ya pidiendo, sino mandando que le abriesen las puertas tan de par en par como al mismo conde de Fuentes. Mírroselo el severo alcaide, y a la primera ojeada conoció que no lo merecía, y respondióle: no ha lugar. —¿Cómo que no, replicó él, habiendo sido yo el Famoso, el Mayor, el Máximo? Preguntóle quién le había dado aquellos nombres. Respondió que sus amigos. Ríólo mucho y dijo: Más valiera que vuestros enemigos. Quitá allá, que venís descaminado. ¿Quién os dio a vos, señor, el renombre de gran prelado, docto, limosnero y vigilante? —¿Quién? Mis criados. —Mejor fuera que vuestras ovejas. ¿Quién os apellidó a vos el Roldán de nuestro siglo, el invencible, el chocador? —Mis aliados, mis dependientes. —Yo lo creo así y vosotros todos os lo bebéis; andad y borradme esos renombres, esos supuestos blasones, nacidos de la desvergonzada lisonja. Quitá allá, que sois unos necios. ¡Cómo que se hizo la inmortalidad para tontos y la eterna fama para simples! —¿Qué portero es éste tan inexorable y rígido?, preguntó Andrenio. A fe que no es a la moda inconquistable a los doblones. No ha asistido él en el Lobero, no toma cequíes, no ha venido él de los serrallos, y apostara que no ha platicado él con quien yo conocí portero en algún día. —Éste es, le dijo, el mismo Mérito en persona, hecho y derecho. —¡Oh gran sujeto! Ahora digo que no me espanto, trabajo hemos de tener en la entrada.

Llegaban unos y otros a pretenderla en el reino de la inmortalidad y pedíanles las patentes firmadas del constante trabajo, rubricadas del heroico valor, selladas de la virtud; y en reconociéndola de esta suerte se las ponía sobre la cabeza y franqueábales la entrada. La desdicha de otro era que las hallaba manchadas del infame vicio y daba otra vuelta a la llave. —Esta letra, le dijo a uno, parece de mujer. —¡Sí, sí! —¡Y qué mala, cuanto de la más linda mano! ¡Quitá allá! ¡Qué asquerosa fama! Esta otra no viene firmada, que aun para ello le dio el brazo a la poltronería. A ámbar huele este papel, más valiera a pólvora. Estos escritos no huelen a aceite, no son de lechuga apolínea. Desengáñese todo el mundo, que en no viniendo las certificatorias iluminadas de sudor precioso, ninguno me ha de entrar acá.

Lo que más les admiró fue el ver al mismo rey Francisco el Primero de Francia, que decían había días estaba en una de aquellas gradas pidiendo con repetidas instancias ser admitido a la inmortalidad entre los famosos héroes, y siempre se le negaba.

Replicaba él atendiese a que había obtenido el renombre de Grande, y que así le llamaban, no sólo sus franceses, pero los italianos escritores. —Sepamos en virtud de qué, decía el Mérito. ¿Acaso, Sire, porque os visteis vencido en Francia, vencido en Italia y prisionero en España, siempre desgraciado? Paréceme que Pompeyo y vos fuisteis llamados Grandes, según aquel enigma: ¿Cuál es la cosa, que cuanto más la quitan, más grande se hace? Pero entrad siquiera por haber favorecido siempre a los eminentes hombres en todo. Del rey don Alonso les contaron que le habían puesto en contingencias su renombre de Sabio, diciendo que en España no era mucho, y más en aquel tiempo, cuando no florecían tanto las letras, y que advirtiese que el ser rey no consiste en ser eminente capitán, jurista, astrólogo, sino en saber gobernar y mandar a los valientes, a los letrados, a los consejeros y a todos, que así había hecho Felipe Segundo. Con todo eso, dijo el Mérito, es de tanta estimación el saber en los reyes, que aunque no sea sino en latín, cuanto más astrología, deben ser admitidos en el Reino de la Fama, y al punto le abrió la puerta. Pero donde gastaron toda la admiración, y más si más tuvieran, fue cuando oyeron que al mayor rey del mundo, pues fundó la mayor monarquía que ha habido ni habrá, al rey católico don Fernando, nacido en Aragón para Castilla, sus mismos aragoneses, no sólo le desfavorecieron, pero le hicieron el mayor contraste para entrar allá, por haberlos dejado repetidas veces por la ancha Castilla. Mas que él respondió con plena satisfacción, diciendo que los mismos aragoneses le habían enseñado el camino, cuando habiendo tantos famosos hombres en Aragón, los dejaron todos y se fueron a buscar su abuelo el infante de Antequera, allá en Castilla, para hacerle su rey, apreciando más el corazón grande de un castellano que los estreches de los aragoneses, y hoy día todas las mayores casas se trasladan allá, llegando a tal estimación las casas de Castilla, que dicen en refrán que el estiércol de Castilla es ámbar en Aragón.

—Mirad que todos mis antepasados están dentro y en gran puesto, decía uno vanamente confiado, y así yo tengo derecho para entrar allá. —Mejor dijerais obligación y obligaciones. Por lo tanto, debiéradeis vos haber cumplido con ellas y obrado de modo que no os quedárades fuera. Entended que acá no se vive de ajenos blasones, sino de hazañas propias y muy singulares. Pero ya es común plaga de las ilustres familias, que a un gran padre suceda de ordinario un pequeño hijo, y así veréis que siempre con los gigantes andan envueltos los enanos. —¿Cómo se puede sufrir que quien es señor de tanto mundo se maleara, un gran príncipe de muchos Estados y dilatados no tenga un rincón en el Reino de la Fama? —No hay acá rincones, les respondieron, ninguno está arrinconado. Eh, señor, acaba de entender que aquí no se mira la dignidad ni el puesto, sino la personal eminencia; no a lo ditabos, sino a las prendas; a lo que uno se merece, que no a

lo que hereda. —¿De dónde venís?, gritaba el integérrimo alcaide.
¿Del valor? ¿Del saber? Pues entrad acá. ¿Del ocio y vicio, de
las delicias y pasatiempos? No venís bien encaminados. Volved,
volved a la cueva de la nada, que aquél es vuestro paradero. No
pueden ser inmortales en la muerte los que vivieron como muertos en vida.

Mordíanse, en llegando a esta ocasión, las manos algunos grandes señores al verse excluidos del reino de la fama y que eran
admitidos algunos soldados de fortuna, un Julián Romero, un
Villamayor y un capitán Calderón, honrado de los mismos enemigos. ¿Y que un duque, un príncipe se haya de quedar fuera, sin
nombre, sin fama, sin aplauso? Presentaron algunos escritores modernos, en vez de memoriales, grandes cuerpos, pero sin alma; y
no sólo no eran admitidos, pero gritaba el Mérito. —Hola, venga
acá media docena de faquines, que para solos sus brazos son estos
embarazos. Quitá de aquí estos insufribles fárragos, escritos no
con tinta fina, sino aguachirle, y así todo es broma cuánto dicen.
Las ocho hojas de Persio duran hoy y se leen cuando de toda la
Amazónida de Marso no ha quedado más rastro que la censura
de Horacio en su inmortal arte. —Éste sí que será eterno, y mostró un libro pequeño. Miradle y leedle, que es la *Corte en aldea*,
del portugués Lobo. Y estas otras, las obras de Sa de Miranda y
las seis hojas de la instrucción que dio Juan de Vega a su hijo,
comentada o realzada por el conde de Portalegre. Esta *Vida de
don Juan el Segundo de Portugal*, escrita por don Agustín Manuel, digno de mejor fortuna. Que los más de estos autores portugueses tienen pimienta en el ingenio. Estas voces las repetía un
prodigioso eco, que excedía con mucho a aquel tan célebre que
está junto a nuestra eterna Bílbilis; pues este su nombre no latino
está diciendo que fue mucho antes que los romanos, y hoy dura
y durará siempre. Repetía aquel eco, no cinco veces las voces,
como éste, sino cien mil, respondiéndose de siglo en siglo y de
provincia en provincia, desde la helada Estocolmo hasta la abrasada Ormuz. Y no resonaba frialdades, como suelen otros ecos,
sino heroicas hazañas, dichos sabios y prudentes sentencias, y a
todo lo que no era digno de fama, enmudecía.

Volvieron en esto la atención a las desmesuradas voces, acompañadas de los duros golpes que daba a las puertas inmortales un
raro sujeto, que de verdad fue un raro paso. —¿Quién eres tú que
hundes más que llamas?, le preguntó el severo alcaide. ¿Eres español? ¿Eres portugués? ¿O eres diablo? —Más que todo eso,
pues soy un soldado de fortuna. —¿Qué papeles traes? —Sólo
esta hoja de mi espada, y presentósela. Reconocióla el Mérito, y no
hallándola tinta en sangre, se la volvió, diciendo: No ha lugar.
—Pues le ha de haber, dijo, enfureciéndose. No me debéis conocer. —Y aun por eso que si fuéradeis conocido, no fuéradeis dese-
chado. —Yo soy un reciente general. —¿Reciente? —Sí, que cada

año se mudan de una y de otra parte. —Mucho es, le replicó, que siendo tan fresco no vengáis corriendo sangre. —He que no se usa ya eso. Allá en tiempo de Alejandro y de los reyes de Aragón, cuyas barras son señales de los cinco dedos ensangrentados, que pasó uno por el campo de su escudo, cuando quiso limpiar la victoriosa mano, saliendo triunfante de una memorable batalla. Quédese eso para un temerario don Sebastián y un desesperado Gustavo Adolfo. Y digo más, que si como ésos fueon reyes, hubieran sido generales, nunca hubieran perecido, cuando mucho les hubieran muerto los caballos, que hay mucha diferencia de pelear como amo o como criado. Yo he conocido en poco tiempo más de veinte generales en una cierta guerrilla, así la llamaba el que la inventó, y no he oído decir que algunos de ellos se sacase una gota de sangre. Pero dejémonos de disputar y hágase lo que se ha de hacer, que entre soldados no se gastan palabras como entre licenciados. —Ea, abrid. —Eso no haré yo, decía el Mérito, que no llegáis con nombre, sino con voces. Oyendo esto el tal cabo, echó mano y movió tal ruido que le alborotó todo el reino de los héroes, acudiendo unos y otros a saber lo que era. Llegó de los primeros el bravo Macedón y dijo: Dejádmele a mí, que yo le meteré en razón y en el puño. Señor jefe, le dijo, mucho me admiro de que aquí os queráis hacer sentir no habiendo hecho ruido en las campañas. Tratad de volver allá, y por vuestra fama. Obrad media docena de hazañas, no una sola, que pudo ser ventura. Sitiad un par de plazas reales, veamos cómo saldréis con ellas, que os puedo asegurar que me cuesta a mí el entrar acá con más de cincuenta batallas ganadas, más de doscientas provincias conquistadas, las hazañas no tienen número, aunque muy de cuenta. —Sin duda, le respondió, que sois vos el Cid el de las Fábulas. No dijera más el mismo Alejandro. —Pues él mismo es, le dijeron. Y cuando se creyó había que quedar aturdido, fue tan al revés, que comenzó con bravo desenfado a fijarse de él y decir: —¡Mirad ahora, y quién habla entre soldados de Flandes sino el que las hubo contra lanzas de marfil en la Persia, de paso en la India y contra piedras en la Escitia! ¡Viniérase él ahora a esperar una carga de mosquetes vizcaínos, una embestida de picas italianas, una rociada de bombardas flamencas!, voto a... Juro que no conquistara hoy a solo Ostende en toda su vida. Oyendo esto el Macedón, hizo lo que nunca, que fue volver las espaldas. Enmudeció también Aníbal, por temer no le sacase de Capua, y el mismo Pompeyo, porque no le dijese que no supo usar de la victoria.

De esta suerte se retiraron todos los del tercio viejo, y rogó el Mérito saliese alguno de los bravos campeones a la moda. Asomó uno de harto nombre y díjole: —Señor soldado, si vos tuviérades tan criminal la espada como civil la lengua, no tuviérades dificultad en la entrada. Andad y pasaos por los dos templos del Valor

y de la Fama, que os prometo que me ha costado el entrar acá
el tomar más de veinte plazas por sitio, y aún, aún. Preguntó el
soldado quién era, y en sabiéndolo dijo: —¡Oh, qué lindo! Ya le
conozco. Y no diga que peleó, sino que mercadeó; no que conquistó las plazas, sino que las compró. ¡A mí que las vendo!
Oyendo esto bajó sus orejas el tal general, y aun dicen que las
hizo de mercader. —Yo, yo lo entenderé, dijo otro. Señor crudo,
así como trae las certificatorias de Venus y de Baco, procure otra
de Marte, que de mí le puedo asegurar que lo que otros no em-
prendieron con veinte mil hombres, yo con cuatro mil lo intenté,
y con poco más lo ejecuté, saliendo con la más desesperada empresa, y aun quisieron barajar la entrada. —¿No sois vos Fulano?,
dijo. Pues señor Héroe, no me espanto que no tuvisteis contrario,
ni tuvo gente en esa ocasión el enemigo; y así no me admiro de
lo que hiciste, sino de lo que dejaste de obrar, que pudiérades
haber acabado la guerra, no dejando que hacer a los venideros.
En oyendo esto, hizo lo que los otros. Llegóse uno, que no debiera, de más favor que sudor, y díjole: —Eh, señor pretendiente,
¿no veis que es cosa sin ejemplar la que intentáis, de querer
entrar acá sin méritos? Volved a las campañas, que os juro me
salieron a mí los dientes en ellas y se me cayeron también, ha-
llándome en muy importantes jornadas, y si perdí algunas, también gané otras con mucha reputación. —Señor mío, le replicó,
grado a los buenos lados que tuviste. Que así como otros mueren
de ese mal, vos vivís de ese bien; mientras ellos vivieron vencisteis,
y ellos muertos se os conoció bien su falta. Aquí no pudiendo
sufrir uno de los más alentados, bravo chocador, y que le temió
más que a todos juntos el enemigo, con muchos actos positivos
de su valor, éste, requiriendo la espada, le dijo desistiese de la
empresa, él que había desistido de tantas; que tratase de retirarse
con buen orden, él que con tanto malo se había siempre retirado;
que no pretendiese la reputación inmortal, él que a tantos la había hecho morir. —Poco a poco, le respondió, ¿y no sabe Dios
y todo el mundo que todas vuestras facciones fueron temeridades,
sin arte y sin consejo, todo arrojos? Y así os temieron más los
enemigos como a un temerario que como a un prudente capitán.
Al fin peleasteis de mazadas. Más dijera aquél y más oyera éste,
si el Mérito no les retirara, como otros muchos, diciéndoles: Apartaos vos, señor; no os estrelle aquello de *fugerunt, fugerunt*, y a
vos lo de *pillare y pillare y más pillare*. Pues a vos luego os echa-
ra en la cara aquello de las espaldas en tal y tal ocasión. Quitaos
vos, no os vea con esa casaca tan otra de la de ayer, mudando
cada día la suya y aun la ajena. Teneos allá, que os hará a vos
aquello de encontrar los españoles y hacerles morir más de hambre que de sangre. Retiraos todos. Y viendo que no quedaba
héroe con héroe, y que llegaba a meter escrúpulos en una cosa
tan delicada como la fama de tantos y tan insignes varones, vino

a partidos con él y pactaron que volviese al mundo, acompañado
de un par de famosos escritores, que examinasen de nuevo los
autores de su renombre, los pregoneros de su fama, los que le
habían celebrado de Cid moderno y Marte novel, y que si se
hallasen constante en lo dicho, al punto sería admitido, que así
se había practicado con otros, en caso de duda. Admitió el partido, como tan confiado. Llegaron, pues, a un cierto escritor, más
celebrador que célebre, y preguntándole si eran de aquel general
las alabanzas que en tal libro, a tantas hojas había escrito, respondió: —Sí, suyas son, pues él las ha comprado. Que así dijo
el Jovio, después de haber acabado moros y cristianos, que por
cuanto ellos se lo pagaron bien, él había celebrado mejor. Lo mismo respondió un poeta: Ved, decían, lo que se ha creer de semejantes elogios y panegíricos. ¡Oh, gran cosa la entereza y qué
poco usada! Haciéndole cargo a otro autor de los de primera
clase de haber celebrado a éste como a otros muchos, se excusó,
diciendo que no había hallado otros en su siglo a quienes poder
alabar. Defendíase otro con decir: Esta diferencia hay entre los
que alabamos y los maldicientes, que nosotros linsojeamos a los
príncipes con premio y ellos al vulgo con civil aplauso; pero todos adulamos. Hasta un abridor de planchas se excusó de haber
metido su retrato entre los hombres insignes, diciendo que para
hacer número y tener más ganancias. Con lo cual quedó el tal
jefe confundido, aunque no del todo desengañado.

Observaron, con harta admiración, que para un togado que entraba allá, y ése con poco ruido, eran ciento los soldados. —Es
muy plausible, decía el Inmortal, el rumbo de la milicia; andan
entre clarines y tambores, y los togados muy a la sorda; y así
veréis que obrará cosas grandes en mucho bien de la república un
ministro, un consejero, y no será nombrado, ni aun conocido, ni
se habla de ellos; pero un general hace mucho ruido con el boato
de sus bombardas. Abriéronse las inmortales puertas para que
entrase un cierto héroe, un primer ministro, que en su tiempo
no sólo no fue aplaudido, pero positivamente odiado. Mas fueron tales y tan exorbitantes las temeridades y desaciertos del que
le sucedió, que acreditaron mucho su pacífico proceder y aun le
hicieron deseado. Al entrar éste, salió una fragancia tan extraordinaria, un olor tan celestial, que les confortó las cabezas y les dio
alientos para desear y diligenciar la entrada en la inmortal estancia. Quedó por mucho rato bañado de tan suave fragancia el
hemisferio, y decíales su Inmortal: ¿De dónde pensáis que sale
este tan precioso y regalado olor sacado de los jardines de Chipre tan nombrados? ¿De las Pensiles de Babilonia? ¿De los guantes de ámbar de los cortesanos? ¿De las cazoletas de los camarines? ¿De las lamparillas de aceite de jazmín? Que no, por cierto;
no sale sino del sudor de los héroes, de la sobaquina de los mosquetes, del aceite de los desvelados escritores. Y creedme que no

fue encarecimiento ni lisonja, sino verdad cierta, que olía bien el sudor de Alejandro Magno. Pretendieron algunos que bastaba dejar fama de sí en el mundo, aunque nunca fuese buena, contentándose con que se hablase de ellos bien o mal. Pero declaróse que de ningún modo, porque hay grande diferencia de la inmortal fama a la eterna infamia. Y así, gritaba el Mérito: Desengañaos, que aquí no entran sino los varones eminentes, cuyos hechos se apoyan en la virtud, porque en el vicio no cabe cosa grande, ni digna de eterno aplauso. Venga todo jayán, fuera todo pigmeo. No hay aquí *mediocritas,* todo va por extremos. Reparó Critilo que entrando allá de todas naciones, si bien de algunas pocas, no vieron de una en ésta entrar héroe alguno. —No es de admirar, dijo el Peregrino, porque la infame herejía los ha reducido a tal extremo de ciegos y de mal vistos, que no se ven en ellos sino infames traiciones, abominables fierezas, inauditas monstruosidades, llegando a estar hoy sin Dios, sin ley y sin rey. Pero, aunque no hay rincón alguno en esta ilustre estancia, con todo eso repararon, al abrir una de las dos puertas, que detrás de la otra estaban como corridos algunos célebres varones. —¿Quiénes son aquellos, preguntó Andrenio, que están como corridos, cubriéndose los rostros con las manos? —Aquéllos son, les dijeron, no menos que el Cid español, el Roldán francés y el portugués Pereira. —¿Cómo así, cuando habían de estar con las caras muy exentas en el mejor puesto del lucimiento? —Es que están corridos de las necedades en aplausos que cuentan de ellos sus nacionales.

Ya en esto se fue acercando el Peregrino, y suplicó la entrada para sí y sus dos camaradas. Pidióles el Mérito la patente, y si venía legalizada del valor y auténtica de la reputación. Púsose a examinarla muy de propósito, y comenzó a arquear las cejas, haciendo ademanes de admirado. Y cuando la vio calificada con tantas rúbricas de las filosofías en el gran Teatro del Universo, de la razón y sus luces en el valle de las fieras, de la atención en la entrada del mundo, del propio conocimiento en la anatomía moral del hombre, de la entereza en el mal paso del salteo, de la circunspección en la fuente de los engaños, de la advertencia en el golfo cortesano, del escarmiento en casa de Falsirena, de la sagacidad en las ferias generales, de la cordura en la reforma universal, de la curiosidad en casa de Salastano, de la generosidad en la cárcel del oro, del saber en el museo del discreto, de la singularidad en la plaza del vulgo, de la dicha en las gradas de la fortuna, de la solidez en el yermo de Hipocrinda, del valor en su armería, de la virtud en su Palacio Encantado, de la reputación entre los tejados de vidrio, del señorío en el trono del mando, del juicio en la jaula de todos, de la autoridad entre los horrores y honores de Vejecia, de la templanza en el estanco de los vicios, de la verdad pariendo, del desengaño en el mundo

descifrado, de la cautela en el palacio sin puerta, del saber rei-
nando, de la humildad en casa de la hija sin padres, del valer
mucho en la cueva de la nada, de la felicidad descubierta, de la
constancia en la rueda del tiempo, de la vida en la muerte, de
la fama en la isla de la inmortalidad, les franqueó de par en par
el arco de los triunfos a la mansión de la eternidad. Lo que allí
vieron, lo mucho que lograron, quien quisiere saberlo y experi-
mentarlo, tome el rumbo de la Virtud insigne, del Valor heroico,
y llegará a parar al teatro de la Fama, al trono de la Estimación
y al centro de la Inmortalidad.

ÍNDICE DE AUTORES

DE LA

COLECCIÓN AUSTRAL

INDICE DE AUTORES